AF238082

ACCESO GRATIS *a la Lectura en la Nube*

Para visualizar el libro electrónico en la nube de lectura envíe junto a su nombre y apellidos una fotografía del código de barras situado en la contraportada del libro y otra del ticket de compra a la dirección:

ebooktirant@tirant.com

En un máximo de 72 horas laborales le enviaremos el código de acceso con sus instrucciones.

CHILE
Y LA ORGANIZACIÓN INTERNACIONAL
DEL TRABAJO

100 AÑOS DE RELACIÓN NORMATIVA

CHILE Y LA ORGANIZACIÓN INTERNACIONAL DEL TRABAJO

100 AÑOS DE RELACIÓN NORMATIVA

PABLO ARELLANO ORTIZ
JUAN PABLO SEVERIN CONCHA
Editores

DERECHO PUCV
Pontificia Universidad Católica de Valparaíso

tirant lo blanch
España, 2020

© Pablo Arellano Ortiz
Juan Pablo Severin Concha

© TIRANT LO BLANCH
EDITA: TIRANT LO BLANCH
C/ Artes Gráficas, 14 – 46010 – Valencia
TELFS.: 96/361 00 48 – 50
FAX: 96/369 41 51
Email:tlb@tirant.com
www.tirant.com
Librería virtual: www.tirant.es
ISBN: 978–84–1355–731–1
MAQUETA: Disset Ediciones

Si tiene alguna queja o sugerencia, envíenos un mail a: *atencioncliente@tirant.com*. En caso de no ser atendida su sugerencia, por favor, lea en *www.tirant.net/index.php/empresa/politicas–de–empresa* nuestro procedimiento de quejas.

Responsabilidad Social Corporativa: http://www.tirant.net/Docs/RSCTirant.pdf

Índice

CAPÍTULO 6.
EL CONVENIO NÚM. 111, SOBRE DISCRIMINACIÓN (EMPLEO Y OCUPACIÓN), Y EL DERECHO A LA NO DISCRIMINACIÓN EN EL EMPLEO EN CHILE

MATÍAS RODRÍGUEZ BURR

CAPÍTULO 11.
EL SISTEMA PREVISIONAL CHILENO A LA LUZ
DEL CONVENIO NÚM. 35 DE LA OIT

Patricia Fuenzalida Martínez

CAPÍTULO 12.
EL APORTE DE LA RATIFICACIÓN POR CHILE DEL CONVENIO NÚM. 121
DE LA OIT A LA CONSOLIDACIÓN DE UN SISTEMA DE SEGURIDAD SOCIAL
CON ENFOQUE DE DERECHOS. AVANCES, DÉFICITS Y RETROCESOS

Pedro Contador Abraham

CAPÍTULO 13.
LA RECEPCIÓN NORMATIVA Y LA APLICACIÓN EN CHILE DEL CONVENIO NÚM. 135 DE LA OIT, SOBRE PROTECCIÓN Y FACILIDADES QUE DEBEN OTORGARSE A LOS REPRESENTANTES DE LOS TRABAJADORES EN LA EMPRESA.

RODRIGO PALOMO VÉLEZ

CAPÍTULO 14.
APLICABILIDAD EN CHILE DEL CONVENIO NÚM. 151 DE LA OIT, SOBRE PROTECCIÓN DEL DERECHO DE SINDICACIÓN Y LOS PROCEDIMIENTOS PARA DETERMINAR LAS CONDICIONES DE EMPLEO EN LA ADMINISTRACIÓN PÚBLICA

WENDOLING SILVA REYES

CAPÍTULO 15.
EL CONVENIO 169 DE LA OIT Y LA AGENCIA POLÍTICA– ECONÓMICA DE LOS PUEBLOS INDÍGENAS: DESAFÍOS PARA EL EMPLEO INDÍGENA PÚBLICO Y PRIVADO

MANUEL NÚÑEZ POBLETE

CAPÍTULO 16.
CONVENIO MARÍTIMO, 2006: REGLAS LABORALES
EN CONTEXTO DE GLOBALIZACIÓN

Claudia Donaire Gaete

CAPÍTULO 17.
EL CONVENIO NÚM. 189 DE LA ORGANIZACIÓN INTERNACIONAL

DEL TRABAJO, SOBRE EL TRABAJO DECENTE PARA LAS TRABAJADORAS Y LOS TRABAJADORES DOMÉSTICOS, EN CHILE.

Francisco A. Ruay Sáez y Alfredo Sierra Herrero

Presentación

Con ocasión del centenario de la Organización Internacional del Trabajo, en esta obra se examina la evolución y el estado de la legislación chilena, en relación con el sistema normativo de aquella.

Para dicho objeto, se invitó a destacados profesores y abogados laboralistas a revisar, en relación con nuestro país, una materia que haya sido objeto de normas internacionales del trabajo adoptadas por la OIT. Los artículos que se incorporan en esta obra han sido guiados por las siguientes preguntas: ¿Cómo se relacionan las normas internacionales del trabajo con nuestras leyes internas? ¿Qué han dicho los organismos de control sobre el cumplimiento de las obligaciones del Estado chileno? ¿Aplican los jueces laborales nacionales los convenios vigentes en la solución de conflictos? ¿Cuál ha sido el impacto en Chile de su participación en la OIT?

El libro cuenta con un capítulo introductorio a la centenaria relación entre la OIT y Chile, para luego presentar los trabajos, comenzando por los que tratan sobre convenios fundamentales, siguiendo con aquellos relativos a convenios de gobernanza y finalizando con los que se refieren a convenios técnicos, de acuerdo a la clasificación de la propia organización internacional.

Esperamos que el presente libro sea un aporte para el mundo académico y profesional, de modo que su lectura contribuya no solo a conocer y valorar la fecunda interacción entre las normas internaciones del trabajo y el Derecho interno a lo largo de un siglo, sino también a promover en nuevos progresos normativos y la adopción de las medidas necesarias para hacer efectivas en nuestro país las disposiciones de los convenios de la OIT.

PABLO ARELLANO ORTIZ
JUAN PABLO SEVERIN CONCHA
Ginebra y Valparaíso, 2020.

Capítulo 1.

La Organización Internacional del Trabajo y el Derecho del Trabajo Chileno

PABLO ARELLANO ORTIZ*

1.1. INTRODUCCIÓN AL ESTUDIO

No resulta sencillo realizar la introducción a un trabajo que pretende reflejar una relación de 100 años. Difícilmente se pueden encontrar las páginas necesarias para dejar testimonio de todas las cuestiones que se han debido ser mencionadas. Chile es miembro de la Organización Internacional de Trabajo (OIT) desde sus inicios en 1919. A través de todo este tiempo, la contribución y el liderazgo de Chile dentro de la organización se han manifestado en múltiples ocasiones, en la primera Conferencia Regional Americana o en la elección de Juan Somavía[1] como Director General[2], tan solo para dar algunos ejemplos.

La OIT tiene como principal función, desde sus inicios, el establecer normas internacionales del trabajo: convenios y recomendaciones[3]. Su labor normativa

* Especialista en Derecho del Trabajo en la Unidad de Derecho Laboral y Reforma del Departamento de Gobernanza y Tripartismo de la Organización Internacional del Trabajo (Ginebra, Suiza). Investigador de la Facultad de Derecho de la Pontificia Universidad Católica de Valparaíso (Chile). Ha sido profesor de las Cátedras de Derecho del Trabajo y de Seguridad Social en la Pontificia Universidad Católica de Valparaíso (Chile). Abogado, Licenciado en Ciencias Jurídicas y Sociales en la Universidad de Concepción de Chile. Doctor en Derecho de la Université Paris Ouest Nanterre La Defense (Francia); Master 2 Recherche Droit Social et Droit de la Santé de la Université de Paris X Nanterre (Francia); Master 2 Recherche Droit Social de la Université de Paris II Panthéon Assas (Francia). Código ORCID: 0000-0002-5062-1636. Las opiniones expresadas por el autor en este capítulo, así como también su rol de editor de esta obra, incumben solamente al autor y no representan necesariamente los puntos de vista de la Organización Internacional del Trabajo o de la Oficina Internacional del Trabajo. Correo electrónico: arellano@ilo.org.

1   Quien acuñó el concepto de trabajo decente en su memoria: OIT, Memoria del Director General, Trabajo Decente, Conferencia Internacional del Trabajo, 87ª reunión 1999, Oficina Internacional del Trabajo, Ginebra. El documento se puede consultar en línea en el siguiente link https://www.ilo.org/public/libdoc/ilo/P/09651/09651%281999-87%29.pdf

2   Los directores de la OIT han sido Albert Thomas (1919-1932); Harold Butler (1932-1939); John Winant (1939-1941); Edward Phelan (1941-1948); David Morse (1948-1970); Wilfred Jenks (1970-1973); Francis Blanchard (1973-1989); Michel Hansenne (1989-1999); Juan Somavía (1999-2012); y Guy Ryder (2012-presente).

3   Ver al respecto: ARELLANO ORTIZ, Pablo, "La conformidad de la legislación chilena a las normas internacionales del trabajo de la OIT", *Revista de Derecho de la Universidad Católica de la Santísima Concepción*, Junio, 2011, pp. 39-60; WALKER ERRÁZURIZ, Francisco y ARELLANO ORTIZ, Pablo.

ha sido altamente destacada durante el siglo XX. Así se indicado, por ejemplo, que desde su fundación "ha puesto en marcha unos dispositivos únicos a escala internacional que permiten supervisar el progreso de los Estados Miembros del organismo en la aplicación de las normas internacionales del trabajo, en particular los convenios que han ratificado"[4]. También se ha destacado "el hecho de que la OIT juega un papel importante y activo en la aplicación de los derechos humanos clásicos en el piso de trabajo es algo que generalmente permanece subexpuesto"[5].

Por otro lado, el sistema normativo de la OIT ha tenido indudablemente una incidencia en el desarrollo de la legislación y la jurisprudencia nacional. Ello se puede apreciar en el desarrollo de la legislación laboral chilena así como en los comentarios que han realizado los órganos de control de la OIT sobre diversas temáticas[6]. En esta oportunidad, con ocasión del centenario de la OIT, esta obra colectiva pretende realizar una evaluación de la relación entre el sistema normativo de la OIT y el derecho laboral chileno.

Cabe indicar, además, que la región latinoamericana ha tenido una influencia importante en el desarrollo de la normativa internacional del trabajo y viceversa[7]. Al buscarse dentro de la historia de la OIT es posible encontrar como hitos relevantes las conferencias de Santiago en 1936, la de Washington 1937 y la de La Habana en 1939[8]. A su vez cabe necesario mencionar los países que son miembros fundadores de la OIT y que participaron en su creación en 1919[9]. Estos países fueron: Argentina, Bolivia, Brasil, Chile, Colombia, Cuba, Ecuador,

---

Derecho de las relaciones laborales, Tomo 1 Derecho Individual del Trabajo, Librotecnia, Santiago, 2016; OIT, *Las reglas del juego: Una introducción a la actividad normativa de la Organización Internacional del Trabajo*, Ginebra, Oficina Internacional del Trabajo, 2019.

[4] BOIVIN, Isabelle y ODERO, Alberto, "La Comisión de Expertos de la OIT y el progreso de las legislaciones nacionales", *Revista Internacional del Trabajo*, vol. 125, 2006, núm. 3, p. 233.

[5] VAN DER HEIJDEN, Paul, "The ILO Stumbling towards Its Centenary Anniversary", en *International Organizations Law Review*, 15, 2018, p. 204.

[6] Como se verá más adelante en este capítulo y en los trabajos presentados en esta obra.

[7] VILLASMIL PRIETO, Humberto, *Una visión "americana" del centenario de la OIT: aproximación a la comprensión de una relación histórica*, Oficina de la OIT para el Cono Sur de América Latina, diciembre de 2019. Documento cuyo texto es consultable en https://www.ilo.org/wcmsp5/groups/public/—americas/—ro-lima/—sro-santiago/documents/publication/wcms_736787.pdf
Sobre la influencia a nivel global se recomienda consultar: POLITAKIS, George; KOHIYAMA, Tomi Y LIEBY, Thomas (eds), *ILO100 Law for social justice*, International Labour Office Geneva 2019; MAUL, Daniel, *La Organización Internacional del Trabajo: 100 años de políticas sociales a escala mundial*, Oficina Internacional del Trabajo, OIT, Ginebra, 2019.

[8] Sobre estas conferencias y su contexto en la historia de la OIT revisar OIT, *La Organización Internacional del Trabajo. Lo que es y lo que hace*, Oficina Internacional del Trabajo, Ginebra, 1938; OIT. *Informe acerca de las medidas tomadas para dar cumplimiento a las resoluciones adoptadas por la Conferencia de Santiago de Chile. Segunda Conferencia de los Estados Miembros de la Organización Internacional del Trabajo, La Habana*, 1939.

[9] Cabe aclarar que algunos países firmaron directamente el Tratado de Versalles y otros fueron invitados a acceder al convenio. Ver: VILLASMIL PRIETO, Humberto, *La incidencia de la Organización Internacional del Trabajo en el momento fundacional del derecho del trabajo latinoamericano: unas notas*

El Salvador, Guatemala, Haití, Honduras, Nicaragua, Panamá, Paraguay, Perú, Uruguay y Venezuela[10].

Nuestro país no solo fue parte del grupo de países fundadores de la organización, sino que también, como señala Yáñez, no estuvo ajeno al movimiento social de principios de 1900. De hecho "aprobó una naciente legislación social desde 1906 y un año después creó la Oficina del Trabajo, organismo encargado inicialmente de llevar a cabo la estadística laboral pero que terminó fiscalizando el cumplimiento de esa legislación. En 1919 Chile fue una de las tantas naciones firmantes del protocolo de acuerdo que creaba la OIT, y en 1925, en el contexto de la visita de Albert Thomas, Director de dicho organismo, nuestro país aprobó los decretos que lo ponían a la par con las disposiciones aprobadas en las distintas Conferencias del Trabajo, especialmente la de Washington de 1919"[11].

A la cabeza de la Oficina del Trabajo creada en Chile en 1920 encontramos a Moisés Poblete, quien fue nombrado por el electo Presidente de la República, Arturo Alessandri, como Director de la Oficina del Trabajo[12]. Quien desde dicha posición juega un rol importante en la relación entre nuestro país y la OIT en sus inicios.

La relación entre la OIT y nuestro país ya ha sido estudiada previamente por diversos autores[13], aunque en términos jurídicos el estudio de sus normas solo ha sido objeto de estudios aislados y muy puntuales[14]. Es por ello que esta obra colectiva pretende dar una mirada más completa a los instrumentos internacionales de la OIT ratificados por Chile y su influencia en la legislación nacional. A la fecha, nuestro país ha ratificado sesenta y tres convenios de la OIT, los ocho convenios fundamentales[15]; dos convenios de los cuatro convenios de gobernan-

introductorias, en Dialogue. Documento de trabajo, núm.33, Departamento de Relaciones Laborales y de Empleo, Oficina Internacional del Trabajo, Ginebra, 2011, p. 1.

[10]   VILLASMIL PRIETO, *La incidencia de la Organización…*, p.1.

[11]   YÁÑEZ ANDRADE, Juan Carlos, "Chile y la Organización Internacional del Trabajo (1919-1925). Hacia una legislación social universal", *Revista de Estudios Histórico-Jurídicos* [Sección Historia de los Derechos Patrios Iberoamericanos] XXII, Valparaíso, Chile, 2000, p. 317.

[12]   Como se indica en YÁÑEZ ANDRADE, "Chile y la Organización…", p. 324.

[13]   Por ejemplo MONTT B., Manuel, *Principios del Derecho Internacional del Trabajo*, 2ª edición, Editorial Jurídica de Chile, Santiago, Chile, 1998; YÁÑEZ ANDRADE, "Chile y la Organización…"; ARELLANO ORTIZ, Pablo, "La conformidad…".

[14]   Como, por ejemplo, ARELLANO ORTIZ, Pablo, "La cobertura de los accidentes del trabajo y enfermedades profesionales por las normas internacionales del trabajo de la OIT", *Revista Chilena de Derecho de Trabajo y de la Seguridad Social*, Departamento de Derecho de Trabajo y de la Seguridad Social, Facultad de Derecho, Universidad de Chile, Vol. 2, N° 3, 2012, pp. 163-180; ARELLANO ORTIZ, Pablo "Ratificar o no ratificar el Convenio N° 187 de la OIT sobre el marco para la seguridad y salud en el trabajo. Alcances sobre lo que se pretende y sobre lo que implica", *Revista Laboral Chilena*, Edición especial "Seguridad y salud en el trabajo", Abril, N° 195, 2011, pp. 47-56.

[15]   Los convenios fundamentales son : Convenio sobre el trabajo forzoso, 1930 (núm. 29); Convenio sobre la libertad sindical y la protección del derecho de sindicación, 1948 (núm. 87); Convenio sobre el derecho de sindicación y de negociación colectiva, 1949 (núm. 98); Convenio sobre igualdad de

za[16], y cincuenta y tres de los ciento setenta y ocho convenios técnicos[17]. De ellos, cuarenta y nueve convenios están en vigor, doce han sido denunciados y dos abrogados. Algunas de las disposiciones de estos instrumentos han tenido una incidencia mayor en nuestra legislación y práctica, mientras que respecto de otras se han formulado importantes observaciones por los organismos de control de

remuneración, 1951 (núm. 100); Convenio sobre la abolición del trabajo forzoso, 1957 (núm. 105); Convenio sobre la discriminación (empleo y ocupación), 1958 (núm. 111); Convenio sobre la edad mínima, 1973 (núm. 138); y Convenio sobre las peores formas de trabajo infantil, 1999 (núm. 182).

[16] Los convenios de gobernanza son: Convenio sobre la inspección del trabajo, 1947 (núm. 81); C122 - Convenio sobre la política del empleo, 1964 (núm. 122); Convenio sobre la inspección del trabajo (agricultura), 1969 (núm. 129); y Convenio sobre la consulta tripartita (normas internacionales del trabajo), 1976 (núm. 144). Chile ha ratificado solamente los convenios núm. 122 y núm. 144.

[17] Los convenios técnicos ratificados por Chile son: C001 - Convenio sobre las horas de trabajo (industria), 1919 (núm. 1); C002 - Convenio sobre el desempleo, 1919 (núm. 2); C006 - Convenio sobre el trabajo nocturno de los menores (industria), 1919 (núm. 6); C008 - Convenio sobre las indemnizaciones de desempleo (naufragio), 1920 (núm. 8); C009 - Convenio sobre la colocación de la gente de mar, 1920 (núm. 9); C011 - Convenio sobre el derecho de asociación (agricultura), 1921 (núm. 11); C012 - Convenio sobre la indemnización por accidentes del trabajo (agricultura), 1921 (núm. 12); C013 - Convenio sobre la cerusa (pintura), 1921 (núm. 13); C014 - Convenio sobre el descanso semanal (industria), 1921 (núm. 14); C016 - Convenio sobre el examen médico de los menores (trabajo marítimo), 1921 (núm. 16); C019 - Convenio sobre la igualdad de trato (accidentes del trabajo), 1925 (núm. 19); C020 - Convenio sobre el trabajo nocturno (panaderías), 1925 (núm. 20); C022 - Convenio sobre el contrato de enrolamiento de la gente de mar, 1926 (núm. 22); C024 - Convenio sobre el seguro de enfermedad (industria), 1927 (núm. 24); C025 - Convenio sobre el seguro de enfermedad (agricultura), 1927 (núm. 25); C026 - Convenio sobre los métodos para la fijación de salarios mínimos, 1928 (núm. 26); C027 - Convenio sobre la indicación del peso en los fardos transportados por barco, 1929 (núm. 27); C030 - Convenio sobre las horas de trabajo (comercio y oficinas), 1930 (núm. 30); C032 - Convenio sobre la protección de los cargadores de muelle contra los accidentes (revisado), 1932 (núm. 32); C034 - Convenio sobre las agencias retribuidas de colocación, 1933 (núm. 34); C035 - Convenio sobre el seguro de vejez (industria, etc.), 1933 (núm. 35); C036 - Convenio sobre el seguro de vejez (agricultura), 1933 (núm. 36); C037 - Convenio sobre el seguro de invalidez (industria, etc.), 1933 (núm. 37); C038 - Convenio sobre el seguro de invalidez (agricultura), 1933 (núm. 38); C063 - Convenio sobre estadísticas de salarios y horas de trabajo, 1938 (núm. 63)Excluyendo la parte III.; C080 - Convenio sobre la revisión de los artículos finales, 1946 (núm. 80); C103 - Convenio sobre la protección de la maternidad (revisado), 1952 (núm. 103); C115 - Convenio sobre la protección contra las radiaciones, 1960 (núm. 115); C121 - Convenio sobre las prestaciones en caso de accidentes del trabajo y enfermedades profesionales, 1964 [Cuadro I modificado en 1980] (núm. 121); C127 - Convenio sobre el peso máximo, 1967 (núm. 127); C131 - Convenio sobre la fijación de salarios mínimos, 1970 (núm. 131); C135 - Convenio sobre los representantes de los trabajadores, 1971 (núm. 135); C136 - Convenio sobre el benceno, 1971 (núm. 136); C140 - Convenio sobre la licencia pagada de estudios, 1974 (núm. 140); C151 - Convenio sobre las relaciones de trabajo en la administración pública, 1978 (núm. 151); C156 - Convenio sobre los trabajadores con responsabilidades familiares, 1981 (núm. 156); C159 - Convenio sobre la readaptación profesional y el empleo (personas inválidas), 1983 (núm. 159); C161 - Convenio sobre los servicios de salud en el trabajo, 1985 (núm. 161); C162 - Convenio sobre el asbesto, 1986 (núm. 162); C169 - Convenio sobre pueblos indígenas y tribales, 1989 (núm. 169); C187 - Convenio sobre el marco promocional para la seguridad y salud en el trabajo, 2006 (núm. 187), y C189 - Convenio sobre las trabajadoras y los trabajadores domésticos, 2011 (núm. 189).

la OIT. Teniendo en cuenta lo anterior, se ha optado por realizar una selección de los mismos.

Antes de proceder a la revisión de los estudios que han sido preparados, estimamos pertinente resaltar algunas cuestiones generales en relación a los instrumentos de la OIT a nivel regional. Para luego revisar sucintamente lo que han realizado los órganos de control de la OIT. Finalizaremos con unos comentarios finales.

1.2. CONTEXTO LATINOAMERICANO DEL DERECHO DEL TRABAJO

Las regulaciones del trabajo en América Latina aparecen luego de la cuestión social. Ésta corresponde a un fenómeno de similares características y que se desarrolló en el mismo periodo que la revolución industrial en Europa, el que se incrementa luego de la introducción de las primeras normas constitucionales en la Constitución Mexicana de Querétaro en 1917.

Así entonces la naciente legislación evoluciona en el mismo periodo de creación de la OIT. No es de extrañar, entonces, el número de países latinoamericanos involucrados en su fundación. Pero además de ello, la región ha sido activa en la evolución normativa. Un ejemplo muy cercano a nuestro país es la realización de la Primera Conferencia Regional Americana en 1936. El origen de esta reunión corresponde a la iniciativa del Gobierno chileno de proponer una reunión de esta envergadura. Ello es fruto de que la relación de Chile con la OIT en sus inicios fue bastante estrecha y ello se quiso profundizar. Así entonces en la Conferencia Internacional del Trabajo del año 1935 el representante gubernamental de Chile, Sr. García Oldini[18], realiza formalmente la invitación[19], la cual fue bien acogida por los otros miembros de la conferencia[20]. Al respeto hemos indicado[21] que claramente lo realizado en Santiago marca un antes y un después para la OIT. Y es por ello que, como se indica por la propia OIT, "se ha de reconocer que el progreso logrado, en un espacio de tiempo relativamente

---

[18] Así consta en: OIT, *Informe acerca de las medidas tomadas para dar cumplimiento a las resoluciones adoptadas por la Conferencia de Santiago de Chile. Segunda Conferencia de los Estados Miembros de la Organización Internacional del Trabajo, La Habana*, Ginebra, 1939, p. 3.

[19] Como se aprecia en la convocatoria registrada en las actas. Ver: OIT, *Resoluciones aprobadas en la Conferencia. Conferencia del trabajo de los estados de América miembros de la Organización Internacional del Trabajo, Santiago (Chile), 2-14 Enero de 1936, Actas, Apéndice VII*, OIT, Ginebra, p. XV.

[20] OIT, *La Organización Internacional del Trabajo. Lo que es y lo que hace*, Oficina Internacional del Trabajo, Ginebra, 1938, p. 40.

[21] Revisar: ARELLANO ORTIZ, Pablo, "La importancia de la Primera Conferencia Regional Americana del Trabajo realizada en Chile en 1936", en *Revista de Estudios Histórico-Jurídicos*, Sección historia del derecho (público y privado), XLI, Valparaíso, Chile, 2019, pp. 157-176.

corto, es considerable y constituye un buen augurio para el futuro"[22]. Y es por
ello que en el informe de seguimiento se llama a seguir avanzando en esta senda,
señalando que "A la Conferencia de La Habana corresponde ahora dar nuevo
ímpetu a la obra emprendida en Santiago, definiendo los problemas y las aspiraciones que en la hora presente ocupan la atención de los Estados americanos en
materia social. Su labor ha de resultar seguramente facilitada por el balance en
que la Oficina ha procurado resumir los fructíferos resultados de la Conferencia
de Santiago"[23]. Así mismo, hemos indicado[24] que compartirnos estas reflexiones
hechas en su época sobre la importancia de la reunión de Santiago, ya que no
solo es un evento importante dentro de la evolución como institución para la
OIT, sino que también marca la influencia de los países latinoamericanos en este
contexto y la manera cómo posicionaron temas a nivel mundial. La importancia
normativa de la reunión debe ser resaltada, esto debido a que se trataron temas[25]
relativos a seguro social, asistencia social, pueblos indígenas, entre otros, todos
los cuales a lo largo de la vida de la OIT han terminado siendo recogidos por
instrumentos internacionales.

Resulta complejo establecer una tendencia clara en las reformas en materia
de derecho del trabajo. En la región latinoamericana estas han sido muy diversas
en los últimos años[26]. Lo que si nos queda claro, es que existe una clara diferenciación entre medidas de orden individual y otras en el ámbito colectivo.

En relación a las primeras, éstas dicen relación con la aparición de medidas
tendientes a flexibilizar[27], dentro de las cuales los contratos atípicos parecen ser
un rasgo común. La OIT en su informe del año 2016 ha establecido algunas tendencias mundiales en relación a los empleos atípicos[28]. Enuncia que, en más de
150 países, el uso promedio de empleados temporales en empresas registradas
en el sector privado es del 11%, con cerca de un tercio de los países en torno a
esta media. Mientras que las mujeres representan menos del 40% del empleo
asalariado total, representan el 57% de empleados a tiempo parcial. Además,
muchas mujeres trabajan a tiempo parcial, ya que les permite combinar el tra-

---

[22]   OIT, *Informe acerca de las medidas tomadas…*, p. 234.
[23]   OIT, *Informe acerca de las medidas tomadas…*, p. 234.
[24]   Revisar: ARELLANO ORTIZ, Pablo, "La importancia de la Primera Conferencia…".
[25]   Sobre los temas tratados y las resoluciones de la Conferencia ver: OIT, *Resoluciones aprobadas en la Conferencia. Conferencia del trabajo de los estados de América miembros de la Organización Internacional del Trabajo, Santiago (Chile), 2-14 Enero de 1936, Actas, Apéndice VII*, OIT, Ginebra, p. XV.
[26]   De ello da cuenta por ejemplo VEGA RUIZ María Luz (Editora) *La Reforma Laboral en América Latina: 15 años después. Un análisis comparado*, Organización Internacional del Trabajo, 2005, Lima.
[27]   Para un ejemplo de ello ver: ARELLANO ORTIZ, Pablo y GAMONAL CONTRERAS, Sergio, "Flexibilidad y desigualdad en Chile: el Derecho Social en un contexto neoliberal", en *Boletín Mexicano de Derecho Comparado* nueva serie, año XLX, núm. 149, mayo-agosto de 2017, pp. 555-579.
[28]   OIT, *Non-standard employment around the world: Understanding challenges, shaping prospects*, International Labour Office, 2016, Ginebra.

bajo remunerado con las responsabilidades domésticas y de cuidado. El empleo ocasional es una característica prominente de los mercados laborales en los países en desarrollo, y ha crecido en importancia en los países industrializados. Por su parte, en los países industrializados, la diversificación del trabajo a tiempo parcial en "horas muy cortas" o trabajo "de guardia", incluidos los contratos de "horas cero"[29] (sin horas mínimas garantizadas), tiene paralelos con el trabajo informal en los países en desarrollo. Por otro lado, los datos sobre el trabajo de agencia temporal (TAW) y otras relaciones contractuales que involucran a múltiples partes son escasos. En los países con datos disponibles, el TAW abarca de 1 a más del 6 por ciento del empleo asalariado.

La situación en América Latina no dista de aquella a nivel mundial, y ha sido analizada hace ya bastante tiempo[30]. Se ha sostenido que "durante la última década, América Latina experimentó un proceso de mejora significativa del mercado laboral, que se refleja principalmente en la reducción del desempleo, la creación de empleos, el aumento del salario real promedio y la formalización laboral. A pesar de estas mejoras, los países de la región todavía muestran déficits notables en materia laboral y en la generación y distribución de ingresos. La presencia de formas de empleo no estándar se suma al alto nivel de informalidad"[31].

Por otro lado, al parecer las medidas adoptadas por los países de América Latina no han producido los efectos esperados. Aunque debemos reconocer que ello no es algo nuevo si no que una manifestación posiblemente de un problema más profundo en relación a la libertad sindical. Para poder sostener estas afirmaciones hemos buscado las estadísticas de los casos presentados ante los órganos de control de la OIT. De entre ellos nos hemos quedados con los casos presentados en el Comité de Libertad Sindical y ante la Comisión de Aplicación de Normas de la Conferencia Internacional del Trabajo.

En el Informe Anual del año 2018 del Comité de Libertad sindical se indica que "hay una tendencia a la disminución del uso de este procedimiento especial en Europa, África y Asia, un incremento de su uso en América Latina continúa"[32]. Históricamente las quejas en esta materia ocupan el 50% del trabajo del Comité, como se puede apreciar en el Gráfico 1.

---

[29] Sobre este tipo de contrato revisar: ADAMS, Abi y PRASSL, Jeremias, *Zero-Hours Work in the United Kingdom*, Conditions of Work and Employment Series No. 101, Inclusive Labour Markets, Labour Relations and Working Conditions Branch, International Labour Office, 2018, Ginebra.

[30] ERMIDA URIARTE, Oscar y COLOTUZZO, Natalia, *Descentralización, Tercerización, Subcontratación*, OIT, 2009, Lima.

[31] MAURIZIO, Roxana, *Non-standard forms of employment in Latin America: Prevalence, characteristics and impacts on wages*, Conditions of Work and Employment Series No. 75 Inclusive Labour Markets, Labour Relations and Working Conditions Branch, International Labour Office, 2016, Ginebra.

[32] OIT, *Presentación del informe anual para el período 2018 del Comité de Libertad Sindical (CLS)*, Consejo de Administración 335.ª reunión, Ginebra, 14-28 de marzo de 2019, GB.335/INS/13 (Add.), Oficina Internacional del Trabajo Ginebra.

Gráfico 1. Quejas presentadas ante el Comité de Libertad Sindical (1951-2018)

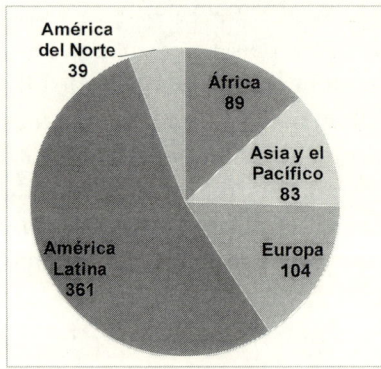

Región	Número de casos	Porcentaje
África	402	12%
Asia y el Pacífico	410	12%
Europa	657	20%
América Latina	1681	50%
América del Norte	186	6%
Total	**3336**	**100%**

Fuente: OIT, 2019, Presentación del informe anual para el período 2018 del Comité de Libertad Sindical (CLS), p. 3.

Llama la atención como en un periodo relativamente cercano, es decir entre dos décadas, la cantidad de casos provenientes de América latina ha aumentado considerablemente. Tal como se aprecia al comparar los Gráficos 2 y 3.

Gráfico 2. Quejas presentadas ante el Comité de Libertad Sindical (1998-2007)

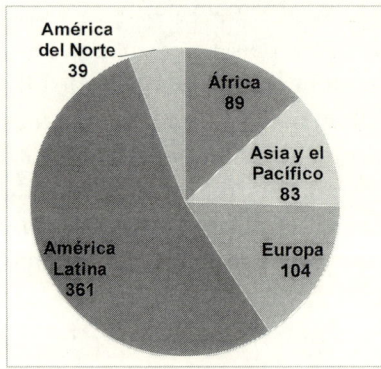

Región	Número de casos	Porcentaje
África	89	13%
Asia y el Pacífico	83	12%
Europa	104	15%
América Latina	361	53%
América del Norte	39	6%
Total	**676**	**100%**

Fuente: OIT, 2019, Presentación del informe anual para el período 2018 del Comité de Libertad Sindical (CLS), p. 4.

Gráfico 3 Quejas presentadas ante el Comité de Libertad Sindical (2008-2018)

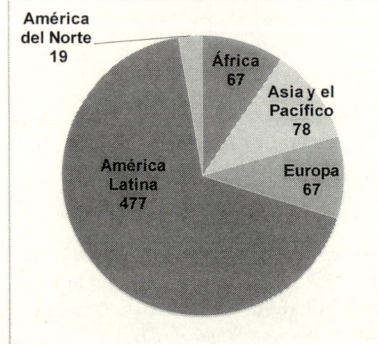

Región	Número de casos	Porcentaje
África	67	9%
Asia y el Pacífico	78	11%
Europa	67	9%
América Latina	477	67%
América del Norte	19	3%
Total	**708**	**100%**

Fuente: OIT, 2019, Presentación del informe anual para el período 2018 del Comité de Libertad Sindical (CLS), p. 5

Por otro lado, si observamos los casos provenientes de países de la región que han sido estudiados por la Comisión de Aplicación de Normas de la Conferencia Internacional del Trabajo en los últimos 5 años se puede establecer con cierta facilidad que hay ciertos países y convenios que se repiten. El Salvador por ejemplo ha sido estudiado cada año en los últimos 5 años por el Convenio Núm. 87 y luego más recientemente por el Convenio Núm. 144. Ambos dicen relación con el sistema de relaciones laborales en dicho país.

Año	País	Convenio
2019	Nicaragua	117
	Bolivia	131
	Brasil	98
	El Salvador	144
	Honduras	87
2018	Bolivia	131 y 138
	Brasil	98
	El Salvador	144
	Haití	1/14/30/106
	Honduras	87
	México	87
2017	El Salvador	144
	Ecuador	87
	Paraguay	29
	Venezuela	122
	Guatemala	87
2016	El Salvador	87
	Ecuador	98
	Guatemala	87
	Honduras	169
	México	87
	Venezuela	122
2015	Honduras	81
	El Salvador	87
	Guatemala	87
	México	87
	Venezuela	87
	Bolivia	138

Fuente: Elaboración propia en base a información disponible en ilo.org

De esta manera, hemos comentado[33], queda bastante claro que la situación de los derechos colectivos a nivel regional presenta una complejidad particular. Lo que cabe preguntarse entonces es si están preparados para los nuevos desafíos que se aproximan. Teniendo en cuenta este contexto regional, brevemente expuesto, revisaremos a continuación algunas informaciones relativas a los órganos de control de la OIT.

1.3. ÓRGANOS DE CONTROL DE LA OIT

Los órganos de control de la OIT son los llamados a pronunciarse acerca de la conformidad y práctica de las legislaciones nacionales en cuanto a lo dispuesto por las normas internacionales del trabajo ratificadas por un determinado país[34]. Existe un procedimiento de control regular realizado por la Comisión de Expertos en Aplicación de Convenios y Recomendaciones (CEACR)[35], el cual posee un segundo nivel en la Comisión de Aplicación de Normas de la Conferencia Internacional del Trabajo (CAS). Por otro lado, existen procedimientos especiales de control: Reclamaciones, Quejas y Comité de Libertad Sindical.

En relación a la actividad de la CEACR en relación a Chile, ésta ha emitido 221 Observaciones, 213 Solicitudes directas y 3 Respuestas Directas a una solicitud directa: estas cifras tienen en cuenta toda la actividad de la Comisión de Expertos y además todos los convenios ratificados por nuestro país.

En cuanto al examen de Casos por la Comisión de Aplicación de Normas de la Conferencia Internacional del Trabajo nuestro país ha sido objeto de 22 casos, de los cuales cabe destacar que un número importante de dichas ocasiones han sido en relación al Convenio Núm. 35.

En relación al procedimiento de Reclamación del artículo 24 de la Constitución de la OIT existen 10 casos cerrados[36] y dos activos. De los casos activos uno

---

[33]   Ver ARELLANO ORTIZ, Pablo, "La OIT y los desafíos de la regulación del derecho internacional del trabajo: reflexiones desde la perspectiva latinoamericana", en MOREIRA GOMES, Ana Virgínia; RODRIGUES DE FREITAS JÚNIOR, Antônio y SIQUEIRA NETO, José Francisco (Organizadores), *O Centenário da Organização Internacional do Trabalho no Brasil*, 1. ed. Belo Horizonte, Editora Virtualis, 2019, 543 p., pp. 289-312.

[34]   Al respecto revisar: OIT, *Las reglas del juego...* Para el caso chileno: ARELLANO ORTIZ, "La conformidad"; WALKER ERRÁZURIZ y ARELLANO ORTIZ *Derecho de las relaciones laborales*, Tomo 1.

[35]   OIT, *Control del cumplimiento de las normas internacionales del trabajo: El papel fundamental de la Comisión de Expertos en Aplicación de Convenios y Recomendaciones de la OIT*, Oficina Internacional del Trabajo, Ginebra, OIT, 2019. Consultable en https://www.ilo.org/wcmsp5/groups/public/—ed_norm/—normes/documents/publication/wcms_730880.pdf.

[36]   El listado de los casos cerrados se puede consultar en https://www.ilo.org/dyn/normlex/es/f?p=1000:50010:0::NO:50010:P50010_ARTICLE_NO,P50010_DISPLAY_BY,P50010_COUNTRY_ID:24,2,102588.

corresponde a la Reclamación en la que se alega el incumplimiento por parte de Chile del Convenio sobre el marco promocional para la seguridad y salud en el trabajo, 2006 (núm. 187), presentada en virtud del artículo 24 de la Constitución de la OIT por el Colegio de Profesores de Chile A. G. presentado en 2017[37] y el otro corresponde a la Reclamación en la que se alega el incumplimiento por parte de Chile del Convenio sobre la discriminación (empleo y ocupación), 1958 (núm. 111) presentada en virtud del artículo 24 de la Constitución de la OIT por la Central Unitaria de Trabajadores de Chile (CUT) durante el año 2018[38].

En relación al procedimiento de Queja del artículo 26 de la Constitución de la OIT existen dos casos cerrados uno de 1975 en relación a los Convenio núm. 1 y 111[39] y otro de 2019 en relación a los Convenios 87, 98, 103, 135 y 151[40]. Existe un caso que se encuentra actualmente pendiente en relación a los Convenios núm. 87, 98, 103, 135 y 151 que fue declarado admisible por el Consejo de Administración[41].

En relación al Comité de Libertad sindical existe un total de 107 casos cerrados, 3 con informe de seguimiento y uno activo. El primero caso fue planteado en el año 1951 siendo cerrado en 1953, el único caso activo a esta fecha fue ingresado por el Sindicato de Tripulantes de Cabina Lanexpress con el apoyo de la Federación International de los Trabajadores del Transporte (FIT) y la Central Unitaria de Trabajadores (CUT) el 5 de febrero de 2019, encontrándose aún pendiente. Los casos núm. 3191 (Chile)[42], núm. 3102 (Chile)[43], y núm. 3017 (Chile)[44] se encuentran con informes de seguimiento.

En materia sindical cabe agregar, además, el trabajo realizado por la OIT y el Comité de Libertad Sindical entre los años 1973 y 1975. El cual puede ser consultado en el Informe publicado en 1975 titulado "La situación sindical en

[37]   Consultar en https://www.ilo.org/dyn/normlex/es/f?p=1000:50012:0::NO:50012:P50012_COM-PLAINT_PROCEDURE_ID,P50012_LANG_CODE:3327261.es:NO

[38]   Consultar en https://www.ilo.org/dyn/normlex/es/f?p=1000:50012:0::NO:50012:P50012_COM-PLAINT_PROCEDURE_ID,P50012_LANG_CODE:3958790,es:NO

[39]   Consultar en https://www.ilo.org/dyn/normlex/es/f?p=1000:50012:0::NO:50012:P50012_COM-PLAINT_PROCEDURE_ID,P50012_LANG_CODE:2508368,es:NO

[40]   Consultar en https://www.ilo.org/dyn/normlex/es/f?p=1000:50012:0::NO:50012:P50012_COM-PLAINT_PROCEDURE_ID,P50012_LANG_CODE:3298876,es:NO

[41]   Consultar en https://www.ilo.org/dyn/normlex/es/f?p=1000:50012:0::NO:50012:P50012_COM-PLAINT_PROCEDURE_ID,P50012_LANG_CODE:4023101,es:NO

[42]   https://www.ilo.org/dyn/normlex/es/f?p=1000:50001:0::NO:50001:P50001_COMPLAINT_FILE_ID:3278960

[43]   https://www.ilo.org/dyn/normlex/es/f?p=1000:50001:0::NO:50001:P50001_COMPLAINT_FILE_ID:3183588

[44]   https://www.ilo.org/dyn/normlex/es/f?p=1000:50001:0::NO:50001:P50001_COMPLAINT_FILE_ID:3114344

Chile Informe de la Comisión de Investigación y de Conciliación en Materia de Libertad Sindical"[45].

En general, en términos comparativos con otros países latinoamericanos se podría afirmar que nuestro país ha recibido un número bajo de pronunciamientos por parte de los órganos de control. Cabe tener presente que muchos de nuestros vecinos poseen graves incumplimientos en materia de libertad sindical como se ha indicado previamente. Una de las posibles razones se puede encontrar en que el número de convenios ratificados por nuestro país no es muy elevado.

1.4. CONCLUSIONES

Como ya hemos sostenido en otros trabajos[46], teniendo en cuenta lo expuesto en relación a la región latinoamericana, resulta difícil pensar en nuevas regulaciones que se aplican a un número reducido de trabajadores cuando cuestiones importantes, tales como la libertad sindical y la protección social siguen siendo desafíos importantes para la región. Tal como se constata a nivel regional estas materias resultan ser importantes para nuestro país. Los pronunciamientos realizados por los órganos de control de la OIT se han concentrado en estas materias.

No obstante, el trabajo de los órganos de control mencionado, la legislación chilena posee una larga tradición vinculada al origen mismo de la OIT. Ha tenido una evolución importantísima que la ha llevado a tener altos grados de protección en algunas áreas más que en otras. Aunque se debe destacar que el grado de ratificación es bajo en relación a la legislación vigente.

Esfuerzos pueden aun realizarse para acercarse a los estándares mínimos internacionales y demostrar a la comunidad internacional el grado de avance de la legislación nacional. Ello en concordancia con la historia de influencia mutua entre la OIT y nuestro país.

BIBLIOGRAFÍA

ADAMS, Abi y PRASSL, Jeremias, *Zero-Hours Work in the United Kingdom*, Conditions of Work and Employment Series No. 101, Inclusive Labour Markets, Labour Relations and Working Conditions Branch, International Labour Office, 2018, Ginebra.

---

[45] Documento consultable en https://www.ilo.org/public/libdoc/ilo/1975/75B09_318_span.pdf
[46] ARELLANO ORTIZ, Pablo, "La OIT y los desafíos de la regulación...".

ARELLANO ORTIZ, Pablo, "La OIT y los desafíos de la regulación del derecho internacional del trabajo: reflexiones desde la perspectiva latinoamericana", en Moreira Gomes, Ana Virginia; Rodrigues de Freitas Júnior; Antônio y Siqueira Neto, José Francisco (Organizadores), *O Centenário da Organização Internacional do Trabalho no Brasil*, 1. ed. Belo Horizonte: Editora Virtualis, 2019, 543 p., pp. 289- 312.

ARELLANO ORTIZ, Pablo, "La importancia de la Primera Conferencia Regional Americana del Trabajo realizada en Chile en 1936", en *Revista de Estudios Histórico-Jurídicos*, Sección historia del derecho (público y privado), XLI, Valparaíso, Chile, 2019, pp. 157 – 176.

ARELLANO ORTIZ, Pablo, "La cobertura de los accidentes del trabajo y enfermedades profesionales por las normas internacionales del trabajo de la OIT", *Revista Chilena de Derecho de Trabajo y de la Seguridad Social*, Departamento de Derecho de Trabajo y de la Seguridad Social, Facultad de Derecho, Universidad de Chile, Vol. 2, N° 3, 2012, pp. 163-180.

ARELLANO ORTIZ, Pablo, "La conformidad de la legislación chilena a las normas internacionales del trabajo de la OIT", en *Revista de Derecho de la Universidad Católica de la Santísima Concepción*, Junio, 2011, pp. 39-60.

ARELLANO ORTIZ, Pablo "Ratificar o no ratificar el Convenio N° 187 de la OIT sobre el marco para la seguridad y salud en el trabajo. Alcances sobre lo que se pretende y sobre lo que implica", *Revista Laboral Chilena*, Edición especial "Seguridad y salud en el trabajo", Abril, N° 195, 2011, pp. 47-56.

ARELLANO ORTIZ, Pablo y GAMONAL CONTRERAS, Sergio, "Flexibilidad y desigualdad en Chile: el Derecho Social en un contexto neoliberal", en *Boletín Mexicano de Derecho Comparado* nueva serie, año XLX, núm. 149, mayo-agosto de 2017, pp. 555-579.

BOIVIN, Isabelle y ODERO, Alberto, "La Comisión de Expertos de la OIT y el progreso de las legislaciones nacionales", *Revista Internacional del Trabajo*, vol. 125, 2006, núm. 3.

ERMIDA URIARTE, Oscar y COLOTUZZO, Natalia, *Descentralización, Tercerización, Subcontratación*, OIT, 2009, Lima.

MAUL, Daniel, *La Organización Internacional del Trabajo: 100 años de políticas sociales a escala mundial*, Oficina Internacional del Trabajo – Ginebra: OIT, 2019.

MAURIZIO, Roxana, *Non-standard forms of employment in Latin America: Prevalence, characteristics and impacts on wages*, Conditions of Work and Employment Series No. 75 Inclusive Labour Markets, Labour Relations and Working Conditions Branch, International Labour Office, 2016, Ginebra.

MONTT B., Manuel. *Principios del Derecho Internacional del Trabajo*, 2ª edición, Editorial Jurídica de Chile, Santiago, Chile, 1998.

OIT, *Control del cumplimiento de las normas internacionales del trabajo: El papel fundamental de la Comisión de Expertos en Aplicación de Convenios y Recomendaciones de la OIT*, Oficina Internacional del Trabajo, Ginebra, OIT, 2019.

OIT, *Las reglas del juego: Una introducción a la actividad normativa de la Organización Internacional del Trabajo*, Ginebra, Oficina Internacional del Trabajo, 2019.

OIT, *Presentación del informe anual para el período 2018 del Comité de Libertad Sindical (CLS)*, Consejo de Administración 335.ª reunión, Ginebra, 14-28 de marzo de 2019 GB.335/INS/13 (Add.), Oficina Internacional del Trabajo Ginebra.

OIT, *Non-standard employment around the world: Understanding challenges, shaping prospects*, International Labour Office, 2016, Ginebra.

OIT, *Memoria del Director General, Trabajo Decente*, Conferencia Internacional del Trabajo, 87ª reunión 1999, Oficina Internacional del Trabajo, Ginebra.

OIT, *Informe acerca de las medidas tomadas para dar cumplimiento a las resoluciones adoptadas por la Conferencia de Santiago de Chile. Segunda Conferencia de los Estados Miembros de la Organización Internacional del Trabajo, La Habana*, Ginebra, 1939.

OIT, *La Organización Internacional del Trabajo. Lo que es y lo que hace*, Oficina Internacional del Trabajo, Ginebra, 1938.

OIT, *Resoluciones aprobadas en la Conferencia. Conferencia del trabajo de los estados de América miembros de la Organización Internacional del Trabajo, Santiago (Chile), 2-14 Enero de 1936, Actas, Apéndice VII* , OIT, Ginebra.

POLITAKIS, George; KOHIYAMA, Tomi Y LIEBY, Thomas (eds), *ILO100 Law for social justice*, International Labour Office Geneva 2019;

VAN DER HEIJDEN, PAUL, *"The ILO Stumbling towards Its Centenary Anniversary"*, en International Organizations Law Review, 15 (2018), p. 204.

VEGA RUIZ María Luz (Editora) *La Reforma Laboral en América Latina: 15 años después. Un análisis comparado*, Organización Internacional del Trabajo, 2005, Lima.

VILLASMIL PRIETO, Humberto, *Una visión "americana" del centenario de la OIT: aproximación a la comprensión de una relación histórica*, Oficina de la OIT para el Cono Sur de América Latina, diciembre de 2019.

VILLASMIL PRIETO, Humberto, *La incidencia de la Organización Internacional del Trabajo en el momento fundacional del derecho del trabajo latinoamericano: unas notas introductorias*, en Dialogue. Documento de trabajo, núm.33, Departamento de

Relaciones Laborales y de Empleo, Oficina Internacional del Trabajo, Ginebra: OIT, 2011.

WALKER ERRÁZURIZ, FRANCISCO Y ARELLANO ORTIZ, Pablo, *Derecho de las relaciones laborales, Tomo 1 Derecho Individual del Trabajo*, Librotecnia, Santiago, 2016.

YÁÑEZ ANDRADE, Juan Carlos, "Chile y la Organización Internacional del Trabajo (1919-1925). Hacia una legislación social universal", *Revista de Estudios Histórico-Jurídicos* [Sección Historia de los Derechos Patrios Iberoamericanos] XXII, Valparaíso, Chile, 2000.

Capítulo 2.

La eficacia simbólica de los convenios núm. 87 y 98 de la OIT

SERGIO GAMONAL CONTRERAS[*]

2.1. INTRODUCCIÓN: NARRATIVA Y DERECHO

Los operadores del derecho actúan dentro de un contexto cultural determinado y dentro de éste encontramos relatos y narrativas acerca de lo que el derecho es o no es.

Estas narrativas pueden estar relativamente formalizadas, asumiendo muchas veces la forma de principios jurídicos[1], y pueden ser también bastante más informales e incluso inconscientes[2].

Un rol esencial en la consolidación de estas narrativas es asumido por las normas constitucionales, los tratados internacionales y las leyes de cada país.

Un buen ejemplo del rol de las narrativas y de los tratados de derechos humanos es justamente lo ocurrido en Chile con la aprobación de los Convenios 87 y 98 de la OIT. Esto debido a que las normas constitucionales sobre libertad sindical han permanecido casi intactas desde la dictadura y, en consecuencia, hubo en su momento una disputa interpretativa relevante entre los académicos acerca del alcance de estas normas.

En este trabajo revisaremos los debates acerca del alcance del principio constitucional de libertad sindical en Chile, y cómo incidió la aprobación de los mencionados convenios OIT a fines de 1998 en un mejor entendimiento de este principio.

---

[*] Profesor Titular de Derecho del Trabajo, Universidad Adolfo Ibáñez, Santiago, Chile. Mail: sergio.gamonal@uai.cl Web: www.glosalaboral.cl

[1] Como relato fundacional, véase GAMONAL C., Sergio "Narrativa laboral y principios del derecho del trabajo chileno", *Revista de la Facultad de Derecho de México*, Tomo LXIX, Número 273, enero-abril de 2019, pp. 65-88, p. 69.

[2] En el derecho encontramos narrativas explícitas, implícitas, estratégicas y pre legislativas. Véase GAMONAL, "Narrativa laboral y principios…", p. 70.

2.2. LA LIBERTAD SINDICAL EN CHILE ENTRE
DICTADURA Y DEMOCRACIA

La Constitución de 1980 contemplaba la libertad sindical en su artículo 19 Nos 19 y 16 párrafos cuarto y quinto, y estas normas carecían de cualquier incidencia práctica en la aplicación o interpretación del derecho colectivo chileno a fines de los ochenta. Los manuales laborales o simplemente las omitían[3] o al tratarlas se limitaban a transcribir el numeral sin mayores comentarios[4].

Por su parte, la doctrina constitucional de la década de los ochenta y noventa del siglo pasado e inicios del actual tampoco lo hizo mejor, enfatizando el aspecto asociativo y la dependencia de la libertad sindical de los dictados del legislador[5]. Es decir, la libertad sindical era considerada como un derecho constitucional sin esencia o, lo que es lo mismo, para dilucidar la esencia del derecho estos autores se remitían a la legislación de la dictadura.

Esta visión reduccionista de la Constitución y su interpretación restrictiva empezó a ser desafiada a fines del siglo pasado[6].

---

[3]   Véase THAYER ARTEAGA, William, *Sindicatos y Negociación Colectiva*, Santiago, Editorial Jurídica de Chile, 1993.

[4]   Véase THAYER ARTEAGA, William y NOVOA FUENZALIDA, Patricio, *Manual de Derecho del Trabajo*, Tomo I, Generalidades y Derecho Colectivo del Trabajo, 3ª edición, Santiago, Editorial Jurídica de Chile, 1993, pp. 59-64.
      Excepcionalmente encontramos un desarrollo breve, pero relevante, en MACCHIAVELLO CONTRERAS, Guido, *Derecho Colectivo del Trabajo. Teoría y Análisis de sus Normas*, Santiago, Editorial Jurídica de Chile, 1989, pp. 10-12.

[5]   Véase PFEFFER URQUIAGA, Emilio, *Manual de Derecho Constitucional*, Santiago, Ediar-ConoSur, 1987, p. 404; EVANS DE LA CUADRA, Enrique, *Los Derechos Constitucionales*, tomo III, Santiago, Editorial Jurídica de Chile, 1999, p. 101; VERDUGO, Mario, PFEFFER, Emilio y NOGUEIRA, Humberto, *Derecho Constitucional*, tomo I, Santiago, Editorial Jurídica de Chile, 1994, p. 284; URZÚA VALENZUELA, Germán, *Manual de Derecho Constitucional*, Santiago, Editorial Jurídica de Chile, 1991, p. 202 SILVA GALLINATO, María Pía, "Los Derechos Laborales en la Constitución de 1980", en *Constitución '80 estudio crítico*, Mario Verdugo (coord..), Santiago, Ediar-ConoSur, 1988, p. 129; CEA EGAÑA, José Luis, *Derecho Constitucional Chileno*, Tomo II, Santiago, Ediciones Universidad Católica de Chile, 2004, p. 439, y VIVANCO M., Ángela, *Curso de Derecho Constitucional. Aspectos Dogmáticos de la Carta Fundamental de 1980*, Tomo II, Santiago, Ediciones Universidad Católica de Chile, 2006, p. 427.

[6]   MACCHIAVELLO, "Derecho…", p. 443, GAMONAL C., Sergio, "Perspectivas futuras del derecho sindical chileno. Desafíos de nuestro derecho sindical", *Revista Derecho y Humanidades*, Universidad de Chile, Nº 5, 1997, pp. 93-117; GAMONAL C., Sergio, *Introducción al Derecho del Trabajo*, Santiago, Editorial Jurídica ConoSur, 1998, pp. 32-66; GAMONAL C., Sergio, "La Constitución de 1980 y la Libertad Sindical", *Anuario de Derecho del Trabajo y de la Seguridad Social* (Sociedad Chilena de Derecho del Trabajo y Seguridad Social), Nº 1, 2000, pp. 69-97; GAMONAL C., Sergio, *Derecho Colectivo del Trabajo*, Santiago, LexisNexis, 2002, pp. 79-92 y 423-425, y TAPIA GUERRERO, Francisco, *Sindicatos en el derecho chileno del trabajo*, Santiago, LexisNexis, 2005, p. 210.

En este proceso fue de gran importancia que los Convenios 87 y 98 fueran aprobados en diciembre de 1998, promulgados en febrero de 1999 y publicados el 12 de mayo del mismo año[7].

La doctrina mayoritaria opinó que los Convenios complementaban y precisaban los derechos humanos laborales de naturaleza sindical, consagrados en los tratados internacionales sobre derechos humanos vigentes en Chile[8].

En efecto, tanto el Pacto Internacional de Derechos Económicos, Sociales y Culturales como el Pacto Internacional de Derechos Civiles y Políticos, hacen expresa mención del Convenio 87 al precisar que sus disposiciones no autorizan a los Estados Partes en dicho Convenio de la OIT, de 1948, relativo a la libertad sindical y a la protección del derecho de sindicación, a adoptar medidas legislativas que menoscaben las garantías previstas en dicho convenio o a aplicar la ley en forma que menoscabe dichas garantías[9]. En este contexto, la aprobación de dichos Convenios por parte de Chile era muy importante ya que reforzaba el reconocimiento constitucional (por medio del artículo 5° inciso segundo[10]) de los derechos humanos laborales relativos a la libertad sindical.

Se enfatizaba que para la doctrina laboral todos los instrumentos internacionales en que se reconocen Derechos Humanos Fundamentales deben ser considerados como fuente del derecho del trabajo, tanto en sentido formal como material[11].

Se sostenía que el efecto más importante de la aprobación de los Convenios 87 y 98 se percibiría en la "cultural jurídica" nacional[12]. Desde la reforma constitucional de agosto de 1989 (que, entre otras materias reforzó la redacción pro derechos humanos del artículo 5°) las normas legales derivadas del Plan Laboral se seguían aplicando sin cuestionamiento alguno por parte de los tribunales y de la Dirección del Trabajo[13].

---

[7]   El artículo 15.3 del Convenio 87 y el artículo 8.3 del Convenio 98 explicitan que el respectivo Convenio entrará en vigor, para cada Miembro, doce meses después de la fecha en que haya sido registrada su ratificación.

[8]   GAMONAL C., Sergio, "Efectos de la ratificación de los Convenios 87 y 98 de la OIT, en el Derecho Colectivo Chileno", *Revista Laboral Chilena*, noviembre, 1999, pp. 81-91.
      Véase, además, UGARTE CATALDO, José Luis, "Libertad Sindical y Constitución: Cómo superar una vieja lectura", *Revista Laboral Chilena*, mayo, 2000, pp. 69 y ss., y CORVERA VERGARA, Diego y GUMUCIO RIVAS, Juan, "Las normas de los Convenios 87 y 98 de la OIT y su relación con la normativa interna chilena", *Revista Laboral Chilena*, julio, 2000, pp. 65 y ss.

[9]   Artículos 8.3 y 22.3, respectivamente.

[10] Artículo 5°, inciso segundo, de la Constitución de 1980: "El ejercicio de la soberanía reconoce como límite el respeto a los derechos esenciales que emanan de la naturaleza humana. Es deber de los órganos del Estado respetar y promover tales derechos, garantizados por esta Constitución, así como por los tratados internacionales ratificados por Chile y que se encuentren vigentes".

[11] MANTERO DE SAN VICENTE, Osvaldo, *Derecho del Trabajo en los países del Mercosur, Un estudio de derecho comparado*, primera parte, Montevideo, Fundación de Cultura Universitaria, 1996, p. 164.

[12] GAMONAL, "Efectos de la ratificación…", p. 87.

[13] GAMONAL, "Efectos de la ratificación…", p. 87.

Con la aprobación de ambos Convenios, la interpretación de la libertad sindical como derecho humano esencial y constitucional debía ser extensiva y teleológica, considerando su finalidad protectora y tutelar[14], en armonía con las reglas de hermenéutica del derecho internacional que postula una interpretación dinámica de las normas sobre derechos humanos, es decir, que amplíe lo más posible su ámbito de cobertura, a diferencia de las limitaciones que deben ser interpretadas en forma restrictiva[15].

Por otro lado, era plenamente aplicable a la interpretación de la libertad sindical el principio protector del derecho laboral, específicamente la regla *in dubio pro operario*[16], al igual que en el derecho internacional donde la interpretación de los tratados de derechos humanos debe ser *pro homine*, esto es siempre a favor del individuo[17].

Cabe precisar que hubo propuestas en sentido contrario, es decir, que sostenían la irrelevancia de los Convenios, en el entendido de que su aprobación en nada cambiaba el panorama nacional hasta que el legislador reformara la legislación chilena[18]. Incluso algunos manifestaban su preocupación, en orden a que el Congreso Nacional debió revisar antes de aprobar los Convenios la compatibilidad de la legislación chilena heredada de la dictadura[19], a saber el Plan Laboral, con los mismos, ya que podría "arruinarse la filosofía del sistema en marcha"[20].

Estas opiniones estaban en parte acertadas, ya que casi todo el Plan Laboral atentaba en contra de la libertad sindical[21] y, como veremos en el acápite siguiente, la "filosofía del sistema en marcha" se ha visto efectivamente "arruinada" por la interpretación pro derechos humanos de nuestra Corte Suprema.

---

[14]   GAMONAL, "Efectos de la ratificación…", p. 88.

[15]   MEDINA, Cecilia, "El derecho internacional de los derechos humanos", en *Sistema Jurídico y Derechos Humanos. El derecho nacional y las obligaciones internacionales de Chile en materia de derechos Humanos*, Santiago, Escuela de Derecho, Universidad Diego Portales, serie publicaciones especiales N° 6, 1996, pp. 81 y ss.

[16]   Sobre esta regla véase GAMONAL, "Introducción…", pp. 135 y ss.

[17]   MEDINA, "El derecho internacional…", pp. 79 y ss.

[18]   Véase THAYER ARTEAGA, William y NOVOA FUENZALIDA, Patricio, *Manual de Derecho del Trabajo*, Tomo IV, Sindicatos y Negociación Colectiva, Los Convenios 87 y 98 de la OIT y su impacto en la Legislación Chilena, 2ª edición, Santiago, Editorial Jurídica de Chile, 2000, pp.289-298.

[19]   THAYER y NOVOA, *"Manual de Derecho…Tomo IV"*, p. 291.

[20]   THAYER y NOVOA, *"Manual de Derecho…Tomo IV"*, p. 292.

[21]   GAMONAL C., Sergio, "La Libertad Sindical en el Ordenamiento Laboral Chileno y los Convenios 87 y 98 de la OIT", *Cuadernos Jurídicos Universidad Adolfo Ibáñez*, N° 14, 2000.

2.3. INCIDENCIA SIMBÓLICA DE LA RATIFICACIÓN DE LOS CONVENIOS NÚM. 87 Y NÚM. 98 DE LA OIT

Veremos dos casos líderes (*leading case*) en donde los Convenios 87 y 98 han jugado un rol muy importante.

2.3.1. *Sentencia de la Corte Suprema Rol N° 10.695, de 19 de octubre de 2000.*

Esta es la primera vez que la Corte Suprema se pronunció sobre el tema, fallando una causa sobre prácticas antisindicales con aplicación directa los Convenios 87 y 98 de la OIT.

Los hechos que dieron origen al juicio se referían al despido de dos trabajadores por necesidades de la empresa poco antes de la celebración de la asamblea constitutiva del sindicato de empresa, de cuya realización se había informado previamente al empleador. No obstante el despido, constituido el sindicato estos dos ex trabajadores fueron elegidos presidente y secretario del mismo. El tribunal de primera instancia, en sentencia de 6 de junio de 2000, consideró que los actores se encontraban asistidos de fuero sindical, declarando injustificados los despidos y condenando al empleador al pago de las indemnizaciones respectivas.

En segunda instancia, la Corte de Apelaciones de Chillán revocó la sentencia apelada señalando que el artículo 224 del Código del Trabajo, que otorgaba fuero a los directores sindicales desde la realización de la asamblea constitutiva, regía, al tenor de su literalidad, sólo desde dicha asamblea, es decir una vez constituido el sindicato, lo cual era inaplicable en esta causa dado que los despidos eran anteriores a la constitución del sindicato y, por ende, ambos ex trabajadores no estaban amparados por el artículo 238 del Código Laboral relativo al fuero de los trabajadores que son candidatos a directores. Un problema conexo era que, como no estaba constituido el sindicato, no había aun un secretario del mismo el cual es el encargado de comunicarle al empleador quiénes son los directores de la organización. Al tenor de esta interpretación, se postulaba que en la primera elección de directorio que coincide con la constitución del sindicato, la ley no había otorgado fuero protector del despido a los constituyentes del sindicato. Con esta tesis, los despidos antisindicales de los trabajadores que se atrevían a organizar un sindicato eran de ocurrencia regular en nuestro país.

La Corte Suprema conociendo del asunto revocó la sentencia de segunda instancia y otorgó fuero a ambos trabajadores despedidos. Para estos efectos, la Corte señaló que debe acudirse a la doctrina que inspira la garantía constitucional del derecho de sindicación, citando el art. 19 N° 19° sobre derecho de sindicación y autonomía sindical, en el sentido siguiente:

"entre la tesis de la inexistencia del fuero de los candidatos a la primera elección sindical o su existencia sin conocimiento por el empleador de tal circunstancia, debe optarse decididamente por esta última, la que estará acorde con la normativa y, sobre todo, como se ha expresado, recepciona la garantía constitucional del derecho de sindicarse y la autonomía de las organizaciones sindicales" (considerando 9°). Complementa este razonamiento, la cita de otras situaciones donde el mismo Código del Trabajo consagra fuero oponible al empleador aún sin su conocimiento e, inclusive, en un caso, en forma retroactiva, como ocurre con los artículos 201 y 309 en relación al 317, donde el legislador, frente al derecho del empleador de organizar y dirigir su empresa, opta por la tutela de bienes superiores como el fuero maternal o la negociación colectiva, a los que debe agregarse el que ampara a los candidatos a directores sindicales en la primera elección (considerandos 10° y 11°).

La Corte Suprema señaló que "además, importa destacar que la sentencia recurrida, revocatoria de la de primer grado, es de fecha tres de agosto del año en curso, es decir, posterior a la ratificación por Chile y vigencia en nuestro país de los Convenios Internacionales del Trabajo Nos 87, 98 y 135, por lo que es de toda evidencia que frente a eventuales dudas que pudiere ofrecer nuestro derecho interno, se deben considerar los preceptos de la normativa internacional, especialmente teniendo en cuenta lo dispuesto en el artículo 5° de la Constitución Política de la República" (considerando 12°).

La sentencia enfatizaba por otra parte que el fuero sindical, para generar plenos efectos, debe comprender necesariamente el período anterior a la formación del sindicato, pues en caso contrario la garantía fundamental del derecho de sindicación no estaría debidamente resguardada (considerando 15°).

La Corte mencionaba los preceptos constitucionales relativos a la autonomía de los cuerpos intermedios (art. 1° inciso tercero) y a la autonomía colectiva (art. 19 N° 19° inciso tercero), para señalar que "la posibilidad de despedir unilateralmente a trabajadores en la víspera de ser elegidos directores sindicales no concuerda ni armoniza con la normativa constitucional, antes citada, así como con los preceptos de derecho interno e internacional a los que se ha hecho referencia" (considerando 16°)[22].

Como vemos, el Código del Trabajo de la época otorgaba fuero a los candidatos a directores sindicales partiendo de la base de que el sindicato ya se ha constituido y este vacío había permitido que algunos empleadores, despidiendo a los eventuales organizadores del sindicato, afectaran en forma flagrante y regular la formación de sindicatos, impidiendo su constitución y transgrediendo la libertad sindical.

---

[22]   Finalmente, concluyó la Corte que "el fuero que protege a los candidatos a la primera elección sindical existe aun cuando no se haya comunicado al empleador la fecha de la elección y desde quince días antes de la misma, atendido lo dispuesto en los artículos 224, 237 inciso segundo y 238 del Código del Trabajo" (considerando 17°).

Pero en esta sentencia la Corte Suprema cambió la perspectiva dejando atrás los criterios tradicionales formalistas de interpretación de la libertad sindical, recurriendo para ello a la doctrina que inspira a la libertad sindical como derecho fundamental y a los Convenios de la OIT aprobados poco tiempo atrás por nuestro país.

De esta forma, la Corte destacaba que la sentencia recurrida, revocatoria de la de primera instancia, era de fecha tres de agosto de 2000 y, por ende, posterior a la ratificación por Chile y vigencia en nuestro país de los Convenios Internacionales del Trabajo Nos 87, 98 y 135, que imponen al intérprete del derecho interno ante eventuales dudas y vacíos la consideración de los preceptos de la normativa internacional.

Esta sentencia fue muy relevante en dicha época. La Corte Suprema interpretó en forma finalista y *pro homine* los derechos constitucionales, tutelando en forma efectiva la libertad sindical.

La sentencia utilizó una interpretación finalista y sistemática, refiriéndose a las doctrinas que inspiran las normas constitucionales a fin de resolver la aparente contradicción de los preceptos legales relativos al fuero sindical y para fundar su decisión citó directamente los Convenios de la OIT aplicándolos en forma directa y enfatizando que los mismos deben ilustrar al intérprete de nuestro Código[23].

De esta forma quedó zanjada la controversia acerca de la eficacia de los Convenios de la OIT en el derecho interno.

Con posterioridad, el legislador enmendó el Código del Trabajo y contempló expresamente fuero a los constituyentes de un sindicato en la ley N° 19.759, del año 2001. Como veremos a continuación, catorce años después la Corte vuelve a reforzar esta interpretación.

2.3.2. Sentencia de la Corte Suprema Rol N° 3.514-2014, de 4 de diciembre de 2014[24].

Este fallo discute acerca de una norma derogada en la actualidad, el ex art. 381 del Código del Trabajo, sobre reemplazo y reintegro de trabajadores en huelga. Este artículo establecía en síntesis lo siguiente:

1) Se prohibía el "reemplazo" de trabajadores en huelga.

---

[23] GAMONAL C., Sergio, "La Tutela de la Libertad Sindical en Chile: comentarios a una sentencia de la Corte Suprema", *Semana Jurídica* (ConoSur), año 1, N° 5, del 11 al 17 de diciembre de 2000, pp. 5 y 6.

[24] Más conocida como caso Promolinks. Ver el comentario de UGARTE CATALDO, José Luis, "Huelga como Derecho Fundamental", *Revista de Derecho Laboral y Seguridad Social*, Thomson Reuters Chile, N° 1, 2015, pp. 228-230.

2) No obstante, la misma norma lo permitía cuando la última oferta del empleador contemplara ciertas cláusulas mínimas y reajustes de salarios.

3) En el caso anterior, la norma decía que cumpliendo dichos requisitos el empleador podría "contratar" reemplazantes.

El problema se centraba en el alcance de dos palabras: "reemplazar" y "contratar", ya que no significan lo mismo. Reemplazar es más amplio y puede ser por vía de contratar trabajadores externos o transferir o trasladar trabajadores internos a los puestos de trabajo de los huelguistas. En cambio, contratar implica siempre recurrir a personal externo de la empresa. Para los sindicatos lo prohibido era reemplazar por cualquier vía. Por el contrario, para los empleadores era contratar empleados externos nada más, lo cual les permitía redestinar a trabajadores internos para cubrir las labores de los huelguistas. Esta disputa jurídica era de la mayor relevancia[25].

La mayoría de la Sala Laboral de la Corte Suprema (3 de 5 miembros), falló en favor de los sindicatos y por una interpretación amplia de la palabra reemplazar en el artículo 381 ya mencionado, prohibiendo de esta forma el reemplazo interno.

La Corte Suprema, en una extensa sentencia justificó esta opción interpretativa en favor de la libertad sindical. Podemos agrupar sus fundamentos de la siguiente forma:

- *Interpretación finalista*: La Corte nos dice que la ley debe interpretarse desde distintas perspectivas: históricas, semánticas, sistémicas, sociológicas, teleológicas y axiológicas. Y para efectos de este caso, la Corte hace presente que la huelga es un recurso ineludible para los trabajadores y que los empleados carecen de otra herramienta pacífica para reivindicar sus derechos (considerandos 9 a 12).

- *Reconocimiento constitucional*: La Constitución chilena heredada de Pinochet reconoce la libertad sindical y la negociación colectiva, y para la Corte esta consagración comprende también el derecho de huelga. Por una parte, se razona, la Constitución prohíbe la huelga en el sector público, lo que permite deducir a contrario sensu que sí es un derecho en el sector privado. Por otro lado, la Constitución establece que la negociación colectiva es un derecho de los trabajadores, y la Corte estima que si se limita la huelga o se la prohíbe se afectaría la esencia de la negociación colectiva (considerandos 23, 29 y 30).

---

[25] Véase GAMONAL C., Sergio, "La Huelga en Chile: ¿derecho o privilegio?", *Revista Gaceta Jurídica*, N° 369, 2011, pp. 21-32.

- *Derecho Internacional del Trabajo*: La tendencia en tratados internacionales y declaraciones de derechos humanos es que la libertad sindical es un derecho fundamental y, por lo tanto, la huelga también. Y Chile ha ratificado esos instrumentos internacionales (considerandos 17 a 21).

- *Interpretación semántica y sistémica*: Diversas normas del Código del Trabajo permiten concluir que permitir el reemplazo interno va en contra de lo dispuesto en la ley (considerandos 22, 24 a 28)

- *Evolución histórica de la legislación*: Desde el Plan Laboral la legislación ha ido limitando el reemplazo de trabajadores (considerandos 13 a 16).

- *Interpretación axiológica:* La Corte precisa que las distintas enmiendas legales han cambiado finalmente el paradigma, en el sentido de que el reemplazo debe ser muy excepcional para no afectar el derecho de huelga (considerandos 34 a 36).

- *Interpretación sociológica*: Desde una perspectiva sociológica, la Corte reconoce la existencia del conflicto social y la importancia de la huelga en su resolución (considerandos 31 a 33).

La mayoría de la Corte es enfática al concluir:

> "El derecho a la declaración de la huelga legal es una suerte de coronación esencial de la libertad sindical, a través del normado ejercicio de la negociación colectiva" (considerando 35), agregando que: "A la luz de su fin y valor, resulta insostenible la tesis de la parte patronal, que pretende escindir el derecho de libertad sindical del de declaración de huelga y su concretización" (considerando 35).

El voto de minoría (2 de 5) es bastante pobre, centrándose en una interpretación restrictiva del derecho de huelga y en que el derecho de huelga debe limitarse dado que compromete el desarrollo económico del país. Cabe hacer presente, además, que estos dos integrantes que votaron en contra no eran miembros permanentes de la Sala Laboral ni jueces de carrera, sino abogados integrantes.

Esta sentencia es muy relevante para nuestro estudio, dado que en sus considerandos 17 a 22 menciona la importancia del derecho internacional del trabajo para la interpretación amplia de la libertad sindical y, dentro de la misma, del derecho de huelga.

Cabe destacar, además que, en este caso, la sentencia de la Décima Sala de la Corte de Apelaciones de Santiago[26], que sostuvo la interpretación amplia de la voz reemplazo que luego fue refrendada por la Corte Suprema, citó expresamente en su fundamentación el Convenio N° 98 de la OIT, expresando que la interpretación que postulaba el empleador y según la cual le permitía hacer

---

[26] Rol 1.579-2013, de fecha 8 de enero de 2014.

reemplazo interno, desnaturalizaba la finalidad de la huelga, a saber, afectar el funcionamiento de la empresa y de esta forma forzar al empleador a negociar con el sindicato (considerando séptimo).

Con estos dos casos hemos visto la gran incidencia interpretativa de los Convenios de la OIT Nos 87 y 98 en el derecho chileno. Esta influencia pro libertad sindical se ha expresado también en sentencias más recientes que destacan que la huelga en Chile es un derecho fundamental[27] y, en consecuencia, no queda enclaustrada en los estrictos límites de la regulación legal.

2.4. CONCLUSIONES

Los Convenios de la OIT han tenido gran importancia en el desarrollo del derecho laboral mundial y latinoamericano.

La aprobación de los Convenios 87 y 98 de la OIT, a fines de la década de los noventa en Chile, permitió consolidar una interpretación amplia de la libertad sindical, pro derechos humanos, en favor de la autonomía, sin cambiar el texto constitucional pinochetista. Este último por descuido o ignorancia está redactado en término tales que permiten una interpretación *pro homine* de la libertad sindical.

La aprobación de estos Convenios generó un debate que, al ser zanjado favorablemente para los sindicatos por los tribunales, consolidó la tesis doctrinaria pro derechos humanos y libertad sindical.

Obviamente puede haber retrocesos, como el fallo del Tribunal Constitucional chileno acerca de la reforma laboral, ley N° 20.940[28]. Pero creemos que una interpretación que sigue el ideario de una dictadura, como la postulada por el Tribunal Constitucional en dicha sentencia, no tiene futuro en un país democrático como el nuestro y menos aún con una Corte Suprema y tribunales que toman en serio la defensa de los derechos humanos, como es posible apreciar en las sentencias comentadas en este trabajo.

---

[27]   Véase GAMONAL C., Sergio, "La Huelga como Derecho Fundamental", *Revista de Derecho Laboral y Seguridad Social* (Thomson Reuters LegalPublishing Chile), Vol. II N° 4, 2014, pp. 390-393; GAMONAL C., Sergio, "Conflicto Colectivo y Huelga Preventiva, Huelga Constitucional y Huelga en base a la Excepción de Contrato no Cumplido", *Revista de Derecho Laboral y Seguridad Social*, Thomson Reuters Chile, N° 2, 2015, pp. 274-277, y UGARTE CATALDO, José Luis, "La Huelga en el Derecho Laboral Chileno: Superando el Espejismo", Revista de *Derecho Laboral y Seguridad Social*, Thomson Reuters Chile, N° 4, 2014, pp. 63-69.

[28]   GAMONAL C., Sergio, "La Reforma Laboral, la Constitución y la Libertad Sindical", *Reforma al Derecho Colectivo del Trabajo. Examen crítico de la ley N° 20.940,* editado por Pablo Arellano Ortiz, Juan Pablo Severín Concha y María Ester Feres Nazarala, Santiago, Thomson Reuters, 2016, pp. 31-61.

BIBLIOGRAFÍA

CEA EGAÑA, José Luis, *Derecho Constitucional Chileno*, Tomo II, Santiago, Ediciones Universidad Católica de Chile, 2004.

CORVERA VERGARA, Diego y GUMUCIO RIVAS, Juan, "Las normas de los Convenios 87 y 98 de la OIT y su relación con la normativa interna chilena", *Revista Laboral Chilena*, Julio, 2000.

EVANS DE LA CUADRA, Enrique, *Los Derechos Constitucionales*, tomo III, Santiago, Editorial Jurídica de Chile, 1999.

GAMONAL C., Sergio "Narrativa laboral y principios del derecho del trabajo chileno", *Revista de la Facultad de Derecho de México*, Tomo LXIX, Número 273, Enero-Abril de 2019, pp. 65-88.

GAMONAL C., Sergio, "La Reforma Laboral, la Constitución y la Libertad Sindical", *Reforma al Derecho Colectivo del Trabajo. Examen crítico de la ley N° 20.940*, editado por Pablo Arellano Ortiz, Juan Pablo Severin Concha y María Ester Feres Nazarala, Santiago, Thomson Reuters, 2016, pp. 31-61.

GAMONAL C., Sergio, "Conflicto Colectivo y Huelga Preventiva, Huelga Constitucional y Huelga en base a la Excepción de Contrato no Cumplido", *Revista de Derecho Laboral y Seguridad Social*, Thomson Reuters Chile, N° 2, 2015, pp. 274-277.

GAMONAL C., Sergio, "La Huelga como Derecho Fundamental", *Revista de Derecho Laboral y Seguridad Social*, Thomson Reuters Chile, Vol. II N° 4, 2014, pp. 390-393.

GAMONAL C., Sergio, "La Huelga en Chile: ¿derecho o privilegio?", *Revista Gaceta Jurídica*, N° 369, 2011, pp. 80-84.

GAMONAL C., Sergio, *Derecho Colectivo del Trabajo*, Santiago, LexisNexis, 2002.

GAMONAL C., Sergio, "La Constitución de 1980 y la Libertad Sindical", *Anuario de Derecho del Trabajo y de la Seguridad Social* (Sociedad Chilena de Derecho del Trabajo y Seguridad Social), N° 1, 2000, pp. 69-97.

GAMONAL C., Sergio, "La Libertad Sindical en el Ordenamiento Laboral Chileno y los Convenios 87 y 98 de la OIT", *Cuadernos Jurídicos Universidad Adolfo Ibáñez*, N° 14, 2000, pp. 1-83.

GAMONAL C., Sergio, "La Tutela de la Libertad Sindical en Chile: comentarios a una sentencia de la Corte Suprema", *Semana Jurídica* (ConoSur), año 1, N° 5, del 11 al 17 de Diciembre de 2000, pp. 5 y 6.

GAMONAL C., Sergio, *Introducción al Derecho del Trabajo*, Santiago, Editorial Jurídica ConoSur, 1998.

GAMONAL C., Sergio, "Perspectivas futuras del derecho sindical chileno. Desafíos de nuestro derecho sindical", *Revista Derecho y Humanidades*, Universidad de Chile, N° 5, 1997, pp. 93-117.

GAMONAL C., Sergio, "Efectos de la ratificación de los Convenios 87 y 98 de la OIT, en el Derecho Colectivo Chileno", *Revista Laboral Chilena*, Noviembre, 1999.

MACCHIAVELLO CONTRERAS, Guido, *Derecho Colectivo del Trabajo, Teoría y Análisis de sus Normas*, Santiago, Editorial Jurídica de Chile, 1989.

MANTERO DE SAN VICENTE, Osvaldo, *Derecho del Trabajo en los países del Mercosur, Un estudio de derecho comparado*, primera parte, Montevideo, Fundación de Cultura Universitaria, 1996.

MEDINA, Cecilia, "El derecho internacional de los derechos humanos", en *Sistema Jurídico y Derechos Humanos. El derecho nacional y las obligaciones internacionales de Chile en materia de Derechos Humanos*, Santiago, Escuela de Derecho, Universidad Diego Portales, serie publicaciones especiales N° 6, 1996, pp. 27-84.

PFEFFER URQUIAGA, Emilio, *Manual de Derecho Constitucional*, Santiago, Ediar-ConoSur, 1987.

SILVA GALLINATO, María Pía, "Los Derechos Laborales en la Constitución de 1980", en *Constitución '80 estudio crítico*, Mario Verdugo (coord.), Santiago, Ediar-ConoSur, 1988.

TAPIA GUERRERO, Francisco, *Sindicatos en el derecho chileno del trabajo*, Santiago, LexisNexis, 2005.

THAYER ARTEAGA, William, *Sindicatos y Negociación Colectiva*, Santiago, Editorial Jurídica de Chile, 1993.

THAYER ARTEAGA, William y NOVOA FUENZALIDA, Patricio, *Manual de Derecho del Trabajo*, Tomo I, Generalidades y Derecho Colectivo del Trabajo, 3ª edición, Santiago, Editorial Jurídica de Chile, 1993.

THAYER ARTEAGA, William y NOVOA FUENZALIDA, Patricio, *Manual de Derecho del Trabajo*, Tomo IV, Sindicatos y Negociación Colectiva. Los Convenios 87 y 98 de la OIT y su impacto en la Legislación Chilena, 2ª edición, Santiago, Editorial Jurídica de Chile, 2000.

UGARTE CATALDO, José Luis, "Huelga como Derecho Fundamental", *Revista de Derecho Laboral y Seguridad Social*, Thomson Reuters Chile, N° 1, 2015, pp. 228-230.

UGARTE CATALDO, José Luis, "La Huelga en el Derecho Laboral Chileno: Superando el Espejismo", *Revista de Derecho Laboral y Seguridad Social*, Thomson Reuters Chile, N° 4, 2014, pp. 63-69.

UGARTE CATALDO, José Luis, "Libertad Sindical y Constitución: Cómo superar una vieja lectura", *Revista Laboral Chilena*, Mayo, 2000, pp. 69-79.

URZÚA VALENZUELA, Germán, *Manual de Derecho Constitucional*, Santiago, Editorial Jurídica de Chile, 1991.

VERDUGO, Mario, PFEFFER, Emilio y NOGUEIRA, Humberto, *Derecho Constitucional*, tomo I, Santiago, Editorial Jurídica de Chile, 1994.

VIVANCO M., Ángela, *Curso de Derecho Constitucional. Aspectos Dogmáticos de la Carta Fundamental de 1980*, Tomo II, Santiago, Ediciones Universidad Católica de Chile, 2006.

Capítulo 3.

El Convenio núm. 98 y el Estado de Chile: Crónica de una inobservancia anunciada

CÉSAR TOLEDO CORSI*

3.1. RATIFICACIÓN DEL CONVENIO NÚM. 98 Y UNA NORMATIVA INTERNA QUE NO SE INSPIRA EN LA LIBERTAD SINDICAL

Con ocasión de la ratificación del Convenio núm. 98[1] (en adelante, indistintamente, C98.) de la OIT, las autoridades políticas de la época sostuvieron un ambiguo discurso[2]. Por una parte, se declaraba el potente mensaje que suponía la ratificación, a fines del siglo pasado, del C98[3], a través del cual Chile se incorporaba al conjunto de naciones que habían adoptado los derechos humanos laborales básicos y con lo cual se materializaba lo acordado en diversos foros internacionales[4], mientras que, por otra parte, el Mensaje 232-336, de 28 de enero de 1998, del Presidente de la República, con el que se inició el proyecto de acuerdo por el cual se aprobó el C98 de la OIT, planteaba, como pasaremos a exponer, que este convenio resultaba acorde con la legislación nacional, presagiando la falta de voluntad política para avanzar, en lo venidero, en un reconocimiento pleno de la libertad sindical y su protección, así como en el fomento de una negociación colectiva fundada en los principios que inspiran dicho convenio. Tales expresiones de la autoridad política, no pueden entenderse sino como un signo

---

[*] Abogado UDP. Profesor Derecho del Trabajo, Facultad de Derecho UDP. Magíster en Derecho Público, mención Derecho Constitucional, Máster en Empleo, Relaciones Laborales y Diálogo Social en Europa, Universidad Castilla-La Mancha.

[1] Dada la ratificación simultánea del C87 con el C98, la mayor parte de los comentarios que se hacen a este último sobre su discusión y opiniones doctrinarias, entre otras, deben entenderse hechas al C87.

[2] Ver, MOLINA V. Germán, "Aprobación de Convenios Internacionales del Trabajo". *Boletín Oficial de la Dirección del Trabajo*, N°120, enero de 1999, pp. 10-11.

[3] Adoptado el 01.07.1949 en la 32a Conferencia de la O.I.T., entrando en vigencia el 18 de julio de 1951. Ratificado por Chile con fecha 01 de Febrero de 1999 y promulgado mediante Decreto N° 227 del 17 de Febrero de 1999. Publicado en el Diario Oficial el 12 de mayo de 1999. En paralelo, se ratificó el Convenio 87 OIT.

[4] Entre ellos, la Segunda Cumbre de Jefes de Estado y Gobierno, de Santiago (1998) y en la Undécima Conferencia Interamericana de Ministros del Trabajo de Países Miembros de la OEA, de Viña del Mar (1998).

inequívoco de apartamiento del principio *pacta sunt servanda* y cumplimiento de buena fe de los tratados internacionales[5].

Ciñéndonos estrictamente al referido Mensaje, este planteó la siguiente relación entre los seis primeros artículos del C98 y el ordenamiento jurídico nacional, a la que añadiremos nuestra opinión crítica sobre ello.

Respecto del art. 1 del C98[6] se afirmó que la legislación chilena daba pleno cumplimiento por medio de las normas de los Libros III y IV del Código del Trabajo, que sancionan las prácticas antisindicales o desleales; la norma contenida en el artículo 215 CT[7] que, con similar terminología, repite el texto del art. 1° C98 y, por medio de las normas del CT que regulan el fuero de los dirigentes sindicales.

Se asumió, entonces, como adecuada protección en contra de los actos antisindicales, la brindada por normas legales con sanciones insignificantes, con normas procedimentales que no favorecían una tutela efectiva de la libertad sindical y con una falta de acceso a la justicia por parte del actor sindical cuyo mayor reflejo lo constituye el que, entre 1991, año en que la Ley 19.069 modificó el Plan Laboral en materia de prácticas antisindicales y la fecha del Mensaje presidencial en comento (1998), solo se registraron por la autoridad administrativa encargada para ello por la ley, cinco sentencias ejecutoriadas por prácticas antisindicales[8].

---

[5]   Con todo, años más tarde, tales expresiones serían utilizadas como un fundamento más para que el Tribunal Constitucional reprochara la constitucionalidad de la ley que limitaba la participación de los grupos negociadores, en las empresas donde existiera un sindicato (Sentencia del Tribunal Constitucional, de 08.09.2016, Rol 3.016).

[6]   El cual dispone que los trabajadores deben gozar de adecuada protección contra todo acto de discriminación tendiente a menoscabar la libertad sindical en relación con su empleo y que dicha protección debe ejercerse especialmente contra todo acto que tenga por objeto sujetar el empleo de un trabajador a la condición de que no se afilie a un sindicato o a la de dejar ser miembro de un sindicato; o bien despedir a un trabajador o perjudicarlo en cualquier forma a causa de su afiliación sindical o de su participación en actividades sindicales fuera de las horas de trabajo o, con el consentimiento del empleador, durante las horas de trabajo.

[7]   "No se podrá condicionar el empleo de un trabajador a la afiliación o desafiliación a una organización sindical. Del mismo modo se prohíbe impedir o dificultar su afiliación, despedirlo o perjudicarlo, en cualquier forma por acusa de su afiliación sindical o de su participación en las actividades sindicales".

[8]   Nos referimos , en el mismo orden en que fueron dictadas, a las siguientes sentencias: 1.- Sentencia del 6° Juzgado del Trabajo de Santiago dictada el 27.12.1994, caratulada "Catalán con Salinas", rol L-23.744-94; 2.- Sentencia del Juzgado de Letras de Temuco dictada el 19.07.1995, caratulada "Leal con Sociedad Agrícola G y F Criadero Freire Ltda"., rol 60.745; 3.- Sentencia del 4° Juzgado del Trabajo de Santiago, dictada el 31.07.1996, caratulada "Sindicato con Unimed", rol 69.334-95; 4.- Sentencia del 1er Juzgado del Trabajo de Iquique, dictada el 18.04.1997, caratulada "Sindicato Zofrisa con Empresa Zofri S.A"., rol 12.330, y, 5.- Sentencia del 6° Juzgado del Trabajo de Santiago, dictada el 10.06.1997, caratulada "Sindicato de Trabajadores con The Jeans", rol L-3.941-96. Toledo Corsi, César, "Las prácticas antisindicales", agosto de 2001, artículo inédito que, respecto de las sentencias citadas, se basó en el registro existente en la Dirección del Trabajo sobre sentencias por prácticas antisindicales, a partir de la obligación legal de remitir los Tribunales dichas sentencias,

Sobre el art. 2 del C98[9], se aseveró dar cumplimiento por medio de las normas contenidas en el Capítulo IX del Título I del Libro III del Código del Trabajo, que sancionaban las prácticas desleales en la negociación colectiva y de su sanción.

Sin perjuicio de reiterarse las mismas críticas ya señaladas respecto del artículo antes comentado[10], el yerro aquí fue aún peor: los actos de injerencia aludidos por el C98 claramente se incluyen dentro de las prácticas antisindicales y no de las prácticas desleales en la negociación colectiva.

En cuanto al art. 3 del C98[11], se consignó que no resultaba necesaria la creación de nuevos organismos, pues serían los jueces en lo laboral, los encargados de velar por el respeto al derecho de sindicación, en conformidad al procedimiento especial previsto en el artículo 292 CT, que los facultaba para apreciar la prueba, en conciencia, al conocer de una práctica desleal o antisindical y los obligaba a solicitar un informe de fiscalización a la respectiva Dirección Regional del Trabajo, constituyendo los hechos constatados una presunción legal para el magistrado, agregándose que el N° 19 del artículo 19 de la Constitución Política eleva a rango de garantía constitucional la libertad sindical y el artículo 22 de la misma, que regula el Recurso de Protección, señala que ésta es una de las garantías protegidas por la acción cautelar de protección.

Resulta insólito que se haya argumentado que las insuficientes normas procedimentales a ese tiempo vigentes para sancionar prácticas antisindicales y desleales en la negociación colectiva, no requerían modificación. La ineficacia extrema de las sanciones por prácticas antisindicales y más aún del recurso de protección para cautelar el derecho de sindicación, debió guiar una opinión tendiente a la necesidad imperiosa de modificación legal a objeto de cumplir con esta norma del C98. La entrada en vigencia de la reforma procesal laboral casi diez años

---

una vez ejecutoriadas. Cuatro de estas sentencias, técnicamente, de acuerdo a la ley chilena, podían también ser catalogadas de prácticas desleales en la negociación colectiva.

[9] El cual dispone que "las organizaciones de trabajadores y de empleadores deberán gozar de adecuada protección contra todo acto de injerencia de unas respecto de las otras, ya se realice directamente o por medio de sus agentes o miembros, en su constitución, funcionamiento o administración".
Se consideran actos de injerencia en el sentido de este artículo, principalmente las medidas que tiendan a fomentar la constitución de organizaciones de trabajadores dominadas por un empleador, o una organización de empleadores, o a someter económicamente, o en otra forma, organizaciones de trabajadores, con objeto de colocar estas organizaciones bajo el control de un empleador o de una organización de empleadores.

[10] Como ya indicamos a pie de página, dentro de las cinco sentencias por prácticas antisindicales dictadas entre 1991 y 1998, cuatro de ellas, técnicamente podían ser calificadas, al mismo tiempo, como prácticas desleales en la negociación colectiva.

[11] El que dispone que "deberán crearse organismos adecuados a las condiciones nacionales, cuando ello sea necesario, para garantizar el respeto al derecho de sindicación definido en los artículos precedentes".

después de la fecha del Mensaje sobre C98, vendría a ratificar tamaña miopía del Ejecutivo en 1998.

Respecto del art. 4 del C98[12], se justificó la congruencia con la legislación nacional en que nuestro sistema jurídico consultaba, al efecto, las normas que regulan el derecho a negociar colectivamente. A este respecto, se sostuvo que el CT, en su Libro IV, consagraba tres tipos de negociaciones: la no reglada, que, en principio, podía realizarse en cualquier nivel; la reglada, que solo podía desarrollarse al nivel de las empresas; y por último, la supra empresa, con carácter facultativo para los empleadores y que reconocía como sujeto laboral a dos o más sindicatos de distintas empresas, un sindicato interempresa, o una federación o confederación sindical. Se citó, además, en apoyo de tal aseveración, la norma de la Constitución Política (N° 16 del artículo 19), según la cual "la negociación colectiva con la empresa en que laboren es un derecho de los trabajadores".

Nuevamente, el juicio formulado sobre la íntima conexión entre el C98 y la normativa nacional fue errado. Citar parcialmente la norma constitucional, omitiendo que el derecho a negociar colectivamente lo limitaba únicamente a la empresa en que se laboraba y que, el CT, a partir de ello, construía un modelo en que la única negociación con viabilidad y con derecho de huelga era una de carácter obligatorio y limitada a la empresa, negando tal derecho al actor sindical en el caso de la negociación no reglada y exigiendo requisitos prácticamente imposibles de cumplir para las negociaciones erradamente llamadas supra empresas, refleja un escenario de difícil explicación: aprobar un convenio OIT para anunciar desde el día uno su voluntad de no aplicarlo, bajo la burda explicación de una congruencia legislativa con el C98, que no era tal.

A su vez, sobre el art. 5° C98[13], se señaló que, atendido lo dispuesto en el N° 4 del inciso cuarto del artículo N° 62 de la Constitución Política, la fijación de remuneraciones del personal de las Fuerzas Armadas y de Orden y Seguridad se hacían por ley de iniciativa exclusiva del Presidente de la República y que el C98 permitía esta exclusión, toda vez que delega a la legislación nacional el alcance de sus preceptos a las fuerzas armadas y la policía.

Omitió decirse que las prohibiciones al derecho a negociar colectivamente, como se encargaría de recordarle periódicamente la CEACR, no se limitaban en nuestra legislación a las Fuerzas Armadas y de Orden y Seguridad.

---

[12]   El cual dispone que "deberán adoptarse medidas adecuadas a las condiciones nacionales, cuando ello sea necesario, para estimular y fomentar entre los empleadores y las organizaciones de empleadores, por una parte, y las organizaciones de trabajadores, por otra, el pleno desarrollo y uso de procedimientos de negociación colectiva voluntaria, con el objeto de reglamentar por medio de contratos colectivos, las condiciones de empleo".

[13]   En cuyo número ro 1°, dispone que "la legislación nacional deberá determinar el alcance de las garantías previstas en el presente Convenio en lo que se refiere a su aplicación a las fuerzas armadas y a la policía".

Por último, respecto del art. 6° del C98[14], se afirmó que la norma internacional, en cuanto se refiere a negociación colectiva, no es aplicable a los funcionarios de la Administración del Estado, atendido el claro tenor del precepto transcrito, añadiendo que, sobre la materia, la OIT aprobó posteriormente un Convenio, el N° 151, que, a ese entonces, se encontraba sometido a la consideración del Congreso Nacional[15].

Se omitió toda referencia respecto de los funcionarios del Congreso Nacional y del Poder Judicial, lo que, en adelante, la CEACR se encargaría de reprocharlo periódicamente en sus informes.

La referencia en el Mensaje sobre tal nivel de armonía entre el C98 y la normativa nacional, supuso un distanciamiento con la percepción que, durante la dictadura, se tuvo de los efectos de la ratificación de Convenios OIT sobre materias sindicales justificado en distancia de estos con la legislación nacional (Plan Laboral de 1979), lo que se explica no solo por las observaciones y/o informes negativos de los órganos de control de libertad sindical de la OIT en contra de normas surgidas al amparo de dicho Plan, sino en que se haya evitado la ratificación de los convenios afines al reconocimiento pleno de la libertad sindical. Así, y a modo referencial, en el Acta N°22/82 de la Junta Militar, de 7 de septiembre de 1982, se dejó constancia de una sesión en la que se hizo mención a un oficio dirigido desde el Ministerio del Trabajo al Ministerio de Relaciones Exteriores, a propósito de tres convenios (y sus recomendaciones) adoptados en la 67ª Reunión de la Conferencia Internacional del Trabajo realizada en 1981 (se trata de los convenios 154 sobre negociación colectiva; 155 sobre seguridad y salud de los trabajadores, y 156 sobre trabajadores con responsabilidades familiares). Asumiendo que, al menos el convenio 154 era contrario a la legislación chilena, se aceptó la sugerencia del Ministerio del Trabajo en orden a no darle curso a la aprobación de dichos convenios, limitándose a lo que ya se había hecho el año 1981: acusar recibo y ordenar el archivo de los antecedentes.

Las expresiones vertidas en el Mensaje sobre la congruencia entre el C98 y la legislación chilena, por su naturaleza y por falta total de correspondencia con el contenido y aplicación práctica de las normas internas, resultan inocuas en lo que a la interpretación de dicho Convenio se refiere. Que el Tribunal Constitucional (TC)[16] las haya utilizado como sustento para persistir 18 años después del criticado Mensaje en la errada afirmación de armonía con las normas OIT,

---

[14]   Que dispone que él "no trata de la situación de los funcionarios públicos en la Administración del Estado y no deberá interpretarse, en modo alguno, en menoscabo de sus derechos o de su estatuto".

[15]   Posteriormente se ratificó por el Estado chileno el Convenio núm. 151, sobre protección del derecho de sindicación y los procedimientos para determinar las condiciones de empleo en la Administración Pública.

[16]   Sentencia TC dictada el 08.09.2016, Rol 3.016.

ahonda la falta de compromiso del Estado chileno de cumplir con el C98. Asimismo, y, como referiremos más adelante, los constantes reparos provenientes de los informes periódicos de la Comisión de Expertos en Aplicación de Convenios y Recomendaciones (CEACR) de la OIT, demuestran que la ratificación del C98 implicaba remover obstáculos normativos y fomentar negociaciones colectivas inspiradas en los principios asumidos por décadas por la OIT y no tributarias de un modelo de liberalismo extremo que, desde la otra vereda, asume la necesidad de intervenir con alta intensidad dichas negociaciones en la búsqueda de evitar afectaciones al libre mercado.

Pero esta tensión entre inocuidad y relevancia como efecto de la ratificación del C98, también se reflejó en la doctrina nacional. Por una parte, se advirtió cierto consenso en cuanto a que la libertad sindical se encontraba consagrada en las normas constitucionales, así como en los tratados internacionales ratificados previamente por Chile[17], realzados por la norma contenida en el inciso 2° del artículo 5° de la Constitución Política[18], pero se alejaron las opiniones en cuanto a los efectos modificatorios en la legislación nacional que supondría el apego a dicho Convenio. Así, para Sergio Gamonal, opinión que compartimos, a la fecha de la ratificación del C98 OIT existían gran cantidad de normas legales formalmente vigentes que transgredían la libertad sindical[19], en consonancia con lo cual, proponía una serie de modificaciones legislativas[20]. Por su parte, William

---

[17]   Principalmente nos referimos al Pacto Internacional de Derechos Económicos, Sociales y Culturales y al Pacto de San José de Costa Rica. En este orden, Eduardo Caamaño sostiene, refiriéndose a una concepción amplia de la libertad sindical, que "puede afirmarse que esta sería la concepción de la libertad sindical que consagra la Constitución Política de la República, si se analizan de manera armónica e integrada las disposiciones de los artículos 19 N°16, 19 y 26 de la CPR, en concordancia con los principios contenidos en los mencionados Convenios N°87 y 98 de la OIT ratificados por Chile". (CAAMAÑO ROJO, Eduardo, "El reconocimiento de la libertad sindical y el problema de la representación de los trabajadores en la negociación colectiva", en *Revista de Derecho de la P. Universidad Católica de Valparaíso* XXX, Valparaíso, Chile, 1er semestre de 2008, p.276).
En sentido contrario, para Irene Rojas Miño, dada la literalidad de los preceptos constitucionales, es discutible que la Constitución acoja los derechos de libertad sindical, en cuanto se entiende por tales los definidos en la doctrina universal de los derechos de libertad sindical, particularmente la emanada de la OIT y sus órganos de interpretación. (ROJAS MIÑO, Irene, *El Derecho del Trabajo en Chile. Su formación histórica y el control de la autonomía colectiva*, Thomson Reuters, 1ª edición, Santiago, 2016, p. 53).

[18]   Así, GAMONAL CONTRERAS, Sergio, "La libertad sindical en el ordenamiento laboral chileno y los Convenios 87 y 98 de la OIT", *Cuadernos Jurídicos* N°14, Facultad de Derecho Universidad Adolfo Ibáñez, Viña del Mar, 2000, pp.79-80.

[19]   GAMONAL, "La libertad sindical en el ordenamiento...", p.79.

[20]   Como, ciñéndonos a aquellas asociadas al Convenio 98 OIT: la ampliación de los trabajadores facultados para negociar colectivamente, especialmente los aprendices y los contratados para el desempeño de una determinada obra o faena transitoria o de temporada; la ampliación de las empresas en las cuales es posible negociar colectivamente; la consagración del despido antisindical con el reintegro para el trabajador despedido; el que las materias de negociación sean establecidas por las partes; el que, en las negociaciones colectivas no regladas el sujeto trabajador deba ser un

Thayer y Patricio Novoa consignaron de modo más genérico que, a partir del 1 de febrero de 2000[21], debía ponerse en marcha un proceso para discutir la adecuación de algunas normas de la legislación que, sin comprometer en su esencia el derecho de asociación, no se ajustan a los principios ordenadores que imponen los C87 y 98 y que Chile debía respetar de buena fe[22]. Pero también hubo quienes sostuvieron, con ocasión de la ratificación de tales convenios, como Cecily Halpern, que el sistema legal nacional no se contraponía a ellos, sin perjuicio de ser susceptible de ser adaptada mejor a los lineamientos de la OIT y a la jurisprudencia de sus órganos de control, siendo todo esto materia exclusiva del legislador[23], a diferencia de lo sostenido por Thayer y Novoa, para quienes frente a la colisión de derechos entre las exigencias comunes de un Convenio OIT y la ley interna, correspondería a los tribunales chilenos, en cuanto órganos competentes del Estado miembro, decidir tal contienda, sin perjuicio de las atribuciones de la OIT para fiscalizar el cumplimiento tales convenios por Chile[24].

Pero también se expresaron con ocasión de la ratificación del C98 y con posterioridad, opiniones sobre otros aspectos derivados de la ratificación de los Convenios OIT en materia de libertad sindical. Así, para Eduardo Caamaño, permiten sustentar en los albores del siglo XXI una noción amplia de la libertad sindical,

---

sujeto colectivo en el caso de las agrupaciones o coaliciones de hecho, con un quórum mínimo similar al de constitución de un sindicato y siempre que no exista sindicato para dicha negociación; que las agrupaciones o coaliciones de hecho solo puedan negociar cuando no exista el respectivo sindicato; aligerar el procedimiento de negociación colectiva, el que debe se acordado por las partes; permitir que se recurra a la huelga como derecho ante transgresiones flagrantes a las normas legales y los contratos colectivos, pudiendo operar en tales casos, mecanismos de conciliación y mediación; estructurar una regulación única para las huelgas en servicios esenciales del sector privado y público, acorde la doctrina del Comité de Libertad Sindical; consagración de la figura de las huelgas abusivas; que, en el caso de la huelga regulada en ese momento para el procedimiento reglado, si no se vota aprueba o ejecuta, que los trabajadores tengan la opción de recurrir a un arbitraje en caso de que la última oferta les sea desfavorables; la prohibición de contratación de esquiroles o rompehuelgas; la derogación de la legislación penal sobre huelgas; aumento de la información que debe dar el empleador a sus subordinados; establecimiento de un procedimiento especial y sumarísimo respecto de las prácticas antisindicales; establecimiento de instancias de carácter tripartito, a nivel nacional, que promocionen un diálogo fluido entre los actores sociales y el estudio de una mecanismo de extensión de la negociación colectiva, por medio de la negociación por área o interempresa o por el establecimiento de comisiones tripartitas por sector de actividad o por facultades otorgadas al Gobierno para extender la aplicación de la totalidad o parte de ciertos contratos colectivos, con el compromiso previo a legislar de contar con el acuerdo previo de los actores sociales. (GAMONAL. "La libertad sindical en el ordenamiento…", p.78).

[21] Fecha de entrada en vigencia del C98 para Chile.
[22] THAYER ARTEAGA, William y NOVOA FUENZALIDA, Patricio, *Manual de Derecho del Trabajo*, Tomo IV, Sindicatos y Negociación Colectiva, 2ª edición actualizada, Editorial Jurídica de Chile, 2000, p. 350.
[23] HALPERN MONTECINO, Cecily, "La certeza jurídica en la institucionalidad vigente en materia de relaciones colectivas de trabajo", en *Libertad Sindical, homenaje al profesor Alfredo Bowen H.*", Anuario de Derecho del Trabajo y Seguridad Social N°1/2000, p.30.
[24] THAYER y NOVOA, *Manual de Derecho del Trabajo* p. 352.

proclamando su carácter de atributo esencial de toda persona, es decir, su calidad de derecho humano fundamental[25]. Por su parte, Sergio Gamonal manifestó, contemporáneamente a la entrada en vigencia para Chile del C98 y 87, que el efecto más importante de su aprobación, se materializaría en nuestra "cultura jurídica" al provocar su ratificación un debate doctrinario acerca de la libertad sindical y de la compatibilidad del Código del Trabajo con la misma[26].

También se distanciaron las opiniones en cuanto a si la ratificación del C98 supondría adoptar por el Estado de Chile el contenido de la jurisprudencia de los órganos de control de la libertad sindical de dicha organización internacional. Para Thayer y Novoa, sin lugar a dudas, lo que no aparece en el texto de los tratados ratificados y solo es creación de la jurisprudencia de los órganos fiscalizadores de la OIT, no ha sido objeto de ratificación de los poderes del Estado y por lo tanto no obliga a este[27], sin perjuicio de sostener el indudable peso jurídico que pronunciamientos jurídicos concordantes, reiterados y fundados de la OIT habrán de influenciar en los criterios del Gobierno, Tribunales y Contraloría[28]. En cambio, como afirma Irene Rojas Miño, opinión que hacemos nuestra, la doctrina y los diversos sistemas jurídicos nacionales e internacionales han asumido la jurisprudencia que emana de los pronunciamientos de la CEACR y del CLS, basado en tres argumentos expresados por el Centro de Formación de la OIT: la labor de los órganos de control constituye una lectura particularmente autorizada de los convenios internacionales del trabajo; la labor de los órganos de control constituye una lectura válida, hasta que se determine lo contrario por parte de la Corte Internacional de Justicia, y, en conformidad con la Convención de Viena, los tratados deben aplicarse de buena fe, lo que incluye someterse a los órganos de control definidos debiendo tomar en cuenta sus observaciones y recomendaciones[29].

Debido a lo acotado de este análisis, solo dejaremos enunciado que, dentro de los otros aspectos que suscitaron controversia se pudo advertir la discusión sobre si la eficacia de sus normas era inmediata o mediata[30], así como la jerarquía normativa en nuestro ordenamiento jurídico de las normas contenidas en él.

Estimamos que, con independencia de la existencia de otros tratados ratificados por Chile con anterioridad al 98 OIT reconociendo en sentido amplio la libertad sindical, su ratificación implicaba para el Estado de Chile ineludibles

---

[25]   CAAMAÑO, "El reconocimiento de la libertad sindical…", p. 272.

[26]   GAMONAL, "La libertad sindical en el ordenamiento…", p. 80.

[27]   THAYER y NOVOA, *Manual de Derecho del Trabajo* p. 322.

[28]   THAYER y NOVOA, *Manual de Derecho del Trabajo* p. 324.

[29]   ROJAS MIÑO, Irene, "Los derechos de libertad sindical en la Constitución chilena", *Revista de Derecho, Universidad Austral de Valdivia*, Vol. XXX, N°1, junio 2017, p. 13.

[30]   Paradojalmente, podría afirmarse, a la luz de lo sucedido desde la ratificación del C98, que la eficacia de sus normas no fue inmediata ni mediata.

obligaciones en orden no solo a remover todos los obstáculos (especialmente normativos) para la plena vigencia de la libertad sindical, sino a construir un nuevo modelo de relaciones colectivas del trabajo inspiradas precisamente en el reconocimiento amplio de la libertad sindical, dejando atrás un modelo que toma de la libertad sindical solo aquello que le es de utilidad (una libertad sindical con piso y techo en el ámbito más descentralizado) y que constituye una normativa que no se inspira en la libertad sindical, sino más bien, en evitar o dificultar al extremo que se materialicen las formas típicas de un reconocimiento amplio de la libertad sindical (negociación colectiva por área de actividad económica, sindicatos con poder de negociación independientemente del vínculo laboral de sus dirigentes, derecho de huelga efectiva, etc.), al asumirse que ellas representan una intolerable afectación al libre mercado[31].

Asumiendo que el Estado chileno ha mantenido el modelo del Plan Laboral que repele el reconocimiento amplio de la libertad sindical, del cual asumimos el C98 es un referente, nuestra tarea necesariamente se concentrará en los siguientes aspectos: primero, daremos cuenta, como evidente reflejo de las contradicciones entre el C98 y la legislación nacional las observaciones que desde el control de cumplimiento del C98 ha surgido de la CEACR hasta 2017 y, en segundo lugar, expresaremos nuestra opinión, más allá de las observaciones de la CEACR de las contradicciones del modelo de relaciones colectivas de trabajo que refleja la legislación nacional y el C98 hasta la actualidad.

3.2. OBSERVACIONES DEL CEACR AL GOBIERNO DE CHILE POR INOBSERVANCIAS DE LA LEY AL CONVENIO NÚM. 98

En 2002, luego de dar cuenta la CEACR de su satisfacción debido a que, entre la ratificación del C98 y el envío de la primera memoria, el Congreso Nacional había efectuado modificaciones al CT, en el sentido de dar una mayor aplicación al Convenio, concretamente aquellas que reforzaron la protección contra los

---

[31] Ver, al respecto, PIÑERA ECHENIQUE, José, *La revolución laboral en Chile*, Editorial Zig-Zag, Quinta Edición, Santiago, 1990.

actos de discriminación antisindical e injerencia[32] y las que, en opinión de la CEACR, permitía la negociación colectiva a los trabajadores transitorios o eventuales[33] [34].

En 2007[35], la CEACR, observó que el Gobierno no había enviado sus observaciones respecto de los comentarios formulados desde hace varios años sobre las siguientes cuestiones:

a) El artículo 304 CT, que prohíbe la negociación colectiva en las empresas del Estado dependientes del Ministerio de Defensa Nacional o que se relacionen con el Supremo Gobierno a través de este Ministerio y en aquellas en que las leyes especiales las prohíban, ni en las empresas o instituciones públicas o privadas cuyos presupuestos, en cualquiera de los dos últimos años calendario, hayan sido financiadas en más de un 50% por el Estado, directamente, o a través de derechos o impuestos. La Comisión recordó, una vez más, que dicha disposición no estaba en conformidad con el C98 y pidió al Gobierno que tomara las medidas necesarias para garantizar que los trabajadores de los sectores mencionados, que no son miembros de las fuerzas armadas o la policía y que no ejercen actividades propias de la administración del Estado, gocen del derecho de negociación colectiva. Este reparo se mantuvo en los Informes de la CEACR de los años 2008[36], 2010[37], 2012[38], 2014[39] y, en 2017, en que, con ocasión de la aprobación de la Ley 20.940 informó lamentar tomar nota de que el Gobierno indicara que no se había modificado este artículo en atención a que las empresas e instituciones señaladas en el mismo participan del presupuesto fiscal. Al respecto, la Comisión le recordó al Gobierno que el C98 es compatible con modalidades particulares de aplicación para trabajadores públicos y le reiteró que de conformidad con los artículos 5 y 6 del C98 solo puede

---

[32]   En rigor, la modificación más relevante desde la perspectiva del C98 realizada por la Ley 19.759 fue respecto de la sanción de las prácticas antisindicales, al dotarla de normas procedimentales, aumentar los montos de las multas, reconocer la titularidad de la acción a la Dirección del Trabajo, entre otras.

[33]   *Informe de la Comisión de Expertos en Aplicación de Convenios y Recomendaciones*, Conferencia Internacional del Trabajo, 90ª reunión. 2002, Oficina Internacional del Trabajo, Ginebra, p. 387.

[34]   En este último punto, a la luz del texto de la ley, resulta del todo criticable la satisfacción de la Comisión, ya que a los trabajadores transitorios o eventuales no se les reconoció el derecho de huelga.

[35]   *Informe de la Comisión de Expertos en Aplicación de Convenios y Recomendaciones*, Conferencia Internacional del Trabajo (CIT), 96ª reunión, 2007, Oficina Internacional del Trabajo (OIT), Ginebra.

[36]   *Informe de la CEACR*, CIT, 97ª reunión, 2008. OIT, Ginebra.

[37]   *Informe de la CEACR*, CIT, 99ª reunión, 2010. OIT, Ginebra, p.113-114.

[38]   *Informe de la CEACR*, CIT, 101ª reunión, 2012, OIT, Ginebra, p.112-113.

[39]   *Informe de la CEACR*, CIT, 103ª reunión, 2014, OIT, Ginebra, p. 82-83.

excluirse de la negociación colectiva a las fuerzas armadas y la policía y a los funcionarios públicos en la administración del Estado[40].

b) El artículo 1 CT dispone que el mismo no se aplica a los funcionarios del Congreso Nacional y del Poder Judicial, ni a los trabajadores de las empresas o instituciones del Estado o de aquellas en que éste tenga aportes, participación o representación, siempre que dichos funcionarios o trabajadores se encuentren sometidos por ley a un estatuto especial. La CEACR recordó, una vez más, que los trabajadores al servicio del Congreso Nacional y del Poder Judicial, así como aquéllos de las empresas o instituciones del Estado o de aquellas en que éste tenga aportes, participación o representación, deberían gozar del derecho de negociación colectiva. Este reparo se mantuvo en el Informe de la CEACR del año 2008, añadiendo la CEACR el reparo al artículo 1 CT, desestimando lo informado por el Gobierno en cuanto a que la Ley 19.673 había incorporado a los funcionarios del Congreso Nacional al régimen establecido para los funcionarios de la Administración del Estado (Ley 19.296), permitiéndoles constituir asociaciones de funcionarios, por cuanto no se les permite en tal ley negociar colectivamente. Este reparo volvió a expresarse en el Informe de la CEACR de 2010, 2014[41] y, con ocasión del Informe de 2017, informó la CEACR haber tomado nota de que el Gobierno indica que la reforma laboral no ha modificado esta disposición, en consideración al hecho que la reforma solo afecta al sector privado y que los funcionarios señalados en esta disposición, junto a los funcionarios de la administración centralizada y descentralizada forman parte del sector público, respecto de los cuales el Estado cumple y aplica el Convenio sobre las relaciones de trabajo en la administración pública, 1978 (núm. 151). Recordando la CEACR que, en virtud del artículo 6 del C98, se exceptúa la aplicación del Convenio tan solo a los funcionarios públicos que trabajan en la administración del Estado, la pidió al Gobierno que indicara de forma detallada de qué manera los funcionarios y trabajadores públicos que no trabajan en la administración del Estado gozan de las garantías del Convenio[42].

---

[40] La Comisión pidió al Gobierno que tome las medidas necesarias para garantizar que las categorías de trabajadores mencionadas puedan participar en la negociación colectiva, tanto en la legislación como en la práctica y tomando nota de que el Comité de Libertad Sindical, saludando la voluntad expresada por el Gobierno de revisar las regulaciones en materia de tipificación y sanción de prácticas antisindicales para poder mejorar todo aspecto deficitario en la legislación en consulta con los interlocutores sociales, había pedido al Gobierno que informara a la Comisión al respecto (377.º informe, caso núm. 3053, párrafo 288).

[41] *Informe de la Comisión de Expertos en Aplicación de Convenios y Recomendaciones*, Conferencia Internacional del Trabajo, 103ª reunión, 2014, Oficina Internacional del Trabajo, Ginebra, p. 82-83.

[42] Por ejemplo, los empleados de empresas públicas y los de entidades descentralizadas, los docentes del sector público y el personal del sector de los transportes.

c) Los artículos 314 bis y 315 CT establecían la posibilidad de que grupos de trabajadores, distintos de los sindicatos, presentaran proyectos de convenios colectivos. La CEACR subrayó, a este respecto, que el C98 se refiere al fomento de la negociación colectiva entre los empleadores o sus organizaciones y las organizaciones de trabajadores y que los grupos de trabajadores solo deberían poder negociar convenios o contratos colectivos en ausencia de tales organizaciones. En base a esto, la Comisión pidió, una vez más, al Gobierno que tomara medidas para modificar la legislación en este sentido y que en su próxima memoria le informe sobre toda evolución al respecto. En el Informe 2008 la CEACR mantuvo sus reparos a los artículos 314 bis y 315 CT y, luego de tomar nota de que el Gobierno explicaba el origen legislativo de tales normas señalando que de conformidad con las mismas, el sindicato de empresa o de un establecimiento se encontraba habilitado para negociar colectivamente por el solo hecho de tener dicha calidad, mientras que los grupos de trabajadores que se unían para negociar debían reunir los quórum y porcentajes que la ley exige para formar un sindicato de empresa o de un establecimiento de ella, recordándose que la negociación directa entre la empresa y sus trabajadores, por encima de las organizaciones representativas cuando las mismas existen, puede en ciertos casos ir en detrimento del principio por el cual se debe estimular y fomentar la negociación colectiva entre empleadores y organizaciones de trabajadores y que los grupos de trabajadores solo deberían poder negociar convenios o contratos colectivos en ausencia de tales organizaciones. Por último, la CEACR en 2017 observó que, en relación a las peticiones de la CEACR de derogar los artículos 314 bis y 315 del CT, el Gobierno informó que con las modificaciones introducidas por la reforma al CT se habían eliminado estas disposiciones y no se introdujeron reglas similares en lo concerniente a la regulación de la negociación colectiva de los grupos negociadores al margen de los sindicatos, pero que el TC falló que sería inconstitucional disponer que los trabajadores sólo puedan negociar a través de sindicatos[43]. Al respecto, la CEACR observó que, si bien el proyecto de ley, tomando en consideración sus comentarios precedentes, consagraba el reconocimiento de la titularidad sindical en la negociación colectiva, la decisión del TC declaró inconstitucionales las disposiciones introducidas al respecto, destacando que según la Constitución chilena la titularidad del derecho a la negociación colectiva es de todos y cada uno de los trabajadores y considerando que los C87 y 98 de la OIT ratificados por Chile no obligan a excluir de la legislación interna a los grupos negociadores. La CEACR recordó que, sin perjuicio de que el ordenamiento

---

[43]   Sentencia TC dictada el 08.09.2016, Rol 3.016.

jurídico chileno pueda reconocer la titularidad del derecho a la negociación colectiva a todos y cada uno de los trabajadores, se trata de un derecho de ejercicio colectivo y el Convenio, así como otros convenios de la OIT ratificados por Chile, reconoce al respecto un papel preponderante a los sindicatos u organizaciones de trabajadores, frente a otras modalidades de agrupación. Es amplia la noción de organización de trabajadores reconocida en los convenios de la OIT (abarcando una multiplicidad de formas organizativas), por lo que la distinción se establece en relación a modalidades de agrupación que no reúnen las garantías y requisitos mínimos para poder considerarse organizaciones constituidas con el objeto y la capacidad de fomentar y defender los derechos de los trabajadores de forma independiente y sin injerencias. Es desde esta perspectiva que el C98 reconoce en su artículo 4 como sujetos de la negociación colectiva a los empleadores o sus organizaciones, por una parte, y las organizaciones de trabajadores, por otra, reconociendo que estas últimas presentan garantías de autonomía de las cuales podrían carecer otras formas de agrupación. Consecuentemente, la CEACR ha considerado siempre que la negociación directa entre la empresa y grupos de trabajadores sin organizar por encima de organizaciones de trabajadores, cuando las mismas existen no es acorde al fomento de la negociación colectiva previsto en el artículo 4 del C98, de modo que los grupos de trabajadores solo deberían poder negociar convenios o contratos colectivos en ausencia de tales organizaciones. Adicionalmente, se ha constatado en la práctica que la negociación de las condiciones de trabajo y empleo por medio de grupos que no reúnen las garantías para ser considerados organizaciones de trabajadores, puede ser utilizada para desalentar el ejercicio de la libertad sindical y debilitar la existencia de organizaciones de trabajadores en capacidad de defender de forma autónoma los intereses de los trabajadores durante la negociación colectiva. Tomando nota de las iniciativas anunciadas por el Gobierno para evaluar con los interlocutores sociales la situación de los grupos negociadores, la Comisión pide al Gobierno que busque, a través del diálogo social, soluciones que reconozcan el papel fundamental y las prerrogativas de las organizaciones representativas de trabajadores y sus representantes y que prevean mecanismos para evitar que la intervención de un grupo negociador en la negociación colectiva en ausencia de sindicato pueda debilitar la función de las organizaciones de trabajadores o socavar el ejercicio de la libertad sindical. Nivel de la negociación colectiva.

d) El artículo 320 CT disponía que el empleador tiene la obligación de comunicar a todos los trabajadores de la empresa la presentación de un proyecto de contrato colectivo para que puedan presentar proyectos o adherirse al proyecto presentado. A este respecto, la CEACR reiteró que esta disposición no estaba en conformidad con lo dispuesto en el artículo 4 del C98.

La CEACR le pidió al Gobierno que tomara medidas para derogarla. Este reparo se mantuvo en el Informe del 2008, advirtiéndose en la parte final el lamento de la CEACR porque después de varios años desde la ratificación del Convenio sigan existiendo numerosas restricciones al ejercicio de los derechos consagrados en el C98 Se mantuvo el reparo en 2010, en el 2012 y en el 2014[44].

e) El artículo 82 CT establece que «en ningún caso las remuneraciones de los aprendices podrán ser reguladas a través de convenios o contratos colectivos o fallos arbitrales recaídos en una negociación colectiva». Al respecto, la CEACR recordó que de conformidad con los artículos 5 y 6 del C98 solo puede excluirse de la negociación colectiva a las fuerzas armadas y la policía y a los funcionarios públicos en la administración del estado. El reparo se reiteró en 2008, 2010, 2012 y 2014[45].

f) El artículo 305, inciso a) CT, establecía que los trabajadores sujetos a contrato de aprendizaje y aquellos que se contraten exclusivamente para el desempeño en una determinada obra o faena o de temporada no podrán negociar colectivamente. Al respecto, la Comisión recordó que, de conformidad con los artículos 5 y 6 del C98, solo puede excluirse de la negociación colectiva a las fuerzas armadas y la policía y a los funcionarios públicos en la administración del estado. Este reproche se mantuvo en 2008, ocasión en la que, al igual que respecto del art. 82 CT le recordó al Gobierno de Chile, de la disconformidad de tales normas legales con los artículos 5 y 6 de la C98, con lo cual implícitamente desestimó la argumentación del descargo del Gobierno según la cual, la prohibición estaba dada por la transitoriedad de la prestación de los servicios, que ciertamente debe ser inferior al plazo mínimo de vigencia de un instrumento colectivo (dos años). En el Informe de 2012 la CEACR tomó nota de que el Gobierno había declarado que, si bien estos trabajadores tienen limitaciones para participar en los procesos de negociación colectiva reglada, están facultados para actuar como parte en los procesos de negociación colectiva no reglada que dan lugar a la suscripción de convenios colectivos de trabajo, los que tienen idénticos efectos que los contratos colectivos de trabajo celebrados en conformidad con las disposiciones de la negociación colectiva reglada, frente a lo cual la CEACR pidió al Gobierno que facilitara ejemplos de negociación colectiva no reglada en que se regulan las remuneraciones de los aprendices, indicando el número de aprendices cubiertos

---

[44] La norma reprochada fue derogada por la Ley 20.940, de lo que se dio cuenta en el Informe 2017 de la CEACR.

[45] La norma reprochada fue derogada por la Ley 20.940, parcialmente, de lo que se dio cuenta (aunque no reconociendo la limitación de la reforma) en el Informe 2017 de la CEACR.

por convenios colectivos en el país. Este reproche se mantuvo el 2014. Por último, el Informe de 2017 dio cuenta de la derogación de esta norma, sin advertir que la Ley 20.940 no reconoció a plenitud los derechos sindicales de los trabajadores contratados por obra o faena transitoria o de temporada, al privarles del derecho de huelga[46].

g) El artículo 334, inciso b) CT establecía que dos o más sindicatos de distintas empresas, un sindicato interempresa o una federación o confederación podrán presentar proyectos de contrato colectivo de trabajo en representación de sus afiliados y de los trabajadores que se adhieran a él, pero para ello sería necesario que en la empresa respectiva la mayoría absoluta de los trabajadores afiliados que tengan derecho a negociar colectivamente, acuerden conferir en votación secreta, tal representación a la organización sindical de que se trate en asamblea celebrada ante ministro de fe. Al respecto, la CEACR estimó que esta disposición no fomentaba adecuadamente la negociación colectiva con las organizaciones sindicales. El reproche se mantuvo en 2008, en 2010, en 2012, 2014 y, en el Informe de 2017 se dio cuenta de su derogación.

h) El artículo 334 bis del Código del Trabajo que disponía que, para el empleador será voluntario o facultativo negociar con el sindicato interempresa y que en caso de negativa los trabajadores de la empresa afiliados al sindicato interempresa podría presentar proyectos de contrato colectivo conforme a las reglas generales del libro IV (sobre negociación colectiva). Al respecto, la CEACR estimó que esta disposición no fomentaba adecuadamente la negociación colectiva con las organizaciones sindicales. El reproche se mantuvo en 2008, en 2010, en 2012 y 2014. En el Informe de 2017 se dio cuenta de su derogación.

En el año 2017, la CEACR al hacerse cargo de las modificaciones introducidas por la Ley 20.940, poco antes de su entrada en vigencia, y de su congruencia con los artículos 1 al 6 del C98, además de lo ya referido, observó con satisfacción las diferentes medidas adicionales para el fomento de la negociación colectiva voluntaria introducidas por la ley núm. 20940, como la ampliación del derecho de información, la simplificación del procedimiento de la negociación colectiva reglada y, la ampliación de materias susceptibles de negociación. Estimamos que si bien la Ley 20.940 supuso un avance en materia de derecho de información, resulta del todo insuficiente, al tiempo que la reforma de la negociación colectiva se alejó totalmente de una simplificación y el hecho de explicitar materias

---

[46] Pero, en todo caso, observando que la regulación de la negociación colectiva para estas categorías de trabajadores está sujeta a disposiciones especiales, la Comisión pide al Gobierno que informe sobre la aplicación en la práctica de las mismas.

de negociación no significa un avance, desde el momento que la ley anterior las permitía también.

Por último, el 2017 la CEACR tomó nota con interés de las modificaciones de la Ley 20.940 destinadas a ampliar el ámbito de protección relativo a la discriminación antisindical y a aumentar las sanciones previstas, con gradaciones establecidas en atención al tamaño de las empresas[47]. Saludando las disposiciones adoptadas para ampliar y reforzar la protección contra la discriminación antisindical, la CEACR pidió al Gobierno que, a la luz de las consideraciones señaladas por el Comité de Libertad Sindical (CLS) y de las observaciones de los interlocutores sociales, informe sobre el impacto en la práctica de estas nuevas disposiciones, evaluando en particular su aplicación efectiva y efecto disuasorio.

3.3. CONTRADICCIONES ENTRE EL MODELO NORMATIVO QUE RIGE EN CHILE Y LAS NORMAS DEL CONVENIO NÚM. 98, SEGÚN LA JURISPRUDENCIA OIT

a) Mientras la jurisprudencia OIT[48] asume a la negociación colectiva como una actividad o proceso encaminado a la conclusión de un contrato o acuerdo colectivo[49], la legislación chilena contempla un procedimiento de negociación colectiva en que el acuerdo colectivo es solo una más de las alternativas (entre las que no se cuenta el fracaso de la negociación) de terminación del mismo, al punto que se puede afirmar que el verbo rector esencial no es negociar, sino respetar a modo de ritual periódico, una serie de directrices legales que, aun faltando el acuerdo de las partes, se impone a la voluntad de las partes. Por cierto no nos estamos refiriendo a la intervención de un tercero como alternativa a la solución del conflicto, sino, a que es la ley la que en variadas hipótesis impone la terminación de la negociación colectiva y el contenido del instrumento colectivo. Fruto de este modelo nacional, lo constituyen las múltiples negociaciones colectivas que solo tienen el nombre y registro administrativo del mismo, pero que no han sido reflejo siquiera de la más mínima actividad de negociación[50].

---

[47] En rigor, el tamaño de la empresa que condiciona el rango de la multa se asocia únicamente al número de trabajadores contratados.

[48] Nos referimos a la emanada de los órganos de control de la libertad sindical, en especial, la elaborada por la CEACR y el CLS.

[49] GERNIGON, Bernard, ODERO, Alberto y GUIDO, Horacio, *La negociación colectiva. Normas de la OIT y principios de los órganos de control*, Oficina Internacional del Trabajo, Ginebra, año 2000, p. 9.

[50] Un sindicato débil, nada extraño en Chile, podría registrar numerosas negociaciones colectivas afinadas y debidamente registradas ante la autoridad administrativa, sin haber negociado jamás.

Tan particular lejanía de los principios OIT se explica repasando el origen del modelo en comento. Este se originó en la necesidad de la dictadura, de responder a una amenaza de boicot anunciada en 1978 en contra de las exportaciones chilenas[51], de contar con normas sobre sindicatos, negociación colectiva y huelga, suficientes para aplacar el boicot, así como para no amenazar el modelo de libre mercado en ese tiempo recién asumido. Limitándonos solo al ámbito asociado al C98, se consagró una negociación colectiva en el ámbito más descentralizado posible y con un actor sindical tan débil que, el propio ideólogo de dicho Plan, a sabiendas que tal debilidad haría fracasar su modelo, convenció a los legisladores de facto, de la necesidad de contar los trabajadores con un piso de negociación que evitara la previsible realidad: que, enfrentados al empleador en una negociación colectiva, no pudieran siquiera mantener los beneficios vigentes[52]. Los elementos que caracterizan el modelo chileno de negociación colectiva (sindicato sin poder que "negocia" al nivel de la empresa, siguiendo ritualidad establecida en la ley) explican que no esté dirigida a un acuerdo, sino que está dirigida a que, al cabo de unas pocas semanas, el proceso de negociación culmine en un instrumento colectivo, sea que este fuere el fruto de un acuerdo, o del efecto dispuesto por la ley para el término del mismo, la principal de ellas, la opción de los trabajadores por el piso de negociación. En tal escenario, resultaba difícil encontrar armonía con la pretensión de la jurisprudencia OIT en cuanto a que es importante que tanto los empleadores como los sindicatos participen en las negociaciones de buena fe y que hagan todo lo posible por llegar a un acuerdo,

---

[51]   Con detalle, el boicot se describe en PIÑERA ECHENIQUE, *La Revolución Laboral…*

[52]   Nada más ilustrativo de lo aquí sostenido, que revisar el siguiente diálogo entre el entonces Ministro del Trabajo José Piñera y el integrante de la Junta Militar Fernando Matthei:
"El señor MINISTRO DEL TRABAJO.- Esto lo hemos conversado con el Ministro de Hacienda, y lo que nosotros deseamos fundamentalmente es que este mecanismo de negociación colectiva no se utilice para bajar las remuneraciones, sin perjuicio de que, si existe cualquier problema en una empresa, siempre el empleador puede conversar con sus trabajadores y decirles, por ejemplo que la alternativa es que ellos bajen sus remuneraciones en 20 o de lo contrario la empresa quiebra. Durante estos últimos cinco años han bajado las remuneraciones de muchos trabajadores por común acuerdo; o sea, esto no implica que no puedan ponerse de acuerdo. Lo que se desea evitar es que usen este mecanismo para ponerse de acuerdo de esa manera, porque precisamente, al colocar el sistema de huelga con reemplazos, no podemos permitir que el mecanismo se utilice para bajar las remuneraciones".
"El señor GENERAL MATTHEI, INTEGRANTE DE LA JUNTA.- Tal vez".
"El señor MINISTRO DEL TRABAJO.- Bien. Entonces, es contradictorio. Porque se podría decir que podríamos pensar en la huelga tradicional pero sin el piso. ¡Ahí quiero ver a los trabajadores: "Voy a la huelga, pero quizás vuelvo a los 30 días después ganando la mitad de mi salario, porque no habría piso" A mi juicio, eso sí que daría inseguridad y crearla un problema de intranquilidad social enorme" (Acta 372-A de la Junta Militar, p. 108).

y la celebración de negociaciones verdaderas y constructivas es necesaria para establecer y mantener una relación de confianza entre las partes[53].

    b) Mientras la jurisprudencia OIT estima que las disposiciones que prohíben a los sindicatos entablar la negociación colectiva inevitablemente frustran el objetivo y la actividad principales para los cuales fueron creados siendo esto contrario al artículo 4 del Convenio 98 OIT[54][55], la legislación nacional es pródiga en limitar a todo sindicato que no se constituyere de empresa o de establecimiento de empresa su derecho a representar a sus socios en negociaciones colectivas[56].

    c) Mientras la jurisprudencia OIT sostiene que la negociación colectiva entre el sindicato correspondiente y la parte que determine las condiciones de trabajo de los trabajadores autónomos o subcontratados debería ser siempre posible[57], advirtiendo que incumbe al Gobierno tomar las medidas apropiadas para asegurar, por un lado, que no se recurra a la subcontratación como medio para eludir las garantías de libertad sindical que estipula la legislación y, por el otro, que los sindicatos que representan a los trabajadores subcontratados puedan promover efectivamente la mejora de las condiciones de vida y de trabajo de aquellos a quienes representan[58], la legislación nacional no solo no se ocupa de brindar el espacio adecuado para dicha negociación de los trabajadores en régimen de subcontratación, sino que, explícitamente, le reconoce a la empresa principal el derecho a reemplazar los servicios de tales trabajadores en huelga, mientras no utilice el servicio de los mismos huelguistas[59].

    d) Mientras la jurisprudencia OIT dispone que "las facultades presupuestarias reservadas a la autoridad legislativa no deberían tener por resultado impedir el cumplimiento de los convenios colectivos celebrados directamente por esa autoridad o en su nombre"[60], realzando así que el financiamiento estatal no es óbice para ejercer el derecho a negociar colectivamente, la legislación

---

[53]   Véase OIT, *La Libertad sindical, Recopilación de decisiones del Comité de Libertad Sindical*, Oficina Internacional del Trabajo, Ginebra, 6ª edición, 2018, párrafo 1.328, p. 252.

[54]   Además del artículo 3 del Convenio 87 OIT.

[55]   OIT, *La Libertad sindical, Recopilación…*, párrafo 1234, p. 236.

[56]   Así, por ejemplo, pertenecer a un sindicato de trabajadores eventuales, transitorios o de temporada, significa aceptar que toda negociación colectiva se desarrollará sin posibilidad de declarar la huelga. Hasta la Ley 20.940, explícitamente la negociación colectiva reglada sin mayor obstáculo (y única negociación que permitía proteger con fuero a los trabajadores/as y ejercer el derecho de huelga) solo podía contemplar como organización sindical, a un sindicato de empresa o de establecimiento de empresa.

[57]   OIT, *La Libertad sindical, Recopilación…*, párrafo 1283, pág. 244.

[58]   OIT, *La Libertad sindical, Recopilación…* párrafo 1413, pág. 267.

[59]   Esto lo establece explícitamente la ley, a partir de la reforma de la ley núm. 20.940.

[60]   OIT, *La Libertad sindical, Recopilación…* párrafo 1241, p. 237-238.

chilena dispone que "tampoco podrá existir negociación colectiva en las empresas o instituciones públicas o privadas cuyos presupuestos, en cualquiera de los dos últimos años calendario, hayan sido financiadas en más de un 50% por el Estado, directamente o a través de derechos o impuestos[61].

e) Mientras la jurisprudencia OIT sostiene que los trabajadores temporarios deberían poder negociar colectivamente[62] la legislación chilena solo les reconoce el derecho a participar en un procedimiento especial de negociación en que, a diferencia de lo que sucede con el procedimiento reglado, le priva del fuero de negociación y de la posibilidad de ejercer el derecho de huelga.

f) Mientras la jurisprudencia OIT establece que las federaciones y confederaciones deberían poder concluir convenios colectivos[63], las normas nacionales reconocen a estas últimas un papel meramente decorativo, alejándolas de su carácter como agentes negociadores.

3.4. CONCLUSIONES

De acuerdo a lo examinado, aparece que la ratificación del C98 supuso, paradojalmente, y desde el momento del envío al Congreso del Mensaje presidencial que dio pie a su aprobación, un escenario complejo. Por una parte, las autoridades políticas se encargaron de ventilar una conformidad plena de las normas internas con el C98, criterio marginal dentro de la doctrina nacional y de la jurisprudencia de los tribunales ordinarios, habiéndose fundado en argumentos por completo errados no solo en base a un análisis jurídico de la evidente incongruencia del modelo normativo surgido con el Plan Laboral con el C98, sino de la aplicación práctica de las mismas que evidenciaban (aspecto que no ha cambiado) la inconsistencia de tal discurso. Por otra parte, y desde la vereda del derecho internacional, la OIT, por medio de sus órganos de control de la libertad sindical, representando en cada oportunidad, sean quejas ante el CLS o informes periódicos de la CEACR, el apartamiento de las normas internas de nuestro país con respecto al C98. Cierto es que, no obstante lo anterior, la OIT no está ajena a un juicio crítico, especialmente por haber saludado con optimismo reformas legales a normas reprochadas, que no han pasado de ser cambios cosméticos de nula significación.

También, desde otro otero y distanciándose de las actuaciones del Poder Ejecutivo y Legislativo, siempre llanas a insistir entre ese discurso vacío de supuesta congruencia con el C98 y cita del mismo en los Mensajes de posteriores proyectos

---

61 Artículo 304 inciso 3° del Código del Trabajo.
62 OIT, *La Libertad sindical, Recopilación…* párrafo 1277, p. 243.
63 OIT, *La Libertad sindical, Recopilación…* párrafo 1236, p. 236.

legislativos como pretendido avance en el reconocimiento del mismo, se advierte el único espacio en el cual el Estado de Chile puede exhibir una aplicación del mismo de la forma como el derecho de los tratados exige, sin excusas y de buena fe. Nos referimos a los Tribunales ordinarios que, tempranamente, reflejaron la voluntad de aplicar dicho Convenio[64] (incluyendo, en ocasiones, la cita de pronunciamientos de los órganos de control de la libertad sindical de la OIT[65]) y que, más allá de la crítica que se ha formulado en cuanto a una mayoritaria cita del C98 meramente referencial o a mayor abundamiento de las normas nacionales[66], o de sentencias que, no obstante citar el C98, lo hacen apartándose de los principios que este contiene[67], y aún con las limitaciones propias del efecto

---

[64]   Sentencia dictada por la E. Corte Suprema el 19.10.2000, Rol 3.394-00 que, entre otras normas, utilizó el C98 para resolver un vacío legal, específicamente respecto del fuero de constitución sindical, asumiéndolo en el caso en que recayó, concluyéndose que: "Una de estas protecciones que acuerda la legislación chilena a los representantes de los trabajadores es la analizada en el presente fallo, esto es, el fuero sindical, el cual para generar su pleno efecto, en sí mismo considerado y en relación con la autonomía de la organización sindical, debe comprender con carácter necesario el período inmediatamente anterior a la constitución del sindicato, pues en caso contrario no estaría debidamente resguardado el derecho mismo de sindicación que es un derecho fundamental, elevado a garantía constitucional por nuestra Carta Fundamental".

[65]   Así, entre otras, sentencia dictada por don Jaime Cruces Neira, Juez Titular del Juzgado de Letras del Trabajo de Talca el 18.12.2019, RIT S-14-2018, en la que se destacó la relevancia de tener en consideración los criterios concretos de los órganos de control de la OIT, específicamente del CLS, respecto de pactos colectivos celebrados con trabajadores no sindicalizados.

[66]   Para Xavier Beaudonnet estos serían los casos en los cuales el sentenciador busca apoyo en el derecho internacional, tan solo después de haber decidido cómo resolver el conflicto (BEAUDONNET, Xavier, "La utilización del derecho internacional del trabajo por los tribunales nacionales: noticias de una evolución en marcha", revisado en http://white.lim.ilo.org/spanish/260ameri/oitreg/actvid/proyectos/actrav/actividadesregionales/2013/documentos/obj01_act03_2013_fabog_utilizacion_dit_derlaboral_2010.pdf

[67]   Así, sentencia dictada el 13 de julio de 2018 por Mauricio Vidal Caro, Juez Titular del Primer Juzgado de Letras del Trabajo de Santiago, RIT I-311-2018. En este caso, se discutió la aplicación de una prohibición recurrentemente reprochada por la CEACR, como es aquella contenida en el artículo 304 del Código del Trabajo y que impide negociar colectivamente a quienes trabajen en empresas, cualquiera sea su naturaleza, financiadas mayoritariamente por el Estado, si bien se reparó en la norma del Convenio 98, no se hizo referencia alguna a la contradicción de la norma con dicho Convenio, siendo inocua tal referencia en la sentencia que, finalmente rechazó la reclamación interpuesta por un sindicato en contra de resolución de Inspección del Trabajo que había rechazado reposición contra resolución que negó el derecho a negociar colectivamente debido al financiamiento estatal de la empresa. En el mismo orden, sentencia dictada el 11 de mayo de 2019 por doña Claudia Andrea González Grandón, Juez del Juzgado de Letras del Trabajo de Yungay, RIT T-7-2018. Este caso, al igual que el anterior, incidió en otro caso tratado recurrentemente por la CEACR en las observaciones a la legislación nacional. Específicamente, se trató de un caso, en el que un sindicato denunció como práctica antisindical a una empresa por haber hecho extensivos beneficios de un instrumento colectivo negociado por aquella organización y la empresa denunciada, a terceros ajenos a dicho instrumento, mediante un convenio colectivo, frente a lo cual la empresa se justificó señalando que dicha extensión no existía ya que los beneficios se habían otorgado a un grupo negociador y se originaban en otros convenios colectivos de años atrás más allá que hubieren variado los montos entre una negociación y otra y sin dolo. La cita del art. 1 C98 resultó inocua, pues se rechazó la denuncia, legitimando la negociación con un grupo negociador,

relativo de las sentencias, han reflejado que tal convenio (junto al C87) favorece una interpretación amplia de la vigencia de la libertad sindical[68], como ha ocurrido con el reconocimiento de las huelgas más allá de la regulación del Libro IV CT (usualmente llamadas huelgas atípicas[69]), con la proscripción de actos de injerencia sindical[70], para favorecer la vigencia del principio de buena fe en la negociación colectiva[71], con la restricción de las limitaciones al ejercicio del

---

no solo a pesar de la jurisprudencia de la OIT, sino de la falta de regulación actual, post Ley 20.940 de 2017, de la negociación colectiva por parte de grupos negociadores.

[68] Así, sentencia dictada por don Álvaro Flores Monardes, Juez Interino del Octavo Juzgado de Letras del Trabajo de Santiago, el 23.09.2003, Rol N°5792-2002, en la que se dictaminó: "La libertad sindical obliga al empleador no sólo ha inhibirse de desarrollar las conductas que entraben su ejercicio, sino que le impone también, el deber de cautelarla (en el marco de una concepción axiológica que mira como una cuestión positiva el desarrollo de órganos que promueven los derechos colectivos en el seno de la empresa), desde que su manifestación normativa genérica y específica dimana de precisas normas constitucionales y legales, incorporadas estas últimas a nuestro ordenamiento desde normas que una parte significativa de la comunidad internacional ha desarrollado y valorado ya desde la segunda posguerra y que, no sin cierta tardanza, se han incorporado a nuestro derecho positivo interno".

[69] Así, sentencia dictada por doña Yohana María Chávez Castillo, Juez Titular del Juzgado de Letras de Antofagasta el 10.09.2019, RIT S-3-2019, por la cual se rechazó una denuncia por práctica antisindical interpuesta por una empresa en contra de un sindicato fundado en una paralización asumida como ilegal. La sentenciadora, citando al efecto al CLS, reconoció "la validez de una paralización fuera del marco de un proceso de negociación colectiva". En este mismo sentido, asumiendo en base al C98 la huelga atípica, sentencia dictada por la Sexta Sala de la I. Corte de Apelaciones de San Miguel de 09.07.2014, Rol 183-2014.

[70] Así, sentencia dictada por doña Ximena Rivera Salinas, Juez Titular del Primer Juzgado de Letras del Trabajo de Santiago el 30.06.2010, RIT S-27-2010, en la que se dictaminó: "En ese aspecto, se hace necesario tener presente que, del tenor de las normas sobre prácticas antisindicales contenidas en los artículos 289 y siguientes del Código del Trabajo y de las orientaciones que se contiene en el Convenio N°87 de la OIT, que en su artículo tercero establece que las organizaciones de trabajadores y de empleadores tienen el derecho de redactar sus estatutos y reglamentos administrativos, el de elegir libremente sus representantes, el de organizar su administración y sus actividades y el de formular su programa de acción, consagrando en seguida que las autoridades públicas deberán abstenerse de toda intervención , idea que se encuentra reiterada en el Convenio N°98, que en su artículo segundo establece que las organizaciones de trabajadores y de empleadores deberán gozar de adecuada protección contra todo acto de injerencia; se puede apreciar que la no injerencia del empleador en los asuntos de la organización, como de los órganos del estado en la actividad sindical, es un príncipio básico subyacente a la libertad sindical, motivo por el cual no resulta exigible que, al tomar conocimiento a través de una comunicación, de la censura del delegado sindical,,,, la denunciada cuestionara tal decisión, intentando restarle validez. En ese punto, también, es importante tener en consideración que no le es exigible, además, hacerse cargo de intereses que no le son propios y, en ese sentido, quien debe instar por la determinación de inexistencia o nulidad de un acto de censura es el propio afectado, la organización sindical o la Inspección del Trabajo actuando en tutela de los mencionados principios, pero, en ningún caso, la parte empleadora; la acción contraria, esto es, la solicitud de la empresa en orden a determinar si la censura de un dirigente sindical es válida o nula, puede ser considerada como un acto de injerencia sindical".

[71] Así, sentencia dictada por la Décima Sala de la I. Corte de Apelaciones de Santiago el 02.07.2019, Rol 2.652-2018.

derecho de huelga[72] y el derecho de los dirigentes sindicales del libre acceso a los lugares de trabajo de sus representados[73], entre otras.

Pero la jurisprudencia de tribunales ordinarios que ha dado pie a un reconocimiento pleno del C98, no logra aplacar, la fuerte resistencia del Estado de Chile en general para aplicarlo, siendo la más emblemática demostración de esto, la sentencia del Tribunal Constitucional que reiteró el criterio de inocuidad del C98, dada la armonía con las normas internas, sirviéndose con total detalle, no de los constantes reparos que desde Ginebra, sino de la opinión de autoridades políticas, así como del Presidente de la CUT de la época, contestes todos en tan falaz armonía con el C98. Cierra también el TC, con su restrictiva concepción de la libertad sindical, posibilidades para avalar la inconstitucionalidad de las numerosas normas legales que se apartan de dicho convenio. Claramente, en nuestra opinión, esa resistencia a aplicar en plenitud el C98, como correspondería, resulta tributario de la defensa de un modelo económico que advierte a la libertad sindical como una incongruencia con el libre mercado y, por lo mismo, la posibilidad de cambio de disposición estatal hacia el respecto pleno de libertad sindical, pasa por decisiones políticas que permitan cambios a ese modelo económico y, por consecuencia, de las normas jurídicas que lo sostienen.

---

[72]   Así, en sentencia dictada por don Eduardo Ramírez Urquiza, Juez Titular del Primer Juzgado de Letras del Trabajo de Santiago el 23.07.2019, RIT I-39-2019.

[73]   Así, sentencia dictada por doña Karen Andrea Alfaro López, Jueza Titular del Juzgado de Letras del Trabajo de La Serena el 17.10.2019, RIT S-7-2019, en la que se consignó: "(…) Por su parte el Comité de Libertad Sindical de la OIT, consignó que "los gobiernos deben garantizar el acceso de los representantes sindicales a los lugares de trabajo, con el debido respeto del derecho de propiedad y de los derechos de la dirección de la empresa, de manera que los sindicatos puedan informarles de los beneficios que pueden derivarse de la afiliación sindical" (Libertad Sindical: Recopilación de decisiones y principios del comité de Libertad Sindical del Consejo de Administración de la OIT. Ginebra, Oficina Internacional del Trabajo, quinta edición (revisada), 2006, capítulo 18, párrafo 1103, p.240)".

"De esta forma, el acceso de los trabajadores a sus dirigentes sindicales forma parte de la libertad sindical, pues el acceso de los dirigentes sindicales a los lugares de trabajo se entiende en el contexto de la comunicación que debe existir entre los trabajadores y sus representantes, de forma que la obstaculización de esta comunicación constituye una forma de vulnerar el ejercicio de la libertad sindical".

Capítulo 4.
Chile, la OIT y el Derecho de Huelga

KARLA VARAS MARCHANT[*]

4.1. INTRODUCCIÓN

El derecho de huelga no está consagrado expresamente en casi ningún tratado internacional[1], a excepción del Pacto Internacional de Derechos Económicos, Sociales y Culturales, el cual en su artículo 8 párrafo 1 letra d) dispone que los Estados partes se comprometen a garantizar "el derecho de huelga, ejercido de conformidad con las leyes de cada país".

En el ámbito de la Organización Internacional del Trabajo, su reconocimiento se ha derivado del principio de libertad sindical, entendiéndose que es un "corolario indisociable del derecho de sindicación protegido por el convenio n° 87"[2].

De esta manera, el reconocimiento internacional del derecho de huelga adopta dos formas: (1) el reconocimiento explícito, cuyo referente lo constituye el Pacto Internacional de Derechos Económicos, Sociales y Culturales (art. 8 letra d.)[3], y (2) el reconocimiento implícito, que se advierte, entre otros, en los convenios de la Organización Internacional del Trabajo (OIT) sobre libertad sindical a partir de la interpretación que de ellos formulan sus órganos de control de la libertad sindical, para los cuales el reconocimiento del derecho de libertad sindical (o derecho de sindicación) supone reconocer el ejercicio del derecho de huelga.

El presente trabajo tiene por objeto analizar precisamente el reconocimiento del derecho de huelga en los convenios esenciales sobre libertad sindical de la OIT, la influencia que este reconocimiento ha tenido en nuestra legislación y

---

[*] Profesora de Derecho del Trabajo, Pontificia Universidad Católica de Valparaíso.

[1] En palabras de Nogueira, "sólo excepcionalmente es posible contemplar un reconocimiento expreso del derecho de huelga vinculado, bien a un tratado específicamente laboral o, muy recientemente, elevándolo a nivel constitucional de la UE, si bien sometidos a las limitaciones intrínsecas y extrínsecas de la Carta de Derechos Fundamentales de la Unión Europea" (NOGUEIRA GUASTAVINO, Magdalena, "La huelga en el Derecho Internacional y la protección multinivel", en AA.VV. *El derecho de huelga en el derecho internacional*, Tirant lo Blanch, Valencia, 2016, p. 15).

[2] OIT, *La libertad sindical, Recopilación de decisiones y principios del Comité de Libertad Sindical del Consejo de Administración de la OIT*, quinta edición (revisada), Ginebra, 2006, párr. 523, p. 115.

[3] Asimismo, la Carta Internacional Americana de Garantías Sociales o Declaración de los Derechos Sociales del Trabajador, adoptada por la novena Conferencia Interamericana en el año 1948, en su artículo 27, reconoce explícitamente que los trabajadores gozan del derecho de huelga.

práctica, y las observaciones o recomendaciones que han formulado los organismos de control de la OIT al Estado chileno sobre el cumplimiento de los estándares internacionales en materia de derecho de huelga.

4.2. LA OIT Y EL DERECHO DE HUELGA

Los convenios esenciales sobre libertad sindical de la OIT –números 87 y 98–, no mencionan de manera expresa el derecho de huelga. En otras palabras, no hay una exposición declarativa y explícita del derecho de huelga en algún instrumento internacional de la OIT[4].

Ahora, no obstante esa constatación, desde los inicios la OIT entendió que el derecho de huelga se encontraba comprendido dentro del concepto de derecho de asociación, libertad sindical o derechos sindicales. En efecto, en un estudio histórico realizado por Bellace se muestra la vinculación o relación que existe entre los conceptos de libertad de asociación o libertad sindical con el derecho de huelga, relación que se remonta a la discusión de las cláusulas de la Parte XIII del Tratado de Versalles, donde la delegación británica que lideraba el debate entendía, sin lugar a dudas, "que la libertad de asociación consistía para los trabajadores en algo más que la mera facultad de reunirse legítimamente; más bien se trataba de un derecho inseparable del derecho a formular reivindicaciones mediante negociación colectiva y a emprender medidas de presión sin ver amenazada su existencia por el pago de indemnización en concepto de daños y perjuicios"[5].

Por otro lado, si bien en el Convenio núm. 87 no se menciona expresamente el derecho de huelga, resulta importante observar que en las deliberaciones de los años 1947 y 1948, ni los representantes de los gobiernos ni los de los empleadores propusieron que se introdujese al convenio alguna limitación a su ejercicio. El único debate relevante que pudiésemos vincular con el derecho de huelga estuvo relacionado con el reconocimiento a las organizaciones de trabajadores del derecho a organizar sus actividades. En efecto, algunos representantes

---

[4]   En palabras de Bellace, "el derecho de huelga no es enunciado expresamente en ninguna de las disposiciones de los convenios que tratan sobre libertad sindical: el convenio 87 y 98" (BELLACE, Janice, "La OIT y el derecho de huelga", en *Revista Internacional del Trabajo*, Vol. 133 N° 1, año 2014, p. 33). En el mismo sentido, Nogueira constata que ni el convenio n° 87 ni el 98 mencionan expresamente este derecho, así como tampoco la Constitución de la OIT y la Declaración de la OIT adoptada en Filadelfia en el año 1944(NOGUEIRA, "La huelga en el Derecho …", p. 16).

[5]   La autora concluye que la comisión de trabajo que redactó la parte XIII del tratado de Versalles interpretó la voz libertad sindical como "la potestad de los trabajadores de constituir asociaciones denominadas sindicatos con el fin de negociar colectivamente", pudiendo emprender acciones sindicales para promover sus intereses profesionales. BELLACE, "La OIT y el derecho…", pp. 36-38.

gubernamentales propusieron incorporar un requisito para el ejercicio de tal derecho disponiendo que las asociaciones de empleadores y trabajadores podrán actuar, pero bajo la condición de respetar la legalidad. Esta propuesta no prosperó, principalmente porque se quería evitar que las legislaciones de algunos países prohibiesen determinadas formas de acción sindical[6]. Esto es relevante, ya que un importante sector doctrinal, a partir del reconocimiento del derecho de las organizaciones de trabajadores a organizar sus actividades, entiende incorporado el derecho de huelga[7].

Posteriormente, a partir de la creación del Comité de Libertad Sindical (año 1951), el derecho de huelga pasa a tener un reconocimiento explícito. La base de este reconocimiento fue la estrecha vinculación entre el derecho de huelga y la libertad sindical, afirmando en ese sentido el Comité, a propósito de la revisión de una queja contra el Estado de Jamaica que: "el derecho de huelga y el de organizar reuniones sindicales son elementos esenciales del derecho sindical" (OIT, 1952, p. 221, párrafo 68)[8]. En otras palabras, para el Comité de Libertad Sindical (CLS) el derecho de huelga figura implícito entre las garantías al ejercicio de la libertad sindical reconocido en el convenio n° 87, siendo una manifestación esencial de la misma[9].

---

[6]   De este modo, en la 31 reunión de la Conferencia Internacional del Trabajo del año 1948, se aprueba el convenio con un apoyo rotundo, contando con 127 votos a favor, ninguno en contra y 11 abstenciones. BELLACE, "La OIT y el derecho…", pp. 46-47. Es importante hacer presente también, que el Convenio n° 87 es uno de los ocho convenios fundamentales adoptados por la OIT y uno de los instrumentos más ratificados de la Organización.

[7]   En ese sentido, Gernigon, Odero y Guido, han constatado que dos órganos instituidos para el control de la aplicación de las normas de la OIT (el Comité de Libertad Sindical y la Comisión de Expertos en Aplicación de Convenios y Recomendaciones), han derivado el derecho de huelga del derecho de las organizaciones de trabajadores "de organizar su administración y sus actividades y el de formular su programa de acción". GERNIGON, Bernard; ODERO, Alberto y GUIDO, Horacio, "Principios de la OIT sobre el derecho de huelga", Organización Internacional del Trabajo, Ginebra, 2000, p. 8. También realizan esta afirmación: BELLACE, "La OIT y el derecho…", p. 46; GAMONAL, Sergio, *Derecho colectivo del trabajo*, Thomson Reuters, Santiago Chile, 2011, p. 372 y NOGUEIRA, "La huelga en el Derecho…", p. 16.

[8]   El CLS afirmó "el principio del derecho de huelga ya en su segunda reunión, celebrada en 1952, en la que declaró que es uno de los elementos «esenciales del derecho sindical»; poco después, ese Comité subrayó que «en la mayor parte de los países se reconocía que el derecho de huelga constituye un derecho legítimo al que pueden recurrir los sindicatos para defender los intereses de sus miembros»". OIT, *Informe de la Comisión de Expertos en Aplicación de Convenios y Recomendaciones N° III (parte 4B). Libertad Sindical y Negociación Colectiva.* Conferencia Internacional del Trabajo, 81ª reunión, 1994, p. 69.

[9]   En palabras de Bellace, una revisión de las decisiones del CLS demuestra que el Comité "ha procedido sobre la base de que hay un derecho de huelga, pero no ilimitado". BELLACE, "La OIT y el derecho…", pp. 51-52.
    En el documento de trabajo para la reunión tripartita sobre el convenio n° 87, en relación con el derecho de huelga, se exponen las conclusiones del Comité de Libertad Sindical del Consejo de Administración sobre el derecho de huelga, destacando que ya en el primer año de su funcionamiento postuló el principio de que "el derecho de huelga y el de organizar reuniones sindicales

Por su parte, la Comisión de Expertos en Aplicación de Convenios y Recomendaciones (CEACR), órgano encargado de contrastar la legislación de los Estados miembros con los Convenios y Recomendaciones de la OIT, se ocupó recién del derecho de huelga en el estudio general del año 1959 sobre libertad sindical, declarando que "a los trabajadores les asiste el derecho de huelga en defensa de sus intereses profesionales, y que cuando existan prohibiciones a la misma, los gobiernos deben establecer garantías que salvaguarden plenamente esos intereses"[10]. Asimismo, la Comisión ha señalado que, "Si bien el derecho de huelga no figura expresamente en la Constitución de la OIT ni en la Declaración de Filadelfia, y tampoco está específicamente reconocido en los Convenios núms. 87 y 98, parece darse por sentado en el informe elaborado para la primera discusión del Convenio núm. 87, varias resoluciones de la Conferencia Internacional del Trabajo, de conferencias regionales o de comisiones sectoriales ponen de manifiesto el derecho de huelga o las medidas adoptadas para garantizar su ejercicio"[11].

Según se constata en el documento de trabajo para la reunión tripartita sobre el Convenio n° 87, en relación con el derecho de huelga, la Comisión de Expertos ha preparado cinco estudios generales sobre el Convenio 87. El del año 1959 examinó la práctica de los Estados en relación a las restricciones del derecho de huelga. En el del año 1973 analizó detalladamente los distintos tipos de restricciones que se aplican al derecho de huelga concluyendo que "una prohibición general de la huelga constituye una restricción considerable de las oportunidades que se ofrecen a los sindicatos para fomentar y defender los intereses de su miembros y del derecho de los sindicatos a organizar sus actividades". En el estudio del año 1983 la Comisión sostuvo que "el derecho de huelga constituye uno de los medios esenciales de que disponen los trabajadores y sus organizaciones para promover y defender sus intereses económicos y sociales". En el año 1994 la Comisión dedicó un capítulo entero al derecho de huelga derivando nuevamente su reconocimiento del derecho que tienen las organizaciones sindicales a

---

son elementos esenciales del derecho sindical" (caso núm. 28, Reino Unido/Jamaica, 1952, párr. 68). Posteriormente, en 1956 el Comité reafirmó que el derecho de huelga "es generalmente considerado como una parte integral del derecho general de los trabajadores y de sus organizaciones de defender sus intereses económicos» (caso núm. 111, URSS, 1956, párr. 227); ulteriormente, el Comité reiteró nuevamente que existía un vínculo entre la libertad sindical y el derecho de huelga, sosteniendo al respecto que «las alegaciones referentes al derecho de huelga son de su competencia cuando la cuestión de la libertad sindical está en juego» (casos núm. 163, Myanmar, 1958, párr. 51, y núm. 169, Turquía, 1958, párr. 297)". OFICINA INTERNACIONAL DEL TRABAJO, *Documento de trabajo para la Reunión tripartita sobre el Convenio sobre la libertad sindical y la protección del derecho de sindicación, 1948 (núm. 87), en relación con el derecho de huelga y las modalidades y prácticas de la acción de huelga a nivel nacional (revisado) (Ginebra, 23-25 de febrero de 2015)"*, Ginebra, 2015, pp. 16 ss.

10 BELLACE, "La OIT y el derecho…", pp. 53-54.
11 CEACR, *Libertad sindical y negociación colectiva, Informe de la Comisión de Expertos en Aplicación de Convenios y Recomendaciones N° III (parte 4B)*. Conferencia Internacional del Trabajo, 81ª reunión, 1994, pp. 66-67.

organizar su programa de acción y para alcanzar el objetivo de promoción y defensa de los intereses de sus afiliados. Posteriormente, en el estudio general del año 2012, la Comisión expresó que la ausencia de una disposición concreta en relación al derecho de huelga "no es determinante en la medida que el Convenio debe ser interpretado teniendo en cuenta su objetivo y fin", reafirmando además que "el derecho de huelga se deriva del Convenio" por lo que "no debería suscitar demasiadas controversias la posición que ha adoptado con respecto a este derecho y a los principios elaborados progresivamente sobre una base tripartita, ya que sólo se trataba de garantizar que este derecho fuera debidamente reconocido y protegido en la práctica"[12].

De esta manera, si bien es claro que no hay un reconocimiento explícito del derecho de huelga en los instrumentos de la OIT, sus órganos de control han señalado de manera clara y uniforme que el derecho de huelga es una manifestación esencial de la libertad sindical. Este reconocimiento implícito del derecho de huelga deriva de que la O.I.T. reconoce que la finalidad de las organizaciones sindicales es "fomentar y defender los intereses de los trabajadores" (artículo 10 Convenio 87), reconociéndoles además el derecho de "organizar su administración y sus actividades y el de formular su programa de acción" (artículo 3 Convenio 87). Entonces, qué duda cabe que las organizaciones de trabajadores para poder concretar sus objetivos indispensablemente deben contar con una herramienta de presión que les permita equiparar la situación de inferioridad en que se encuentran en relación a su empleador, siendo la huelga la principal, sino única, herramienta que detentan los para alcanzar tal objetivo.

Ahora, este reconocimiento fue puesto en tela de juicio por el Grupo de los Empleadores al interior de la OIT basándose en que los convenios 87 y 98 no mencionan de manera expresa el derecho de huelga. Este cuestionamiento ha sido realizado de forma constante por el Grupo de los Empleadores en los exámenes realizados por la Comisión de Aplicación de Normas de la Conferencia de diversos estudios generales realizados por la Comisión de Expertos sobre el Convenio n° 87, así como en debates de la Conferencia Internacional del Trabajo[13].

Así por ejemplo, en los debates en la Comisión de Aplicación de Normas de la Conferencia de 1993, los miembros del Grupo de los Empleadores reiteraron que en su opinión el Convenio n° 87 no reglamentaba el derecho de huelga, expresando su Vicepresidente que "el único criterio interpretativo de los convenios era el derecho consuetudinario internacional y el derecho internacional público tal como lo consagran los artículos 31 y 32 de la Convención de Viena [...] ninguno de los métodos interpretativos que se aplican en virtud del derecho

---

12   OFICINA INTERNACIONAL DEL TRABAJO, *Documento de trabajo para la reunión...*, pp. 7 a 9.
13   OFICINA INTERNACIONAL DEL TRABAJO, *Documento de trabajo para la reunión...*, pp. 11-12.

internacional autoriza la «creación» de un derecho de huelga extremadamente amplio basándose en lo dispuesto por el Convenio núm. 87, tal como lo ha venido haciendo progresivamente la Comisión de Expertos. Ni la letra del Convenio, ni ningún acuerdo conocido entre los Estados contratantes o su comportamiento ulterior permiten tal interpretación. Por el contrario, al redactarse los Convenios núms. 87 y 98 estaba claro que las cuestiones relativas al derecho de huelga no debían tratarse. [...] Implícitamente, el concepto de derecho de huelga desarrollado por la Comisión de Expertos es virtualmente ilimitado, de tal manera que las competencias reguladoras de los Estados Miembros tienden a ser inexistentes. Las fórmulas desarrolladas por la Comisión de Expertos, que prácticamente permiten cualquier clase de huelga y proscriben casi toda forma de limitación, consideradas como contrarias al derecho internacional, no pueden sustentarse en ningún instrumento interpretativo con arreglo al Convenio núm. 87"[14].

Posteriormente, en el año 1994, durante las deliberaciones sobre el Estudio General de la Comisión de Expertos sobre libertad sindical, en específico, del capítulo del derecho de huelga, los miembros del Grupo de los Empleadores adoptaron una postura mucho más dura y tajante. Como explica BELLACE, "durante las deliberaciones de la Comisión de Aplicación de Normas sobre el Estudio general de 1994, los empleadores suscribieron la mayoría de los comentarios de la Comisión de Expertos, pero formularon ciertas reservas, en particular en lo relativo al capítulo sobre el derecho de huelga (OIT, 1994b, pág. 25/26, párrafo 85). Por primera vez pusieron en tela de juicio que del texto del Convenio Núm. 87 emanara el derecho de huelga (ibid., pág. 25/36, párrafo 115). Los empleadores insistieron en que tal derecho no se mencionaba explícitamente en ningún lugar. No obstante, afirmaron que «no objetan la existencia de la libertad de huelga y de cierre patronal, pero que no podían en modo alguno aceptar que la Comisión de Expertos dedujera del texto del Convenio un derecho tan global, preciso y detallado»"[15].

La objeción que fuera presentada por el Grupo de los Empleadores en el año 1994, posteriormente derivó en un exigencia a la Comisión de Aplicación de Normas de que no examinase ningún caso de incumplimiento grave del Convenio n° 87 por parte de un Estado miembro que lo hubiere ratificado, ya que de él no es posible entender que emane el derecho de huelga. Esta exigencia fue formulada en la reunión de la Comisión de Aplicación de Normas del año 2012, y a raíz de ello, "por primera vez desde 1927, la Comisión de Aplicación de Normas no examinó ningún caso individual durante la reunión de la Conferencia de 2012"[16].

---

[14]   OFICINA INTERNACIONAL DEL TRABAJO, *Documento de trabajo para la reunión...*, p. 12.
[15]   BELLACE, "La OIT y el derecho...", pp. 59-60.
[16]   BELLACE, "La OIT y el derecho...", pp. 62-63.

En efecto, los miembros empleadores, "tras admitir que existía un derecho de huelga, indicaron que no aceptaban «en absoluto que los comentarios sobre el derecho de huelga contenidos en el Estudio General fueran las opiniones políticamente aceptadas de los mandantes tripartitos de la OIT» y que se oponían «fundamentalmente» a que las opiniones de la Comisión de Expertos sobre el derecho de huelga fueran reconocidas o promovidas como jurisprudencia de «*soft law*»". Hicieron hincapié también en que el mandato de la Comisión de Expertos era formular comentarios sobre la aplicación del Convenio 87 y no la de interpretar el derecho de huelga a partir de ese convenio. Así, para dejar claro cuál era el mandato de la Comisión de Expertos, los miembros del Grupo de los Empleadores propusieron que se insertara la siguiente aclaración en el Estudio General de ese año: "El Estudio General es parte del proceso regular de control y es el resultado del análisis de la Comisión de Expertos. No es un texto acordado o determinativo de los mandantes tripartitos de la OIT". Los miembros de los trabajadores rechazaron dicha indicación al no poder aceptar un descargo de responsabilidad, estancándose de esa manera las negociaciones. Esto derivó en que por primera vez desde la creación de la Comisión de Aplicación de Normas, ésta no pudo dar cumplimiento a su cometido en virtud del artículo 22 de la Constitución de la OIT[17].

Para el año 2013, el Grupo de los Empleadores y el Grupo de los Trabajadores acordaron incluir en las conclusiones de los casos que se referían a la cuestión del derecho de huelga la siguiente frase: "La Comisión no abordó el derecho de huelga en este caso, en virtud de que los empleadores no están de acuerdo con que el derecho de huelga esté reconocido en el Convenio núm. 87". Para la Conferencia del año siguiente, el Grupo de los Trabajadores no aceptó una vez más la reserva formulada por los empleadores, ya que de lo contrario se daría la impresión "que una jurisprudencia tácita va instalándose en el seno de la Comisión en cuanto al tratamiento que se dispensa a los casos de libertad sindical"[18].

Ahora, la exigencia formulada por el Grupo de Empleadores no estaba en sintonía con lo que hasta ese entonces los diversos órganos de la OIT han ido resolviendo. Recordemos que desde el año 1919 se ha entendido que la libertad sindical incluye el derecho de los trabajadores a actuar en defensa de sus intereses profesionales[19], reconociéndose hasta la actualidad que el derecho esencial para que las organizaciones de trabajadores puedan alcanzar tal objetivo es el derecho de huelga. Como explica BELLACE, "los mandantes tripartitos reconocen que la libertad sindical constituye un principio fundamental consagrado en uno de sus convenios. Han creado un mecanismo de control para garantizar el

---

[17] OFICINA INTERNACIONAL DEL TRABAJO, *Documento de trabajo para la reunión...*, pp. 14-15.
[18] OFICINA INTERNACIONAL DEL TRABAJO, *Documento de trabajo para la reunión...*, p. 15.
[19] BELLACE, "La OIT y el derecho...", pp. 72-73.

respeto de los derechos de los trabajadores y de los empleadores. Han previsto un sistema dual gracias al cual la Conferencia cuenta no sólo con el asesoramiento de la Comisión de Expertos sino también con su Comisión de Aplicación de Normas para hacer frente a las quejas presentadas por violaciones al ejercicio de la libertad sindical", por lo que las objeciones formuladas por el Grupo de los Empleadores refleja "una falta de comprensión histórica del proceso" que da lugar al reconocimiento de la libertad sindical[20].

A diferencia de lo sostenido por el Grupo de los Empleadores, a pesar de que el derecho de huelga no tiene una consagración expresa en los instrumentos de la OIT, lo cierto es que por décadas los órganos de control de la OIT han sostenido que el derecho de huelga es un elemento esencial de los derechos sindicales, siendo un medio legítimo y fundamental de las organizaciones de trabajadores para la defensa de sus intereses, razón por la cual se encuentra reconocido dentro del Convenio n° 87[21].

De esta manera, a partir del trabajo realizado por el CLS y la CEACR se ha desarrollado un conjunto de principios detallados en relación con el alcance y límites del derecho de huelga, los que se pueden resumir de la siguiente manera:

a) Que el derecho de huelga es uno de los medios legítimos de que disponen los trabajadores y sus organizaciones para la promoción y defensa de sus intereses económicos y sociales[22];

b) Que el derecho de huelga es de alcance universal, por lo que se debe adoptar un criterio restrictivo a la hora de delimitar las categorías de trabajadores que puedan ser privadas de este derecho;

c) El reconocimiento del derecho de huelga en la función pública, admitiéndose la posibilidad de limitación o restricción sólo respecto de los miembros de las fuerzas armadas y de policía; en el caso de los funcionarios que ejercen funciones de autoridad en nombre del Estado o, cuando la interrupción de los servicios que prestan pongan en peligro la vida, la seguridad o la salud de las personas en todo o parte de la población[23];

---

[20]   BELLACE, "La OIT y el derecho...", pp. 35 y 73.
[21]   NOGUEIRA, "La huelga en el Derecho ...", p. 18. En el documento de trabajo para la reunión tripartita sobre el convenio n° 87, en relación con el derecho de huelga, se indica de forma clara que no obstante la omisión o silencio en relación al reconocimiento del derecho de huelga, dos órganos de control de la OIT (el CLS y la CEACR) han considerado de forma reiterada que el Convenio 87 sí incluye el derecho de huelga, desarrollando en el curso de los años un conjunto de principios detallados en relación con el alcance y límites de este derecho. OFICINA INTERNACIONAL DEL TRABAJO, *Documento de trabajo para la Reunión ...*, p. 3.
[22]   OFICINA INTERNACIONAL DEL TRABAJO, *La libertad sindical. Recopilación de decisiones del Comité de Libertad Sindical*, 6 ed., Ginebra: OIT, 2018, párrafo 752, p. 145.
[23]   OFICINA INTERNACIONAL DEL TRABAJO, *La libertad sindical...*, párrafos 827, 828, 829 y 830, pp. 157-158.

d) Que el derecho de huelga es un derecho de finalidad múltiple, que no persigue solamente "la obtención de mejores condiciones de trabajo o reivindicaciones colectivas de orden profesional, sino que engloban también la búsqueda de soluciones a las cuestiones de política económica y social y a los problemas que se plantean en la empresa y que interesan directamente a los trabajadores"[24]. Así, el derecho de huelga se puede ejercer para reivindicar intereses de índole laboral (mejorar las condiciones de trabajo y de vida de los trabajadores); intereses de naturaleza sindical (relacionados con los derechos de las organizaciones sindicales y sus dirigentes) e intereses políticos[25]. Incluso, la OIT ha reconocido que la huelga puede ser ejercida en apoyo de reivindicaciones de derechos de terceros, garantizando con ello la legitimidad de las huelgas de solidaridad, es decir, aquellas que se insertan en otra huelga emprendida por otros trabajadores[26];

e) En cuanto a las modalidades del derecho de huelga, el CLS ha estimado que la paralización intempestiva, el trabajo a reglamento, la huelga de brazos caídos, de celo, trabajo a ritmo lento, ocupación de la empresa o del centro de trabajo son acciones legítimas, siempre que se ejerzan de forma pacífica[27];

f) Que los procedimientos legales que establezca el legislador para que una huelga se considere un acto lícito "deben ser razonables y, en todo caso, no de tal naturaleza que constituya una limitación importante a las posibilidades de acción de las organizaciones sindicales" o que determinen que en la práctica sea imposible realizar una huelga legal[28];

---

[24] OFICINA INTERNACIONAL DEL TRABAJO, *La libertad sindical…*, párrafo 758, p. 146.

[25] El CLS, reconociendo lo difícil que es efectuar una distinción clara entre lo político y lo sindical, ha sostenido que: "Las organizaciones encargadas de defender los intereses socioeconómicos y profesionales de los trabajadores deberían en principio poder recurrir a la huelga para apoyar sus posiciones en la búsqueda de soluciones a los problemas derivados de las grandes cuestiones de política, económica y social que tienen consecuencias inmediatas para sus miembros y para los trabajadores en general, especialmente en materia de empleo, de protección social y de nivel de vida". Oficina Internacional del Trabajo, La libertad sindical…, párrafo 759, p. 146.
En el mismo sentido, ha señalado que si bien las huelgas de naturaleza puramente políticas no están cubiertas por los principios de la libertad sindical, "los sindicatos deberían poder organizar huelgas de protesta, en particular para ejercer una crítica contra la política económica y social del gobierno". OFICINA INTERNACIONAL DEL TRABAJO, *La libertad sindical…*, párrafo 763, p. 147.

[26] Al respecto, el CLS ha indicado que, "una prohibición general de las huelgas de solidaridad podría ser abusiva y los trabajadores deberían poder recurrir a tales acciones a condición de que sea legal la huelga inicial que apoyen". OFICINA INTERNACIONAL DEL TRABAJO, *La libertad sindical…*, párrafo 770, p. 148.

[27] OFICINA INTERNACIONAL DEL TRABAJO, *La libertad sindical…*, párrafo 784, p. 150.

[28] OFICINA INTERNACIONAL DEL TRABAJO, *La libertad sindical…*, párrafos 789 y 790, p. 151.

g) Que los mecanismos de conciliación y mediación que una legislación prevea sean de carácter voluntario y no impidan en la práctica el recurso a la huelga[29];

h) La existencia de un criterio restrictivo para los efectos de prohibir la huelga, siendo el principio determinante la existencia de una amenaza evidente e inminente para la vida, la seguridad o la salud de toda o parte de la población[30];

i) La configuración de una concepción estricta del término servicios esenciales, esto es, aquellos cuya interrupción pueden poner en peligro la vida, la seguridad o la salud de la persona en toda o parte de la población[31];

j) La admisibilidad del recurso al arbitraje obligatorio sólo cuando ha sido solicitado por las dos partes implicadas en el conflicto o en aquellos casos en los cuales la huelga pueda ser limitada, esto es, en los casos de conflictos en la administración pública respecto de funcionarios que ejercen funciones de autoridad en nombre del Estado o en los servicios esenciales en el sentido estricto del término, es decir, servicios cuya interrupción podría poner en peligro la vida o la seguridad de la persona en todo o parte de la población[32];

k) La posibilidad de exigir un servicio mínimo de funcionamiento sólo en caso de huelga en servicios esenciales en el sentido estricto del término; en huelgas de una cierta extensión y duración que pudieran provocar una crisis nacional aguda tal que las condiciones normales de existencia de la población podrían estar en peligro, o en los servicios públicos de importancia trascendental[33];

l) En los casos donde se admite la prohibición o limitación del derecho de huelga –función pública y servicios esenciales–, deben establecerse medidas compensatorias a favor de los trabajadores que les garanticen una protección adecuada de sus intereses, como por ejemplo, el establecimiento de procedimientos de conciliación y arbitraje imparciales y rápidos, donde los interesados puedan participar en todas sus etapas[34];

m) La prohibición del reemplazo de trabajadores en huelga, por constituir una grave violación de la libertad sindical[35];

---

[29]   OFICINA INTERNACIONAL DEL TRABAJO, *La libertad sindical...*, párrafos 793 y 795, p. 152.
[30]   OFICINA INTERNACIONAL DEL TRABAJO, *La libertad sindical...*, párrafo 836, p. 159.
[31]   OFICINA INTERNACIONAL DEL TRABAJO. *La libertad sindical...*, párrafo 838, p. 159.
[32]   OFICINA INTERNACIONAL DEL TRABAJO, *La libertad sindical...*. párrafo 816, p. 155.
[33]   OFICINA INTERNACIONAL DEL TRABAJO, *La libertad sindical...*, párrafos 866 y ss., pp. 167 y ss.
[34]   OFICINA INTERNACIONAL DEL TRABAJO, *La libertad sindical...*, párrafos 853 y 856, p. 165.
[35]   OFICINA INTERNACIONAL DEL TRABAJO, *La libertad sindical...*, párrafos 918 y 919, p. 176.

n) El reconocimiento del principio de que nadie puede ser objeto de sanciones por realizar o intentar realizar una huelga legítima[36];

o) En base a lo anterior, el reconocimiento de que los despidos de trabajadores a raíz de una huelga legítima constituye una discriminación grave en materia de empleo por el ejercicio de una actividad sindical lícita, contraria al Convenio n° 98[37].

4.3. EL DERECHO DE HUELGA EN CHILE

El modelo de relaciones colectivas de trabajo en Chile se ha caracterizado por ser de carácter restrictivo e intervencionista. Desde el primer modelo normativo contenido en el Código del Trabajo de 1931 hasta la reciente reforma laboral[38], el Estado ha intervenido la autonomía colectiva por medio de la ley, no con fines promocionales, sino que con el objetivo de controlar la actividad sindical[39].

En ese contexto Feres explica que la forma en cómo se abordó la denominada cuestión social en Chile fue el factor determinante de nuestro sistema de relaciones laborales. Ante el conflicto social, la respuesta del sistema político fue su control por medio de una legislación protectora en el ámbito individual, e intervencionista en lo colectivo, configurándose de ese modo un modelo heterónomo o legalista que dejó escaso margen a la autonomía colectiva[40].

En la actualidad el marco restrictivo para el ejercicio del derecho de huelga se expresa, en primer término, en su recepción constitucional. En efecto, la Constitución Política de 1980 no reconoce de forma explícita el derecho de huelga, adoptando una postura ambivalente ya que se refiere a ella en términos negativos, en base a una prohibición para determinadas categorías de trabajadores. El artículo 19 N° 16 inciso 6° de la Constitución Política dispone que: "No podrán declararse en huelga los funcionarios del Estado ni de las municipalidades. Tampoco podrán hacerlo las personas que trabajen en corporaciones o empresas, cualquiera que sea su naturaleza, finalidad o función, que atiendan servicios de utilidad pública o cuya paralización cause grave daño a la salud, a la economía

---

[36] OFICINA INTERNACIONAL DEL TRABAJO, *La libertad sindical….* párrafos 951 y 953, pp. 181-182.

[37] OFICINA INTERNACIONAL DEL TRABAJO, *La libertad sindical…*, párrafos 957 y 958, p. 182-183.

[38] Ley 20.940, publicada en el diario oficial con fecha 08 de septiembre de 2016.

[39] En este sentido Rojas indica que la intervención estatal ha sido una constante en los distintos modelos normativos de relaciones laborales que han estado vigentes en Chile, esto es, Código del Trabajo de 1931, Plan Laboral de la Dictadura Militar y el Plan Laboral con las diversas modificaciones realizadas en democracia. ROJAS MIÑO, Irene, "La legislación laboral en Chile en el ámbito de las relaciones colectiva del trabajo: control de la autonomía colectiva", en *Revista Ius et Praxis* N° 2-2000, p. 395.

[40] FERES NAZARALA, María Ester, *Gobiernos progresistas y movimiento sindical. La experiencia chilena,* Friedrich Ebert Stiftung, Chile, 2008, p. 17.

del país, al abastecimiento de la población o a la seguridad nacional. La ley establecerá los procedimientos para determinar las corporaciones o empresas cuyos trabajadores estarán sometidos a la prohibición que establece este inciso"[41].

Esta forma negativa de referirse al ejercicio de un derecho fundamental, es producto de las concepciones ideológicas que imperaban al interior del gobierno de facto de la época, donde se miraba con mucho temor y desconfianza el conflicto colectivo, especialmente el ejercicio de la huelga como herramienta de reivindicación laboral, ya que era concebido como un hecho que no conllevaba en sí ningún principio de justicia, causando perjuicios a la sociedad y que en el pasado había sido utilizado como herramienta política. En base a lo anterior, los integrantes de la Comisión optaron por reconocer el derecho de negociación colectiva única y exclusivamente a los trabajadores del sector privado en el ámbito de la empresa, y omitieron pronunciamiento en torno a si la huelga sería o no un derecho de jerarquía constitucional (principalmente porque Chile había ratificado el Pacto Internacional de Derechos Económicos, Sociales y Culturales)[42], limitándose a negar su ejercicio respecto de los funcionarios del Estado y de Municipalidades[43].

En el ámbito legal el derecho de huelga se encuentra regulado en el Código del Trabajo, Capítulo VI del Título IV del Libro IV del Código del Trabajo, relativo al procedimiento de negociación colectiva, siendo concebido como una herramienta de presión en contra del empleador para la negociación de un instrumento colectivo de trabajo, que aparece en acción una vez que fracasan las negociaciones directas de las partes.

---

[41] A diferencia de lo señalado en la Constitución Política de 1925, que luego de la reforma de la Ley N° 17.398 de 1971 reconoció explícitamente el derecho de huelga, la actual Constitución mantiene inalterable el texto aprobado en dictadura, en el cual la huelga es referida únicamente desde una óptica negativa, limitándose a explicitar los casos en que se encuentra prohibida.

[42] El Pacto Internacional de Derechos Económicos, Sociales y Culturales, adoptado por la Asamblea General de la Organización de las Naciones Unidas en diciembre de 1966, fue suscrito por Chile el 16 de septiembre de 1969, depositándose el instrumento de ratificación en la Secretaría General de las Naciones Unidas el 10 de febrero de 1972. Su artículo 8 N° 1 letra d), establece expresamente que "Los Estados partes en el presente Pacto se comprometen a garantizar: d) El derecho de huelga, ejercido de conformidad a las leyes de cada país".

[43] En cuanto a la redacción anotada, cabe hacer presente que algunos integrantes de la Comisión plantearon que si la norma constitucional prohibía declararse en huelga a los empleados del Estado y Municipalidades, a contrario sensu se podría entender que los demás trabajadores podrían hacerlo, ante lo cual el Sr. Guzmán sostuvo que tal ambigüedad era completamente deliberada, ya que con ello se pretendía dejar al legislador la regulación del ejercicio de la huelga y, con el objeto de salvaguardarse de un posible legislador partidario de la huelga, se estableció en el texto constitucional que "en ningún caso podrán declararse en huelga los Funcionarios el Estado, municipalidades y servicios de utilidad pública". Actas oficiales de la Comisión de Estudio de la nueva Constitución Política de la República. Sesión 382°, celebrada el miércoles 7 de junio de 1978. pp. 226 a 239.

Cuando la negociación colectiva no se encuentra sujeta a arbitraje obligatorio o voluntario, y las partes no han logrado un acuerdo en torno a las condiciones comunes de trabajo y remuneración que los regirán por un determinado período de tiempo, los trabajadores deben resolver si aceptarán la última oferta del empleador o declararán la huelga, previo al cumplimiento de una serie de requisitos legales vinculados a la convocatoria para la votación de la huelga[44]; oportunidad de la votación[45]; formalidades de la votación[46], quórum de aprobación[47], plazo para hacer efectiva la huelga[48] y mediación obligatoria[49].

En caso de haber superado con éxito todos los requisitos y formalidades dispuestos por el legislador para poder hacer efectiva la huelga, posteriormente se regulan una serie de restricciones que acotan o inhiben sus efectos. En primer lugar, el legislador entrega al empleador una facultad ilimitada para que la huelga sea sucesivamente validada por los trabajadores, herramienta que persigue acotar la extensión de la huelga por medio del desgaste de los trabajadores involucrados en la misma al someterlos a constantes votaciones donde deben evaluar el mantenimiento de la huelga o la aceptación de nuevas ofertas del empleador[50].

---

[44] El artículo 347 del Código del Trabajo indica que "La comisión negociadora sindical deberá convocar a la votación de la huelga con a lo menos cinco días de anticipación a la fecha en que esta deba realizarse".

[45] En cuanto a la oportunidad de votación de la huelga, el artículo 348 del Código del Trabajo distingue entre aquellas empresas que tienen instrumento colectivo vigente de las que no. Entonces, en el primer caso –cuando existe instrumento colectivo vigente–, la huelga deberá ser votada dentro de los últimos cinco días de vigencia del instrumento. En el segundo caso –no hay instrumento colectivo vigente–, la huelga debe ser votada dentro de los últimos cinco días de un total de cuarenta y cinco contados desde la fecha de presentación del proyecto de contrato colectivo.

[46] El artículo 350 del Código del Trabajo señala que la votación de la huelga se realizará en forma personal, secreta y ante ministro de fe, y que el contenido del voto debe contemplar las expresiones: "última oferta del empleador" o "huelga".

[47] El quórum exigido por el legislador para la aprobación de la huelga es el de la mayoría absoluta de los trabajadores representados por el sindicato, descontándose aquellos trabajadores que no se encuentren actualmente prestando servicios en la empresa por licencia médica, feriado legal o aquellos que, por requerimientos de la empresa, se encuentren fuera del lugar habitual donde prestan servicios (artículo 350 inciso 2° del Código del Trabajo).
En caso de no reunirse el quórum que exige el legislador, el artículo 352 dispone que el sindicato tendrá la facultad de impetrar la suscripción de un contrato colectivo con las estipulaciones establecidas en el piso de la negociación, facultad que deberá ejercerse dentro del plazo de tres días contado desde la votación. En caso de no ejercer tal facultad, se entenderá que el sindicato ha optado por aceptar la última oferta del empleador.

[48] El inciso final del artículo 350 dispone que de aprobarse la huelga, ésta debe hacerse efectiva a partir del inicio de la respectiva jornada del quinto día siguiente a su aprobación.

[49] El artículo 351 del Código del Trabajo dispone que "Dentro de los cuatro días siguientes de acordada la huelga, cualquiera de las partes podrá solicitar la mediación obligatoria del Inspector del Trabajo competente, para facilitar el acuerdo entre ellas".

[50] Lo peligroso de esta facultad no es la existencia de nuevas ofertas formuladas por el empleador para alcanzar un acuerdo y de ese modo terminar transitoriamente con el conflicto, sino que el radicar la dinámica de la huelga en la comisión negociadora empresarial y no en el sindicato, toda

En segundo lugar, se consagra el derecho a reincorporación individual del trabajador, con el objeto de restar fuerza a la huelga. Con ello, se resalta el aspecto individual de la misma, en desmedro de su arista colectiva y de su finalidad de protección de intereses generales de la clase trabajadora y no particulares[51].

En tercer lugar, se consagran una serie de limitaciones al derecho de huelga que van más allá del resguardo o tutela de los derechos de terceros. En primer término, la institución de los servicios mínimos en huelga con alcance universal. En segundo lugar, una amplia prohibición del derecho de huelga que excede el concepto estricto de servicios esenciales, y finalmente, la consagración de la acción judicial de reanudación de faenas, que además de ser entregada a la autoridad laboral (Dirección del Trabajo), puede ser incoada por la propia parte empleadora.

En cuarto lugar, el legislador confronta el derecho de huelga con la libertad de trabajo de los trabajadores no involucrados en la misma, a objeto de dejar en claro que el ejercicio y desarrollo del derecho de huelga no puede afectar la libertad de trabajo ni la ejecución de las funciones convenidas en los contratos de trabajo, con lo cual, no obstante existir una prohibición de reemplazo de los trabajadores en huelga, se deja abierta la puerta para un interpretación favorable al reemplazo interno de los huelguistas[52].

---

vez que con la entrega de cada nueva oferta se instará a la realización de sucesivas votaciones donde los trabajadores involucrados en la negociación, en votación secreta y ante ministro de fe, deberán pronunciarse sobre la mantención de la huelga o la aceptación de la nueva oferta del empleador (artículo 356 del Código del Trabajo).

Si bien en la normativa anterior existía la posibilidad de convocar a votación para los efectos de someter el conflicto a mediación o arbitraje ante un nuevo ofrecimiento del empleador, o a falta de éste, sobre la base de su última oferta, se trataba de una alternativa que era decidida por la comisión negociadora sindical, con alcances bien delimitados.

[51] Con menos exigencias que la normativa anterior, el artículo 357 del Código del Trabajo, establece las condiciones bajo las cuales puede operar este derecho a reintegro individual o descuelgue, distinguiendo entre el tamaño de la empresa. En la gran y mediana empresa, los trabajadores involucrados en la negociación podrán ejercer el derecho a reincorporarse individualmente a sus funciones a partir del decimosexto día de iniciada la huelga, siempre que la última oferta formulada en la forma y con la anticipación señalada en el artículo 346 contemple, a lo menos, lo siguiente:

a) Idénticas estipulaciones que las contenidas en el contrato, convenio o fallo arbitral vigente, reajustadas en el porcentaje de variación del Índice de Precios al Consumidor determinado por el Instituto Nacional de Estadísticas o el que haga sus veces, habido en el período comprendido entre la fecha del último reajuste y la fecha de término de vigencia del respectivo instrumento.

b) Una reajustabilidad mínima anual según la variación del Índice de Precios al Consumidor para el período del contrato, a partir de la suscripción del mismo.

En la micro y pequeña empresa, en cambio, si la última oferta cumple las condiciones señaladas en el inciso anterior, los trabajadores involucrados en la negociación podrán ejercer el derecho a reincorporarse individualmente a sus funciones a partir del sexto día de iniciada la huelga.

Si el empleador no hace una oferta de las características y en la oportunidad señalada en los incisos anteriores, los trabajadores de la gran y mediana empresa involucrados en la negociación podrán ejercer el derecho a reincorporarse individualmente a partir del trigésimo día de iniciada la huelga. En la micro y pequeña empresa, este derecho podrá ejercerse a partir del día décimo sexto.

[52] Artículo 345 del Código del Trabajo.

De la breve descripción que hemos realizado de la regulación de la huelga en Chile, podemos advertir que se trata de una normativa restrictiva que se aleja de una concepción de la huelga como derecho fundamental, ya que las trabas procedimentales y las limitaciones a su ejercicio solo persiguen que la huelga sea un derecho de difícil acceso y de reducida efectividad.

Ahora, si bien a partir de la reforma de la Ley 20.940 el legislador nacional reconoce a la huelga como un derecho, prohibiendo el reemplazo de huelguistas, la CEACR ha seguido observando ciertas normas que traban el ejercicio de este derecho. En efecto, en cuanto a las disposiciones relativas a la votación de la huelga, la Comisión recordó nuevamente al gobierno chileno que, "en aras de no restringir indebidamente el derecho de las organizaciones de trabajadores de organizar sus actividades, las disposiciones legislativas que exijan que las acciones de huelga sean votadas por los trabajadores deberían asegurar que sólo se tomen en consideración los votos emitidos (y no todos los trabajadores que puedan acudir al voto), y que el quórum o la mayoría necesaria se fijen a un nivel razonable. En relación a la regla relativa al día en que debe hacerse efectiva la huelga, la Comisión observa que "la decisión respecto del inicio de una huelga debería corresponder a los trabajadores. De otro lado, la Comisión observa que la reforma laboral "no ha alterado el hecho que el ejercicio de la huelga sigue regulándose exclusivamente en el marco de la negociación colectiva reglada", para lo cual recuerda que los intereses profesionales y económicos que los trabajadores defienden mediante la huelga, abarcan no solo la obtención de mejores condiciones de trabajo, sino que engloban también la búsqueda de soluciones a cuestiones de política económica y social y a los problemas que se plantean en la empresa y que interesan directamente a los trabajadores[53].

4.4. LOS CRITERIOS DE LA OIT EN MATERIA DE HUELGA Y SU INFLUENCIA EN LA LEGISLACIÓN Y PRÁCTICA NACIONAL

Visto el estricto marco normativo del derecho de huelga en Chile, la doctrina que ha sido elaborada por los órganos de control de la libertad sindical de la OIT ha sido un elemento esencial para ampliar la estricta concepción de este derecho[54].

En ese contexto, la doctrina de los órganos de control de la OIT ha sido vital para construir una línea doctrinaria que reconoce a la huelga como un derecho

---

[53] Comisión de Expertos en Aplicación de Convenios y Recomendaciones de la OIT, "Informe de aplicación de normas 2017 (I), Informe III (Parte 1A), febrero 2017.

[54] Respecto a la influencia que ha tenido la doctrina de la OIT en materia de derecho de huelga, es importante destacar que las objeciones planteadas por el Grupo de Empleadores no ha tenido repercusiones.

fundamental dentro de nuestro ordenamiento jurídico. En efecto, conforme a la denominada tesis dogmática propuesta por Gamonal, el carácter de derecho fundamental de la huelga deriva del hecho de que forma parte del contenido esencial de la libertad sindical[55], la que se encuentra recepcionada de forma expresa en el artículo 19 N° 16 y 19 de la Constitución Política[56], al garantizarse el derecho a negociar colectivamente y la autonomía de las organizaciones sindicales[57]. Como explica Gamonal, para efectos de entender que la huelga es un derecho fundamental, debemos preguntarnos si la Constitución Política consagra dentro de las garantías constitucionales a la libertad sindical, y en caso que la respuesta sea afirmativa, se estará reconociendo el carácter de derecho fundamental de la huelga, toda vez que esta forma parte del contenido esencial de la libertad sindical, tal como han sostenido los órganos de control de la libertad sindical de la OIT. Es así que, analizando el artículo 19 N° 19 de la Constitución, el autor concluye que se establece inequívocamente la libertad sindical al hacerse referencia explícita a la autonomía colectiva como derecho constitucional, autonomía que comprende todos los elementos de la libertad sindical (organización, negociación colectiva y huelga)[58].

De otro lado, conforme a la tesis del bloque de constitucionalidad, la doctrina ha entendido que la huelga está expresamente consagrada en la Constitución Política en virtud de la cláusula de apertura del inciso 2° del artículo 5, precepto que permite incorporar dentro del catálogo de las garantías constitucionales derechos humanos no contemplados en él[59]. Recordemos que conforme a esta tesis los derechos humanos tienen dos formas de institucionalización: los reconocidos expresamente por la norma constitucional (catálogo de garantías constitucionales del artículo 19), y los asegurados por los tratados internacionales de derechos humanos ratificados por Chile y que se encuentren vigentes[60]. De esta manera,

---

[55] En este sentido Caamaño nos señala que el contenido esencial del principio de libertad sindical comprende una faz orgánica, es decir, el derecho de sindicación, y una faz funcional, que se concreta en "el derecho a hacer valer los intereses colectivos de los trabajadores organizados, mediante la acción reivindicativa y participativa, lo que se canaliza a través del ejercicio de los derechos de negociación colectiva y huelga". CAAMAÑO ROJO, Eduardo, "La tutela jurisdiccional de la libertad sindical", en *Revista de Derecho (Valdivia)* vol. 19, n° 1, 2006, p. 3.

[56] El artículo 19 de la Constitución Política dispone que: La Constitución asegura a todas las personas: N° 16 inciso 4°: "La negociación colectiva con la empresa en que laboren es un derecho de los trabajadores, salvo los casos en que la ley expresamente no permita negociar (…)", y N° 19: "El derecho de sindicarse en los casos y forma que señale la ley. La afiliación sindical será siempre voluntaria (…) La ley contemplará los mecanismos que aseguren la autonomía de estas organizaciones (…)".

[57] CAAMAÑO ROJO, Eduardo y UGARTE CATALDO, José Luis, *Negociación colectiva y libertad sindical. Un enfoque crítico*, Legal Publishing, Chile, 2010, p. 79.

[58] GAMONAL CONTRERAS, Sergio, "El derecho de huelga en la Constitución Chilena", en *Revista de Derecho Universidad Católica del Norte*, Año 20 n° 1, 2013, p. 121.

[59] GAMONAL CONTRERAS, Sergio, "El derecho de huelga en…", pp. 118-119.

[60] GAMONAL CONTRERAS, Sergio, "El derecho de huelga en…", p. 119.

la huelga estaría expresamente reconocida en la Constitución ya que los tratados internacionales que Chile ha ratificado sí la consagran, especialmente el Pacto Internacional de Derechos Económicos, Sociales y Culturales y el Convenio n° 87 de la OIT, a partir de la interpretación que han realizado sus órganos de control[61].

En cuanto a la jurisprudencia de nuestros Tribunales Superiores de Justicia, debemos destacar que existe una importante línea jurisprudencial que ha reconocido que la huelga es un derecho fundamental amplio, precisamente en base a la doctrina emanada de los órganos de control de la libertad sindical de la OIT.

Generalmente, este debate jurisprudencial se gatilla en razón de los despidos masivos que se generan cuando se llevan a cabo acciones de huelga fuera de los marcos de la negociación colectiva reglada, frente a lo cual, los trabajadores despedidos o dirigentes sindicales demandados de desafuero, se defienden ejerciendo las acciones legales por despido (despido injustificado, indebido o improcedente, e incluso la acción de tutela de derechos fundamentales), según corresponda, argumentando que las ausencias, negativas a trabajar, incumplimiento de obligaciones, entre otras causales imputadas por el empleador, se justifican en el ejercicio de un derecho fundamental: la huelga.

En esta línea se encuentra la sentencia pronunciada por la Corte de Apelaciones de Rancagua, la que conociendo un recurso de nulidad interpuesto en contra de la sentencia definitiva que deniega la solicitud de desafuero de un dirigente sindical que se ausentó de sus labores por adherir a una paralización de faenas[62], sostuvo que no se configuraba la causal de ausencias injustificadas ya que el trabajador estaba ejerciendo un derecho fundamental, producto, entre otras consideraciones, de su vinculación con la libertad sindical y su consagración en los catálogos de derechos humanos a nivel internacional.

El análisis que se efectuó en ese caso, pasó por alto la tradicional discusión de ilegalidad de la huelga cuando esta se desarrolla fuera de los márgenes de la negociación colectiva reglada, ya que la Corte parte de la premisa que estamos ante el ejercicio de un derecho fundamental garantizado implícitamente en la Constitución, por lo que, para los efectos de determinar si el trabajador incurrió o no en la causal de ausencias injustificadas, no debe hacerse un simple análisis en relación a las obligaciones de carácter individual que están involucradas, sino que debe considerarse el proceso de huelga que enmarca las inasistencias. Una interpretación contraria, señala la Corte, afectaría el núcleo esencial del derecho de huelga, ya que con ello, cada vez que un trabajador ejerza este derecho, la ley

---

[61]   IRURETA URIARTE, Pedro, "Constitución y orden público laboral. Un análisis del art. 19 N°16 de la Constitución chilena", en *Colección de Investigaciones Jurídicas* n° 9, Universidad Alberto Hurtado, 2009, p. 198.

[62]   Sentencia dictada con fecha 19 de noviembre de 2011, por el juez Titular del Juzgado de Letras del Trabajo de Rancagua, don Pablo Vergara Lillo, RIT O-375-2011.

autorizaría el despido, retrocediendo a la época donde la huelga se encontraba prohibida por ley[63].

En el mismo sentido, la Corte de Apelaciones de San Miguel, en voto de mayoría, anuló una sentencia del Juzgado de Letras de Buin, al considerar que el asumir la ausencia al trabajo como injustificada, en circunstancias que se justificaba en una paralización de actividades de la que había participado la parte demandante, supone contrariar al derecho de libertad sindical consagrado en la Constitución y los Convenios 87 y 98 de la OIT[64].

Dentro de esta línea también se encuentra una importante sentencia de la Corte de Apelaciones de Santiago, la que conociendo un recurso de nulidad deducido en contra de la sentencia del Segundo Juzgado de Letras del Trabajo de Santiago que acogió la demanda de desafuero sindical al entender que los trabajadores solo están facultados para paralizar sus funciones cuando se encuentran ejerciendo el derecho de huelga dentro de un proceso de negociación colectiva reglada, entiende que la sentenciadora incurrió en la causal de nulidad de infracción de ley, ya que si la huelga tiene el carácter de derecho fundamental, derivado esencialmente de tratados internacionales de derechos humanos, no puede ser entendida como una etapa indeseable de la negociación colectiva, ni reducirse a una etapa del proceso de negociación colectiva reglada. Citando al profesor UGARTE, señala que la huelga es *prima facie* lícita, y los únicos límites

---

[63]   Sentencia pronunciada por la Corte de Apelaciones de Rancagua con fecha 5 de enero del año 2012, Rol 159-2011, caratulada "Zublin International GMBH Chile con Bernabel de la Cruz Dorguett Avila.
   Bajo la misma línea argumentativa –ejercicio de un derecho fundamental-, el Tribunal de Letras de Los Ángeles, ante la aplicación de la causal de despido de abandono de trabajo, sostuvo que si bien la salida del lugar de trabajo fue intempestiva, ésta se encontraba justificada, ya que se produjo en un contexto de conflicto laboral que llevó a los trabajadores a concurrir a la Inspección del Trabajo, concluyendo que "El hacer uso de los derechos laborales que legalmente les son otorgados a los trabajadores, en las instancias que el propio Estado les ha dado para buscar su tutela, no puede ser calificado en lo absoluto como un motivo injustificado para ausentarse de su lugar de trabajo. El ejercicio de los derechos laborales excluye entonces la injustificación en el actuar. De esta manera, faltando el requisito de la injustificación se concluye que la aplicación de esta causal fue indebida por parte de la demandada". A continuación, respecto de la causal de negativa a trabajar en las faenas convenidas en el contrato de trabajo, el tribunal sostuvo que en el presente caso la negativa a trabajar se encontraba justificada en la solicitud de mejoras de las condiciones laborales, lo que conllevó a la paralización de labores, la que por sí misma "no es una situación que de origen a la aplicación indiscutida de la causal invocada". Sentencia dictada por el Tribunal de Letras de Los Ángeles, de fecha 27 de abril de 2007, Rol 14.807.
   La referida sentencia fue confirmada por la Corte de Apelaciones de Concepción, estimando que la negativa a trabajar fue justificada, ya que se produjo en un contexto de defensa de sus derechos laborales -reclamar un aumento de sus remuneraciones-, "de manera que existe una causa o motivo plausible para no realizar las labores convenidas". Sentencia dictada por la Corte de Apelaciones de Concepción, de fecha 21 de noviembre de 2007, Rol 380-2007.

[64]   Corte de Apelaciones de San Miguel, 9 de julio de 2014, Rol 183-2014, caratulada "Beatriz del Carmen Allende Gutiérrez Con Gestión Medio Ambiental Ltda.".

a su ejercicio son los que expresamente señala la Constitución, esto es, la prohibición de la huelga para los funcionarios del Estado y de las municipalidades, y en aquellos servicios destinados a satisfacer derechos fundamentales, libertades públicas y bienes constitucionalmente protegidos, tales como la vida, salud y la satisfacción de necesidades básicas de la persona. En base a lo anterior, la Corte concluye que como el desafuero fue concedido bajo la premisa que la paralización de actividades se desarrolló al margen de la ley, acoge el recurso de nulidad entendiendo que con dicha interpretación se restringe un derecho fundamental fuera de los casos previstos en la Constitución, infringiéndose con ello el artículo 19 N° 16 y 19 de la Constitución Política de la República[65].

En cuanto a las modalidades de ejercicio del derecho de huelga, la Corte de Apelaciones de Santiago, conociendo una causa por prácticas antisindicales en razón del despido de 7 trabajadores que durante el desarrollo de la huelga ingresaron a la estación Universidad de Chile del metro portando lienzos y pancartas alusivos al movimiento huelguístico, pasaron el nivel de andenes, descendieron a la vía, ingresaron al túnel y caminaron hacia la estación Moneda, interrumpiendo el servicio normal de pasajeros de la línea aproximadamente por 35 minutos, sostuvo que tales despidos eran antisindicales, ya que impedían el ejercicio de la actividad gremial y se verificaron cuando los trabajadores ya no se encontraban amparados por el fuero de negociación colectiva. En su razonamiento, la Corte indicó que la libertad sindical no solo se encuentra amparada en el artículo 19 N° 19 de la Constitución Política, sino que también en los Convenios 87, 98 y 135 de la OIT, los que se han incorporado al derecho interno en virtud de su ratificación, de acuerdo a los mecanismos que la Constitución establece[66].

Sentencia pronunciada por la Corte de Apelaciones de Santiago, de fecha 23 de octubre de 2015, Rol 1144-2015, caratulada "ACTIONLINE Chile S.A. con Claudio Yutronic y otro". En contra de la sentencia que acogió el recurso de nulidad se dedujo recurso de unificación de jurisprudencia, el cual fue declarado inadmisible por la Corte Suprema con fecha 7 de marzo de 2016, causa Rol 28.915-2015.

[66] Sentencia pronunciada por la Corte de Apelaciones de Santiago, de fecha 4 de octubre de 2004, Rol 2459-2004, caratulada Cortes Suazo y Otros con Empresa de Transportes de Pasajeros Metro S.A.

En un mismo sentido, el Primer Juzgado de Letras del Trabajo de Santiago, rechazó una demanda de desafuero sindical fundado en un supuesto incumplimiento grave de las obligaciones que imponía el contrato, especialmente su contenido ético jurídico, indicando que: "Las trabajadoras, al verse inmersas en una manifestación acerca de reclamos de sus derechos laborales, participaron en ella, no de manera violenta ni desmedida, sino que estando atrás de un lienzo, o delante de él, y aplaudiendo ante las voces de Isolina Castro. A juicio del tribunal, las trabajadoras estaban manifestando su derecho a opinión, al estar presentes y acceder a participar en esta manifestación, participando además de un acto colectivo, en que la fidelidad que aduce la empresa no puede entenderse como un requerimiento que, ante hechos denunciados que les afectan personalmente, ellas permanezcan impávidas y sin emitir opinión alguna". Sentencia dictada por el Primer Juzgado de Letras del Trabajo de Santiago con fecha 22 de noviembre de 2011, caratulada Konecta Chile Limitada con Pérez Ojeda y Otra, RIT O-334-2011.

Podemos ver de esta manera que la doctrina que han desarrollado los órganos de control de la OIT en materia de derecho de huelga ha sido crucial para ampliar el estricto marco normativo que rige en nuestro país, en especial, en relación a su carácter de derecho fundamental, a las modalidades admitidas para su ejercicio y las finalidades que puede perseguir. Sin embargo, en relación a los posibles límites que se pueden establecer al ejercicio del derecho de huelga, la doctrina de la OIT ha sido utilizada para avalar las restricciones que son impuestas por nuestro legislador. Nos referimos esencialmente a la prohibición de la huelga en los servicios esenciales y a la institución de los servicios mínimos.

En efecto, la OIT admite la prohibición del ejercicio del derecho de huelga en el denominado ámbito de los servicios esenciales en el sentido estricto del término, es decir, aquellos cuya interrupción podría poner en peligro la vida, la seguridad o la salud de las personas en toda o parte de la población[67]. Ahora, si bien la OIT delimita de manera estricta o restrictiva el campo donde la huelga puede ser objeto de limitaciones –cuando se pueda poner en peligro la vida, la seguridad o la salud de la persona en toda o parte de la población–, en relación a las medidas que se pueden imponer para garantizar que tales servicios no sean interrumpidos, ha legitimado la prohibición absoluta de la huelga y, por ende, la anulación total de este derecho cuando es ejercido en el ámbito de los servicios esenciales *stricto sensu*.

Pero hay más en esta peligrosa doctrina del organismo internacional. La OIT no agota el ámbito de posibles limitaciones al derecho de huelga en base al concepto de servicios esenciales stricto sensu, extendiendo tal posibilidad, aunque no en base a la prohibición, a lo que ha denominado servicios esenciales por extensión y servicios públicos de importancia trascendental[68].

En efecto, para la OIT un servicio no esencial puede convertirse en esencial "cuando la duración de una huelga rebasa cierto periodo o cierto alcance y pone así en peligro la vida, la seguridad o la salud de la persona en toda o parte de la población"[69], por ejemplo, en el caso de huelgas de larga duración de los

---

[67]   En palabras del Comité de Libertad Sindical, "Para determinar los casos en los que podría prohibirse la huelga, el criterio determinante es la existencia de una amenaza evidente e inminente para la vida, la seguridad o la salud de toda o parte de la población". OIT, *La libertad sindical*…, párrafo 836, p. 159.

[68]   En razón de lo anterior es que con acierto Rosenbaum ha calificado esas técnicas de ampliación como "desviaciones del concepto de servicio esencial, ya que han terminado por desnaturalizar la noción de servicio esencial. ROSENBAUM, Jorge, "La huelga en los servicios esenciales. Algunas inflexiones en los pronunciamientos del Comité de Libertad Sindical", en *Derecho laboral: Revista de doctrina, jurisprudencia e informaciones sociales*, N° 252, 2013, p.623.

[69]   La aplicación de esta primera variante que permitirá extender el concepto estricto de servicio esencial, estará determinada, por un lado, por las circunstancias o características de la huelga, y de otro, por el eventual daño que una huelga en curso pueda generar a los derechos fundamentales de carácter vital (vida, salud y seguridad).

servicios de recogida de basura[70] o el transporte y distribución de medicamentos. Junto con ello, la OIT ha admitido la posibilidad de que las autoridades puedan establecer un régimen de servicios mínimos en los servicios de utilidad pública o importancia trascendental[71], categoría intermedia que se refiere a "aquellas situaciones en que no se justifica una limitación importante al derecho de huelga y en que, sin poner en tela de juicio el derecho de huelga de la gran mayoría de los trabajadores, podría tratarse de asegurar la satisfacción de las necesidades básicas de los usuarios o el funcionamiento continuo y en condiciones de seguridad de las instalaciones"[72]. Dicho de otro modo, los servicios de utilidad pública o de importancia trascendental son servicios que, en circunstancias y condiciones excepcionales, una eventual paralización de actividades puede poner en peligro la satisfacción de necesidades básicas de la población. Así, han sido considerados como servicios de utilidad pública o de importancia trascendental los servicios de transbordadores de islas, los puertos, el transporte de pasajeros y mercancías y el transporte ferroviario, correos, bancos, el sector del petróleo, el instituto monetario nacional y la división de sanidad animal[73]. Ahora, es importante precisar que en abstracto no existe ningún servicio que pueda ser calificado como de importancia trascendental, ya que tal declaración debe realizarse en base a las circunstancias particulares del conflicto[74].

---

[70] GERNIGON, ODERO, y GUIDO, *Principios de la OIT sobre...*, p. 22.

[71] El presente concepto tiene su origen en una queja presentada el año 1994 por la Unión Tranviarios Automotor ante el Comité de Libertad Sindical de la OIT, denunciando que ante una huelga en el sector de transportes de pasajeros en Argentina, el Ministerio del Trabajo encuadró dicha actividad como servicio esencial, exigiendo el cumplimiento de servicios mínimos. En lo que nos interesa, el Comité consideró que si bien el transporte de pasajeros y mercancías no es un servicio esencial en sentido estricto del término, sí constituye un servicio de importancia trascendental para el país, ya que a través de él se atienden necesidades de interés general, especialmente en un país que tiene puntos geográficos distantes, donde la falta de un servicio mínimo de transporte pudiese tener consecuencias negativas, como por ejemplo en la distribución de alimentos o atención de enfermos. En consecuencia el Comité concluye que en estos casos se encuentra justificada la imposición de un servicio mínimo, previniendo eso sí que la decisión final sobre los servicios mínimos a mantener durante la huelga en caso de falta de acuerdo entre las partes debe corresponder a un órgano independiente. Comité de Libertad Sindical, Informe definitivo núm. 292, Marzo 1994, Caso núm. 1679 (Argentina). Fecha de presentación de la queja: 06 de noviembre de 92. Disponible en: http://www.ilo.org/dyn/normlex/es/f?p=NORMLEXPUB:50002:0::NO::P50002_COMPLAINT_TEXT_ID:290251, visto por última vez 25-07-2018.

[72] Entre los servicios esenciales y los no esenciales, los órganos de control de la libertad sindical de la OIT han elaborado un concepto intermedio: servicios de importancia trascendental, conforme a la terminología del Comité de Libertad Sindical. GERNIGON, ODERO y GUIDO, *Principios de la OIT sobre...*, p. 23.

[73] GERNIGON, ODERO y GUIDO, *Principios de la OIT sobre...*, p. 32.

[74] Al efecto, resulta ilustrativo el pronunciamiento emitido por el Comité de Libertad Sindical en el caso n° 2209, donde calificó como servicio de importancia trascendental y por tanto, validó la decisión adoptada por el gobierno de imponer un servicio mínimo, "en la División de Sanidad Animal, ante el brote de una enfermedad altamente contagiosa. OIT (2006), párrafo 626, p. 135.

En consecuencia, desde la perspectiva de la Organización Internacional del Trabajo existirían dos clases de servicios esenciales: aquellos de carácter estricto que habilitarían para prohibir absolutamente el ejercicio del derecho de huelga[75], y aquellos que, dependiendo de las circunstancias o características de la huelga, permitirían otro tipo de limitación que no anula por completo su ejercicio, pero sí lo limita de modo considerable: los servicios mínimos. Junto con ello, existiría un tercer nivel de restricción del derecho de huelga: los servicios públicos de importancia trascendental, que al igual que los servicios esenciales por extensión, sólo permiten la imposición de servicios mínimos.

Más allá de las observaciones formuladas al gobierno chileno por la CEACR en torno a que la determinación de las empresas en las que no se podrá ejercer el derecho de huelga cubre potencialmente servicios que desbordan la definición de servicios esenciales en el sentido estricto del término[76], lo cierto es que el abanico de restricciones consagrado por nuestro legislador se encuadra en el esquema de restricciones que ha desarrollado la OIT. Esto se ve reflejado en las sentencias pronunciadas por la Corte de Apelaciones de Santiago en relación a las reclamaciones interpuestas por diversos sindicatos contra la resolución tri-ministerial del año 2017 que fijó el listado de empresas cuyos trabajadores no podrán ejercer el derecho de huelga de conformidad a lo establecido en el artículo 362 del Código del Trabajo. En efecto, señala la Corte que la resolución impugnada no transgrede los convenios 87 y 98 de la OIT, toda vez que dicho organismo "considera que el derecho de huelga puede limitarse o prohibirse en empresas que presten servicios esenciales, cuando está en peligro la vida, la seguridad o la salud de las personas en todo o en parte de la población y respecto de los funcionarios públicos que ejercen funciones de autoridad en nombre del Estado. En suma, ni aun para la OIT el derecho a huelga es un derecho absoluto, pues admite que se prohíba en situaciones muy similares a las de nuestra legislación constitucional y laboral"[77].

---

[75] Para la OIT, la prohibición de la huelga no solo se limita a los servicios esenciales en el sentido estricto del término, sino que también, a las situaciones de crisis nacional aguda, siempre que se dé en un período limitado y en la medida de lo necesario para hacer frente a la misma. Ahora, "debe existir una auténtica situación de crisis como la que se produce en casos de conflictos graves, de insurrección e incluso de catástrofe natural, en los que dejan de concurrir las condiciones normales de funcionamiento de la sociedad civil". GERNIGON, ODERO, y GUIDO, *Principios de la OIT sobre…*, p. 25.

[76] En la observación se señala expresamente "que la noción de utilidad pública y la de daño a la economía son más amplias que la de servicios esenciales". Comisión de Expertos en Aplicación de Convenios y Recomendaciones, Solicitud directa, Convenio sobre la libertad sindical y la protección del derecho de sindicación, 1948 (núm. 87). Chile, 106ª reunión CIT (2017).

[77] Por todas, Sentencia dictada por la Iltma. Corte de Apelaciones de Santiago con fecha 18 de enero de 2019, caratulada "Sindicato Interempresa Grupo CGE con Ministros de Economía y Turismo y otros", Rol 1739-2017.

Ahora bien, dentro del debate judicial que se ha generado a propósito de la institución de los servicios mínimos, en específico, si cabe un control judicial de la resolución administrativa que califica los servicios mínimos y equipos de emergencia, la doctrina de los órganos de control de la OIT también ha sido relevante. Así por ejemplo, en una sentencia pronunciada por la Corte Suprema, fue un factor decisivo para declarar la competencia de los Tribunales del Trabajo para conocer de una reclamación contra la resolución que calificó servicios mínimos en una compañía de seguros de vida, la doctrina del Comité de Libertad Sindical del Consejo de Administración de la OIT la cual señala que "un pronunciamiento definitivo y con completos elementos de apreciación sobre si el nivel de servicios mínimos fue o no el indispensable sólo puede realizarse por la autoridad judicial, toda vez que supone en particular un conocimiento en profundidad de la estructura y funcionamiento de las empresas y establecimientos concernidos y del impacto efectivo que tuvieron las acciones de huelga" (en "La libertad sindical Recopilación de decisiones y principios del Comité de Libertad Sindical del Consejo de Administración de la OIT. Quinta edición revisada, 2006, p. 133, disponible en el sitio web de dicho organismo)"[78].

BIBLIOGRAFÍA

BELLACE, Janice, "La OIT y el derecho de huelga", en *Revista Internacional del Trabajo*, Vol. 133 N° 1, 2014.

CAAMAÑO ROJO, Eduardo y UGARTE CATALDO, José Luis, *Negociación colectiva y libertad sindical. Un enfoque crítico*, Legal Publishing, Chile, 2010.

CAAMAÑO ROJO, Eduardo, "La tutela jurisdiccional de la libertad sindical", en *Revista de Derecho (Valdivia)* vol. 19, n° 1, 2006.

COMISIÓN DE ESTUDIO DE LA NUEVA CONSTITUCIÓN POLÍTICA DE LA REPÚBLICA. *Actas oficiales*, Sesión 382°, celebrada el miércoles 7 de junio de 1978.

COMISIÓN DE EXPERTOS EN APLICACIÓN DE CONVENIOS Y RECOMENDACIONES DE LA OIT, *Libertad sindical y negociación colectiva, Informe de la Comisión de Expertos en Aplicación de Convenios y Recomendaciones N° III (parte 4B)*. Conferencia Internacional del Trabajo, 81ª reunión, 1994.

---

[78] Sentencia pronunciada por la Excma. Corte Suprema con fecha 27 de diciembre de 2018, caratulada "Compañía de Seguros Vida Cámara S.A. con Ministros de la Corte de Apelaciones de Santiago, Rol 28356-2018.

COMISIÓN DE EXPERTOS EN APLICACIÓN DE CONVENIOS Y RECOMEN-DACIONES DE LA OIT, *Informe de aplicación de normas 2017 (I), Informe III (Parte 1A)*, febrero 2017.

FERES NAZARALA, María Ester, *Gobiernos progresistas y movimiento sindical. La experiencia chilena*. Friedrich Ebert Stiftung, Chile, 2008.

GAMONAL CONTRERAS, Sergio, "El derecho de huelga en la Constitución Chilena", en *Revista de Derecho Universidad Católica del Norte*, Año 20 n° 1, 2013.

GAMONAL CONTRERAS, Sergio, *Derecho colectivo del trabajo*, Thomson Reuters, Santiago Chile, 2011.

GERNIGON, Bernard; ODERO, Alberto y GUIDO, Horacio, *Principios de la OIT sobre el derecho de huelga*, Organización Internacional del Trabajo, Ginebra, 2000.

IRURETA URIARTE, Pedro, "Constitución y orden público laboral. Un análisis del art. 19 N°16 de la Constitución chilena", en *Colección de Investigaciones Jurídicas* n° 9, Universidad Alberto Hurtado, 2009.

NOGUEIRA GUASTAVINO, Magdalena, "La huelga en el Derecho Internacional y la protección multinivel", en AA.VV. *El derecho de huelga en el derecho internacional*, Tirant lo Blanch, Valencia, 2016.

OFICINA INTERNACIONAL DEL TRABAJO, *Documento de trabajo para la Reunión tripartita sobre el Convenio sobre la libertad sindical y la protección del derecho de sindicación, 1948 (núm. 87), en relación con el derecho de huelga y las modalidades y prácticas de la acción de huelga a nivel nacional (revisado) (Ginebra, 23–25 de febrero de 2015)*, Ginebra, 2015.

OFICINA INTERNACIONAL DEL TRABAJO, *La libertad sindical, Recopilación de decisiones y principios del Comité de Libertad Sindical del Consejo de Administración de la OIT*, quinta edición (revisada), Ginebra, 2006.

OFICINA INTERNACIONAL DEL TRABAJO, *La libertad sindical, Recopilación de decisiones y principios del Comité de Libertad Sindical del Consejo de Administración de la OIT*, sexta edición (revisada), Ginebra, 2018.

ROJAS MIÑO, Irene, "La legislación laboral en Chile en el ámbito de las relaciones colectiva del trabajo: control de la autonomía colectiva", en *Revista Ius et Praxis*, N° 2–2000.

ROSENBAUM, Jorge, "La huelga en los servicios esenciales. Algunas inflexiones en los pronunciamientos del Comité de Libertad Sindical", en *Derecho laboral: Revista de doctrina, jurisprudencia e informaciones sociales*, N° 252, 2013.

Capítulo 5

La igualdad de remuneraciones en una tierra de hombres. El Convenio núm. 100 de la OIT

DAGMAR SALAZAR MESA[*]

> *Dije al Sr. Juez que hace más de un año que visto traje de varón, que lo he adoptado para resguardar mejor mi honestidad de mujer y para ganar más con que vivir. Vestida de hombre, soy más respetada y ningún hombre me solicita. Así puedo trabajar sin que nadie me incomode. Vestida de mujer no podría vivir entre hombres, ni trabajar tranquila en cualquier lugar. El trabajo para la mujer es escaso y mal remunerado[1].*

5.1. INTRODUCCIÓN

El párrafo anterior corresponde a un extracto de la declaración de Laura Rosa Zelada ante el Juez del Crimen de Valparaíso el año 1903, quien fue encarcelada al ser sorprendida trabajando en una panadería disfrazada de hombre. Esta historia puede resultar anecdótica, pero revela de manera cruda como esta mujer a principios del siglo XX vio al mercado del trabajo como una tierra de hombres, considerando como única solución el transformarse en uno de ellos.

Hoy en día, en muchas áreas del empleo las mujeres aún continúan siendo tratadas como unas forasteras, enfrentando inequidades de manera solapada o manifiesta, lo que plantea interrogantes ¿Cuál será la forma en que definitivamente las mujeres logren incorporarse al mercado de trabajo en igualdad de condiciones? ¿Deberán disfrazarse, asimilar sus conductas a la masculina, posponer o ignorar su rol de madre o de cuidadora, para lograr ser tratadas como iguales?

Dar solución a esta problemática fue uno de los primeros desafíos que se planteó la Organización Internacional del Trabajo, en adelante OIT, lo que manifiesta ya en el preámbulo de su Constitución[2], al señalar, que en el contexto de las relaciones laborales existían "…condiciones de trabajo que entrañan tal grado de injusticia, miseria y privaciones…" que se hacía urgente mejorarlas, instando a los Estados a adoptar una serie de medidas, entre ellas, el reconocer el "principio

---

[*] Magíster en Derecho Pontificia Universidad Católica de Valparaíso. Magíster en Estudios Interdisciplinares de Género Universidad de Salamanca. Profesora de la Facultad de Derecho de la Pontificia Universidad Católica de Valparaíso. Dirección postal: Avda. Brasil 2950, Valparaíso, Chile. Correo electrónico: dagmar.salazar.m@mail.pucv.cl

[1] Extracto de HUTCHINSON. Elizabeth, *Labores propias de su sexo. Género, políticas y trabajo en Chile urbano 1900 – 1930*, Santiago. LOM Ediciones, 2006, p. 11.

[2] Este documento se incorpora en la parte XIII del Tratado de Versalles. CARRILLA, Juan, *El Derecho Internacional en perspectiva histórica*, Madrid. Editorial Tecnos, 1991, p. 59.

de salario igual por un trabajo de igual valor"[3], pero va un paso más allá, ya que no consagra una igualdad neutra y genérica, sino una igualdad entre hombres y mujeres, reconociéndolo como un principio general[4].

Durante las décadas siguientes, la labor normativa de este organismo será prolífica, adoptando diversos instrumentos que promovían el reconocimiento de distintos principios y derechos fundamentales, pero al tratarse, en específico del principio de igualdad de remuneración entre hombres y mujeres, su consagración fue bastante posterior. Treinta años debieron transcurrir desde la aprobación de su Constitución hasta la adopción en el año 1951 del Convenio núm.100 relativo a la igualdad de remuneración entre la mano de obra masculina y la mano de obra femenina por un trabajo de igual valor[5].

Este retraso, en otras muchas razones, fue consecuencia de la tardía incorporación de la mujer al mercado del trabajo, producto de la estructura social de carácter patriarcal que ha determinado históricamente las relaciones entre hombres y mujeres, manifestándose en roles y estereotipos de género en relación a la figura femenina, la que es segregada en el ámbito privado a asumir roles vinculados a la reproducción, al cuidado de los hijos y de las personas dependientes.

Con el estallido de la Segunda Guerra Mundial, el mercado del trabajo demandó nueva mano de obra en reemplazo de la destinada al frente, lo que indirectamente impulsó el acceso de la mujer al mundo del trabajo, asumiendo en el, labores que generalmente eran desempeñadas por hombres, pero que irónicamente, al ser asumidas por mujeres recibían una menos remuneración.

Al finalizar el conflicto, las mujeres ya no se consideraban como unas extrañas en el mercado del trabajo, pero su futura oferta laboral, replicaría los roles y estereotipos de género que primaban en el ámbito privado y es así, como deben asumir principalmente trabajos vinculados a los servicios y cuidados de personas dependientes, fenómeno que se ha denominado como división sexual del trabajo[6], labores que lamentablemente son menos valoradas y mal pagadas.

Esta situación persiste hasta el día de hoy, a causa de diversos factores, como son, la concepción de trabajos típicamente feminizados, las opciones vocacionales de las propias mujeres que se concentran en ciertas profesiones vinculadas a los servicios, el desequilibrio del reparto de las responsabilidades en el hogar, la valoración de los empleadores respecto del costo que conlleva contratar a una

---

[3] Preámbulo de la Constitución de la Organización Internacional del Trabajo.
[4] Artículo 427 n° 7 del Tratado de Versalles "…7. El principio del salario igual, sin distinción de sexo, por un trabajo de igual valor".
[5] Adoptado por la 34ª Conferencia Internacional del Trabajo, (en adelante CTI), Ginebra, 29 de junio de 1951. Ratificado por Chile el 20 de septiembre de 1971 y promulgado mediante Decreto Ley n° 732, publicado en D.O. el 12 de noviembre de 1971.
[6] BRUNET, I. y SANTAMARÍA, C. "La economía feminista y la división sexual del trabajo", en: *Revista Culturales*, vol. IV. núm. 1, enero-junio, 2016, pp. 61-86.

mujer, todo, lo que trae como consecuencia, el surgimiento de brechas de género en el ámbito laboral, vinculadas a la igualdad de trato y oportunidades y además, una brecha salarial[7].

5.2. EL SESGO DE GÉNERO EN EL TRATAMIENTO NORMATIVO DE LA MUJER EN EL ÁMBITO DE LA OIT

Esta concepción estereotipada de la figura femenina, también se manifestó en el tratamiento normativo que la OIT dio inicialmente a la mujer, es así, como a principios del siglo XX su regulación se limitaba a considerarla como objeto de protección y tutela en atención a su función reproductiva y de madre, avocada a una labor secundaria, como era el trabajo y calificando sus ingresos como complementarios al hogar.

El cambio de perspectiva, tendrá lugar en gran medida a partir del año 1944 con la adopción de la Declaración de los Fines y Objetivos de la OIT o Declaración de Filadelfia[8]. Este instrumento, además de reafirmar una serie de principios fundamentales[9], declara que todos los seres humanos sin distinción de raza, credo o sexo tienen derecho a perseguir su bienestar material y su desarrollo espiritual en condiciones de libertad, dignidad, seguridad económica e igualdad de oportunidades.

Con esta declaración la OIT se plantea como una de sus principales tareas, el lograr la igualdad entre hombres y mujeres en el ámbito del empleo, lo que se ve reflejado en sus Convenios y Declaraciones que comienzan a considerar a la mujer en su rol de trabajadora, en igualdad condiciones con los hombres y como un elemento esencial para el fortalecimiento de la democracia, el alivio de la pobreza, la justicia social, el aumento de la productividad y la eficiencia económica en general[10].

---

[7]   La OCDE define brecha salarial de género como aquella "diferencia existente entre los salarios de los hombres y los de las mujeres expresada como un porcentaje del salario masculino". DIAZ, Estrella, *La desigualdad salarial entre hombres y mujeres. Alcances y limitaciones de la Ley N° 20.348 para avanzar en justicia de género*, Santiago, Andros Impresores, 2015, p.7.

[8]   Adoptada por la 26° CIT, 10 de mayo de 1944.

[9]   Principio fundamentales, tales como, "(a) el trabajo no es una mercancía; (b) la libertad de expresión y de asociación es esencial para el progreso constante; (c) la pobreza, en cualquier lugar, constituye un peligro para la prosperidad de todos; (d) la lucha contra la necesidad debe proseguirse con incesante energía dentro de cada nación y mediante un esfuerzo internacional continuo y concertado, en el cual los representantes de los trabajadores y de los empleadores, colaborando en un pie de igualdad con los representantes de los gobiernos, participen en discusiones libres y en decisiones de carácter democrático, a fin de promover el bienestar común".

[10]   TOMEI, M.: "Análisis de los conceptos de discriminación y de igualdad en el trabajo", *Revista de Derecho Internacional del Trabajo*, volumen 122, núm. 4, 2003., p. 446.

Entre los Convenios y Recomendaciones orientados a establecer una igualdad en el empleo con perspectiva de género, inicialmente se encuentran aquellos que se enfocan en la protección de la maternidad, por ejemplo, el Convenio núm. 103 sobre la protección de la maternidad de 1952, revisado por el Convenio núm. 183 de la OIT de 2000[11]. Paulatinamente esta nueva mirada se extiende a otros ámbitos, por ejemplo, el Convenio núm. 175 de la OIT de 1994[12], sobre el trabajo a tiempo parcial, que reconoce que esta modalidad de jornada es mayoritariamente es desempeñada por mujeres, el Convenio núm. 177 de la OIT de 1996[13], sobre el trabajo a domicilio, que busca mejorar la situación de trabajadores a domicilio, que en su gran mayoría son mujeres, el Convenio nº 182 de la OIT de 1999[14], que busca prohibir y erradicar las peores formas de trabajo infantil, la que también tiene un componente de género, dado que instan a tener en cuenta la especial situación de las niñas.

Finalmente, la manifestación más evidente de esta nueva perspectiva, viene dada por un cuestionamiento y replanteo de la estructura organizacional del trabajo productivo y reproductivo en la sociedad, lo que se expresa en el Convenio núm. 156 de la OIT de 1981[15], sobre la igualdad de oportunidades y de trato entre trabajadores y trabajadoras con responsabilidades familiares.

Es así, como en el contexto de este nuevo enfoque de la figura de la mujer, se adopta el Convenio núm. 100 de la OIT de 1951, que reconoce de manera específica el principio de igualdad de remuneración entre hombres y mujeres. Principio que la OIT continuará desarrollando a futuro, a través de diversas iniciativas, tales como, la Declaración de la OIT relativa a los principios y derechos fundamentales en el trabajo de 1998[16], la Declaración de la OIT sobre la justicia social para una globalización equitativa de 2008[17], la Resolución relativa a la igualdad de género como eje del trabajo decente 2009[18] y la actual Iniciativa Centenario de la OIT sobre las mujeres en el trabajo[19].

En definitiva, el gran impulsor de este principio fue la OIT, pero es necesario reconocer que a nivel internacional diversos instrumentos, acuerdos y programas

---

[11]   Adoptado por la 88ª CIT, Ginebra. 15 junio 2000.
[12]   Adoptado por la 81ª CIT. Ginebra. 24 junio 1994. Complementada por la Recomendación núm. 182.
[13]   Adoptado por la 83ª CIT. Ginebra, 20 junio 1996. Complementada por Recomendación núm. 184.
[14]   Adoptado por la 87ª CIT, Ginebra, 17 junio 1999. Complementado por Recomendación núm. 190.
[15]   Adoptado por la 67ª CIT, Ginebra, 23 junio 1981.
[16]   Adoptada por la 86ª CIT, Ginebra, 18 de junio de 1998.
[17]   Adoptada por la 97ª CIT. Ginebra, 10 de junio de 2008.
[18]   Adoptada por la 98ª CTI, Ginebra, 10 de junio de 2009.
[19]   Adoptada por la 107ª CTI, Ginebra, junio 2018.

también lo han consagrado, tanto en el contexto de Naciones Unidas[20], de la Unión Europea[21] y de la Organización de Estados Americanos.

5.3. CONVENIO NÚM. 100, RELATIVO A LA IGUALDAD DE REMUNERACIÓN ENTRE LA MANO DE OBRA MASCULINA Y LA MANO DE OBRA FEMENINA POR UN TRABAJO DE IGUAL VALOR

El Convenio núm. 100 es uno de los ocho convenios fundamentales adoptados por la OIT, que junto a la Recomendación núm. 90[22], establecen las directrices para la aplicación del principio de igualdad de remuneración entre hombres y mujeres por un trabajo de igual valor, consagrando un concepto de igualdad entendida como una igualdad de trato en el ámbito retributivo laboral. Este principio es consagrado con un carácter específico y autónomo, sin embargo, ello está inmerso en un tema mucho más amplio, como es la discriminación en el ámbito laboral[23], es por ello, que posteriormente se adopta el Convenio núm. 111 de la OIT de 1958 relativo a la discriminación en materia de empleo y ocupación[24], que junto a la Recomendación núm. 111[25] promueven una situación general de igualdad de oportunidades y de trato en el ámbito del empleo, lo que constituye el contexto necesario para la viabilidad de la igualdad remuneracional.

---

[20] En el contexto de Naciones Unidas este principio se encuentra consagrado en sus instrumentos fundamentales, como la Declaración Universal de Derechos Humanos (1949), el Pacto Internacional de Derechos Civiles y Políticos (PDCP), el Pacto Internacional de Derechos Económicos, Sociales y Culturales (PDESC) (adoptados 1966), siendo el más relevante la Convención de las Naciones Unidas sobre la Eliminación de Todas las formas de Discriminación contra la Mujer (CEDAW) (1979) y actualmente, la Agenda 2030 y sus 17 Objetivos de Desarrollo Sostenible (adoptada por la Asamblea de Naciones Unidas en 2015), cuyo objetivo n° 8 sobre trabajo decente y crecimiento económico plantea en su meta n° 5 lograr el 20130 la igualdad de remuneración por trabajo de igual valor.

[21] En el contexto europeo tanto el derecho originario, como en el derivado, se cuentan el Tratado de Funcionamiento de la Unión Europea, el Convenio Europeo para la Protección de los Derechos Humanos y Libertades Fundamentales, (1950), la Carta de Derechos Fundamentales de la Unión Europea (2007), la Directiva 75/117/CEE, del Consejo de 10 de febrero de 1975, Directiva 2006/54/CE del Parlamento Europeo y del Consejo, de 5 de julio de 2006, Directiva 2010/41/ Unión Europea del Parlamento Europeo y del Consejo del 7 de julio de 2010, etc.

[22] Adoptada en la 34ª CIT, Ginebra, 29 de junio de 1951.

[23] La OIT sostiene que "el término discriminación comprende cualquier distinción, exclusión o preferencia basada en motivos de raza, color, sexo, religión, opinión política, ascendencia nacional u origen social que tenga por efecto anular o alterar la igualdad de oportunidades o de trato en el empleo y la ocupación". Convenio núm. 111 de la OIT año 1958 artículo 1 letra a).

[24] Adoptada por la 42ª reunión de la CIT, Ginebra, 25 de junio de 1958. Ratificado por Chile el 20 de septiembre de 1971 y promulgado mediante Decreto Ley N° 733, publicado en D.O. el 13 de noviembre de 1971.

[25] Adoptada por la 42ª reunión de la CTI, Ginebra, 25 de junio de 1958.

Es relevante como este convenio, constituye el primer instrumento internacional que con carácter vinculante consagró este principio, ya que si bien, previamente la Declaración Universal de los Derechos Humanos[26] tres años antes, ya lo había reconocido, ella carece de una naturaleza jurídica vinculante, además, de consagrar una igualdad retributiva conceptualmente más restringida, ya que utiliza como parámetro comparativo el trabajo como tal, sin atender al valor que este pueda entrañar[27].

De manera breve es posible destacar cuatro aspectos principales de este Convenio.

a. Los sujetos destinatarios y su rol.

Se establece que la aplicación de este principio es una responsabilidad tanto de los Estados Partes como de los interlocutores sociales, ya se trate de organizaciones de trabajadores o empleadores.

Respecto de los Estados constituye un mandato de carácter imperativo, debiendo promover y garantizar su aplicación en los ámbitos que le puedan competer, por medios compatibles con los métodos de fijación de las tasas de salarios vigentes en cada país, ya sea, mediante la legislación nacional, la intervención de los sistemas de fijación de remuneraciones o colaborando con aquellos agentes sociales que determinan dichas tasas, a través, de los contratos colectivos o en una acción conjunta de todos ellos.

b. Define los conceptos de remuneración y de igualdad de remuneración entre la mano de obra masculina y la mano de obra femenina por un trabajo de igual valor.

En su artículo 1.a) señala que la expresión remuneración comprende el salario o sueldo ordinario, básico o mínimo, y cualquier otro emolumento en dinero o en especie pagado por el empleador, directa o indirectamente, al trabajador en función de su empleo.

El tenor de esta disposición buscó garantizar que el concepto de remuneración comprendiera todo posible componente remuneracional, por ello, agrega la frase "cualquier otro emolumento". Esto, debido a que en muchas ocasiones la desigualdad en este ámbito, no surge del salario base, sino de algunos

---

incrementos adicionales de carácter voluntario otorgados por el empleador, en los que podrían incidir ciertos sesgos de género.

En su artículo 1.b) señala que la expresión igualdad de remuneración entre la mano de obra masculina y la mano de obra femenina por un trabajo de igual valor "…designa las tasas de remuneración fijadas sin discriminación en cuanto al sexo". La fijación de estas tasas, conforme al Convenio puede responder a cualquier sistema de fijación establecida o reconocida por la legislación de cada Estado, cuestión que se analiza más adelante.

c. Incorpora el concepto trabajo de igual valor.

Esta frase, constituye uno de los mayores aportes de este instrumento, ya que entiende este principio de una manera nueva, utilizando como categoría o parámetro de comparación para la fijación de las tasas de remuneración el valor intrínseco del trabajo y no el trabajo como tal.

Conforme al Informe de la Comisión de Expertos en Aplicación de Convenios y Recomendaciones (en adelante CEACR) del año 2012, la frase igual salario por igual trabajo, conlleva comparar trabajos, entendidos como cargos o funciones similares o iguales, en cambio, la frase igual remuneración por trabajos de igual valor "…engloba trabajos que son de una naturaleza absolutamente diferente, pero que sin embargo son de igual valor…".

Este informe agrega que el término valor implica utilizar otros medios, además, de las leyes de mercado para garantizar la aplicación del principio, dado que ellas pueden "…estar intrínsecamente condicionadas por los prejuicios de género", luego, la fijación de esta tasas, debe serlo, sin considerar el sexo del trabajador utilizando técnicas adecuadas para la evaluación objetiva del empleo[28].

d. Métodos de evaluación del trabajo y métodos de fijación de tasas de remuneraciones.

Ambas opciones metodológicas son aspectos considerados como imprescindibles por el Convenio para la aplicación práctica de este principio. En relación a ellos, si bien no se precisa cuáles serían estos, sólo se presupone el uso de técnicas adecuadas de evaluación.

En el caso del trabajo, debe determinarse su valor mediante la comparación de factores como las calificaciones, el esfuerzo, las responsabilidades y las condiciones de empleo. Al respecto la CEACR señala, que para la evaluación de puestos

---

[28]   *Informe de la Comisión de Expertos en Aplicación de Convenios y Recomendaciones,* adoptado en la 101ª CIT, 2012, Informe III (Parte 1B).

de trabajo, debe procederse a un examen de las respectivas tareas con criterios objetivos, sin ningún tipo de prejuicio por motivos de género, agregando, que es importante tanto, la selección de factores a comparar, la ponderación de dichos factores y la comparación real, ya que a menudo las capacidades consideradas como "femeninas", tales como, destreza manual o calificaciones necesarias para profesiones relacionadas con los cuidados, son infravaloradas o incluso despreciadas, en comparación con las calificaciones tradicionalmente "masculinas", tales como, el levantar cargas, realizar esfuerzo fijo, las que son más valoradas[29].

En cuanto a los métodos de fijación de estas tasas, el Convenio destaca como instituciones que facilitan la aplicación de este principio el establecimiento de un salario mínimo y la negociación colectiva. En cuanto al primero, entendido este, como una política salarial que busca crear un piso básico para proteger a personas con menores salarios, se considera un instrumento adecuado, ya que las mujeres reciben generalmente menores ingresos. En cuanto a la negociación colectiva, esta facilitaría la aplicación del principio, sobre todo, tratándose de sectores laborales altamente feminizados, aumentando su poder de negociación, estableciendo medidas de corrección de la brecha salarial, así como fortalecer la transparencia remuneracional[30].

5.4. RECEPCIÓN EN CHILE DEL PRINCIPIO DE IGUALDAD DE REMUNERACIÓN ENTRE HOMBRES Y MUJERES POR UN TRABAJO DE IGUAL VALOR

Si bien Chile ratificó el Convenio núm. 100 el año 1971[31], la recepción normativa de este principio tuvo lugar en las primeras décadas del siglo XX, es así, como el antiguo Código del Trabajo del año 1931[32] señalaba en su artículo 35 "En la misma clase de trabajo, el salario del hombre y de la mujer serán iguales", disposición que lamentablemente careció de relevancia y aplicación, siendo derogada con la dictación del Código del Trabajo de 1987[33]. Transcurrirán más de dos décadas para que legislación nuevamente incorpore este principio, razón

---

[29]	*Igualdad en el trabajo: afrontar los retos que se plantean, Informe global con arreglo al seguimiento de la Declaración de la OIT relativa a los principios y derechos fundamentales en el trabajo.* Informe I(B), CIT, 96ª reunión, Ginebra, 2007.

[30]	Ver *Informe Mundial sobre Salarios 2018/2019: Qué hay detrás de la brecha salarial de género* (Resumen Ejecutivo), Ginebra, 2018, p. 7.

[31]	Promulgado por el decreto ley n° 732, publicado en el D.O.el 19 de octubre de 1971.

[32]	Aprobado por DFL N° 178, del Ministerio de Bienestar Social, D.O. del 28 de mayo de 1931.

[33]	Ley N° 18.620, publicada en D.O. del 6 de julio de 1987.

por la cual, Chile durante todo ese periodo será objeto de solicitudes de parte de la CEACR[34].

5.4.1. Solicitudes de la CEACR a Chile en relación al principio de igualdad de remuneración entre hombres y mujeres

Desde el año 1990 fueron permanentes las solicitudes de esta Comisión respecto a la aplicación del Convenio núm. 100 en Chile, las que manera sucinta se abocaron entre otros aspectos a requerir una explicación, respecto de cómo se aseguraba la aplicación de este principio, ya que no existía ninguna norma al respecto en el Código del Trabajo, además, de solicitar aclarar el alcance del artículo 41 y 42 del mismo código, ya que, a su parecer, la definición de remuneración allí establecida era más restringida que la del Convenio. Chile inicialmente se limitó a afirmar que en el país no existía discriminación remuneracional entre hombres y mujeres, sin aportar ningún antecedente que avalara esta afirmación[35].

En 1992 la Comisión reitera al Gobierno su consulta respecto de cuál sería la normativa que consagraba este principio, a lo que este responde que dicho principio se encontraría contemplado en el artículo 19 n° 16 de la Constitución, así como, en el artículo 2° del Código del Trabajo, sin embargo, la Comisión estimó que dichas normas consagraban el principio de igualdad en relación al trato, además, de agregar que no se apreciaba la aplicación a nivel jurisprudencial del Convenio[36]. En la siguiente solicitud de 1994, el Gobierno de Chile justificará la omisión normativa, en el hecho que las relaciones laborales del país se enmarcan en el principio de libertad contractual, luego, las remuneraciones superiores al mínimo eran fijadas tanto individual como colectivamente por las partes[37]. Frente a esto la Comisión solicita se remitan Convenios Colectivos que dieran cuenta de ello. En las dos solicitudes antes indicadas (1992–1994) se insiste a Chile el incorporar datos estadísticos a las memorias, relativos a las tasas de salarios y al promedio de los ingresos percibidos por hombres y mujeres, con fórmulas desagregadas por sexo, profesión, rama de actividad, antigüedad y nivel de calificación.

En 1997 Chile por primera vez acompañará un informe estadístico desagregado, el que da cuenta de la existencia de una brecha salarial entre hombres y mujeres, pero la que evidencia una disminución entre 1990 a 1993 de un 73,1%

---

34   Para ver en detalle cada una de las Observaciones y Solitudes de la Comisión se recomienda recurrir al sistema NORMALEX de la OIT (Information System on International Labour Standards). Disponible en: https://www.ilo.org/dyn/normlex/es/f?p=1000:20010:::NO:::

35   Solicitud directa (CEACR) - Adopción: 1990, Publicación: 77ª reunión CIT (1990).

36   Solicitud directa (CEACR) - Adopción: 1992, Publicación: 79ª reunión CIT (1992).

37   Solicitud directa (CEACR) - Adopción: 1994, Publicación: 81ª reunión CIT (1994).

a un 77,9 %[38]. Pese a este avance se le reitera la falta de consagración normativa del principio y la falta de envió de convenios colectivos respecto de su aplicación[39]. En la siguiente solicitud de 1998[40], nuevamente la Comisión evidencia la desigualdad de remuneraciones en las estadísticas aportadas, así como, la falta de normativa al respecto, la ausencia de jurisprudencia que dé cuenta de la aplicación del convenio y la falta de envío de convenios colectivos.

El 2003, la Comisión se entregan nuevas estadísticas las que siguen revelando la desigualdad remuneracional en Chile. El Gobierno hace presente las modificaciones introducidas al Código del Trabajo en sus artículos 2° y 5°[41], con lo que a su juicio cumpliría con el requerimiento normativo, sin embargo, la Comisión estima que estas normas tratan sobre la aplicación del principio de no discriminación establecido en el Convenio núm. 111[42].

En 2008, Chile remite nuevas estadísticas dando cuenta de la disminución de la brecha salarial, pero ello evidencia que esto se da respecto de las rentas más bajas, ya que tratándose de mujeres con mayor educación esta brecha aumenta[43]. Además, se acompañan el Código de Buenas Prácticas Laborales y No Discriminación para la Administración del Estado y la Guía de Buenas Prácticas Laborales sobre no Discriminación en la Empresa, las que son estimadas como positivas por la Comisión, pero estima que no pueden ser consideradas como una forma de cumplir con el Convenio[44].

Finalmente, el año 2009 Chile por fin aprueba una ley que reconocerá este principio, la que se analizará a continuación haciendo presente la opinión de la CEACR al respecto.

---

[38]   Trabajo denominado Diferencia de los ingresos de mujeres y hombres en Chile: 1990-1993 elaborado por el Servicio Nacional de la Mujer (SERNAM).

[39]   Solicitud directa (CEACR) - Adopción: 1997, Publicación: 86ª reunión CIT (1998).

[40]   Solicitud directa (CEACR) - Adopción: 1998, Publicación: 87ª reunión CIT (1999).

[41]   Modificaciones introducidas por la Ley N° 19.759 del año 2001, publicada en D.O. el 25 de octubre de 2001. Ella tal como lo señalaba la CEACR reconocía el principio de no discriminación aludiendo a una serie de criterios sospechosos, entre los que figura el sexo, no obstante, dado el tenor de su redacción, esta norma constituye una prohibición de no discriminación al utilizar la frase "sin hacer distinción", es decir, alude a una igualdad en cuanto al trato.

[42]   Solicitud directa (CEACR) - Adopción: 2003, Publicación: 92ª reunión CIT (2004).

[43]   Trabajo denominado Perfil de las Trabajadoras en Chile de 2007, en 2005 se observa mayor crecimiento del ingreso medio de las mujeres (15,1 por ciento) que el de los hombres (12,8 por ciento), luego, la brecha del ingreso medio entre ambos disminuyó de 19,3 por ciento en 2003 a un 16,3 por ciento en 2005. Del mismo estudio surge que a mayor nivel educacional, mayor es la brecha de ingresos (por ej., entre las profesionales de formación universitaria se estima que la brecha salarial es de aproximadamente 32,4 por ciento).

[44]   Solicitud directa (CEACR) - Adopción: 2008, Publicación: 98ª reunión CIT (2009).

5.4.2. Ley N° 20.348 "que resguarda el derecho a la igualdad de remuneraciones" [45]

Con la dictación de esta la ley N° 20.348, Chile consagra de manera expresa el principio de igualdad de remuneración entre hombres y mujeres, a través, de la incorporación del artículo 62 bis al Código del Trabajo (en adelante CT)[46] y de la modificación del artículo 10 del Estatuto Administrativo[47], modificación, que no será objeto de análisis en este artículo.

Entre los aspectos más relevantes a tratar de la ley N° 20.348, se encuentran algunas obligaciones que se imponen tanto a las trabajadoras como a los empleadores, así, como algunas cuestiones que se han suscitado desde el punto de vista de la acción de tutela judicial que ampara las denuncias de vulneración de este principio.

a. En cuanto a sus destinatarios.

El artículo 62 bis del CT, constituye un mandato para el empleador en orden a respetar el principio de igualdad de remuneraciones entre hombres y mujeres y en contrapartida, un derecho de las trabajadoras frente a los trabajadores que presten un mismo trabajo.

b. Obligaciones del empleador: establecer un procedimiento de reclamo previo[48].

El empleador tiene el deber de establecer en el Reglamento Interno de Orden, Higiene y Seguridad de la empresa, un procedimiento de reclamación para

---

[45]   Publicada en D.O. el 19 de junio de 2009.

[46]   Artículo 62 bis. "El empleador deberá dar cumplimiento al principio de igualdad de remuneraciones entre hombres y mujeres que presten un mismo trabajo, no siendo consideradas arbitrarias las diferencias objetivas en las remuneraciones que se funden, entre otras razones, en las capacidades, calificaciones, idoneidad, responsabilidad o productividad.
Las denuncias que se realicen invocando el presente artículo, se sustanciarán en conformidad al Párrafo 6° del Capítulo II del Título I del Libro V de este Código, una vez que se encuentre concluido el procedimiento de reclamación previsto para estos efectos en el reglamento interno de la empresa".

[47]   Artículo 10 del DFL N° 29 del Ministerios de Hacienda del año 2005, que fijó el texto de la Ley N°18.834, Estatuto Administrativo que señala "En los empleos a contrata la asignación a un grado será de acuerdo con la importancia de la función que se desempeñe y con la capacidad, calificación e idoneidad personal de quien sirva dicho cargo y, en consecuencia, les corresponderá el sueldo y demás remuneraciones de ese grado, excluyendo toda discriminación que pueda alterar el principio de igualdad de trato entre hombres y mujeres".

[48]   El artículo 154 n° 13 del CT, establece que el Reglamento Interno deberá contener "...el procedimiento a que se someterán los reclamos que se deduzcan por infracción al artículo 62 bis. En todo caso, el reclamo y la respuesta del empleador deberán constar por escrito y estar debidamente

conocer de infracciones a este principio, lo que constituye una etapa previa a la instancia judicial. En cuanto a la forma del mismo, la ley sólo establece requisitos mínimos, tales como, que su interposición y resolución sean por escrito y que su duración no exceda de 30 días. Esta obligación, es sólo es aplicable a aquellas empresas con 10 o más trabajadores, privando así, a las trabajadoras de empresas más pequeñas de acceder a interponer una denuncia administrativa, teniendo como única opción la judicialización directa del conflicto. Este último punto, se analiza en detalle más adelante.

c. Obligaciones del empleador: descripción de cargos y funciones[49].

La ley dispone que en aquellas empresas con más de 200 trabajadores debe consignarse en el reglamento interno el registro de cargos y funciones y sus características técnicas esenciales[50]. Esta obligación, constituye una garantía de acceso a la información a favor de las trabajadoras, permitiéndoles tomar conocimiento de eventuales vulneraciones. Pero el limitar esta obligación sólo a empresas de más de 200 trabajadores es cuestionable, por una parte ya que la mayoría de las empresas en Chile son PYMES[51] y por otra, el legislador tiende a tener una visión arcaica y simplista, al restringir esta obligación sólo con base al número de trabajadores, olvidando que hoy existen pequeñas empresas altamente tecnologizadas con una alta facturación y con trabajadores especializados entre los cuales, a veces es más probable que existan este tipo de desigualdades[52].

Respecto a las características técnicas esenciales a que alude la norma, el Dictamen de la Dirección del Trabajo ORD. N° 1187/018 de 10 de marzo de 2010, estableció el sentido y alcance de dicha expresión, señalando que son "…aquellos distintivos que son propios, exclusivos, permanentes e invariables del cargo o función a realizar y permiten diferenciarlo de otras tareas que corresponda ejecutar en la empresa", por lo tanto, la descripción no debería tener un carácter

---

fundados. La respuesta del empleador deberá ser entregada dentro de un plazo no mayor a treinta días de efectuado el reclamo por parte del trabajador".

[49] El artículo 154 n° 6 del CT, establece que el Reglamento Interno deberá contener "…en el caso de empresas de doscientos trabajadores o más, un registro que consigne los diversos cargos o funciones en la empresa y sus características técnicas esenciales".

[50] Cuando se presentó el proyecto de ley, esta obligación se extendía a todas aquellas empresas con más de 5 trabajadores, lo cual finalmente es rechazado en gran parte por las presiones Confederación Nacional de la Micro, Pequeña y Mediana Empresa de Chile CONAPYME. Historia de la Ley N° 20.348, pp. 31-32.

[51] De acuerdo a la Quinta Encuesta Longitudinal de Empresas (ELE-5) las PYMES en Chile representan el 52,5% del total de empresas y emplean al 38,7% de los trabajadores.

[52] Basta tener presente que vocacionalmente las mujeres optan en un menor porcentaje por carreras científicas, matemáticas o ingenierías, y de hacerlo, por ser áreas tradicionalmente masculinizadas están más expuestas a sufrir diferencias remuneracionales. Hago presente que esto está cambiando, pero aún son forasteras.

genérico o uno tan inexacto que no permita la comparación con otro. Respecto de este Dictamen la CEACR, solicitó al Gobierno indicar "...el modo en que se garantiza que dichas descripciones se basen efectivamente en criterios objetivos y no sexistas y que no se traducen en la infravaloración de las tareas desarrolladas principalmente por las mujeres"[53], informe que aún está pendiente.

Finalmente, existe duda sobre la objetividad de esta categorización y la prolijidad de la misma, ya que en la práctica estas descripciones son ambiguas y de carácter genérico, es por ello, que es en este punto, donde se hace necesario considerar una mayor intervención de las organizaciones sindicales en su formulación.

d. Se establece la posibilidad de establecer diferencias no discriminatorias[54].

Durante la tramitación de la Ley se consideró que era posible que el empleador pagara justificadamente remuneraciones desiguales a sus trabajadores por un mismo trabajo, es por ello, que el artículo 62 bis del CT señala que no se considerarán arbitrarias aquellas diferencias objetivas fundadas, entre otras razones, en las "capacidades, calificaciones, idoneidad, responsabilidad o productividad"[55].

Esto constituye una limitación al principio de igualdad remuneracional, que tiene clara relación con la forma en que el ordenamiento normativo constitucional chileno consagra el principio de igualdad, el que se conceptualiza como un principio de igualdad y no discriminación.

Es así, como la Constitución Política de la República de Chile (en adelante, CPR) reconoce a la igualdad como un valor fundamental y un principio de carácter informador para el legislador[56] y un derecho de igualdad ante la ley[57], prohibiendo, al respecto, el establecimiento de diferencias arbitrarias, lo que se extiende al ámbito laboral, en su artículo 19 n° 16 de la CPR, que prohíbe cualquier discriminación, que no se base en la capacidad o idoneidad personal,

---

[53]   Solicitud directa (CEACR) - Adopción: 2011, Publicación: 101ª reunión CIT (2012).

[54]   Art. 62 bis. "El empleador deberá dar cumplimiento al principio de igualdad de remuneraciones entre hombres y mujeres que presten un mismo trabajo, no siendo consideradas arbitrarias las diferencias objetivas en las remuneraciones que se funden, entre otras razones, en las capacidades, calificaciones, idoneidad, responsabilidad o productividad...".

[55]   Al respecto, Dictamen de la Dirección del Trabajo, ORD. N° 1187/018 de 10 de marzo de 2010, que estableció el sentido y alcance de dichos términos, conforme a las reglas de la hermenéutica legal de los artículos 19 y siguientes del Código Civil, específicamente, conforme a la regla de interpretación gramatical.

[56]   Artículo 1° de la CPR "Las personas nacen libres e iguales...".

[57]   Artículo 19 n° 2 de la CPR "...Hombres y mujeres son iguales ante la ley. Ni la ley ni autoridad alguna podrán establecer diferencias arbitrarias...".

es decir, una prohibición de no discriminación de tipo inversa[58], ya que el constituyente chileno ha optado por establecer criterios discriminatorios legítimos.

e. Parámetro comparativo. ¿El trabajo o el valor del trabajo?

Originalmente el Proyecto de Ley consagraba este principio de manera idéntica a como se contenía en el Convenio núm. 100, es decir, utilizando como parámetro de comparación el valor del trabajo, sin embargo, en la discusión parlamentaria este concepto se sustituye por la frase "igual remuneración por un igual trabajo"[59].

Entre las razones que se tuvo para ello, se puede señalar, por una parte, que el proyecto no aclaraba el concepto de "trabajo de igual valor" y por otra, que pese a que algunos expositores trataron de explicar este concepto a los legisladores[60], su comprensión se hizo compleja, aspecto que los representantes de la PYMES reiteradamente hicieron presente en ambas cámaras. Finalmente, el Senado considerando la complejidad del concepto y el temor a que su ambigüedad judicializara en extremo los reclamos decide optar por una frase más sencilla como es "igual remuneración por igual trabajo"[61].

Al respecto la CEACR en el año 2010, notando la restringida consagración del principio solicitó a Chile indicar "...las medidas adoptadas o previstas a fin de reflejar plenamente en su legislación el principio del Convenio y garantizar la igualdad de remuneración (...) no sólo en situaciones en las que los hombres y las mujeres realicen un trabajo igual o similar, sino también en situaciones en las que realicen un trabajo diferente, pero que, no obstante, es de igual valor"[62].

Dado que Chile no se hace cargo de la observación, durante los años siguientes la Comisión continuará haciendo presente la disparidad entre la Ley N° 20.348 y el Convenio. Es así, como en su observación del año 2012[63] solicita la revisión de la norma ya que estima "...que el sistema establecido contribuye a la persistencia de la brecha de remuneración y la segregación ocupacional por motivo de

---

[58] Este carácter inverso deriva de la forma en se consagra esta prohibición, ya que generalmente los instrumentos internacionales, luego de prohibir cualquier tipo de discriminación, aluden a criterios sospechosos de discriminación, (edad, religión, sexo, etc.), sin embargo, el constituyente chileno ha optado por establecer criterios discriminatorios legítimos, esto es, la capacidad o idoneidad personal del trabajador.

[59] Ver historia de la Ley N° 20.348.

[60] Entre ellos se contó con la participación del Centro de Estudios de la Mujer en Informe de la Comisión de Familia de la Cámara de Diputas de 10 de julio de 2007.

[61] Historia de la Ley 20.348. p. 122. Al respecto la intervención de la Confederación Nacional de la Micro, Pequeña y Mediana Empresa de Chile (CONAPYME) fue determinante.

[62] Observación (CEACR) - Adopción: 2010, Publicación: 100ª reunión CIT (2011).

[63] Observación (CEACR) - Adopción: 2011, Publicación: 101ª reunión CIT (2012).

sexo…". Agregando, que la segregación ocupacional implica una infravaloración de los trabajos de mujeres y que para abordar esta segregación es esencial tener en cuenta el concepto de trabajo de igual valor ya que amplía el ámbito de comparación, incluso más allá del establecimiento o las empresas.

Cuestionamientos que son reiterados por la Comisión en su solicitud del año 2013[64], en su observación del año 2017[65], en su solicitud del año 2017[66] y en su recientes observación[67] y solicitud del año 2019[68].

Esta crítica, también es planteada por el Comité de la CEDAW haciendo presente a Chile la persistencia de diferencias salariales entre mujeres y hombres, lo que sigue teniendo un efecto adverso sobre las pensiones de las mujeres, debido a la falta de una definición clara en la legislación vigente (Ley N° 20.348) sobre lo que constituye la igualdad de remuneración por trabajo de igual valor. Agregando el Comité su particular preocupación por el reducido número de denuncias al respecto[69].

5.5. LA TUTELA JUDICIAL EFECTIVA

El inciso 2° del artículo 62 bis del CT establece, que agotado el procedimiento de reclamación interna por infracción del principio de igualdad de remuneración, la trabajadora podrá recurrir a la instancia judicial sustanciándose su denuncia conforme al Procedimiento de Tutela Laboral.

Esta disposición constituye un avance en el fortalecimiento de la protección y reconocimiento de este principio, ya que por una parte, el legislador laboral lo eleva –implícitamente– a la categoría de derecho fundamental al establecer que las denuncias por su infracción, se tramitarán conforme al procedimiento de tutela laboral, remisión necesaria, toda vez que el artículo 485 del CT no señala dentro del catálogo de derechos fundamentales a los que les es aplicable este procedimiento la infracción a este principio, en segundo lugar, con esta remisión normativa, se establece un sistema idóneo para su tutela judicial efectiva, ya que si bien, siempre se dispuso de otro tipo de acciones, ellas no eran las adecuadas[70].

---

[64]   Solicitud directa (CEACR) - Adopción: 2012, Publicación: 102ª reunión CIT (2013).

[65]   Observación (CEACR) - Adopción: 2016, Publicación: 106ª reunión CIT (2017).

[66]   Solicitud directa (CEACR) - Adopción: 2016, Publicación: 106ª reunión CIT (2017).

[67]   Observación (CEACR) - Adopción: 2018, Publicación: 108ª reunión CIT (2019).

[68]   Solicitud directa (CEACR) - Adopción: 2018, Publicación: 108ª reunión CIT (2019).

[69]   Observaciones al Séptimo Informe Periódico del Estado de Chile ante el Comité para la Eliminación de la Discriminación contra la Mujer – CEDAW 2018, Santiago, p.12.

[70]   CAAMAÑO, E. "La tutela del derecho a la no discriminación por razones de sexo durante la vigencia de la relación laboral", *Revista de Derecho (Valdivia)*, Vol. XIV. (2003), p. 33-39.

Entre las cuestiones que suscita la interposición de este tipo de denuncias, es posible identificar diversas problemáticas, optándose en este artículo por analizar dos aspectos temporalmente equidistantes, uno en el inicio de la denuncia y otra en su resolución.

a. Al inicio: exigencia del agotamiento previo del procedimiento de reclamación interna.

Del análisis de la historia de la Ley N° 20.348 es posible establecer que este requisito surge de una indicación del ejecutivo, sin embargo, no se da razón de su incorporación, como tampoco, del por qué esta exigencia sólo se establece para la vulneración de este principio y no de otros derechos fundamentales.

En caso de omitirse este trámite surgen diversos efectos. En el ámbito administrativo laboral, su omisión impide a la trabajadora interponer una denuncia ante la Inspección del Trabajo, ya que el funcionario para su recepción, está obligado a realizar un examen de admisibilidad el que requiere acreditar que dicho procedimiento ha finalizado[71].

La Inspección señala que en caso de no existir la obligación de establecer un procedimiento para el empleador o no contar normas al respecto, la trabajadora deberá recurrir directamente a Tribunales[72].

En la práctica, las estadísticas de este servicio indican que entre los años 2011 y 2014, se consignan apenas 53 denuncias en este sentido, pero en definitiva sólo 21 estaban vinculadas a la discriminación salarial propiamente tal[73].

A nivel jurisprudencial, el agotamiento previo de este procedimiento viene a constituir un requisito de admisibilidad procesal, no obstante, su grado de exigibilidad se ve matizada por la interpretación que los Tribunales del Trabajo han dado de ella. Es así, como frente a las eventuales excepciones opuestas por las denunciadas en relación a la omisión de este requisito, por ejemplo, fundado en el hecho que la trabajadora ha presentado un simple reclamo por escrito sin mayor precisión y formalidad, pese a existir en la empresa un procedimiento

---

[71]   Orden de Servicio N°2 de 04/02/2011. Imparte instrucciones sobre procedimiento administrativo en caso de denuncias por vulneración de derechos fundamentales. pp. 17.

[72]   Conforme a Dictámenes N°4910/065, de 03-12-2009 y N° 1187 / 018, de 10-03-2010.

[73]   Estas denuncias involucraron a un total de 48 trabajadoras (una de ellas fue una denuncia colectiva, patrocinada por un sindicato). Solo en 11 de las 21 se logró constatar indicios de vulneración del derecho reclamado, pasando en su totalidad a mediación, la que resultó exitosa únicamente en 3 casos. De las restantes, sólo 3 fueron judicializadas. En palabras de la propia Dirección del Trabajo, "la ley promulgada en Chile si bien tiene como objetivo central disminuir la brecha salarial entre hombres y mujeres originada en prácticas de discriminación laboral, se trataría de una variante más débil respecto de las experiencias internacionales. En DIAZ, Estrella, "La desigualdad salarial…", p.74.

establecido para ello, los sentenciadores han puesto su atención en la respuesta que ha dado el empleador al recepcionar dicho reclamo, en el sentido si ha observado esta falta oportunamente[74].

Otra alegación esgrimida por las denunciadas, es la omisión derechamente de este reclamo previo no existiendo un procedimiento establecido en el Reglamento Interno o bien, sin que exista la obligación, contar con uno. En estos casos los tribunales han estimado que bastaría cualquier tipo de reclamación (por escrito) efectuada por la trabajadora que hubiese puesto en conocimiento del empleador la situación, ya que la parte empleadora no podría verse favorecida por su propio incumplimiento[75].

b. En la resolución: estándar probatorio, la prueba indiciaria.

Tratándose del procedimiento de tutela laboral, incube a la parte denunciante acreditar la existencia de indicios suficientes de la vulneración, es decir, crear en el juez la convicción que ha existido una conducta lesiva, en este caso, que una mujer que desempeña la misma función que un hombre, percibiendo por esos mismos servicios una remuneración inferior. Frente a ello corresponde al denunciado, justificar los fundamentos de las medidas adoptadas y su proporcionalidad[76].

Es en este punto, donde este tipo de denuncias han encontrado una de sus mayores barreras, ya que se plantean diferentes desafíos para el sentenciador: 1) determinar el correcto sentido que debe darse a la valoración de la prueba indiciaria, es decir, en palabras simples si los indicios son suficientes[77], y como contrapartida, si existe una justificación de los fundamentos de las medidas adoptadas

---

[74] Al respecto ver argumentación del Considerando 9° de sentencia dictada por Juzgado de Letras del Trabajo de San Bernardo, RIT T-16-2017 del 16 de agosto de 2012, caratulada "Dirección Regional del Trabajo Metropolitana Oriente con Distribución Logística y Servicios Limitada" confirmada por Sentencia de la I. Corte de Apelaciones de Santiago Rol 367-2017.

[75] Al respecto ver argumentación del Considerando 9° de sentencia dictada por Juzgado de Letras del Trabajo de Concepción, RIT T-60-2012 del 11 de diciembre 2012, caratulada "Cabrera con Municipalidad de Talcahuano" en el sentido que "… este reclamo no es expreso en cuanto a alegar discriminación en el pago de remuneraciones por causa de género, pero es manifiesto al examinar el documento y dado que no existe procedimiento formal deberá bastar cualquier reclamación efectuada por el trabajador que demuestre esta intención (…) la demandada no puede aprovecharse de su propia desidia entrar cumplimiento a la normativa legal…".

[76] Artículo 493 del Código del Trabajo.

[77] Al respecto clarificador es el Considerando 6° de la Sentencia del Juzgado de Letras del Trabajo de Valparaíso RIT T-108-2013 caratulado "Inspección del Trabajo de Viña del Mar con Condominio Barlovento Jardines de Reñaca" que realiza una clara exposición respecto de la prueba indiciaria en una tutela por vulneración a este principio "…esta reducción probatoria, consistente en la obligación del denunciante de presentar indicios suficientes de la vulneración (…) no implica inversión del onus probandi, (…) sino que ella consiste en aliviar la posición exigiéndole al denunciante un

y su proporcionalidad[78], 2) estimar la suficiencia de la prueba indiciaria incorporada por la denunciada, teniendo presente los límites materiales con que cuenta la trabajadora y las Inspecciones del Trabajo, respecto a la disponibilidad de la prueba[79] y 3) la falta de una perspectiva de género de parte del sentenciador al momento de valorar de acuerdo a la sana crítica la prueba. Es así, como a modo ejemplar, consta fallos en dándose por acreditada la diferencia de remuneraciones, esta desigualdad se justifica en motivos "desconocidos"[80].

5.6. CONCLUSIONES

Con la dictación de la ley N° 20.348, Chile trató de cumplir con las reiteradas exigencias que por años le realizó la CEACR, debido a la ausencia de una consagración normativa del principio de igualdad de remuneraciones entre hombres y mujeres, sin embargo, como se dijo esto se cumplió de manera parcial, ya que esta ley consagró una igualdad remuneracional conceptualmente más restringida, limitándose a utilizar como parámetro comparativo el trabajo, como tal, y no el valor del trabajo.

---

principio de prueba por el cual acredite indicios de la conducta lesiva (…) se hace necesario despejar, como primera cuestión (…) si se cumplió con este estándar probatorio exigido".

[78] Al respecto el Considerando 13° de la Sentencia del Juzgado de Letras del Trabajo de Valparaíso, RIT T-5-2013 caratulado "Inspección del Trabajo de Viña del Mar y Easy S.A". señala que "… teniendo en vista que la parte denunciante ha aportado a la causa indicios que dan cuenta (…) importante diferencia respecto al sueldo base, (…) no obstante desempeñar la misma función, corresponde a la empresa denunciada probar sus alegaciones en orden a que son razones objetivas las que determinan las diferencias que por sueldo base se cancelan a estos trabajadores".

[79] Al respecto el Considerando 16° de la Sentencia del Juzgado de Letras del Trabajo de Valparaíso, RITT-35-2015 caratulado "Inspección del Trabajo de Viña del Mar y Carozzi S.A". señala que, "….la existencia de indicios una vulneración al principio de igualdad a las remuneraciones por discriminación fundada en razones de género, debe ir un paso más allá de la simple constatación de una diferencia remuneracional (…) debiendo tenerse indicios de que dicha diferencia obedece justamente a que las trabajadoras perjudicadas son mujeres y no a una causa distinta…". Añadiendo en su Considerando 17° que es de carga del organismo administrativo hacerse cargo de las justificaciones de la diferencia remuneracional e incluso hacer un análisis global de las remuneraciones de toda la empresa. Sentencia que fue confirmada por la Corte de Apelaciones de Valparaíso Rol 297-2015 de fecha 29 de septiembre de 2015.

[80] En sentencia del Juzgado de Letras del Trabajo de Concepción de fecha 11 de diciembre de 2012 caratulada "Cabrera con Municipalidad de Talcahuano" RIT T-60-2012, dando por establecido las diferencias remuneracionales señala en su Considerando 10° que "…la mayor remuneración·no tiene relación con el género, sino con motivaciones desconocidas…", agregando en su Considerando 11° que "…si existe algún tipo de discriminación no es por género, sino que con motivaciones desconocidas…", concluyendo en sus considerandos 13° y 14° que en definitiva ello responde a una "preferencia especial" de parte del empleador. LANATA, Gabriela, *Manual de Proceso Laboral*. Santiago. Legal Publishing, 2011, p. 214.

De acuerdo a las estadísticas Chile ha logrado disminuir su brecha remuneracional en los últimos años a un nivel macro[81], sin embargo, es necesario preguntarse, qué sucede en el ámbito micro, al interior de las empresas.

Si nos limitamos a considerar, sólo los promedios de las denuncias y de las demandas interpuestas por vulneración de este principio, podríamos concluir que en Chile nuestro nivel de igualdad remuneracional es extraordinario o bien, concluir, que las herramientas con que cuentan las trabajadoras no son las adecuadas para asegurar el cumplimiento efectivo de este principio.

En mi opinión, es esta última la razón, ya que como se señaló la ley adolece de una serie de falencias que dificultan su ejercicio, por una parte, limita el acceso a denunciar administrativamente esta vulneración a un gran grupo de trabajadoras, por otra, debería extender las obligaciones del empleador a todo tipo de empresa, además, facilitar el acceso a medios probatorios apropiados, como sería por ejemplo, exigir una mayor descripción de los cargos y funciones, lo que indirectamente podría ayudar a identificar las desigualdades y disponer de esa información como un indicio de vulneración. Finalmente, está pendiente la intervención de dos actores: los sindicatos que en los procesos de negociación colectiva, podrían utilizando su derecho a información, detectar estas desigualdades y un último actor, los tribunales, lo cuales deben desarrollar una perspectiva de género al conocer de este tipo de vulneraciones, ya que en algunas ocasiones prescinden de los estándares probatorios propios de los procedimientos de tutela laboral, como son la prueba indiciaria.

BIBLIOGRAFÍA

BRUNET, I. y SANTAMARÍA, C. "La economía feminista y la división sexual del trabajo", en: *Revista Culturales*, vol. IV. núm. 1, enero–junio, 2016, pp. 61–86.

CAAMAÑO, Eduardo. "La tutela del derecho a la no discriminación por razones de sexo durante la vigencia de la relación laboral", *Revista de Derecho (Valdivia)*, Vol. XIV. (2003), pp. 33–39.

CARRILLA, Juan, *El Derecho Internacional en perspectiva histórica*, Madrid, Editorial Tecnos, 1991.

---

[81]   El ingreso medio mensual de las mujeres ocupadas aumentó un 60,3% entre 2010 y 2017, sin embargo, se mantiene una brecha negativa en torno al 31%. En 2017 las mujeres percibieron un ingreso medio 29,3% menor que el ingreso medio mensual de los hombres ocupados. Fuente INE. Indicadores de Género.

DIAZ, Estrella, *La desigualdad salarial entre hombres y mujeres. Alcances y limitaciones de la Ley N° 20.348 para avanzar en justicia de género*, Santiago, Andros Impresores, 2015.

HUTCHINSON, Elizabeth, *Labores propias de su sexo. Género, políticas y trabajo en Chile urbano 1900 – 1930*, Santiago, LOM Ediciones, 2006.

LANATA, Gabriela, *Manual de Proceso Laboral*. Santiago. Legal Publishing, 2011.

OFICINA INTERNACIONAL DE TRABAJO, *Igualdad en el trabajo: afrontar los retos que se plantean, Informe global con arreglo al seguimiento de la Declaración de la OIT relativa a los principios y derechos fundamentales en el trabajo*. CTI, 96ª reunión, Informe I(B), Ginebra, 2007.

OFICINA INTERNACIONAL DE TRABAJO, *Informe de la Comisión de Expertos en Aplicación de Convenios y Recomendaciones*, adoptado en la 101ª CTI, 2012, Informe III (Parte 1B).

OFICINA INTERNACIONAL DE TRABAJO, *Informe Mundial sobre Salarios 2018/2019: Qué hay detrás de la brecha salarial de género* (Resumen Ejecutivo), Ginebra, 2018.

TOMEI, M.: "Análisis de los conceptos de discriminación y de igualdad en el trabajo", *Revista de Derecho Internacional del Trabajo*, volumen 122, núm. 4, 2003.

Normas Internacionales

Constitución de la Organización Internacional del Trabajo [en línea] en: Information System on International Labour Standards de la OIT (NORMLEX) [11 de junio de 2019].

Declaración de los Fines y Objetivos de la OIT o Declaración de Filadelfia, adoptada por la 26° CIT, Ginebra 10 de mayo de 1944.

Declaración Universal de los Derechos Humanos, proclamada por la Asamblea General de las Naciones Unidas mediante Resolución 217 A (III), 10 de diciembre de 1948.

Convención núm. 100 de la OIT, adoptada en 34ª CIT, Ginebra, 29 de junio de 1951.

Recomendación núm. 90, adoptado en la 34ª CTI, Ginebra, 29 de junio de 1951.

Convenio núm. 111 de la OIT de 1958 relativo a la discriminación en materia de empleo y ocupación, adoptado por la 42ª reunión de la CTI, Ginebra, 25 de junio de 1958.

Recomendación núm. 111, adoptada por la 42ª reunión de la CTI, Ginebra, 25 de junio de 1958.

Normas Nacionales

Constitución Política de la República de Chile.

Código del Trabajo de 1931 aprobado por DFL N° 178, del Ministerio de Bienestar Social, D.O. del 28 de mayo de 1931.

Código del Trabajo de 1987 aprobado por Ley N° 18.620 publicada en Diario Oficial el 6 de julio de 1987.

Código del Trabajo

Artículo 10 del DFL N° 29 del Ministerios de Hacienda del año 2005, que fijó el texto de la Ley N°18.834, Estatuto Administrativo.

Ley N° 19.759 del año 2001, publicada en D.O. el 25 de octubre de 2001.

Ley N° 20.348 del año 2009, publicada en D.O. el 19 de junio de 2009.

Dictamen de la Dirección del Trabajo, ORD. N° 1187/018 de 10 de marzo de 2010.

Orden de Servicio N°2 de 04/02/2011 de la Dirección del Trabajo.

Dictámenes N°4910/065, de 03–12–2009 y N° 1187 / 018, de 10–03–2010.

Documentos en línea.

Historia de la Ley N° 20.348. [en línea] en Biblioteca del Congreso Nacional de Chile [1 de junio de 2019] https://www.bcn.cl/historiadelaley/nc/historia–de–la–ley/4732/

INE. Indicadores de Género [en línea] en https://www.ine.cl/estadisticas/menu–sociales/genero

Observaciones al Séptimo Informe Periódico del Estado de Chile ante el Comité para la Eliminación de la Discriminación contra la Mujer – CEDAW, Santiago, 2018. [en línea] [1 de junio de 2019] http://acnudh.org/wp–content/uploads/2018/07/N1807016.pdf

Observaciones y Solitudes de la Comisión de Expertos en Aplicación de Convenios y Recomendaciones. [en línea] Information System on International Labour Standards. NORMALEX. [1 de junio de 2019] https://www.ilo.org/dyn/normlex/es/f?p=1000:20010:::NO:::

Quinta Encuesta Longitudinal de Empresas (ELE–5) [en línea] en Base de Datos del Ministerio de Economía, Fomento y Turismo (2019) [1 de junio de 2019], https://www.economia.gob.cl/wp–content/uploads/2019/03/ELE–5–Principales_resultados.pdf

Capítulo 6.

El Convenio núm. 111, sobre discriminación (empleo y ocupación), y el derecho a la no discriminación en el empleo en Chile

MATÍAS RODRÍGUEZ BURR[*]

6.1. INTRODUCCIÓN

Los derechos a la igualdad de trato y a la no discriminación están consagrados como derechos humanos desde los primeros tratados internacionales de derechos fundamentales celebrados después de la Segunda Guerra Mundial. En esa época, parte importante de la comunidad internacional quería crear un marco jurídico que reconociera la prioridad de las libertades y derechos individuales fundamentales frente a la acción del Estado. Dentro de los objetivos de este proyecto está evitar las violaciones más serias a derechos humanos ocurridas durante la Segunda Guerra Mundial[1].

Es así, que se consagra el derecho a la no discriminación en el ejercicio y goce de derechos y libertades fundamentales sobre la base de ciertos criterios o motivos prohibidos. Este derecho se recoge en el artículo 2 de la Declaración Universal de Derechos Humanos (1948); en el artículo 26 del Pacto Internacional de Derechos Civiles y Políticos (1966)[2]; en el artículo 2.2. del Pacto Internacional de los Derechos Económicos, Sociales y Culturales; en el artículo 1.1. de la Convención Americana de Derechos Humanos (1969), entre otros instrumentos internacionales. Todos los tratados señalados están vigentes en Chile.

---

[*] Ph.D. Law candidate, University of Bristol; Teacher in Jurisprudence, Faculty of Law University of Bristol.

[1] En el contexto europeo la intención de los Estados miembro del Consejo Europeo con la redacción de la Convención Europea de Derechos Humanos, fue la creación de un sistema normativo y un aparato jurisdiccional de protección de derecho individuales que protegiera a los Estados nacionales de la amenaza de subversión comunista. D. J. HARRIS, *Harris, O'Boyle & Warbrick : law of the European Convention on Human Rights* (M. O'Boyle and others eds, Third edition / David Harris, Michael O'Boyle, Ed Bates, Carla Buckley, Paul Harvey, Michelle Lafferty, Peter Cumper, Yukata Arai, Heather Green... edn, Oxford: Oxford University Press, 2014, p. 3.

[2] "Todas las personas son iguales ante la ley y tienen derecho sin discriminación a igual protección de la ley. A este respecto, la ley prohibirá toda discriminación y garantizará a todas las personas protección igual y efectiva contra cualquier discriminación por motivos de raza, color, sexo, idioma, religión, opiniones políticas o de cualquier índole, origen nacional o social, posición económica, nacimiento o cualquier otra condición social".

De las disposiciones transcritas se desprenden algunas características fundamentales de la configuración de la tutela antidiscriminatoria a nivel internacional. Primero, el derecho a la no discriminación se erige como un derecho humano, y simultáneamente, como un hecho ilícito lesivo de la dignidad humana[3]. Segundo, es un derecho accesorio, en el sentido que solo puede ser invocado en relación al ejercicio de los derechos y libertades consagrados en el respectivo instrumento internacional[4]. Tercero, las normas internacionales citadas terminan la enumeración del listado de motivos discriminatorios con la frase "o cualquier otra condición social". Esto responde a una tendencia del derecho comparado de contemplar listados de criterios sospechosos no exhaustivos, enunciativos o ejemplificativos, que permiten a los jueces reconocer criterios similares o análogos a los listados[5] [6].

Adicionalmente, la noción de discriminación evoluciona en el derecho internacional para transformarse en un derecho autónomo que se diferencia del principio de igualdad, o igualdad formal, en sus fundamentos, contenido y obligatoriedad[7]. En relación a sus fundamentos, el derecho a la no discriminación, a diferencia de la neutralidad del principio de igualdad, presenta un significado peyorativo en dos sentidos: i) el carácter odioso o inaceptable de los criterios de diferencia de trato, que reflejan la pertenencia a grupos desaventajados; y ii) que esta distinción supone una grave negación a los principios de la igualdad y la dignidad humana[8].

En relación a su contenido, la igualdad de trato se preocupa del trato desigual entre personas que están situadas en una posición comparable (los "iguales" [9]), y

---

[3]   "La lucha contra la discriminación sintetiza así, y de manera ejemplar, los valores de la misma idea de derecho fundamental: el respeto a la dignidad de las personas, a su consideración de seres humanos, y la instauración de un orden social justo". VALDÉS DAL RÉ, Fernando, "Los derechos fundamentales de la persona del trabajador"; en *XVII Congreso Mundial de Derecho del Trabajo y de la Seguridad Social*, 2 al 5 de septiembre de 2003, Montevideo, p.109.

[4]   KARL NIELSEN, Henrik, "The Concept of Discrimination in ILO Convention No. 111", *The International and Comparative Law Quarterly*, Vol 43, No. 4 (1994), 827-856, p. 827.

[5]   SEVERIN CONCHA, Juan Pablo, Comentario a Ponencia, en ARELLANO ORTIZ, Pablo, *Discriminación en la Legislación Social*, Valparaíso, Ediciones Universitarias de Valparaíso Pontificia Universidad Católica de Valparaíso 2018, p. 212.

[6]   RODRÍGUEZ BURR, Matías, "Principios y Criterios Normativos para Justificar la Elección de los Motivos Sospechosos no Listados en el Derecho a la No Discriminación en el Empleo: Una Aproximación desde el Derecho Comparado", en ARELLANO ORTIZ, Pablo, *Discriminación en la Legislación Social*, Valparaíso, Ediciones Universitarias de Valparaíso Pontificia Universidad Católica de Valparaíso, 2018.

[7]   RODRÍGUEZ BURR, Matías, "Nociones sobre la Discriminación Laboral Indirecta", *Revista Laboral y de Seguridad Social* (Thomson Reuters), V III (2013), 13-42.

[8]   RODRÍGUEZ-PIÑERO, Miguel y FERNÁNDEZ, María Fernanda, *Igualdad y Discriminación*, Madrid, Editorial Tecnos, 1986, p. 92.

[9]   Jules Mulder sostiene que el principio de igualdad, cuando se traduce en el derecho a no discriminación directa, la ley califica de antemano las formas más crudas de trato diferenciado como

sanciona dicha conducta cuando no hay una justificación razonable para establecer diferencias de acuerdo a estándares de razonabilidad y equidad[10]. A diferencia de esto, el derecho a la no discriminación parte de la presunción que existen ciertos motivos constituyen a priori criterios socialmente inaceptables para establecer diferencias de trato[11] [12]. En relación a su obligatoriedad, el derecho a la no discriminación es oponible a los poderes públicos y a la autoridad, mientras el principio de igualdad es, generalmente, un principio que vincula al legislador en la creación de leyes y a la autoridad administrativa y judicial en su actividad de adjudicación[13].

El derecho humano a no ser discriminado fue recepcionado en el ámbito del empleo y el trabajo. Los principales instrumentos internacionales en la materia son el Convenio sobre la Discriminación (empleo y ocupación) N° 111 (1958) (en adelante, el Convenio 111) y la Recomendación sobre la Discriminación (empleo y ocupación) N° 111 (en adelante la Recomendación), ambas adoptadas en la 42 Sesión de la Conferencia Internacional del Trabajo de la OIT (1958). Dicha normativa se encuentra vigente en el ordenamiento jurídico chileno mediante la ratificación del Convenio 111 en 1971 y ha sido una pieza clave para definir el modelo antidiscriminatorio en el empleo[14].

El propósito del presente trabajo es hacer un breve análisis de la naturaleza jurídica y características fundamentales del derecho a la no discriminación en la ocupación y el empleo del Convenio 111, conforme la doctrina de la OIT. En función de ello, procederemos a revisar si el derecho a la no discriminación en el empleo en Chile se ajusta a este estándar internacional. Este artículo no pretende ser un estudio sobre el cumplimiento de las obligaciones del Estado chileno contenidas en el Convenio 111 ni del diálogo que ha mantenido con los

---

injustificadas, indicando de esta forma que ciertas personas deben siempre ser consideradas como iguales. MULDER, Jules, *EU Non-Discrimination Law in the Courts: Approaches to Sex and Sexualities Discrimination in EU Law*, Oxford Portland, Hart Publishing, 2017, pp. 20-22.

[10] GERARDS, Janneke, "The Discrimination Grounds of Article 14 of the European Convention on Human Rights", *Human Rights Law Review* 13, 2013, 99, p. 118.

[11] Las razones substantivas para justificar esta prohibición son, como se vio precedentemente, que se trata de criterios o motivos de diferencia de trato que reflejan formas de discriminación que dañan la dignidad humana, la autonomía y/o están basadas en estereotipos negativos irracionales (estigma). GERARDS, "The Discrimination Grounds…".

[12] VALDÉS DAL RÉ, "Los derechos fundamentales…", p.110.

[13] José Luis Ugarte sostiene que el principio de igualdad supone dos mandatos. Un mandato positivo de igualdad de trato a quienes están en situaciones comparablemente similares, y un segundo mandato de trato diferenciado a quienes están en una posición desigual. El autor señala que no se le puede exigir el mandato de trato diferenciado a privados o empresas, ya que es deber del Estado promover la igualdad sustantiva y garantizar las condiciones para el efectivo goce y ejercicio de los derechos fundamentales. UGARTE CATALDO, José Luis, *El Derecho a la No Discriminación en el Trabajo*, Santiago, Legal Publishing, 2013, p 11.

[14] UGARTE, *El Derecho a la No Discriminación…*, p.4.

organismos de supervisión de la OIT. Nuestra idea es evaluar los componentes jurídicos del derecho a la no discriminación en el empleo en Chile, conforme su desarrollo jurisprudencial y doctrinario, y contrastarlo con el concepto de la OIT sobre dicho derecho.

6.2. DERECHO A LA NO DISCRIMINACIÓN EN EL EMPLEO Y LA OCUPACIÓN: CONVENIO NÚM. 111, OIT (1958)

La igualdad de oportunidades y la eliminación de toda forma de discriminación en el empleo son objetivos fundamentales de la OIT desde su fundación en 1919. En efecto, el artículo 41 (2) de la Constitución de la OIT establece que todo ser humano, indistintamente de su raza, religión o sexo, tiene el derecho a perseguir su bienestar material y espiritual, en condiciones de igualdad, libertad, dignidad, seguridad económica e igualdad de oportunidades[15]. En una serie de convenios y recomendaciones, la OIT ha desarrollado la noción de igualdad de oportunidades en el contexto del empleo y el derecho a la no discriminación, siendo los más importantes el Convenio 111 y la Recomendación. También relevante en la materia, es la Declaración de la OIT Relativa a los Derechos y Principios Fundamentales en el Trabajo y su Seguimiento[16], donde se reconoce al derecho a la no discriminación dentro de la categoría de derechos fundamentales en el empleo que los Estados miembros están obligados a promover y respetar hayan, o no, ratificado los respectivos convenios.

Mediante la ratificación del Convenio 111 los Estados parte se comprometen a desarrollar una política nacional de igualdad de trato y oportunidades en relación con el empleo y la ocupación, y un compromiso a vigilar que tanto las autoridades como los particulares observen dicha política[17]. El Convenio y la Recomendación otorgan flexibilidad a los Estados para cumplir con dicha política, mediante "métodos adecuados a las condiciones y a la práctica nacional" (artículo 2). Lo importante es que estas medidas sean eficaces para garantizar los principios de no discriminación (Recomendación II.3)[18].

---

[15]   KARL NIELSEN, "The Concept of Discrimination…", p.827-828. Esta disposición fue incorporada por la Conferencia Internacional del Trabajo en 1944 en su Declaración de Filadelfia.

[16]   Adoptada por la Conferencia Internacional del Trabajo en su octogésima sexta reunión, Ginebra, 18 de junio de 1998. La Declaración obliga enviar memorias a anuales con el estado de cumplimiento de los derechos y principios a los Estados que no han ratificado los convenios respectivos. También contempla el deber de la OIT de elaborar informes anuales sobre la situación en que se encuentran los derechos y principios de la Declaración.

[17]   KARL NIELSEN, "The Concept of Discrimination…", p. 829.

[18]   OIT, *Dar un Rostro Humano a la Globalización, Estudio General sobre los convenios fundamentales relativos a los derechos en el trabajo a la luz de la Declaración de la OIT sobre la justicia social para una globalización equitativa*, Informe III (1B), 2008; Conferencia Internacional del Trabajo N 101, 2012.

El Convenio y la Recomendación inician un cambio en la visión de la OIT sobre la igualdad de oportunidades y de trato en el empleo. La OIT pasa de un concepto de igualdad formal, que protege de la diferencias de trato arbitrarias entre quienes están similarmente situados (similares competencias laborales), a una noción de la igualdad de oportunidades inspirada en la igualdad sustantiva, es decir, preocupada de proteger preferentemente a grupos específicos que sufren de patrones de exclusión y discriminación en el empleo y la ocupación[19]. En este sentido el artículo 5 del Convenio reconoce excepciones al paradigma de la igualdad de trato, como las medidas especiales para trabajadores que por tener "necesidades particulares"[20]. Pero es importante considerar que la discriminación directa es una proyección bastante nítida de la igualdad formal, ya que consiste en un mandato de trato igualitario que define de antemano quienes no pueden ser tratados de manera desigual, es decir, define de antemano el motivo prohibido de trato menos favorable.

Respecto al ámbito de aplicación del Convenio, el artículo 1 párrafo 3 establece que el ámbito de tutela comprende el empleo y la ocupación. El término "ocupación" ha sido interpretado extensivamente, quedando comprendida cualquier clase de trabajo de cualquier rama y actividad[21]. Dentro de este término se incluye el trabajo público y el privado, a los trabajadores nacionales y extranjeros, a los trabajadores dependientes y a los independientes e incluso a los trabajadores de la economía informal[22]. Adicionalmente, el empleo y la ocupación comprenden la formación y capacitación para el empleo y las condiciones de trabajo. De esta manera, todo el iter contractual queda cubierto por la prohibición de discriminación: la etapa precontractual, la selección y contratación, las condiciones laborales y el despido[23].

6.2.1. Ilícito discriminatorio y el derecho a la no discriminación

En su artículo 1 el Convenio 111 define "discriminación", las excepciones a dicho ilícito y el ámbito de aplicación del derecho a la no discriminación e igualdad de trato en el empleo:

---

[19] SHEPPARD, Coleen, "Inclusive Equality and new Approaches to Discrimination in Transnational Labour Law", en BLACKET, Adelle y TREBILOCK, Anne. *Research Handbook on Transnational Labour Law*, Elgar, 2015. 247-249, p 249.

[20] Por su parte la Recomendación dispone que las políticas de no discriminación no pueden menoscabar las medidas especiales destinadas a satisfacer las necesidades de los grupos señalados (II.6).

[21] KARL NIELSEN, "The Concept of Discrimination…", p. 829.

[22] OIT, *Dar un Rostro Humano a la Globalización…*, p. 327-328.

[23] LIZAMA PORTAL, Luis y UGARTE CATALDO, José Luis, *Interpretación y Derechos Fundamentales en la Empresa*, Santiago, Editorial Jurídica Cono Sur Ltda., 1998, p 219. Véase también CAAMANO ROJO, Eduardo, *Derecho a la no discriminación en el empleo*, Santiago, Editorial LexisNexis, 2005.

"1. A los efectos de este Convenio, el término discriminación comprende:

a) cualquier distinción, exclusión o preferencia basada en motivos de raza, color, sexo, religión, opinión política, ascendencia nacional u origen social que tenga por efecto anular o alterar la igualdad de oportunidades o de trato en el empleo y la ocupación;

b) cualquier otra distinción, exclusión o preferencia que tenga por efecto anular o alterar la igualdad de oportunidades o de trato en el empleo u ocupación que podrá ser especificada por el Miembro interesado previa consulta con las organizaciones representativas de empleadores y de trabajadores, cuando dichas organizaciones existan, y con otros organismos apropiados.

2. Las distinciones, exclusiones o preferencias basadas en las calificaciones exigidas para un empleo determinado no serán consideradas como discriminación.

3. A los efectos de este Convenio, los términos empleo y [ocupación] incluyen tanto el acceso a los medios de formación profesional y la admisión en el empleo y en las diversas ocupaciones como también las condiciones de trabajo"[24].

La doctrina ha distinguido tres elementos constitutivos de esta definición: i) un elemento objetivo, que es la existencia de una distinción, exclusión o preferencia; ii) un elemento subjetivo, que es la base sobre la cual se hacen las distinciones, exclusiones o preferencias, esto es, los motivos prohibidos de discriminación; y iii) un efecto, que es anular o alterar la igualdad de oportunidades o de trato en el empleo u ocupación. Así también, es importante incluir en este análisis las excepciones al trato discriminatorio.

a. Elemento objetivo

Los tres términos (distinción, exclusión y preferencia) suponen una diferencia de trato. De manera que para determinar si el elemento objetivo de la discriminación se ha configurado es necesario comparar el trato otorgado a una persona en relación a otra que está en una posición similar[25].

b. Elemento subjetivo

El artículo 1 contiene un listado de siete criterios prohibidos en la letra a), indicados precedentemente. La doctrina de la OIT ha interpretado que este listado no es exhaustivo, sino que constituye el mínimo de criterios sospechosos que deben proteger los Estados Miembros. Los redactores del Convenio consideraban que la discriminación era un fenómeno en constante evolución, y, en consecuencia, las formas de discriminación y las víctimas de ella también cambian

---

[24]   La Recomendación reproduce en el acápite I el concepto de discriminación en casi idénticos términos.
[25]   KARL NIELSEN, "The Concept of Discrimination...", p.831.

con el tiempo[26]. Es por esta razón, que la letra b) del artículo 1 del Convenio establece la posibilidad de los Estados Miembros de ampliar la protección de la tutela antidiscriminatoria a criterios sospechosos adicionales, previa consulta a las organizaciones representativas de trabajadores y/o empleadores, o con un organismo apropiado[27] [28].

Los Estados miembros han agregado criterios adicionales a los listados en el artículo 1 letra a) del Convenio bajo la tutela del derecho a la no discriminación, tales como: discapacidad[29], estado serológico VIH positivo[30], la edad, la orientación sexual, la nacionalidad[31], el estado de embarazo, el estado civil, entre otros. Sin perjuicio de ello, los motivos reconocidos entre los distintos países varían de manera importante, razón por la cual la Comisión de Expertos en la Aplicación de Convenios y Recomendaciones (en adelante, la Comisión o CEACR) ha concluido que: "…es imposible establecer una lista exhaustiva de los motivos que podrían derivar en situaciones de discriminación y de los nuevos motivos que podrían aparecer y generalizarse en el futuro"[32].

c. Elemento de efecto o resultado

El artículo 1 del Convenio 111 describe la discriminación como un ilícito objetivo, ya que uno de los requisitos para su configuración es que el trato discriminatorio tenga un efecto específico, que es, anular o alterar la igualdad de trato o de oportunidades en el empleo y la ocupación. Esto ha permitido a la OIT interpretar que el derecho a la no discriminación tiene el objetivo de corregir los efectos de la discriminación, y no solo juzgar el acto de diferenciación[33]. En

---

[26]   OIT, *Dar un Rostro Humano a la Globalización…*, p. 360.

[27]   RCE 1993, p. 328 (Canadá).

[28]   Los organismos de supervisión de la OIT han considerado que la mera indicación en la legislación de criterios adicionales es válido para los efectos del artículo 1 letra b). Ibid, p. 497.

[29]   La inexistencia de medidas positivas para hacer ajustes razonables en el lugar de trabajo para discapacitados ha sido considerada por la Comisión como una situación inaceptable de discriminación (OIT, *Dar a la Globalización un Rostro Humano a la Globalización…*, p. 364).

[30]   La Conferencia Internacional en 2010 adoptó la Recomendación N 200, que hace un llamado a incluir como motivo de discriminación adicional el estado serológico VIH positivo, para proteger a estas personas de la discriminación en el empleo y el estigma social que sufren por ser objeto de estereotipos negativos.

[31]   La nacionalidad, entendida como el vínculo jurídico de ciudanía a un país extranjero, no queda cubierto por el motivo discriminatorio "ascendencia nacional" (OIT, *Dar un Rostro Humano a la Globalización…*, p. 366).

[32]   OIT, *Dar un Rostro Humano a la Globalización…*, p. 360.

[33]   Eduardo Caamaño sostiene que el Convenio N° 111 "adopta, por lo tanto, como criterio las consecuencias de las medidas discriminatorias, situación que permite afirmar que las discriminaciones indirectas y fenómenos tales como la segregación profesional están dentro del ámbito de la aplicación del Convenio" (CAAMANO ROJO, Eduardo, "La tutela del derecho a la no discriminación por razones de sexo durante la vigencia de la relación laboral", *Revista de Derecho*, Volumen XIV,

virtud de ello tanto la discriminación directa y la indirecta quedan cubiertas. Por discriminación directa la Comisión entiende el trato menos favorable basado, explícita o implícitamente, en uno o más motivos prohibidos de discriminación[34]. Por su lado, la discriminación indirecta ha sido entendida como aquella que tiene su origen en normas de alcance general que pueden estar contenidas en la legislación, reglamentación o instrumentos colectivos, y que pese a ser aparentemente neutras "en realidad, crean desigualdades respecto a personas que tienen determinadas características"[35].

La Comisión también ha considerado que la tutela antidiscriminatoria del Convenio abarca el acoso sexual, como una conducta de discriminación grave por motivos de sexo[36]; los problemas segregación o segmentación profesional[37]; y fenómenos de discriminación múltiple, que es aquella motivada por una combinación de características sospechosas[38].

d. Excepciones al trato discriminatorio

Existen tres excepciones contempladas en el Convenio 111 que autorizan a otorgar un trato menos favorable basado en motivos discriminatorios, que son: i) "Las distinciones, exclusiones o preferencias basadas en las calificaciones exigidas para un empleo determinado no serán consideradas como discriminación". (N 2 del artículo 1 del Convenio N 111); ii) actos de discriminación justificados por la protección de la seguridad del Estado (artículo 4); y iii) las medidas especiales de protección y asistencia para grupos que requieren de asistencia y protección especial (artículo 5).

La primera excepción refleja que la paridad de trato exigida por la tutela antidiscriminatoria no pretende lograr igualdad absoluta entre los trabajadores de una empresa. Este derecho no busca forzar al empleador a contratar minorías por el solo hecho de serlo, sino que busca impedir que personas competentes sufran diferencias de trato por motivos odiosos[39].

Valdivia, Universidad Austral, 2003, p. 31). En el mismo sentido UGARTE CATALDO, José Luis, "El derecho laboral y la discriminación: situación de la mujer en Chile", *Boletín Oficial de la Dirección del Trabajo*, N° 102/97, Santiago, Dirección del Trabajo, 1997, p. 4.

[34] OIT, *Dar un Rostro Humano a la Globalización...*, p. 333.

[35] OIT, *Dar un Rostro Humano a la Globalización...*, p. 333. Para definición y requisitos de la discriminación indirecta y su recepción en la normativa laboral chilena ver CAAMAÑO, *Derecho a la no discriminación...* y RODRÍGUEZ, "Nociones sobre la discriminación...", entre otros.

[36] Decisiones del CEACR, Observación General, 2003, Convenio, 111, p 504.

[37] OIT, *Dar un Rostro Humano a la Globalización...*, p. 333.

[38] OIT, *Dar un Rostro Humano a la Globalización...*, p. 334.

[39] RODRÍGUEZ, "Nociones sobre la discriminación...".

La Comisión ha resuelto que esta excepción debe ser interpretada de forma estricta, entendiendo que se trata de exigencias necesarias conforme la naturaleza de un trabajo específico y definible. Esto implica, entre otras cosas, que no son válidas las justificaciones generalizadas en relación a un grupo de actividades, que la aptitud laboral se debe evaluar en concreto y que la necesidad se debe evaluar caso a caso mediante un juicio de proporcionalidad ponderando la finalidad de la restricción y el grado de afectación sufrido por el derecho a la no discriminación[40].

En síntesis, la configuración del ilícito discriminatorio en materia laboral supone un trato diferente a una persona en base a un criterio sospechoso o prohibido, que sea objetivamente perjudicial a la igualdad de oportunidades y trato en el empleo y trabajo, sin justificación suficiente, sea en la capacidad o idoneidad o en algún otro motivo de relevancia para el Convenio. Solo cuando las diferencias o exclusiones en materia laboral no tienen una justificación suficiente, se configura una práctica discriminatoria ilícita.

6.3. RECEPCIÓN DEL CONVENIO NÚM. 111 EN LA LEGISLACIÓN Y JURISPRUDENCIA CHILENAS

El Convenio 111 fue ratificado por Chile el 20 de septiembre de 1971[41]. Las disposiciones de dicho convenio están vigentes en nuestra legislación y sus derechos y principios tienen rango constitucional conforme lo dispuesto en el artículo 5 inciso 2 de la Constitución[42]. Recién el año 2001, mediante la Ley 19.759, relativa a nuevas modalidades de contratación, al derecho de sindicación, a los derechos fundamentales del trabajador y a otras materias que indica, del 5 de Octubre de 2001 (en adelante, Ley 19.759), se introdujeron al Código del Trabajo normas que tenían por objeto hacer efectivamente aplicable en nuestra legislación laboral el Convenio 111[43].

---

[40] Reporte de la Comisión de Investigación para observar el cumplimiento por parte de la República Federal Alemana del Convenio 111 (1987). Caso Prohibición de Trabajo Alemana. Se observan medidas legislativas que requerían de la lealtad de los funcionarios públicos al orden democrático libre.

[41] Ordinario N° 3407/134 del 11 de agosto de 2004, Dirección del Trabajo (Ordinario 3407/134).

[42] Sentencia de la Excelentísima Corte Suprema de fecha 5 de agosto de 2015, Rol N 23808-2014.

[43] "Incorporación en legislación interna del Convenio N° 111 OIT sobre no discriminación en el empleo. En tal sentido, se introducen normas que constituyen una incorporación efectiva del Convenio 111 de la Organización Internacional del Trabajo sobre no discriminación en el empleo, derecho también considerado como fundamental por la citada Declaración de 1998. Historia de la Ley 19759, 5 de octubre de 2001, Mensaje del Ejecutivo, p. 14.

La Ley 19759 incorporó en el artículo 2 incisos 3, 4 y 5 del Código del Trabajo (en adelante el CT) el concepto de discriminación y su excepción en materia de empleo en casi los mismos términos del artículo 1 del Convenio 111. Las diferencias entre la ley chilena y el Convenio 111 es que la ley laboral contempla cuatro motivos prohibidos adicionales a los enumerados en la letra a) del artículo 1 del Convenio (la edad, el estado civil, la sindicación y la nacionalidad) y agregó la prohibición para los empleadores de hacer ofertas laborales que señalen como requisito de postulación alguno de los motivos prohibidos indicados (inciso 6 artículo 2 CT)[44]. Pero la mayor diferencia entre el artículo 2 del CT y la definición de discriminación del Convenio, es que el catálogo de motivos prohibidos de la primera es cerrado, mientras que el Convenio contempla la posibilidad de incorporar motivos discriminatorios no contemplados en el listado de la letra a) del artículo 1[45].

6.3.1. El principio de igualdad y el derecho a la no discriminación en la normativa laboral chilena

Mediante Ordinario N 3704/134, del 11 de agosto de 2004 (en adelante, el Ordinario 3407/134), la Dirección del Trabajo fijó su doctrina respecto al sentido y alcance de los incisos segundo, tercero y cuarto del artículo 2° del CT. La doctrina de este dictamen se mantiene vigente en la actualidad, sin perjuicio que ha sido complementada por otros pronunciamientos sobre la materia[46].

La Dirección del Trabajo ha resuelto que el principio de igualdad es un valor fundamental de la Constitución de la República (en adelante la Constitución), el cual está consagrado en el artículo 1 y en el artículo 19 N 2, ambos de la Constitución. El artículo 19 N 16 inciso tercero recibe el principio de igualdad en el ámbito laboral, creando un derecho subjetivo a no ser discriminado en el empleo, salvo por capacidad o idoneidad, edad o nacionalidad[47]. Dicho derecho fundamental se desarrolla con mayor amplitud en el ámbito legal a través del

---

[44]   Las disposiciones sobre discriminación del artículo 2 han tenido modificaciones posteriores a la dictación de la Ley 19759, como la tipificación del acoso sexual laboral y la prohibición de discriminar en base a antecedentes financieros (Ley 20.005) y la incorporación de nuevos motivos prohibidos en la enumeración del inciso 4 del art 2 (Ley 20.940).

[45]   UGARTE CATALDO, José Luis, *El Derecho a la No Discriminación*, p.22.

[46]   Por ejemplo, los Ordinarios N 3840/194, del 18 de noviembre de 2002; el Ordinario N 6508 del 11 de diciembre de 2015 y el Ordinario N 628 del 3 de febrero de 2017, todos sobre la exigencia de antecedentes penales para la contratación. Así también, el Ordinario N° 698/16 del 11 de febrero 2003, sobre requisitos de edad en una oferta de trabajo; el Ordinario N° 2210/035 del 5 de junio de 2009, dictamen marco en materia derechos fundamentales en el trabajo; el Ordinario N° 2660/033 del 18 de julio de 2014, que actualizar la doctrina del Ordinario N° 3704/134 a la luz de los efectos de la ley N° 20.609 (Ley Zamudio).

[47]   Ordinario N° 3704/134, del 11 de agosto de 2004; Ordinario N° 698/16 del 11 de febrero 2003.

artículo 2° CT. De la interpretación armónica de estas disposiciones la Dirección del Trabajo ha concluido que el ordenamiento legal chileno regula el derecho fundamental a la no discriminación en el empleo en conformidad a la normas internacionales vigentes en Chile, y "en particular a lo prevenido en el Convenio 111 sobre la discriminación en el empleo y ocupación, de 1958, de la OIT, y la Declaración de la OIT relativa a los Principios y Derechos Fundamentales en el Trabajo, adoptada en 1998..."[48].

La recepción del Convenio 111 en la normativa laboral chilena también ha sido reconocida por los tribunales de justicia[49]. La Excelentísima Corte Suprema ha reconocido la vigencia del Convenio 111, para argumentar que el derecho a la no discriminación en Chile no queda limitado a los motivos sospechosos del catálogo taxativo del artículo 2 del CT[50].

La doctrina administrativa distingue entre la noción de igualdad y el derecho a la no discriminación, en términos similares a los que hace la OIT. La Dirección del Trabajo afirma que la no discriminación es un derecho fundamental autónomo y con sustantividad propia, que constituye una derivación en el mandato de igualdad proyectado al empleo y condiciones de trabajo, pero es distinto de aquel[51]. La igualdad "denota la necesidad de tratamiento normativo en identidad de condiciones, de forma tal de excluir preferencias o exclusiones arbitrarias, aceptando por tanto las disparidades de trato razonables"[52]. A diferencia de esto el derecho a la no discriminación prohíbe ciertos tratos desfavorables o desigualdades que son consideradas por el legislador de antemano como inaceptables, porque constituyen graves atentados contra la dignidad o porque responden a fenómenos sociales prexistentes de marginación o exclusión de grupos que se identifican con los criterios definidos legalmente[53].

En virtud de lo anterior, el derecho a la no discriminación opera de manera diversa al principio de igualdad en tanto "exige la paridad o identidad de trato, es

---

[48] Ordinario N° 3704/134. Véase también Ordinario N° 2210/035, del 5 de junio de 2009 y Ordinario N° 1300/0030 del 21 de marzo 2017.

[49] "NOVENO: Que, el concepto de discriminación contemplado en la norma transcrita [artículo 2 CT], fue incorporado a la legislación como consecuencia de su adecuación a los Convenios suscritos ante la Organización Internacional del Trabajo (en adelante OIT) particularmente el Convenio 111..." Sentencia del Juzgado de Letras del Trabajo de Concepción de fecha 24 de julio de 2014, RIT T- 14-14. En el mismo sentido sentencia del Primer Juzgado de Letras de Santiago del 4 de noviembre de 2016, RIT T-85-16.

[50] Sentencia de la Excelentísima Corte Suprema del 5 de agosto de 2015, Rol N° 23808-2014.

[51] Ordinario N° 698/16 del 11 de febrero 2003; Ordinario N° 3704/134; Ordinario N° 2210/035 del 5 de junio de 2009.

[52] Ordinario N° 3704/134, p 4.

[53] Ordinario N° 2210/035, del 5 de junio de 2009 (en adelante el Ordinario N° 2210/035), p 11. Véase también, GAMONAL CONTRERAS, Sergio, *Fundamentos de Derecho Laboral*, 2° edición, Santiago, Legal Publishing, 2012, p 60.

decir, equivalencia entre el tratamiento dispensado y la norma estándar, admitiendo sólo derogaciones o excepciones expresas con fundamento constitucional"[54]. De esta forma el derecho a la no discriminación no permite justificar diferencias de trato sobre la base de alguno de los criterios sospechosos bajo el estándar de la razonabilidad del principio de igualdad, sino solo en excepciones constitucionales que, conforme la doctrina de la DT: "son aquellas expresamente señaladas por la Constitución o la Ley, a saber: la "nacionalidad chilena o límites de edad para determinados casos" (artículo 19, N° 16, inciso tercero, de la Constitución Política)"[55]. En relación a esto último, la doctrina nacional ha indicado otras limitaciones o restricciones que justifican el trato diferenciado. Por ejemplo, la excepción del artículo 19 N 16 (capacidad e idoneidad), contemplada también en el inciso 5 del artículo 2 del CT[56]. Adicionalmente, se ha sostenido que cualquier derecho o interés de jerarquía constitucional permite justificar actos que *prima facie* constituyen una vulneración al derecho a la no discriminación, mientras el impacto de la medida empresarial en cuestión sea capaz de superar el test de proporcionalidad[57].

La jurisprudencia administrativa también reconoce que la prohibición de no discriminar se aplica "a los particulares, y concretamente en el ámbito de la empresa"[58]. La oponibilidad del derecho a la no discriminación respecto del empleador, está justificada en la doctrina de la aplicación diagonal de derechos fundamentales en la empresa, la cual tiene pleno reconocimiento legal en Chile (por ejemplo, artículo 5)[59].

6.3.2. Tipo infraccional del ilícito discriminatorio

La jurisprudencia administrativa y judicial han desarrollado el tipo infraccional del derecho a la no discriminación en el empleo de forma similar a la OIT, distinguiendo los mismos elementos configuradores de la discriminación:

- "una diferenciación (distinciones, exclusiones o preferencias);
- que dicha diferenciación se base en motivos de raza, color, sexo, edad, estado civil, sindicación, religión, opinión política, nacionalidad, ascendencia nacional u origen social;

---

[54]   Ordinario N° 3704/134, p 4.
[55]   Ordinario N° 3704/134, p 5. En el mismo sentido Ordinario N° 2210/035.
[56]   GAMONAL CONTRERAS, *Fundamentos de Derecho Laboral*, p. 61.
[57]   UGARTE CATALDO, *El Derecho a la No Discriminación...*, p. 41.
[58]   GAMONAL CONTRERAS, Sergio, *Eficacia Diagonal u Oblicua y los Estándares de Conducta en el Derecho del Trabajo*, Santiago, Thomson Reuters, 2015. Véase también Ordinario N° 3704/134, y Ordinario N° 2210/035.
[59]   Ordinario N° 628 del 3 de febrero de 2017 y Ordinario N°1300/0030 del 21 de maro 2017.

A dichas motivaciones debemos agregar, por mandato constitucional, cualquier otra motivación que no se base en la capacidad o idoneidad personal; y

– que se produzca como resultado una desigualdad de trato (anulación o alteración de la igualdad de oportunidades)"[60].

a. Elemento el objetivo

Al igual que la OIT, la jurisprudencia chilena ha interpretado que la diferencia de trato no requiere de intencionalidad por parte del empleador. Basta la existencia de un trato diferenciado sobre la base de un motivo discriminatorio para que se configure el elemento objetivo[61].

Así también, las tres conductas descritas en el inciso cuarto del artículo 2 del CT (distinción, exclusión y preferencia) suponen un trato menos favorable en relación a otra persona en posición comparable[62]. Ni la jurisprudencia administrativa ni la judicial han elaborado distinciones entre las tres conductas señaladas. De manera que todas ellas comprenden como tratos diferenciados entre personas situadas en situaciones similares o comparables. En esta materia la jurisprudencia nacional también sigue el estándar de la OIT.

Relacionado con lo anterior, el elemento objetivo comprende el conjunto y la totalidad de la relación contractual laboral. Esto implica que cubre todos los aspectos del *iter* contractual[63]. Nuevamente se puede ver la influencia de la labor interpretativa de la OIT.

b. Elemento subjetivo

El elemento subjetivo comprende los motivos discriminatorios. También puede ser denominado el protectorado del derecho a la no discriminación,

---

[60] Ordinario N° 3704/134, p. 7. La jurisprudencia judicial ha elaborado las mismas categorías, inspirada en parte por la doctrina administrativa. En sentencia Juzgado de Letras del Trabajo de Concepción, rol T- 14-14, de fecha 24 de julio de 2014 se señaló: DÉCIMO: Que, del análisis del marco regulatorio indicado, para que se configure la discriminación en materia laboral, es necesario que concurran tres elementos: que exista una diferenciación (distinciones, exclusiones o preferencias); que dicha diferenciación se base en motivos de raza, color, sexo, edad, estado civil, sindicación, religión, opinión política, nacionalidad, ascendencia nacional u origen social y cualquier otra motivación que no se base en la capacidad o idoneidad personal; y, que se produzca como resultado una desigualdad de trato (anulación o alteración de la igualdad de oportunidades)".

[61] Ordinario N° 3704/134, p. 7.

[62] UGARTE CATALDO, *El Derecho a la No Discriminación...*, p. 17.

[63] Ordinario N° 3704/134, p. 8.

entendiendo por tal los grupos de personas que quedan comprendidas bajo la tutela antidiscriminatoria, dado que se identifican con los criterios sospechosos[64].

La jurisprudencia administrativa y judicial ha sido consistente en señalar que los motivos de discriminación en el empleo no se agotan en los criterios sospechosos enumerados en el artículo 2 del CT. La razón fundamental para esto es la existencia de normas de jerarquía superior que, también forman parte de la regulación del derecho a la no discriminación en el empleo en Chile, que son el artículo 19 N 16 y el artículo 1 del Convenio 111. Ambas disposiciones contemplan catálogos de motivos sospechosos no exhaustivos, abriendo el catálogo de motivos prohibidos de la tutela antidiscriminatoria en el empleo a motivos no enumerados en el artículo 2[65]. De esta forma, la Dirección del Trabajo ha sostenido que Chile tiene un modelo antidiscriminatorio abierto y residual, en función de la garantía constitucional donde "la única motivación legítima para establecer diferenciaciones de trato en el ámbito laboral (idoneidad y competencia), calificando las restantes como discriminatorias"[66].

En el mismo sentido se han pronunciado los tribunales de justicia. La Excelentísima Corte Suprema en fallo de unificación, estableció que el derecho a la no discriminación resguardado por la tutela laboral en el artículo 485 CT, no se limita a los criterios sospechosos del artículo 2, ya que esto sería contrario a normas de mayor jerarquía que regulan el derecho a la no discriminación (19 N 16 inciso tercero y el artículo 1 del Convenio 111). La sentencia señala que la tutela discriminatoria "...se extiende a todas aquellas discriminaciones o diferencias arbitrarias, prohibidas por el artículo 19 N° 16 inciso tercero de la Constitución Política de la República y por el Convenio OIT N° 111 de 1958..."[67].

La Dirección del Trabajo ha dicho que el catálogo de criterios prohibidos del artículo 2 de la Ley 20.609 ("ley Zamudio") no altera el principio de no discriminación laboral ni en sus objetivos de garantizar la igualdad de oportunidades y trato en el empleo, ni en su capacidad sancionar los actos de discriminación en un sentido amplio[68]. Así también, la autoridad administrativa se ha pronunciado sobre los nuevos criterios de discriminación incluidos en el inciso cuarto del artículo 2 del CT mediante la Ley 20.940, que son los siguientes: situación socioeconómica, participación en asociaciones gremiales, orientación sexual, identidad de género, filiaciones, apariencia personal, enfermedad y discapacidad. La

---

[64]   KAITAN, Tarunabh, *A Theory of Discrimination Law*, Oxford, Oxford University Press, 2015.

[65]   Ordinario N° 3704/134. En el mismo sentido Ordinario N° 2210/035.

[66]   Ordinario N° 2210/035. En el mismo sentido Ordinario N° 3704/134, Ordinario N 1300/0030, 21 de marzo 2017, entre otros.

[67]   Sentencia Excelentísima Corte Suprema del 5 de agosto de 2015, Rol N° 23808-2014. En el mismo sentido, sentencia Juzgado de Letras del Trabajo de Concepción de fecha 24 de julio de 2014, RIT T-14-14, y sentencia de la Corte de Apelaciones de Santiago de fecha 25 de agosto de 2011.

[68]   Ordinario N 2660/033/ del 18 de julio de 2014.

Dirección del Trabajo ha resuelto que la modificación legal señalada no altera la naturaleza no taxativa del artículo 2 del CT, dado que es la norma constitucional, y no la legal, la que fija el modelo antidiscriminación en el empleo abierto y residual[69].

c. Elemento de resultado o efecto

En relación con el elemento de resultado, la jurisprudencia administrativa y judicial han señalado que el ilícito discriminatorio sanciona un resultado desigual y no la intención ni la razonabilidad de la conducta discriminatoria. Lo que se juzga es el efecto adverso en la igualdad de oportunidades y de trato en el empleo, y por la misma razón, el ilícito discriminatorio comprende formas de discriminación indirecta[70] [71].

Nuevamente, en esta materia la Dirección del Trabajo se acerca al criterio de la OIT sobre la tutela antidiscriminatoria. Sin perjuicio de ello, en el próximo acápite veremos las limitaciones que tiene la aproximación chilena en este aspecto en relación al estándar del Convenio 111.

d. Excepciones

Tanto el artículo 2 del CT inciso quinto como el artículo 19 N 16 inciso tercero de la Constitución recogen la excepción de capacidad o idoneidad o

---

[69] Ordinario N 1300/0030 del 21 de marzo 2017.

[70] "...se producen por motivos formalmente lícitos, pero que asumen su carácter discriminatorio "en atención a los efectos adversos que produzcan para quienes pertenezcan a un grupo determinado, de aquellos que el ordenamiento jurídico asume en desventaja..." Ordinario N° 3704/134, p 5. Véase también Ordinario N° 2210/035, y Ordinario N° 4883/060 de fecha 10 de noviembre de 2009.

[71] "Solo para efectos de revisar la manera en que el TJCE y la Corte Suprema Norteamericana califican la existencia de discriminación indirecta, los elementos relevantes de este ilícito, que se desprenden de las definiciones indicadas, son:
1. Se trata de un ilícito objetivo, donde la ausencia de motivación discriminatoria es irrelevante.
2. Surge de disposiciones, criterios o procedimientos aparentemente neutrales, que no hacen referencia a un factor prohibido. Se trata de medidas cuyos destinatarios son, en principio, los grupos protegidos.
3. Si se prueba que la medida neutral, en la práctica, opera para excluir un número desproporcionadamente mayor de personas pertenecientes a un grupo tradicionalmente victimizado, surge un caso *prima facie* de discriminación indirecta.
4. La medida *prima facie* discriminatoria, solo es tal, si no tiene una finalidad legítima, necesaria y adecuada en relación a sus medios o, no responde a una *business necesity* (necesidad de negocios).
5. En el derecho norteamericano, se exige que no hayan otras medidas con un impacto discriminatorio menor que permitan cumplir, a lo menos en igual grado, el objetivo de la medida impugnada. En el derecho comunitario esta refutación puede quedar comprendida en el principio de proporcionalidad, específicamente, al evaluar la necesidad de la medida" (RODRÍGUEZ BURR, "Nociones sobre la discriminación...").

calificaciones para un trabajo determinado del N 2 del artículo 1 del Convenio 111. Tal como se señaló previamente, las otras excepciones son la nacionalidad y la edad conforme la ley, y la doctrina ha incluido cualquier otro valor o interés constitucional que sea capaz de superar el test de proporcionalidad. Esta excepción refleja que el derecho a la no discriminación en el empleo no constituye un mandato de igualdad absoluta dirigido al empleador, sino que la obligación de tratar a sus trabajadores de igual manera sobre la base de sus competencias[72].

Nuestra legislación no recoge las excepciones del Convenio 111 referidas a la protección de la seguridad del Estado y de las acciones positivas.

6.4. DERECHO A LA NO DISCRIMINACIÓN EN EL EMPLEO Y EL CONVENIO NÚM. 111

A continuación, revisaremos en qué medida la definición y características de este derecho en la normativa chilena se ajustan a la interpretación de la tutela antidiscriminatoria contenida en el Convenio 111, conforme la doctrina de la OIT.

6.4.1. Concepto del derecho a la no discriminación, igualdad sustantiva y resultado discriminatorio

Tanto la OIT como la jurisprudencia chilena han reconocido que el derecho a la no discriminación tiene rango de derecho fundamental o constitucional, es autónomo del principio de igualdad, y tiene sustantividad propia[73]. En relación a lo anterior, tanto la doctrina internacional como la chilena reconocen que el derecho a la no discriminación opera como un mandato de paridad de trato en relación a criterios definido de antemano (por constituir formas de discriminación especialmente lesivas de la dignidad) que solo admite excepciones estrictas.

Así también, la no discriminación en el empleo en Chile comparte la pretensión del Convenio 111 de avanzar a una versión de igualdad sustantiva. En ese entendido, tanto la jurisprudencia chilena como la OIT entienden el tipo discriminatorio como un ilícito de resultado, y por tanto, el derecho a la no

---

[72]   Ibid. Ugarte, al analizar si las acciones positivas a favor de las mujeres son legítimas a la luz del derecho a la igualdad y a la no discriminación en el empleo, distingue entre una versión fuerte del derecho a la no discriminación, que prohíbe hacer distinciones en base al sexo, y un contenido débil, referido a la "posibilidad de exigir del Estado medidas destinadas a lograr niveles mínimos y progresivos de igualdad efectiva". UGARTE CATALDO, José Luís, "Mujer, discriminación laboral y empleo", *Revista Laboral Chilena*, N° 7/1997, Santiago, p. 55.

[73]   Esto se establece claramente en la Declaración de la OIT Relativa a los Derechos y Principios Fundamentales en el Trabajo y su Seguimiento (1998). Por su lado, esto está consagrado en varios los dictámenes y sentencias de tribunales revisados en la sección previa.

discriminación permite tomar medidas que tengan por objeto abordar desigualdades que sufren grupos desaventajados en el acceso al empleo y en las condiciones de trabajo. Tal como se indicó en la sección anterior, pese a no contar con una regulación legal específica, la jurisprudencia chilena ha reconocido la existencia de la tutela en contra de la discriminación indirecta[74].

Sin embargo, respecto de medidas más fuertes de corrección de desigualdades grupales no existen mayores avances en el derecho chileno. Por ejemplo, las medidas especiales, o acciones positivas para asistir a grupos de personas que, por razones de sexo, edad, u otra categoría que tengan necesidad de protección especial (artículo 5 del Convenio 111). Salvo excepciones como la ley 20.422[75], que exige adecuaciones razonables para personas con discapacidad, es difícil encontrar acciones positivas en la legislación laboral.

Así también, y con relación a fenómenos de discriminación que son relevantes por sus efectos, la OIT ha señalado que el Convenio 111 comprende la discriminación múltiple[76]. En esta materia el derecho a la no discriminación en el empleo chileno también presenta un déficit, dado que no cuenta con una regulación específica sobre la materia[77]. Por último, en Chile se nota un déficit respecto de la aplicación de medidas estructurales para corregir la segregación laboral, que es otra de las formas de discriminación protegidas por el Convenio 111[78].

La CEACR ha observado la falta de medidas positivas o especiales en Chile para hacerse cargo de las desigualdades sociales y económicas de grupos desaventajados, que dificultan su acceso al empleo y a las condiciones de trabajo en igualdad de oportunidades. Específicamente, la CEACR se ha pronunciado respecto la desigualdad que sufre la población indígena chilena[79].

---

[74] IRURETA URIARTE, Pedro, *Constitución y Orden Público Laboral. Un análisis del art. 19 N° 16 de la Constitución Chilena*, Santiago, Universidad Alberto Hurtado, Facultad de Derecho, 2006, p. 71. También en CAAMAÑO, Eduardo, "La tutela del derecho a la no discriminación por razones de sexo durante la vigencia de la relación laboral", *Revista de Derecho*, Volumen XIV, Valdivia, Universidad Austral, 2003.

[75] Ley 20.422, Establece Normas sobre Igualdad de Oportunidades e Inclusión Social de Personas con Discapacidad, 10 de febrero de 2010.

[76] OIT, *Dar un Rostro Humano a la Globalización*, p. 333.

[77] JOPIA, Valeria y LABBE, Natalia, "Discriminaciones múltiples y la recepción en el Derecho interno: el caso de Lorenza Cayuhán. Comentario a la sentencia rol N° 92795-2016 de la Corte Suprema", *Estudios Constitucionales Universidad de Talca*, Año 16, N° 1, 2018, pp. 437-452.

[78] OIT, *Dar un Rostro Humano a la Globalización*.

[79] Observación (CEACR) - Adopción: 2006, Publicación: 96ª reunión CIT (2007) Convenio sobre la discriminación (empleo y ocupación), 1958 (núm. 111) – Chile. En el mismo sentido Observación (CEACR) - Adopción: 2008, Publicación: 98ª reunión CIT (2009) Convenio sobre la discriminación (empleo y ocupación), 1958 (núm. 111) – Chile. Observación (CEACR) - Adopción: 2010, Publicación: 100ª reunión CIT (2011) Convenio sobre la discriminación (empleo y ocupación), 1958 (núm. 111) – Chile, en el que se solicita informar al Estado de Chile sobre la aplicación del Convenio sobre Pueblos Indígenas y Tribales núm. 169 (1989).

6.4.2. Ámbito de aplicación y elemento objetivo del ilícito discriminatorio

La jurisprudencia chilena y la doctrina de la OIT coinciden en que el derecho a la no discriminación es oponible a autoridades públicas y a privados, dentro de los cuales está el empleador.

Tal como se explicó precedentemente, el derecho a la no discriminación en el empleo comprende todo el iter contractual, conforme lo resuelto por la jurisprudencia administrativa y judicial chilenas y los órganos de supervisión de la OIT. Sin embargo, la expresa exclusión de las ofertas de trabajo del artículo 2 del CT en el inciso 2 de la tutela laboral, conforme lo dispuesto en el artículo 485 CT, limita la protección en contra de la discriminación que ocurre durante la etapa precontractual e incluso en la formación o capacitación para el empleo.

Por otra parte, el derecho a la no discriminación en el empleo en Chile no satisface adecuadamente el ámbito de protección que la OIT le ha otorgado al Convenio 111, específicamente, a todos aquellos trabajadores que quedan comprendidos en el término "ocupación". En efecto, los trabajadores informales o independientes en Chile no cuentan con una protección específica respecto de la discriminación en el empleo. Los trabajadores migrantes están sujetos a diversas restricciones en el ejercicio de sus derechos laborales producto de una normativa migratoria restrictiva en este ámbito[80]. Y la protección efectiva del derecho a la no discriminación de los funcionarios públicos también se está viendo afectada, fundamentalmente, porque la doctrina judicial predominante sobre la titularidad de la tutela laboral por discriminación en el empleo para funcionarios públicos[81], está siendo socavada por la sentencia del Tribunal Constitucional[82] que calificó como inconstitucional la aplicación supletoria del procedimiento de tutela laboral a los trabajadores sujetos al estatuto administrativo.

El CEACR ha observado la ausencia de protección contra la discriminación en ocupaciones que no están sujetas a la normativa laboral en Chile, pero forman parte del ámbito de aplicación del Convenio 111. Este es el caso del artículo 349 del Código de Comercio que establece que para celebrar un contrato de sociedad una mujer casada, no separada bienes, requiere de la autorización previa de su cónyuge[83]. Así también, el CEACR ha solicitado la derogación de decretos

---

[80]   AZOCAR, Rodrigo, "Desafíos y propuestas para contribuir al ejercicio de los derechos laborales de los trabajadores migrantes en Chile", en *Políticas Públicas UC* (2016), consultado el 1 de mayo de 2019: https://politicaspublicas.uc.cl/wp-content/uploads/2016/12/N%C2%B0-90-Derechos-laborales-de-los-migrantes.pdf

[81]   Sentencia de la Excelentísima Corte Suprema, Rol N°. 10.972-2013.

[82]   Sentencia del Tribunal Constitucional del 6 de diciembre de 2018, Rol N° 3853-17.

[83]   Observación (CEACR) - Adopción: 2006, Publicación: 96ª reunión CIT (2007) Convenio sobre la discriminación (empleo y ocupación), 1958 (núm. 111) – Chile; Observación (CEACR) - Adopción: 2005, Publicación: 95ª reunión CIT (2006) Convenio sobre la discriminación (empleo y ocupación), 1958 (núm. 111) – Chile, entre otros.

leyes que establecen la facultad de rectores de universidades para eliminar cargos académicos discrecionalmente[84]. El Estado de Chile ha sostenido que dichas facultades se encuentran derogadas tácitamente.

6.4.3. Elemento subjetivo o protectorado

Tal como se señaló, el catálogo cerrado y taxativo del artículo 2 del CT, se contrapone a la apertura del ámbito subjetivo de la letra b) del artículo 1 del Convenio 111. También se contrapone a la textura abierta del inciso 3 del N° 16 del artículo 19 de la Constitución.

Esto último se inserta en la discusión sobre el modelo antidiscriminatorio en el empleo vigente en Chile, debate que se enfoca en el ámbito subjetivo o protectorado del derecho a la no discriminación en el empleo. Este asunto tiene especial importancia práctica en el ámbito de protección de la tutela laboral (inciso 2 del artículo 485 del CT)[85]. A grandes rasgos existen tres interpretaciones sobre la materia en la doctrina nacional. La primera, es la del modelo antidiscriminatorio de sospecha abierta, desarrollado por Lizama y Ugarte. Los autores sostienen que la norma constitucional tiene prioridad jerárquica sobre la legal, de manera que el catálogo legal seria solo ilustrativo de los motivos discriminatorios tradicionalmente protegidos, siendo la norma constitucional la que define el modelo antidiscriminatorio, en que todos los criterios para otorgar un trato menos favorable que no se basen en las excepciones constitucionales indicadas son sospechosos[86]. De manera que el trato desigual sobre la base de ellos, estén o no listados en el artículo 2 del CT, requeriría del mismo estándar de justificación que el de cualquier criterio listado en el artículo 2, esto es, excepciones de calificaciones requeridas para un empleo determinado u otras de rango constitucional. La única diferencia sería una ventaja argumentativa, ya que los motivos listados gozarían de una presunción de injusticia o ilegalidad[87]. Esta es la posición que sigue gran parte de la jurisprudencia administrativa y judicial que fueron estudiadas anteriormente.

Por su parte, Sergio Gamonal ha sostenido que el modelo chileno es taxativo o cerrado en función de los criterios sospechosos del artículo 2 del CT[88]. El autor

---

[84] Observación (CEACR) - Adopción: 2012, Publicación: 102ª reunión CIT (2013) Convenio sobre la discriminación (empleo y ocupación), 1958 (núm. 111) – Chile; Observación (CEACR) - Adopción: 2008, Publicación: 98ª reunión CIT (2009) Convenio sobre la discriminación (empleo y ocupación), 1958 (núm. 111) – Chile, entre otras.

[85] RODRÍGUEZ BURR, "Principios y criterios…", p.171.

[86] LIZAMA y UGARTE, *Interpretación y Derechos…*, p. 216. En el mismo sentido UGARTE, *El Derecho a la No Discriminación…*, p. 23.

[87] UGARTE, *El Derecho a la No Discriminación…*, p. 66.

[88] GAMONAL CONTRERAS, *Fundamentos de Derecho Laboral*, p. 64.

defiende que el derecho a la no discriminación es un reproche a la desigualdad de trato en contra de grupos vulnerables, por lo que no cualquier criterio de diferencia puede quedar comprendido en dicha protección. De esta manera el artículo 2 regula la norma constitucional, fijando su sentido y alcance en relación a los grupos requieren de la tutela antidiscriminatoria.

Por otra parte, está la posición que hemos sostenido de que Chile participa de la categoría de los modelos antidiscriminatorios denominados de textura abierta mixta[89]. Esto último, porque "comparte las características fundamentales de esta categoría, que son: i) existe un listado de criterios sospechosos específicos contemplados en el artículo 2 del CT; y ii) un número indeterminado de motivos discriminatorios definidos por el articulo 19 N° 16, que los jueces tienen la facultad de reconocer"[90]. Esta interpretación reconoce que la norma constitucional, por su rango jerárquico, define el ámbito subjetivo del derecho a la no discriminación en el empleo. Sin embargo, no estamos de acuerdo con la amplitud del modelo de sospecha abierta, en que cualquier motivo de trato diferenciado que no sea la capacidad o idoneidad o las otras excepciones constitucionales señaladas, deba quedar cubierta por la tutela discriminatoria. Consideramos que los criterios sospechosos no listados se deben definir e identificar conforme las razones normativas que determinan la gravedad y seriedad que subyace a la protección de los motivos discriminatorios listados. Para estos efectos, es posible usar la doctrina y jurisprudencia de jurisdicciones que aplican garantías antidiscriminatorias de textura abierta mixta, en donde se entregan valiosos argumentos para decidir si una categoría discriminatoria no listada es análoga o suficientemente similar a las listadas[91].

El CEACR ha observado la necesidad de aclarar la relación y articulación del artículo 2 del CT y otras leyes de no discriminación que contemplan catálogos de naturaleza abierta y acciones judiciales distintas[92]. Estas observaciones del CEA-

---

[89]   Estos modelos "…contemplan listados de criterios discriminatorios no taxativos o ejemplares, que autorizan a los jueces a avanzar en el reconocimiento de categorías protegidas no listadas o inespecíficas, en tanto sean similares o análogas a las indicadas en el listado" (RODRÍGUEZ BURR, "Principios y criterios…", p. 172).

[90]   RODRÍGUEZ BURR, "Principios y criterios…", p. 179.

[91]   De las decisiones de las Cortes Superiores del Reino Unido, de la Corte de la Convención Europea de Derechos Humano, de la Corte Suprema de Canadá y de la Corte Constitucional Sudafricana (todas jurisdicciones que aplican garantías antidiscriminatorias de textura abierta mixta) se pudieron identificar cinco categorías de criterios y principios para decidir la inclusión de criterios prohibidos no listados al protectorado del derecho a la no discriminación: "i) autonomía y prohibición de discriminar por características personales innatas e inmutables; ii) prohibición de clasificar sobre la base de estereotipos negativos (estigma); iii) igualdad sustantiva y disminución de la brecha de desventaja social; iv) igual dignidad; y v) consenso internacional y legislativo". Ibid, p 181.

[92]   Observación (CEACR) - Adopción: 2018, Publicación: 108ª reunión CIT (2019) Convenio sobre la discriminación (empleo y ocupación), 1958 (núm. 111) – Chile. En la Observación (CEACR) - Adopción: 2016, Publicación: 106ª reunión CIT (2017). Convenio sobre la discriminación (empleo

CR claramente tienen su origen en la redacción del artículo 2 del CT como un catálogo cerrado de motivos prohibidos, siendo que el artículo 1 del Convenio 111 contempla un catálogo abierto al igual que otras normas del sistema legal chileno.

6.5. CONCLUSIONES

Del estudio realizado es posible concluir que el Convenio 111, en lo referido a la regulación del derecho a la no discriminación en el empleo y la ocupación, claramente cuenta con recepción constitucional, legal y jurisprudencial en Chile, y constituye un cimiento fundamental en nuestro modelo antidiscriminatorio en el empleo.

La normativa y jurisprudencia chilenas siguen en sus líneas fundamentales la configuración del derecho a la no discriminación conforme la doctrina de la OIT. Tanto la jurisprudencia chilena como la OIT reconocen su rango de derecho fundamental; su autonomía en cuanto a fundamentos, contenido y operación respecto del principio de igualdad; su aplicación horizontal o diagonal; la preocupación por los resultados discriminatorios y su vocación por corregir la desigualdad real que sufren grupos desaventajados; y los mismos elementos del tipo infraccional discriminatorio.

Sin embargo, la legislación chilena no se ajusta al estándar internacional en varios aspectos relevantes. Por ejemplo, Chile carece de legislación sistemática sobre medidas especiales o acciones positivas para compensar la desventaja real de grupos vulnerables en la formación laboral, el acceso al empleo y a mejores condiciones de trabajo, y para atacar los fenómenos de segregación profesional. Así también, falta legislación específica que regule ilícitos discriminatorios como la discriminación indirecta y la discriminación múltiple. Esto debería ser una prioridad legislativa ya que son ilícitos discriminatorios frecuentes y que requieren de una compleja técnica legislativa para su definición y persecución[93].

A mayor abundamiento, Chile debería preocuparse de que la tutela antidiscriminatoria en el empleo alcance a trabajadores que no son subordinados o dependientes, los cuales también están comprendidos en el término "ocupación" del artículo 1 del Convenio 111. Tal como se señaló precedentemente, especial

y ocupación), 1958 (núm. 111) – Chile, se solicita explicar por qué el listado de motivos prohibidos del artículo 2 de la Ley 20.609 no incluye los motivos de color, ascendencia nacional y origen.

[93] Tanto la doctrina como la jurisprudencia administrativa han reconocido la recepción de la tutela contra la discriminación indirecta en la legislación chilena. CAAMANO ROJO, "La tutela del derecho..."; UGARTE CATALDO, "El derecho laboral y la discriminación..."; IRURETA URIARTE, "Constitución y Orden..."; RODRÍGUEZ BURR, "Nociones sobre la discriminación..."; entre otros.

atención merecen trabajadores independientes, informales, migrantes y funcionarios públicos. Todos ellos tienen dificultades para ejercer este derecho en nuestro sistema jurídico.

Finalmente, debería aclararse legal y constitucionalmente la apertura del elemento subjetivo del derecho a la no discriminación, de manera de ajustarse al estándar de la OIT sobre la materia. Pese a que existe un importante consenso doctrinario y jurisprudencial de que el catálogo de motivos discriminatorios del artículo 2 del CT no es taxativo, surgen una serie de inconvenientes por la falta de definición legal y ambigüedad. Primero, existe doctrina que sostiene una tesis contraria, de manera que la jurisprudencia podría cambiar su interpretación y optar por un catálogo cerrado de criterios sospechosos. Segundo, hay una importante dispersión normativa en esta materia, lo que complejiza la interpretación del alcance del ámbito del protectorado del derecho a la no discriminación en el empleo y del estándar de justificación que requeriría la desigualdad de trato sobre la base de motivos prohibidos, tanto listados explícitamente como no listados. Por último, el grado de apertura del modelo constitucional (doctrina predominante en Chile, modelo de sospecha abierta), que permite calificar como sospechoso cualquier criterio que no sea la capacidad o idoneidad para el trabajo, o la nacionalidad y la edad en los casos que la ley indica, no se condicen con la finalidad del derecho a la no discriminación ni con la práctica del derecho comparado[94].

Para cumplir adecuadamente el estándar de la OIT en esta materia, sería interesante contar con una legislación que reconociera explícitamente la naturaleza no taxativa o ejemplar de los criterios sospechosos listados; su apertura a motivos de discriminación análogos, que son aquellos que ameritan el mismo reproche social que los listados, dado que constituyen una afrenta de similar magnitud a la dignidad y/o identifican a grupos socialmente desaventajados que muchas veces sufren de estigmatización; y que definiera la intensidad argumentativa que requiere la justificación de la diferencia de trato sobre la base de los motivos discriminatorios no listados[95].

BIBLIOGRAFÍA

AZOCAR, Rodrigo, "Desafíos y propuestas para contribuir al ejercicio de los derechos laborales de los trabajadores migrantes en Chile", en *Políticas Públicas UC* (2016).

---

[94]   RODRÍGUEZ BURR, Matías, "Principios y criterios…".
[95]   RODRÍGUEZ BURR, Matías, "Principios y criterios…".

CAAMANO ROJO, Eduardo, *Derecho a la no discriminación en el empleo*, Santiago, Editorial LexisNexis.

CAAMANO ROJO, Eduardo, "La tutela del derecho a la no discriminación por razones de sexo durante la vigencia de la relación laboral", *Revista de Derecho (Valdivia)*, Volumen XIV, Universidad Austral, 2003.

GAMONAL CONTRERAS, Sergio, *Fundamentos de Derecho Laboral*, 2° edición, Santiago, Legal Publishing, 2012.

GAMONAL CONTRERAS, Sergio, *Eficacia Diagonal u Oblicua y los Estándares de Conducta en el Derecho del Trabajo*, Santiago, Thomson Reuters, 2015

D. J. HARRIS, *Harris, O'Boyle & Warbrick : law of the European Convention on Human Rights* (M. O'Boyle and others eds, Third edition / David Harris, Michael O'Boyle, Ed Bates, Carla Buckley, Paul Harvey, Michelle Lafferty, Peter Cumper, Yukata Arai, Heather Green.. edn, Oxford : Oxford University Press, 2014.

IRURETA URIARTE, Pedro, *Constitución y Orden Público Laboral. Un análisis del art. 19 N° 16 de la Constitución Chilena*, Santiago, Universidad Alberto Hurtado, Facultad de Derecho, 2006.

JOPIA, Valeria y LABBE, Natalia, "Discriminaciones Múltiples y la Recepción en el Derecho Interno: El Caso De Lorenza Cayuhán Comentario a la sentencia rol N° 92795–2016 de la Corte Suprema", *Estudios Constitucionales Universidad de Talca*, Año 16, N° 1, 2018.

KAITAN, Tarunabh, *A Theory of Discrimination Law*, Oxford, Oxford University Press, 2015

KARL NIELSEN, Henrik, "The Concept of Discrimination in ILO Convention No. 111", *The International and Comparative Law Quarterly*, Vol 43, No. 4 (1994).

LIZAMA PORTAL, Luis y UGARTE CATALDO, José Luis, *Interpretación y Derechos Fundamentales en la Empresa*, Santiago, Editorial Jurídica Cono Sur Ltda., 1998.

MULDER, Jules, *EU Non–Discrimination Law in the Courts: Approaches to Sex and Sexualities Discrimination in EU Law*, Oxford Portland, Hart Publishing, 2017.

RODRÍGUEZ BURR, Matías, "Principios y Criterios Normativos para Justificar la Elección de los Motivos Sospechosos no Listados en el Derecho a la No Discriminación en el Empleo: Una Aproximación desde el Derecho Comparado", en ARELLANO ORTIZ, Pablo, *Discriminación en la Legislación Social*, Valparaíso, Ediciones Universitarias de Valparaíso Pontificia Universidad Católica de Valparaíso, 2018.

RODRÍGUEZ BURR, Matías, "Nociones sobre la Discriminación Laboral Indirecta", *Revista Laboral y de Seguridad Social* (Thomson Reuters), V III (2013), 13–42.

RODRÍGUEZ–PIÑERO, Miguel y FERNÁNDEZ, María Fernanda, *Igualdad y Discriminación*, Madrid, Editorial Tecnos, 1986.

SEVERIN CONCHA, Juan Pablo, "Comentario a Ponencia", en ARELLANO ORTIZ, Pablo, *Discriminación en la Legislación Social*, Valparaíso, Ediciones Universitarias de Valparaíso Pontificia Universidad Católica de Valparaíso, 2018.

SHEPPARD, Coleen, "Inclusive Equality and new Approaches to Discrimination in Transnational Labour Law", en BLACKET, Adelle y TREBILOCK, Anne, *Research Handbook on Transnational Labour Law*, Elgar, 2015.

VALDÉS DAL RÉ, Fernando, "Los derechos fundamentales de la persona del trabajador"; en *XVII Congreso Mundial de Derecho del Trabajo y de la Seguridad Social*, 2 al 5 de septiembre de 2003, Montevideo.

UGARTE CATALDO, José Luis, *El Derecho a la No Discriminación en el Trabajo*, Santiago, Legal Publishing, 2013

UGARTE CATALDO, José Luis, "El derecho laboral y la discriminación: situación de la mujer en Chile", *Boletín Oficial de la Dirección del Trabajo*, N° 102/97, Santiago, Dirección del Trabajo, 1997.

UGARTE CATALDO, José Luis, "Mujer, discriminación laboral y empleo", *Revista Laboral Chilena*, N° 7/1997, Santiago.

Fuentes Primarias

OIT, *Dar un Rostro Humano a la Globalización, Estudio General sobre los convenios fundamentales relativos a los derechos en el trabajo a la luz de la Declaración de la OIT sobre la justicia social para una globalización equitativa, Informe III (1B)*, 2008; Conferencia Internacional del Trabajo N 101, 2012.

RCE 1993 (Canadá).

Reporte de la Comisión de Investigación para observar el cumplimiento por parte de la República Federal Alemana del Convenio 111 (1987).

Observación (CEACR) – Adopción: 2006, Publicación: 96ª reunión CIT (2007) Convenio sobre la discriminación (empleo y ocupación), 1958 (núm. 111).

Observación (CEACR) – Adopción: 2008, Publicación: 98ª reunión CIT (2009) Convenio sobre la discriminación (empleo y ocupación), 1958 (núm. 111).

Observación (CEACR) – Adopción: 2010, Publicación: 100ª reunión CIT (2011) Convenio sobre la discriminación (empleo y ocupación), 1958 (núm. 111).

Observación (CEACR) – Adopción: 2012, Publicación: 102ª reunión CIT (2013) Convenio sobre la discriminación (empleo y ocupación), 1958 (núm. 111).

Ordinario Dirección del Trabajo N 3407/134 del 11 de agosto de 2004.

Ordinario Dirección del Trabajo N 698/16 del 11 de febrero 2003.

Ordinario Dirección del Trabajo N 2210/035 del 5 de junio de 2009.

Ordinario Dirección del Trabajo N 4883/060 de fecha 10 de noviembre de 2009.

Ordinario Dirección del Trabajo N 2660/033 del 18 de julio de 2014.

Ordinario Dirección del Trabajo N 6508 del 11 de diciembre de 2015.

Ordinario Dirección del Trabajo N 628 del 3 de febrero de 2017.

Ordinario Dirección del Trabajo N 1300/0030 del 21 de maro 2017.

Sentencia del Tribunal Constitucional del 8 de septiembre de 2018, Rol N 3853–17.

Sentencia de la Excelentísima Corte Suprema, Rol N°. 10.972–2013.

Sentencia de la Excelentísima Corte Suprema de fecha 5 de agosto de 2015, Rol N 23808–2014.

Sentencia del Juzgado de Letras del Trabajo de Concepción de fecha 24 de julio de 2014, RIT T– 14–14.

Sentencia del Primer Juzgado de Letras de Santiago del 4 de noviembre de 2016, RIT T–85–16.

Sentencia de la Corte de Apelaciones de Santiago de fecha 25 de agosto de 2011.

Capítulo 7

Erradicar el trabajo infantil y regular el trabajo de los menores de edad. Chile frente a los convenios núm. 138 y núm.182 de la OIT

JUAN PABLO SEVERIN CONCHA[*]

7.1. EL DESAFÍO DE ERRADICAR EL TRABAJO INFANTIL

La Convención de las Naciones Unidas sbre los Derechos del Niño, ratificada casi universalmente, reconoce "el derecho del niño a estar protegido contra la explotación económica y contra el desempeño de cualquier trabajo que pueda ser peligroso o entorpecer su educación" (artículo 32). Con fundamento en la citada convención, debemos abordar el problema del trabajo infantil desde un enfoque de derechos. Ello supone partir de la comprensión de que "los niños son personas, y que gozan de una serie de derechos específicos: a sobrevivir, crecer y aprender, y a ser respetados y protegidos para lograr todo su potencial"[1]. Cuando se reconoce a los niños y niñas como sujetos de derecho, ello significa "relevar la igual dignidad de estos y la necesidad de identificar responsabilidades en relación con la protección de sus derechos"[2]. Avanzar en este reconocimiento implica, además, romper un círculo vicioso que condiciona este fenómeno, para posibilitar a niñas, niños y adolescentes una vida mejor, pues "es preciso atacar a la pobreza allí donde ésta crea las peores formas de trabajo infantil y donde las peores formas de trabajo infantil dan origen a la pobreza"[3]. En tal empeño, deben concurrir políticas sociales y una adecuada legislación protectora.

---

[*] Profesor de Derecho del Trabajo de la Universidad Católica del Norte, Coquimbo, Chile. Doctor en Derecho por la Universidad Complutense de Madrid. Magíster en Gestión y Políticas Públicas por la Universidad de Chile. Licenciado en Ciencias Jurídicas y Sociales por la Pontificia Universidad Católica de Valparaíso. Correo-e: juanpablo.severin@ucn.cl

[1] ORGANIZACIÓN INTERNACIONAL DEL TRABAJO. *Hacia la eliminación urgente del trabajo infantil peligroso,* Oficina Internacional del Trabajo, Servicio de Principios y derechos fundamentales en el trabajo (FUNDAMENTALS), Ginebra, Suiza, 2018, p.2.

[2] ORGANIZACIÓN INTERNACIONAL DEL TRABAJO Y MINISTERIO DEL TRABAJO Y PREVISIÓN SOCIAL DE CHILE, *Crecer felices. Estrategia nacional para la erradicación del trabajo infantil y protección del adolescente trabajador, 2015-2025,* Organización Internacional del Trabajo, Ministerio del Trabajo y Previsión Social de Chile, Santiago, Chile, 2015, p.44.

[3] ORGANIZACIÓN INTERNACIONAL DEL TRABAJO, *Un futuro sin trabajo infantil. Informe global con arreglo al seguimiento de la Declaración de la OIT relativa a los principios y derechos fundamentales en el trabajo.* Oficina Internacional del Trabajo, Ginebra, Suiza, 2003, p.12. Al respecto, existe suficiente

La Organización Internacional de Trabajo (en adelante, OIT) ya en el preámbulo de su Constitución de 1919 expresa la urgencia de mejorar las condiciones de trabajo en lo concerniente a la protección de niños y adolescentes, preocupación que se manifiesta desde el inicio de su actividad normativa[4]. A ello seguirán los esfuerzos que ha desplegado la OIT en pos de erradicar el trabajo infantil a lo largo de un siglo y, especialmente, en las últimas dos décadas[5].

Una de las principales vías mediante las cuales la OIT ha procurado enfrentar el trabajo infantil ha sido a través de su sistema normativo. Junto a ello, ha desarrollado una relevante actividad de cooperación técnica con los Estados miembros para enfrentar este problema desde su raíz, principalmente a través del Programa Internacional para la Erradicación del Trabajo Infantil (IPEC)[6].

La OIT adoptó el 18 de junio de 1998, en Ginebra, la Declaración relativa a los principios y derechos fundamentales en el trabajo, en la que se declara que todos los Miembros, aun cuando no hayan ratificado los convenios que han sido reconocidos como fundamentales dentro y fuera de la OIT, "tienen un compromiso que se deriva de su mera pertenencia a la Organización de respetar, promover y hacer realidad, de buena fe y de conformidad con la Constitución, los principios relativos a los derechos fundamentales que son objeto de esos convenios", entre los que se incluyen el Convenio núm. 138 sobre la edad mínima (1973) y Convenio núm. 182 sobre las peores formas de trabajo infantil, de 1999. Dicha inclusión fue precedida por la incorporación del trabajo infantil a la lista de normas fundamentales del trabajo con ocasión de la Cumbre Mundial sobre Desarrollo Social de 1995[7], cuando el Convenio núm. 138 había sido ratificado solamente

---

evidencia para afirmar la transmisión intergeneracional del trabajo infantil y sus efectos en una menor acumulación de capital humano (ALVARADO MOSCOSO, Macarena, *Trabajo infantil en Chile: evidencia de transmisión intergeneracional*, Tesis para optar el grado de Magíster en Economía, Universidad de Chile, 2007, disponible en http://repositorio.uchile.cl/handle/2250/111164 [última visita: 23-09-2019]).

[4] En la primera Conferencia Internacional del Trabajo, realizada en 1919, se adopta el Convenio núm. 5, sobre la edad mínima (industria) y el Convenio núm. 6, sobre el trabajo nocturno de los menores (industria).

[5] Debemos advertir que el criterio protector de la OIT "responde a dos deseos: el de proteger a los niños respecto de un trabajo que interfiera con su pleno desarrollo y la búsqueda de una eficiencia económica mediante mercados de trabajo de adultos que funcionen correctamente" (ORGANIZACIÓN INTERNACIONAL DEL TRABAJO, *Un futuro sin trabajo infantil...*, p.7).

[6] Sobre este programa, ver https://www.ilo.org/ipec/programme/lang–es/index.htm. En particular, en relación con el aporte de IPEC en Chile, ver SILVA GÜIRALDES, María Jesús y ÁLVAREZ SALGADO, Sonia, *Hacia un Chile sin trabajo infantil*, Programa Internacional para la Erradicación del Trabajo Infantil (IPEC), Organización Internacional del Trabajo, Santiago, 2009, pp. 10 y ss.

[7] Entre los compromisos asumidos en dicha Cumbre en relación con el empleo, estaba el de alcanzar el objetivo de "velar por la existencia de buenos puestos de trabajo y salvaguardar los derechos e intereses básicos de los trabajadores" y, con tal fin, promover "la observancia de los convenios pertinentes de la Organización Internacional del Trabajo incluidos los que tratan de la prohibición del trabajo forzoso y el trabajo infantil, la libertad de asociación, el derecho de sindicación y de

por cerca de cincuenta países[8]. En la actualidad ambos convenios tienen altísimas tasas de ratificación, lo que implica la cobertura de un porcentaje significativo de los niños, niñas y adolescentes del mundo[9]. Así, el Convenio núm. 138 sobre la edad mínima cuenta actualmente con 172 ratificaciones, mientras que el Convenio núm. 182 sobre las peores formas de trabajo infantil tiene 186 ratificaciones, faltando solo un Estado miembro de la OIT que lo ratifique.

Los mencionados convenios fundamentales fueron ratificados por Chile en 1999 y 2000, respectivamente[10] y, al encontrarse en vigor, tales instrumentos fortalecen y complementan la normativa interna, e imponen la necesidad de ajustarla a sus disposiciones[11]. Es posible constatar que desde aquellas ratificaciones y hasta la fecha se han realizado una serie de enmiendas a la regulación en el Código del Trabajo de la capacidad para contratar y del trabajo de los menores, orientadas en dicho sentido.

Si bien, con el liderazgo de la OIT, se viene dando una importante lucha contra el trabajo infantil, que ha significado una relevante disminución del mismo, su eliminación sigue siendo un importante reto para el mundo y para nuestro

---

negociación colectiva y el principio de la no discriminación" (NACIONES UNIDAS, *Informe de la Cumbre Mundial sobre Desarrollo Social*, Copenhague, 6 a 12 de marzo de 1995, disponible en https://undocs.org/pdf?symbol=es/A/CONF.166/9 [20/09/2019]).

[8]   ORGANIZACIÓN INTERNACIONAL DEL TRABAJO. *Intensificar la lucha contra el trabajo infantil. Informe global con arreglo al seguimiento de la Declaración de la OIT relativa a los principios y derechos fundamentales en el trabajo*, Oficina Internacional del Trabajo, Ginebra, Suiza, 2010, p.14.

[9]   En 1999 la OIT inició una campaña mundial de ratificación de Convenio núm. 182, que contó con el apoyo de la Unión Interparlamentaria (UIP), "alentando a parlamentarios del mundo entero a solicitar la ratificación y a contribuir a la elaboración de estrategias polifacéticas y adecuadas para combatir el problema de raíz" (ORGANIZACIÓN INTERNACIONAL DEL TRABAJO y UNIÓN INTERPARLAMENTARIA, *Erradicar las peores formas de trabajo infantil. Guía para implementar el Convenio núm. 182 de la OIT*, Oficina Internacional del Trabajo y UIP, Ginebra, 2002, p. 5).

[10]   A través del decreto 227, publicado en Diario Oficial de 12-05-1999, se promulga el Convenio núm.138, y mediante el decreto núm. 1447, publicado en Diario Oficial de 17-11-2000, se promulga el Convenio núm. 182. La tramitación en el Congreso Nacional de los proyectos de acuerdo para aprobar los convenios corresponden, respectivamente, a los siguientes boletines: Convenio núm.138, Boletín 2137-10, y Convenio núm. 182, Boletín 2390-10, disponibles [en línea] en http://www.senado.cl/appsenado/templates/tramitacion/index.php [20/09/2019].
       Cabe consignar que, con anterioridad a las mencionadas ratificaciones, mediante decreto exento del Ministerio del Trabajo y Previsión Social núm. 131, de 7 de agosto de 1996, se había creado Comisión Asesora Ministerial para la Prevención y Erradicación del Trabajo Infantil, adscrita a dicho ministerio. Dicha creación tenía, entre otros antecedentes, la suscripción y ratificación por parte de Chile de la Convención sobre los Derechos del Niño, de las Naciones Unidas, y la suscripción de un memorándum de entendimiento entre el Gobierno de Chile y la Organización Internacional del Trabajo, el 10 de junio de 1996, para la implementación del Programa Internacional para la Erradicación del Trabajo Infantil.

[11]   Para una revisión del los antecedentes histórico-jurídicos del régimen jurídico del trabajo infantil en Chile, ver ÁLVAREZ UNDURRAGA, Gabriel, "El régimen jurídico del trabajo infantil en Chile", *Revista de Derecho. Escuela de Postgrado*, Universidad de Chile, Nº 5, julio 2014, especialmente las pp. 120-129.

país. De acuerdo a datos de la Organización Internacional del Trabajo, en 2016 en el mundo se podían contar 152 millones de niños (64 millones de niñas y 88 millones de niños) en situación de trabajo infantil (casi 1 de cada 10 niños), de los cuales 73 millones realizaban trabajos peligrosos que ponían en riesgo directo su salud, seguridad o moralidad[12]. Por su parte, de acuerdo a la Encuesta de Actividades de Niños, Niñas y Adolescentes, EANNA, que fue llevada a cabo el año 2012[13], por el Ministerio de Desarrollo Social, el Ministerio de Trabajo y Previsión Social y la OIT/IPEC, el 6,6 por ciento de los menores en Chile realizan trabajo infantil en algunas de las categorías que se busca abolir[14].

En el presente trabajo, fundamentalmente, queremos examinar la adecuación a las disposiciones de los convenios fundamentales y a la doctrina de los órganos de control de la Organización Internacional del Trabajo en materia de trabajo infantil de la legislación y la práctica interna de Chile. Atenderemos especialmente a las observaciones y solicitudes relativas a la necesidad de realizar reformas legales que se han expresado por la Comisión de Expertos en la Aplicación de Convenios y Recomendaciones (en adelante, Comisión de Expertos o CEACR) y las respuestas del Estado chileno ante ellas.

Es preciso indicar que el Código de Trabajo se aplica a las relaciones de trabajo entre empleadores y trabajadores por lo que, en general, no se refiere al trabajo independiente, como tampoco al trabajo informal. La Comisión de Expertos ha hecho presente al Gobierno de Chile que la normativa de la OIT relativa al trabajo de los menores de edad "se aplica a todos los sectores de actividad económica y que cubre todas las formas de empleo o de trabajo, tanto si existe como no una relación contractual de trabajo y tanto si el trabajo es remunerado como si no lo es", por lo que, de manera reiterada, ha pedido al Gobierno que le comunique "informaciones sobre la forma en que la protección prevista por el Convenio se garantiza a los niños que ejercen una actividad económica independiente" (Solicitud directa CEACR, adopción: 2003, publicación: 92ª reunión CIT 2004). Teniendo presente lo anterior, la Comisión de Expertos ha estado atenta

---

[12]   ORGANIZACIÓN INTERNACIONAL DEL TRABAJO, *Estimaciones mundiales sobre el trabajo infantil: Resultados y tendencias 2012-2016*, Oficina Internacional del Trabajo, Ginebra, Suiza, 2017, pp. 25 y ss.

[13]   Se proyecta la realización de una nueva Encuesta de Actividades de Niños, Niñas y Adolescentes para el año 2020, cuyos resultados nos proporcionarán información actualizada respecto de la evolución de este fenómeno. Para revisar mediciones anteriores, ver ORGANIZACIÓN INTERNACIONAL DEL TRABAJO Y MINISTERIO DEL TRABAJO Y PREVISIÓN SOCIAL DE CHILE, *Trabajo infantil y adolescente en cifras. Síntesis de la primera encuesta nacional y registro de sus peores formas*, Oficina Internacional del Trabajo, Santiago, Chile, 2004.

[14]   ORGANIZACIÓN INTERNACIONAL DEL TRABAJO, MINISTERIO DEL TRABAJO Y PREVISIÓN SOCIAL Y MINISTERIO DE DESARROLLO SOCIAL DE CHILE, *Magnitud y características del trabajo infantil en Chile. Informe 2013*, Organización Internacional del Trabajo, Ministerio del Trabajo y Previsión Social y Ministerio de Desarrollo Social de Chile, Santiago, Chile, 2013, p.2.

a la protección que se brinda por el Estado chileno al trabajo de los menores por cuenta propia e informal, mediante programas sociales que favorezcan la escolarización y procuren mantenerlos al margen de actividades peligrosas y de las peores formas de trabajo infantil (ver Observación CEACR, adopción: 2017, publicación: 107ª reunión CIT 2018).

7.2. LA LEGISLACIÓN CHILENA ANTE EL CONVENIO NÚM. 138, SOBRE EDAD MÍNIMA DE ADMISIÓN AL EMPLEO.

Una de las principales herramientas a través de la cuales la OIT ha buscado enfrentar el trabajo infantil ha sido a través de la fijación de una edad mínima de admisión al empleo o al trabajo. El numeral 3 del artículo 2° del Convenio núm. 138 dispone que ésta no deberá ser inferior a la edad en que cesa la obligación escolar, o en todo caso, a quince años. Excepcionalmente, al tenor del numeral 4 del mismo artículo, admite que los países cuya economía y medios de educación estén insuficientemente desarrollados puedan, previa consulta con las organizaciones de empleadores y de trabajadores interesadas, si tales organizaciones existen, especificar inicialmente una edad mínima de catorce años.

La Organización Internacional del Trabajo ha enfatizado el vínculo entre edad mínima para empezar a trabajar y cumplimiento escolaridad obligatoria, porque "mediante el establecimiento de este vínculo se trata de asegurar el máximo potencial del capital humano del niño, en beneficio de los propios niños, de sus familias y comunidades y del conjunto de la sociedad, aumentando la contribución que éstos pueden aportar al crecimiento económico y al desarrollo social cuando se hagan mayores"[15].

Cuando Chile decide ratificar el citado convenio, el Código del Trabajo, cuyo texto refundido, coordinado y sistematizado había sido fijado por el D.F.L. N° 1, de 7 de enero de 1994, contemplaba, en su artículo 13, la admisión al trabajo desde los catorce años, con ciertos requisitos. Para que los menores pudiera celebrar contratos de trabajo se exigía la autorización expresa del padre o madre; a falta de ellos, del abuelo paterno o materno; o a falta de éstos, de los guardadores, personas o instituciones que hayan tomado a su cargo al menor, o a falta de todos los anteriores, del inspector del trabajo respectivo, Además, para quienes fueran menores de quince años y mayores de catorce, se exigía haber cumplido la obligación escolar y que se tratase solamente de trabajos ligeros que no perjudicaran su salud y desarrollo, que no impidieran su asistencia a la escuela y su

---

[15]　ORGANIZACIÓN INTERNACIONAL DEL TRABAJO. *Un futuro sin trabajo infantil...*, p. 7.

participación en programas educativos o de formación[16]. Sin embargo, la edad mínima especificada por Chile al momento de la ratificación fue de quince años, lo que significaría tener que reformar el Código del Trabajo, para que existiera coherencia entre la normativa internacional a la que se había obligado el país y la legislación interna.

Poco tiempo después de la entrada en vigor del Convenio núm. 138 para Chile, el 3 de julio de 2000, se publica la ley núm. 19.684, la que, modificando el Código del Trabajo, eleva la edad mínima de admisión al empleo de catorce a quince años. De ese modo se adecuó la norma interna al compromiso internacional asumido con la ratificación antes referida. En tal sentido, durante la discusión en el Congreso, el Ministerio del Trabajo puso de relieve que "[c]on la aprobación de este proyecto la legislación chilena da un nuevo paso, en su afán tutelar y protector, todo ello dentro de un contexto de gran racionalidad, y con estricta sujeción a la normativa emanada del Derecho Internacional del Trabajo"[17].

Es necesario consignar que, posteriormente, la ley núm. 20.189, publicada el 12 de junio de 2007[18], además de otros perfeccionamientos, terminó con la distinción entre rangos de edades de los menores para la exigencia de los requisitos antes indicados, de modo que desde esa fecha, para todos los menores de dieciocho años y mayores de quince, además de la autorización expresa de padre o madre o de las personas antes indicadas, se impone la exigencia de que se trate de trabajos ligeros que no perjudiquen su salud y desarrollo y el cumplimiento de la obligación escolar.

Desde la mencionada ley núm. 19.684 y hasta antes de la referida ley núm. 20.189, la exigencia de haber cumplido la obligación escolar era sólo para el caso de los menores de dieciséis años y mayores de quince. Como antecedente relevante del cambio es necesario considerar que la reforma constitucional contenida en la ley 19.876, publicada el 22 de mayo de 2003, había establecido que "La educación básica y la educación media son obligatorias". Este cambio constitucional evidentemente hacía imperioso revisar las normas del Código del Trabajo, pues la educación media en nuestro país se completa normalmente no

---

[16]   Dicha regulación era coincidente con el texto del artículo 13 del Código del Trabajo del 1987, fijado por la ley núm. 18.620, de 6 de julio 1987, puesto que no había sido objeto de enmienda alguna. Anteriormente , el Código del Trabajo de 1931, contenido en el decreto con fuerza de ley núm. 178, de 13 de Mayo de 1931, conforme a lo regulado por sus artículos 46 y 47, contemplaba una admisión al empleo desde los doce años, siempre que se hubiere cumplido la obligación escolar y con sujeción a determinados requisitos y prohibiciones.

[17]   Boletín N° 1470-13, Primer Informe de la Comisión de Trabajo y Previsión Social del Senado de la República, de 16 de mayo de 2005, disponible [en línea] en https://senado.cl/appsenado/templates/tramitacion/index.php.

[18]   DIRECCIÓN DEL TRABAJO, Dictamen Ord. N°77/6, de 08 de enero de 2008, fija sentido y alcance de los artículos 13, 15, 16 y 18 del Código del Trabajo, modificados por la Ley N°20.189, publicada en el Diario Oficial de 12.06.07.

antes de los diecisiete o dieciocho años de vida, con lo cual algunas disposiciones del Código de Trabajo se volvieron de difícil aplicación.

A partir de la modificación efectuada por la ley núm. 20.189, los menores de dieciocho años y mayores de quince años "deberán acreditar haber culminado su Educación Media o encontrarse actualmente cursando ésta o la Educación Básica" y "en estos casos, las labores no deberán dificultar su asistencia regular a clases y su participación en programas educativos o de formación"[19]. Es posible constatar que mediante la reforma se incorporó a los menores de entre dieciséis y diecisiete años a la exigencia del cumplimiento de la obligación escolar para poder trabajar, lo que significó ampliar la protección de los menores. Sin embargo, debemos consignar que, por otro lado, se flexibilizó la norma, pues se pasó de requerir a los menores el haber cumplido con la obligación escolar a entender que es posible considerar que la obligación escolar se puede cumplir cursando la Educación Media o la Educación Básica mientras se trabaja. Es necesario señalar que este fue un aspecto que suscitó gran debate, de hecho el proyecto en su texto original consideraba que el menor necesariamente debía haber terminado la educación básica y sólo podía trabajar si había completado la educación media o se encontraba cursándola y únicamente en la medida que el trabajo no le impidiera ni perjudicara dicha continuidad[20].

---

[19]   Conforme lo dispone el inciso segundo del artículo 6° del decreto núm. 2 del Ministerio del Trabajo y Previsión Social, de 31 de mayo de 2017, con el objeto de verificar el cumplimiento de las obligaciones escolares, "previo a la contratación del adolescente, el empleador deberá requerir a éste el correspondiente certificado de matrícula o de alumno regular o la licencia de egreso de la enseñanza media". De acuerdo a la misma disposición, en dicho certificado "se deberá indicar la jornada escolar a la que el adolescente está obligado a asistir, de forma de compatibilizar la jornada laboral, que se pacte, con la jornada escolar". Se dispone, asimismo, que este documento "deberá anexarse al contrato individual de trabajo del adolescente, y se considerará parte integrante del mismo". Por último, se establece que los establecimientos educacionales "otorgarán dicha certificación, a petición del adolescente o de alguna de las personas indicadas en el inciso segundo del artículo 13 del Código del Trabajo".

[20]   El texto original de la moción parlamentaria, del Senador José Ruiz De Giorgio, que dio inicio al proyecto de ley era el siguiente:
"Artículo único. Sustitúyase los incisos segundo y tercero del artículo 13 del Código del Trabajo, por los siguientes:
"Los menores de dieciocho años y mayores de quince podrán celebrar contratos de trabajo sólo para realizar trabajos ligeros que no perjudiquen su salud y desarrollo, siempre que hayan cumplido con la obligación escolar y que cuenten con autorización expresa del padre o madre; a falta de ellos, del abuelo paterno o materno; o a falta de éstos, de los guardadores, personas o instituciones que hayan tomado a su cargo al menor, o a falta de todos los anteriores, del inspector del trabajo respectivo.
Sin perjuicio de lo señalado en el inciso precedente, los menores de dieciocho años y mayores de quince que no hayan completado la educación media podrán celebrar contratos de trabajo de las características y con la autorización exigida en el inciso precedente, siempre que sus servicios sean de una naturaleza y jornada que no impidan o perjudiquen la continuación de sus estudios en la educación media ni su participación en programas educativos o de formación".

Sobre la relación entre trabajo de los menores y cumplimiento de la obligación escolar, el proyecto inicialmente despachado por el Congreso Nacional contemplaba la facultad de exceptuar a ciertos menores del cumplimiento de esta obligación en algunas circunstancias, pero ello fue corregido mediante el veto presidencial, rectificación que estimamos era imprescindible[21].

En los años siguientes a la entrada en vigor del Convenio 138, la legislación chilena sobre la materia fue objeto de diversos comentarios de la Comisión de Expertos en la Aplicación de Convenios y Recomendaciones de la Organización Internacional del Trabajo, algunos de los cuales llevaron a revisar y modificar las disposiciones del Código del Trabajo.

Desde la perspectiva de la edad mínima, uno de los aspectos que fue objeto de comentarios por la CEACR se refiere a la exclusión respecto de la mujer casada de la exigencia de autorización de ciertas personas para que como menor de edad pueda ser parte de un contrato de trabajo. Así se hacía presente la Comisión de Expertos que, de la lectura conjunta de las normas legales sobre matrimonio y las laborales, podría haberse entendido que una mujer de más de 12 años podría casarse y trabajar sin necesidad de autorización alguna, recordando al Gobierno que el convenio 138 "no prevé ninguna derogación a la edad mínima de admisión al empleo o al trabajo, es decir 15 años en el caso de Chile, debido al estatuto matrimonial de los niños, ya sean de sexo masculino o femenino" (Solicitud directa CEACR, adopción: 2003, publicación: 92ª reunión CIT 2004). Sin embargo, la ley núm. 19.947, de 17 de mayo de 2004, de Matrimonio Civil, estableció que quienes tienen menos 16 años no pueden casarse, con lo cual quedó descartada definitivamente cualquier posibilidad de que una persona que

---

[21]   El texto originalmente despachado consideraba un inciso que permitía al Inspector del Trabajo "autorizar, excepcionalmente, la contratación de un menor de dieciocho años, cuando las condiciones geográficas o la falta de transporte impidieren al menor acceder a un establecimiento a fin de cumplir con su obligación escolar", disponiendo que "[e]sta circunstancia, sobre la base de la información que proporcione la Dirección Provincial de Educación o la Municipalidad, deberá ser certificada fundadamente por el inspector del trabajo en la autorización respectiva, la cual deberá ser renovada al inicio del siguiente año lectivo". Dicho texto fue objeto del veto presidencial para eliminar este inciso, siendo aprobado por el Congreso. Con el veto presidencial se enfrentó un eventual problema de constitucionalidad de la norma originalmente aprobada, pues la facultad que se otorgaba al inspector del trabajo involucraba otorgar potestades a una entidad pública para establecer una excepción a un mandato constitucional. Se agregó con el veto al inciso segundo del artículo 13 la siguiente oración: "A petición de parte, la Dirección Provincial de Educación o la respectiva Municipalidad, deberá certificar las condiciones geográficas y de transporte en que un menor trabajador debe acceder a su educación básica o media". Es pertinente señalar que esta certificación cobra un sentido diferente a la originalmente considerada, toda vez que no se orienta a la autorización del trabajo de un menor en razón de una eventual imposibilidad de estudiar, sino que más bien debiera entenderse, en nuestro concepto, en el de determinar si las labores dificultan su asistencia regular a clases y su participación en programas educativos o de formación.

no ha alcanzado la edad mínima de admisión al empleo pueda trabajar en virtud de su estado matrimonial.

Desde la misma perspectiva, en más de una oportunidad se formularon comentarios respecto de los niños que trabajan como empleados domésticos[22], atendiendo a una antigua legislación (artículo 10 de la ley núm. 3654 de Educación Primaria Obligatoria, de 1930), que exigía a las personas que emplean como trabajadores domésticos a niños que no han terminado su escolaridad obligatoria inscribirlos en una escuela y a facilitar que asistan a ella con regularidad, considerando que dicha disposición no especificaba ninguna edad mínima de admisión al empleo para los trabajos domésticos (Solicitud directa CEACR, adopción: 2003, publicación: 92ª reunión CIT 2004). Sin embargo, se ha informado por el Gobierno que el trabajo doméstico no figura entre las excepciones a la prohibición del empleo o el trabajo infantil de los menores de quince años, de modo que se les aplican las normas contenidas en el Código del Trabajo sobre edad mínima de admisión al empleo (Solicitud directa CEACR, adopción: 2010, publicación: 100ª reunión CIT 2011).

En varias ocasiones se observó por la Comisión de Expertos que si bien el Código de Trabajo preveía que los jóvenes de menos de 18 años no puedan ser admitidos en un trabajo que requiera mucha fuerza o en una actividad susceptible de ser peligrosa para su salud, su seguridad o su moralidad, no determinaba, salvo un par de casos, cuáles serían los trabajos peligrosos. En atención a lo dispuesto en el artículo 3, párrafo 2, del Convenio 138, que prevé que los trabajos peligrosos deberán ser especificados por la legislación nacional, previa consulta con las organizaciones de empleadores y de trabajadores interesadas, solicitó al Gobierno que tome las medidas necesarias para que la legislación nacional determinara cuáles eran estos empleos o trabajos (Solicitud directa CEACR, adopción: 2003, publicación: 92ª reunión CIT 2004; Solicitud directa CEACR, adopción: 2006, publicación: 96ª reunión CIT 2007). En atención a ello, la ley núm. 20.189, de 12 de junio de 2007, modificó el artículo 13 del Código del Trabajo y dispuso reglamentar la determinación de aquellos. En cumplimiento de esto último, mediante la adopción del decreto núm. 50, de 11 de septiembre de 2007, se aprobó, y estableció una lista muy detallada de los tipos de trabajos peligrosos prohibidos a los menores de dieciocho años[23], de lo que la Comisión de Expertos tomó nota

---

[22]   KANE, June, ¿*Ayudantes o esclavos? Comprender el trabajo infantil doméstico y cómo intervenir,* Oficina Internacional del Trabajo, Ginebra, Suiza, 2004. Para una tipología del trabajo doméstico de niños, niñas y adolescentes, considerando el Convenio núm. 189, ver MÉNDEZ, María Pía, *Realidades invisibles: Trabajo doméstico infantil, trabajo infantil en el trabajo doméstico, labores en el propio hogar y Explotación Sexual Comercial en Niños, Niñas y Adolescentes (ESCNNA),* Santiago, Organización Internacional del Trabajo, 2016, p. 9.

[23]   El reglamento, en su artículo 2°, luego de definir al trabajo peligroso como "[t]oda actividad o forma de trabajo en que las exigencias propias de las labores puedan interferir o comprometer

con interés (Solicitud directa CEACR, adopción: 2008, publicación: 98ª reunión CIT 2009). Por su parte, el decreto núm. 2, de 31 de mayo de 2017, modificó y actualizó el decreto núm. 50, de 2007[24].

Otro aspecto que fue objeto de reiterados comentarios de la CEACR fue el artículo 16 del Código de Trabajo, que disponía que en casos muy concretos y con la autorización de un representante legal o de un juez de menores (con posterioridad la ley se referirá al juez de familia), las personas de menos de quince años podrán ser parte de un contrato que incluya a personas o entidades del teatro, del cine, del circo, de la radio, de la televisión u otras actividades similares, haciendo notar que "la autorización del representante legal del menor no es suficiente para cumplir con las exigencias del Convenio" (Solicitud directa CEACR, adopción: 2003, publicación: 92ª reunión CIT 2004). La Comisión de Expertos manifestó por más de diez años que la normativa chilena no satisfacía el requisito del artículo 8, 1), que establece que la autoridad competente podrá conceder permisos individuales para dicha participación, por lo que instó firmemente al Gobierno a modificar la legislación (Observación CEACR, adopción: 2014, publicación: 104ª reunión CIT 2015). Finalmente esta disposición fue enmendada por la ley núm. 20.821, de 18 de abril de 2015, modificándose el artículo 16 del Código del Trabajo, de modo de hacer que la posibilidad de que las personas de menos de quince años participen en representaciones artísticas dependa de la doble condición de obtener el permiso expreso del representante legal y del tribunal de familia[25], de lo que tomó nota con satisfacción el citado órgano de control de la OIT (Observación CEACR, adopción: 2017, publicación: 107ª reunión CIT 2018).

---

el normal desarrollo físico, psicológico o moral de los menores, o en donde existan factores de riesgo, que puedan provocar, daño a la integridad física y mental de los menores, considerando su mayor vulnerabilidad, falta de formación, capacitación y/o experiencia", distinguió entre trabajo peligroso por su naturaleza y trabajo peligroso por sus condiciones, definiendo al primero como "[t]oda actividad o forma de trabajo que, por alguna característica intrínseca, representa un riesgo para la salud y desarrollo de los menores que la realizan" y al segundo como "[t]oda actividad o forma de trabajo en la cual, por el contexto ambiental y/u organizacional en que se realiza, pueda provocar perjuicios para la salud y el desarrollo de los menores". En los artículos 3° y 4° incorporó, respectivamente, los listados de trabajos peligrosos por su naturaleza y trabajos peligrosos por sus condiciones.

[24]   En esta actualización se sustituyó el término menores por el de adolescentes, junto con precisarse y agregarse algunas actividades vedadas para estos.

[25]   DIRECCIÓN DEL TRABAJO, Dictamen Ord. 4.493/54, de 1 de septiembre de 2015, fija sentido y alcance de la Ley N° 20.821, que modifica los artículos 13, 15 y 16 e incorpora el artículo 15 bis al Código del Trabajo.

7.3. LA ERRADICACIÓN DE LAS PEORES
FORMAS DE TRABAJO INFANTIL

A comienzos de los años noventa tuvo lugar un amplio debate internacional acerca de la necesidad de enfrentar las que se denominaban como "situaciones de explotación o formas intolerables del trabajo infantil", y en dicho marco se planteó la cuestión de "si era necesaria una nueva norma para revisar o completar el Convenio núm. 138"[26]. Se fueron dando diversos pasos, entre los que destaca la resolución sobre la eliminación del trabajo infantil, adoptada por la Conferencia Internacional del Trabajo en su 83ª reunión, celebrada en 1996, hasta que en el año 1999 se adopta el Convenio núm. 182 sobre las peores formas de trabajo infantil.

En dicho instrumento se entiende que la expresión "las peores formas de trabajo infantil" abarca "todas las formas de esclavitud o las prácticas análogas a la esclavitud, como la venta y el tráfico de niños, la servidumbre por deudas y la condición de siervo, y el trabajo forzoso u obligatorio, incluido el reclutamiento forzoso u obligatorio de niños para utilizarlos en conflictos armados", además de "la utilización, el reclutamiento o la oferta de niños para la prostitución, la producción de pornografía o actuaciones pornográficas" y "la utilización, el reclutamiento o la oferta de niños para la realización de actividades ilícitas, en particular la producción y el tráfico de estupefacientes, tal como se definen en los tratados internacionales pertinentes", como también "el trabajo que, por su naturaleza o por las condiciones en que se lleva a cabo, es probable que dañe la salud, la seguridad o la moralidad de los niños".

En lo relativo al Convenio núm. 182, sobre las peores formas de trabajo infantil, los comentarios de Comisión de Expertos respecto de Chile no se han referido a la legislación laboral, sino más bien a políticas públicas relativas a menores de edad en condiciones vulnerables y la regulación penal de algunas materias. Las solicitudes directas se han referido a la venta y trata de niños, la utilización, reclutamiento u oferta de niños para la prostitución, la producción de pornografía o actuaciones pornográficas[27], la utilización, reclutamiento u oferta de niños para la realización de actividades ilícitas y la situación de los niños pertenecientes a pueblos indígenas. Nos referiremos a algunos de los comentarios del mencionado órgano de control que se relacionan con modificaciones legales.

Respecto de la venta y tráfico de niños, la Comisión de Expertos, si bien toma nota de que el artículo 367 bis del Código Penal prevé una sanción para quien

---

[26]   ORGANIZACIÓN INTERNACIONAL DEL TRABAJO, *Intensificar la lucha contra el trabajo infantil*, p.14.

[27]   ORGANIZACIÓN INTERNACIONAL DEL TRABAJO, UNIVERSIDAD ARCIS y SERVICIO NACIONAL DE MENORES (SENAME), *Estudio de la explotación sexual comercial infantil y adolescente en Chile*, Lima: OIT/ Oficina Regional para las Américas / Programa IPEC Sudamérica, Serie: Documento de Trabajo, 191, 2004, 154 p.

promueva o facilite la entrada o la salida del país de personas con fines de prostitución en el territorio nacional o en el extranjero y que dicha sanción es agravada si la víctima es un menor de edad, observa que la legislación nacional no parece contener disposición que prohíba la venta o el tráfico de menores con fines de explotación económica (Solicitud directa CEACR, adopción: 2004, publicación: 93ª reunión CIT 2005). El Gobierno de Chile informa en su oportunidad acerca de la tramitación de un proyecto de ley que sanciona el delito de la trata de personas, entre otros de los niños, y el tráfico ilícito de migrantes (como consta en solicitud directa CEACR, adopción: 2008, publicación: 98ª reunión CIT 2009) y, posteriormente, la Comisión de Expertos tomará nota con interés de la adopción de la ley núm. 20.507, de 6 de octubre de 2011, en la que, modificando los artículos 78 y 367 bis del Código Penal, se tipifican los delitos de tráfico ilícito de migrantes y trata de personas para su explotación sexual y trabajo forzoso, con protecciones especiales y penas más severas cuando las víctimas sean menores de 18 años (Solicitud directa CEACR, adopción: 2014, publicación: 104ª reunión CIT 2015). En el seguimiento sobre esta materia, más recientemente la Comisión de Expertos a ha pedido al Gobierno que "redoble sus esfuerzos para que se realicen investigaciones en profundidad y enjuiciamientos rigurosos de las personas que cometen estas infracciones", junto con solicitar que se le "transmita información sobre el número de investigaciones y enjuiciamientos realizados y de condenas impuestas, y sobre la duración de las penas impuestas en aplicación de la ley núm. 20.507 en lo que respecta a la explotación sexual comercial y la trata de niños" (Solicitud directa CEACR, adopción: 2017, publicación: 107ª reunión CIT 2018).

Por otra parte, la Comisión de Expertos señala que las disposiciones de la ley núm. 20000, de 16 de febrero de 2005, sobre drogas, "no prohíben la utilización, el reclutamiento y la oferta de niños de menos de 18 años para la realización de actividades ilícitas", por lo que ruega al Gobierno tomar las medidas necesarias "para garantizar la prohibición y castigo de la utilización, reclutamiento u oferta de niños de menos de 18 años para la realización de actividades ilícitas, especialmente para la producción y el tráfico de estupefacientes, de conformidad con el artículo 3, c), del Convenio" (Solicitud directa CEACR, adopción: 2006, publicación: 96ª reunión CIT 2007). Con posterioridad, insistirá en la necesidad de adoptar medidas legislativas para prohibir y sancionar dicha utilización y lamentará que no se hayan adoptado tales medidas (Solicitud directa CEACR, adopción: 2008, publicación: 98ª reunión CIT 2009; Solicitud directa CEACR, adopción: 2010, publicación: 100ª reunión CIT 2011; Solicitud directa CEACR, adopción: 2014, publicación: 104ª reunión CIT 2015) Más recientemente, la Comisión de Expertos tomará nota con interés de que el Gobierno indica que ha elaborado un proyecto de ley para modificar el Código Penal a fin de que la utilización de menores para la comisión de delitos constituya una circunstancia agravante, aunque advierte que el proyecto de ley debería contemplar no solo la utilización sino también el reclutamiento y la oferta de menores para la realización de actividades ilícitas (Solicitud directa CEACR, adopción: 2017, publicación: 107ª reunión CIT 2018). Sin embargo, no hay registro del ingreso a tramitación legislativa de ningún mensaje presidencial en tal sentido[28].

Respecto de la identificación de trabajos peligrosos, materia que ya hemos abordado al referirnos al Convenio núm. 138, han existido algunos comentarios de la Comisión de Expertos en relación con el Convenio núm. 182, en similar sentido a los formulados respecto de aquel instrumento. Así se solicitó en su oportunidad que existiera una lista de los tipos de trabajos peligrosos (Solicitud directa CEACR, adopción: 2006, publicación: 96ª reunión CIT 2007), y se ha tomado nota con interés de la adopción del decreto núm. 50 de 17 de agosto de 2007, que aprueba el reglamento de aplicación del artículo 13 del Código del Trabajo, introducido por la ley núm. 20.189 (Solicitud directa CEACR, adopción: 2008, publicación: 98ª reunión CIT 2009).

Hemos señalado que se considera como trabajo peligroso aquel que, por su naturaleza o por las condiciones en que se lleva a cabo, es probable que dañe la salud, la seguridad o la moralidad de los menores. No existe duda que el trabajo nocturno se inscribe en esta categoría, lo que ha llevado a su prohibición como regla general en las legislaciones. Si bien se han manifestado por parte del Comité de Expertos una serie de comentarios sobre su regulación por la legislación chilena, en relación al Convenio núm. 6, sobre el trabajo nocturno de los menores (industria) y no del Convenio núm. 182, nos parece pertinente referirnos igualmente a ellos. Los comentarios de la Comisión de Expertos al respecto se remontan en el tiempo hasta 1984. Este órgano de control regular en el año 1990 manifiesta que la Comisión "había señalado que el artículo 19 de la ley núm. 18620, de 27 de mayo de 1987, referente al Código de Trabajo, y que prohíbe a los menores de menos de 18 años cualquier trabajo nocturno en los establecimientos industriales ejecutado entre las 10 de la noche y las 7 de la mañana, es decir, durante un período de nueve horas, no se ajusta a las disposiciones del Convenio", pues según los términos del artículo 3, "la palabra «nocturno» significa un período de por lo menos 11 horas consecutivas que comprende el intervalo que media entre las 10 horas de la noche

---

[28]   Es posible encontrar algunas iniciativas parlamentarias, pero que no presentan avances significativos en su tramitación. Por ejemplo, los proyectos correspondientes a los siguientes boletines: N°11.392-07 (que modifica diversos artículos del Código Penal, para incluir una agravante general y una especial, para el caso de los delitos contra la propiedad, cuando los adultos se prevalgan de menores de edad para cometerlos), N° 11854-07 (que modifica el Código Penal y la ley N° 20.084, que establece un sistema de responsabilidad de los adolescentes por infracciones a la ley penal, en materia de medidas cautelares, prescripción, ejecución de sanciones y de penas aplicables a quienes cometan delitos con menores de edad), N°11958-07 (que tipifica la utilización de menores para la comisión de crímenes o delitos), N°12.112-07 (que modifica el Código Penal en materia de aplicación de las penas a los individuos mayores de dieciocho años que actuaren junto a menores de edad en la comisión de un delito), y N°12.658 (que modifica el Código Penal en materia de determinación de las penas, respecto de quienes se valgan de menores en la perpetración de un delito).

y las 5 de la mañana" (Solicitud directa CEACR, adopción: 1990, publicación: 77ª reunión CIT 1990). Estos comentarios fueron reiterados, a propósito del nuevo Código del Trabajo, lamentando la Comisión de Expertos que esta materia no haya sido considerada en las diversas modificaciones legales realizadas al ordenamiento laboral (Observación CEACR, adopción: 2001, publicación: 90ª reunión CIT 2002). Tomando nota de la información del Gobierno chileno, según la cual se estaba realizando una reforma en la cual se tomarían en cuenta los comentarios formulados por la Comisión, ésta pidió al Gobierno que adoptara las medidas necesarias para garantizar que esta reforma se realice a la mayor brevedad (Observación CEACR, adopción: 2006, publicación: 96ª reunión CIT 2007) y tomó nota con interés de que este proyecto de reforma avanzara en su tramitación legislativa (Observación CEACR, adopción: 2011, publicación: 101ª reunión CIT 2012). La modificación legislativa[29] se concretó en la ley núm. 20.539, de 6 de octubre de 2011[30], la que prohibió respecto de la totalidad de los menores de dieciocho años todo trabajo nocturno en establecimientos industriales y comerciales y determinó que "el período durante el cual el menor de 18 años no puede trabajar de noche será de once horas consecutivas, que comprenderá, al menos, el intervalo que media entre los veintidós y las siete horas". Informada la Comisión de Expertos acerca de la aprobación de esta reforma, el mencionado órgano de control tomó nota con satisfacción (Observación CEACR, adopción: 2016, publicación: 106ª reunión CIT 2017).

7.4. CONSIDERACIONES FINALES

Habiendo Chile ratificado los convenios fundamentales de la Organización Internacional del Trabajo relativos al trabajo infantil, ha debido adoptar las medidas necesarias para hacer efectivas sus disposiciones. Al incorporarse al ordenamiento interno, con aplicación preferente sobre la ley común, estos instrumentos internacionales se constituyen en un límite al ejercicio de la soberanía y el Estado debe respetar y promover los derechos en ellos consagrados. Junto a ello, las disposiciones de estos convenios y la doctrina que sobre ellas han desarrollado los órganos de la OIT se constituyen en un criterio hermenéutico para la normativa interna sobre la materia.

Como hemos constatado, las obligaciones internacionales asumidas por el Estado de Chile han supuesto la necesidad de eliminar las contradicciones entre las

---

[29]   El proyecto de ley que posibilitó esta reforma es el correspondiente al Boletín N°5116-13, iniciativa de la entonces diputada Carolina Goic Boroevic.
[30]   DIRECCIÓN DEL TRABAJO, Dictamen Ord. 4.194/086, de 25 de octubre de 2011, fija sentido y alcance del artículo 18 del Código del Trabajo, modificado por la Ley N° 20.539.

disposiciones de instrumentos internacionales del trabajo y la legislación interna. Este proceso de poner en sintonía ambas regulaciones no se ha verificado en solo una ocasión, sino que resulta posible apreciar la realización sucesivas enmiendas que han pretendido hacerse cargo de comentarios formulados por los órganos de control de la OIT, especialmente por la Comisión de Expertos.

Es posible afirmar que la ratificación de los convenios fundamentales sobre trabajo infantil por nuestro país y el posterior seguimiento de su aplicación mediante los mecanismos del control regular de la Organización Internacional del Trabajo han posibilitado un evidente progreso en la regulación del trabajo de los menores, junto con permitir avanzar en la erradicación del trabajo infantil, especialmente en lo referido a sus peores formas. Con todo, aún nos encontramos muy lejos de alcanzar dicha meta, por lo que resulta imprescindible perseverar en tal empeño y en ello resultará clave la interacción entre Estado de Chile y la OIT.

BIBLIOGRAFÍA

ALVARADO MOSCOSO, Macarena, *Trabajo infantil en Chile: evidencia de transmisión intergeneracional*, Tesis para optar el grado de Magíster en Economía, Universidad de Chile, 2007, disponible [en línea] en http://repositorio.uchile.cl/handle/2250/111164.

ÁLVAREZ UNDURRAGA, Gabriel, "El régimen jurídico del trabajo infantil en Chile", *Revista de Derecho · Escuela de Postgrado Nº 5*, julio 2014, pp. 119–152.

KANE, June, *¿Ayudantes o esclavos? Comprender el trabajo infantil doméstico y cómo intervenir*, Oficina Internacional del Trabajo, Ginebra, Suiza, 2004.

MÉNDEZ, María Pía, *Realidades invisibles: Trabajo doméstico infantil, trabajo infantil en el trabajo doméstico, labores en el propio hogar y Explotación Sexual Comercial en Niños, Niñas y Adolescentes (ESCNNA)*, Santiago, Organización Internacional del Trabajo, 2016.

NACIONES UNIDAS, *Informe de la Cumbre Mundial sobre Desarrollo Social*, Copenhague, 6 a 12 de marzo de 1995, disponible en https://undocs.org/pdf?symbol=es/A/CONF.166/9.

ORGANIZACIÓN INTERNACIONAL DEL TRABAJO, *Informe de la Comisión de Expertos en Aplicación de Convenios y Recomendaciones. Informe III (Parte 1A)*, Conferencia Internacional del Trabajo, 86.a reunión, Ginebra, Suiza, 1998.

ORGANIZACIÓN INTERNACIONAL DEL TRABAJO, *Un futuro sin trabajo infantil. Informe global con arreglo al seguimiento de la Declaración de la OIT relativa a los principios y derechos fundamentales en el trabajo*, Oficina Internacional del Trabajo, Ginebra, Suiza, 2003.

ORGANIZACIÓN INTERNACIONAL DEL TRABAJO, *Intensificar la lucha contra el trabajo infantil Informe global con arreglo al seguimiento de la Declaración de la OIT relativa a los principios y derechos fundamentales en el trabajo*, Oficina Internacional del Trabajo, Ginebra, Suiza, 2010.

ORGANIZACIÓN INTERNACIONAL DEL TRABAJO, *Estimaciones mundiales sobre el trabajo infantil: Resultados y tendencias 2012–2016*, Oficina Internacional del Trabajo, Ginebra, Suiza, 2017.

ORGANIZACIÓN INTERNACIONAL DEL TRABAJO, *Hacia la eliminación urgente del trabajo infantil peligroso*, Oficina Internacional del Trabajo, Servicio de Principios y derechos fundamentales en el trabajo (FUNDAMENTALS), Ginebra, Suiza, 2018.

ORGANIZACIÓN INTERNACIONAL DEL TRABAJO, MINISTERIO DEL TRABAJO Y PREVISIÓN SOCIAL Y MINISTERIO DE DESARROLLO SOCIAL DE CHILE. *Magnitud y características del trabajo infantil en Chile. Informe 2013*, Organización Internacional del Trabajo, Ministerio del Trabajo y Previsión Social y Ministerio de Desarrollo Social de Chile, Santiago, Chile, 2013.

ORGANIZACIÓN INTERNACIONAL DEL TRABAJO Y MINISTERIO DEL TRABAJO Y PREVISIÓN SOCIAL DE CHILE *Crecer felices. Estrategia nacional para la erradicación del trabajo infantil y protección del adolescente trabajador, 2015–2025*, Organización Internacional del Trabajo, Ministerio del Trabajo y Previsión Social de Chile, Santiago, Chile, 2015.

ORGANIZACIÓN INTERNACIONAL DEL TRABAJO Y MINISTERIO DEL TRABAJO Y PREVISIÓN SOCIAL DE CHILE, *Trabajo infantil y adolescente en cifras. Síntesis de la primera encuesta nacional y registro de sus peores formas*, Oficina Internacional del Trabajo, Santiago, Chile, 2004.

ORGANIZACIÓN INTERNACIONAL DEL TRABAJO y UNIÓN INTERPARLAMENTARIA, *Erradicar las peores formas de trabajo infantil. Guía para implementar el Convenio núm. 182 de la OIT*, Oficina Internacional del Trabajo y UIP, Ginebra, 2002.

ORGANIZACIÓN INTERNACIONAL DEL TRABAJO, UNIVERSIDAD ARCIS y SERVICIO NACIONAL DE MENORES (SENAME), *Estudio de la explotación sexual comercial infantil y adolescente en Chile*, Lima: OIT / Oficina Regional para las Américas / Programa IPEC Sudamérica, Serie: Documento de Trabajo, 191, 2004.

SILVA GÜIRALDES, María Jesús y ÁLVAREZ SALGADO, Sonia, *Hacia un Chile sin trabajo infantil*, Programa Internacional para la Erradicación del Trabajo Infantil (IPEC), Organización Internacional del Trabajo, Santiago, 2009.

Capítulo 8.

Chile y el Convenio núm. 81, sobre Inspección del Trabajo: Ni tan lejos, ni tan cerca

JOSÉ FRANCISCO CASTRO[*]

8.1. INTRODUCCIÓN

Como es sabido, Chile es miembro de la Organización Internacional del Trabajo desde sus orígenes, y ha ratificado un número importante de Convenios de la OIT, en total 63 a la fecha. Entre los convenios que no ha ratificado nuestro país está el Convenio 81, de 1947, sobre Inspección del Trabajo. Lo anterior no deja de llamar la atención, ya que se trata de uno de los convenios de gobernanza más importantes de la OIT. Tampoco ha ratificado Convenio 85, de 1947, sobre Inspección del Trabajo en territorios no metropolitanos ni el Convenio 129, de 1969, sobre Inspección del Trabajo en la agricultura.

A partir de lo señalado, hemos querido hacer una revisión de los principales aspectos del Convenio 81 y contrastarlos con el sistema chileno de Inspección del Trabajo, con el fin de verificar que tan lejos se encuentra nuestro modelo de lo planteado por la OIT en la materia.

Para cumplir dicho objetivo, haremos una revisión de algunos elementos centrales del sistema de Inspección del Trabajo (funciones, autoridad central), de la situación del personal de inspección, de sus facultades y prohibiciones, y de las infracciones y sanciones. Finalmente trataremos de responder una pregunta recurrente en este tema, que es determinar cuáles son los elementos que hacen que Chile no haya ratificado a la fecha el Convenio 81 de la OIT.

8.2. EL CONVENIO NÚM. 81, SOBRE INSPECCIÓN DEL TRABAJO, Y LA INSPECCIÓN DEL TRABAJO EN CHILE

El Convenio 81 de la OIT de 1947 relativo a la inspección del trabajo en la industria y el comercio fue adoptado en la 30ª reunión de la Conferencia

---

[*] Abogado, Universidad de Chile. Magíster en Derecho de la Empresa, Pontificia Universidad Católica de Chile. Doctor en Derecho, Pontificia Universidad Católica de Valparaíso. josfrancisco.castro@gmail.com.

Internacional del Trabajo, en Ginebra, y su entrada en vigor para los países que lo habían ratificado a esa fecha se produjo el 7 de abril 1950.

Hasta la fecha, este convenio ha sido ratificado por 147 países, dentro de los cuales no se encuentra Chile, tal como se dijo.

Si bien es cierto que Chile no ha ratificado el Convenio 81, al revisar el contenido del convenio y hacer el cotejo con la normativa y la realidad del sistema de Inspección del Trabajo en Chile, se puede advertir la gran influencia que este convenio ha tenido en nuestro país. En efecto, temas como las funciones de la Inspección del Trabajo o las facultades y prohibiciones de los inspectores han sido ampliamente recogidas en el sistema normativo–laboral de nuestro país.

Haciendo un poco de historia, el primer antecedente sobre la Inspección del Trabajo en Chile lo encontramos, en el plano administrativo, en la creación de la Oficina del Trabajo, en 1907, dedicada principalmente al registro de los asuntos laborales. Este organismo dependía del Ministerio de Industria y Obras Públicas, y sus funciones comprendían el estudio de proyectos de ley y la recopilación de información estadística sobre salarios, precios, costo de la vida, vivienda, entre otras.

A consecuencia del pronunciamiento militar conocido como "ruido de sables" del año 1924, y de las leyes sociales que se aprobaron a consecuencia de aquél, se establece por primera vez la existencia legal de la Dirección del Trabajo. En efecto, el 29 de septiembre de ese año se publica en el Diario Oficial el Decreto Ley N° 4.053, sobre Contrato de Trabajo, que en su artículo 38 señalaba las principales funciones de la Dirección del Trabajo:

> "Recopilar, coordinar y publicar los datos e informaciones relativas al trabajo;
> Estudiar y proponer al Gobierno las medidas legales y administrativas que puedan adoptarse para mejorar las condiciones del trabajo y la situación material y moral e intelectual de los obreros;
> Informar sobre los estatutos de las asociaciones de obreros y de empleados, y
> Organizar y dirigir la inspección y vigilancia directa del trabajo, con el fin de asegurar el estricto cumplimiento de las disposiciones de esta ley y demás leyes de carácter social".

Por su parte, el artículo 39 se refería a las facultades de los inspectores del trabajo en los siguientes términos:

> "Los inspectores del trabajo tendrán derecho a visitar los establecimientos a que se refiere esta ley, en las épocas y oportunidades que fije el Reglamento y cuando sean requeridos. La Inspección del trabajo femenino estará a cargo de mujeres".

De esta forma, la vida institucional de la Dirección General del Trabajo comienza con toda propiedad el 1° de enero de 1925, a través del Decreto Ley de Presupuesto de la Nación y en virtud del Título VIII del mencionado Decreto Ley N° 4.053 sobre Contrato de Trabajo. Todo el personal que se encontraba prestando servicios en la anterior Oficina del Trabajo, en septiembre de 1924, fue incorporada a esta nueva institucionalidad laboral[1].

Con posterioridad, en 1928, la Dirección General del Trabajo pasa a denominarse Inspección General del Trabajo, dependiente del Ministerio de Bienestar Social. En 1932, en cambio, vuelve a llamarse Dirección General del Trabajo, ahora bajo la dependencia del Ministerio del Trabajo[2].

En esta evolución histórica de la Dirección o Inspección del Trabajo en Chile, un hito determinante está marcado por el año 1967, ya que es en ese año cuando se dicta la Ley Orgánica de la Dirección del Trabajo, contenida en el DFL N° 2, de 1967, del Ministerio del Trabajo y Previsión Social. En dicha Ley Orgánica, y en algunos artículos específicos del Código del Trabajo, es donde se encuentran los principales componentes del sistema chileno de Inspección del Trabajo, los que revisaremos a continuación y contrastaremos con el contenido del Convenio 81 de la OIT sobre Inspección del Trabajo de 1947.

8.3. LA RECEPCIÓN DEL CONTENIDO DEL CONVENIO NÚM. 81, SOBRE INSPECCIÓN DEL TRABAJO EN CHILE

Con el objeto de facilitar su lectura y comprensión, hemos dividido el análisis en los siguientes temas: sistema de inspección, personal de inspección, facultades de los inspectores, prohibiciones y, finalmente, infracciones y sanciones.

8.3.1. Sistema de inspección

En cuanto a las funciones del sistema de inspección, el Convenio 81 de la OIT identifica claramente tres funciones en su artículo 3:

"1. El sistema de inspección estará encargado de:

(a) velar por el cumplimiento de las disposiciones legales relativas a las condiciones de trabajo y a la protección de los trabajadores en el ejercicio de su profesión, tales como las disposiciones sobre horas de trabajo, salarios, seguridad, higiene y bienestar, empleo de menores y demás disposiciones afines, en la medida en que los inspectores del trabajo estén encargados de velar por el cumplimiento de dichas disposiciones;

(b) facilitar información técnica y asesorar a los empleadores y a los trabajadores sobre la manera más efectiva de cumplir las disposiciones legales;

(c) poner en conocimiento de la autoridad competente las deficiencias o los abusos que no estén específicamente cubiertos por las disposiciones legales existentes.

---

[1]   RODRÍGUEZ ROJAS, Marcos. *La Inspección General del Trabajo. El surgimiento de la fiscalización laboral 1924-1934*. Dirección del Trabajo, Santiago, 2010, pp. 37-38.

[2]   RODRÍGUEZ ROJAS, *La Inspección General del Trabajo*, p. 38.

2. Ninguna otra función que se encomiende a los inspectores del trabajo deberá entorpecer el cumplimiento efectivo de sus funciones principales o perjudicar, en manera alguna, la autoridad e imparcialidad que los inspectores necesitan en sus relaciones con los empleadores y los trabajadores".

Las tres funciones del sistema de inspección mencionadas se encuentran plenamente recogidas en la Ley Orgánica de la Dirección del Trabajo, DFL N° 2, de 1967.

a) En efecto, en primer término, respecto de la función de "velar por el cumplimiento de las disposiciones legales relativas a las condiciones de trabajo y a la protección de los trabajadores en el ejercicio de su profesión", el artículo 1° letra a) del citado texto legal señala que a la Dirección del Trabajo le corresponde particularmente, sin perjuicio de las funciones que leyes generales o especiales le encomienden, "la fiscalización de la aplicación de la legislación laboral".

Esto se ve confirmado por el artículo 5° del DFL N° 2, de 1967, que dentro de las funciones del Director del Trabajo establece que a éste le corresponde especialmente "c) Velar por la correcta aplicación de las leyes del trabajo en todo el territorio de la República".

Por su parte, el Código del Trabajo también hace mención a esta función esencial del sistema de inspección del trabajo, al disponer en su artículo 505 inciso primero que "La fiscalización del cumplimiento de la legislación laboral y su interpretación corresponde a la Dirección del Trabajo, sin perjuicio de las facultades conferidas a otros servicios administrativos en virtud de las leyes que los rigen".

b) En cuanto a la segunda función del sistema de inspección del trabajo, según el Convenio 81 de OIT, esto es, "facilitar información técnica y asesorar a los empleadores y a los trabajadores sobre la manera más efectiva de cumplir las disposiciones legales", ella también se encuentra recogida en el sistema de inspección del trabajo chileno, ya que el artículo 1° letra c) del DFL N° 2 de 1967, señala que a la Dirección del Trabajo le corresponde particularmente "la divulgación de los principios técnicos y sociales de la legislación laboral". Asimismo el artículo 10 letra d) del DFL 2 dispone que le corresponderá al Departamento de Organizaciones Sindicales de la Dirección del Trabajo[3] "Propiciar cursos de orientación sindical". Finalmente en este punto, el artículo 506 ter N° 2 del Código del Trabajo, a propósito de la sustitución de multa por capacitación, dispone la realización de programas de

---

[3] Actual Departamento de Relaciones Laborales. La Resolución exenta N° 1.689, de 14.10.16, del Director del Trabajo, establece y sistematiza nueva estructura orgánica y funcional del Departamento de Relaciones Laborales de la Dirección del Trabajo.

capacitación dictados por la Dirección del Trabajo y dirigidos a las micro y pequeñas empresas.

c) En tercer lugar, en lo referido a la función de "poner en conocimiento de la autoridad competente las deficiencias o los abusos que no estén específicamente cubiertos por las disposiciones legales existentes", la Ley Orgánica de la Dirección del Trabajo la recoge expresamente en el artículo 5° letra o), al establecer que al Director del Trabajo le corresponde especialmente "Proponer a la consideración del Supremo Gobierno las reformas legales y reglamentarias relacionadas con el derecho laboral".

Por otro lado, y también referido al sistema de Inspección del Trabajo, el artículo 4° del Convenio 81 señala que "siempre que sea compatible con la práctica administrativa del Miembro, la inspección del trabajo deberá estar bajo la vigilancia y control de una autoridad central". Esto también ha sido recogido en el caso de Chile, ya que al Director del Trabajo le corresponde "la dirección y supervigilancia de la Dirección del Trabajo en toda la República y la representación del Estado en la aplicación y fiscalización de las leyes sociales" (artículo 5° letra a) DFL N° 2 de 1967). De todas formas, la Dirección del Trabajo cuenta con 17 Direcciones Regionales, las que dependen de la autoridad central del Director Nacional.

8.3.2. *Personal de inspección*

El artículo 6° del Convenio 81 dispone que "el personal de inspección deberá estar compuesto de funcionarios públicos cuya situación jurídica y cuyas condiciones de servicio les garanticen la estabilidad en su empleo y los independicen de los cambios de gobierno y de cualquier influencia exterior indebida".

Como se puede ver, explícitamente la OIT promueve la estabilidad en el empleo de los funcionarios de la Inspección del Trabajo. Este es un aspecto que claramente no se cumple en el caso de Chile, ya que del total de 2.245 trabajadores con que cuenta la Dirección del Trabajo en todo el país, solo 676 (30,11%) tienen la calidad jurídica de planta, es decir, tienen estabilidad en el empleo independientemente de los cambios de gobierno. El resto de las personas que trabajan en la Dirección del Trabajo se dividen entre funcionarios a contrata, cuyo vínculo laboral se extiende solo hasta el 31 de diciembre del respectivo año, pudiendo ser renovado, y que son la mayoría, 1.553 (69,17%), y trabajadores a honorarios que son solo 16 (0,71%)[4].

---

4   Cifras obtenidas en agosto de 2019 desde el sitio web de la Dirección Nacional del Servicio Civil, a partir de la información entregada en los concursos de Alta Dirección Pública convocados por la Dirección del Trabajo, https://adp.serviciocivil.cl/concursos-spl/opencms.

En lo referido a la contratación del personal de Inspección, el Convenio 81 de la OIT señala en el artículo 7 que "a reserva de las condiciones a las que la legislación nacional sujete la contratación de funcionarios públicos, los inspectores del trabajo serán contratados tomándose únicamente en cuenta las aptitudes del candidato para el desempeño de sus funciones", y que "la autoridad competente determinará la forma de comprobar esas aptitudes".

En lo formal, la Ley Orgánica de la Dirección del Trabajo, DFL N° 2 de 1967, dispone que para ser designado Inspector del Trabajo será necesario estar en posesión de licencia secundaria y aprobar los exámenes de los cursos de capacitación y entrenamiento en la Escuela Técnica. No obstante, al ocuparse mayoritariamente la figura de la contrata en la Dirección del Trabajo, existe materialmente una amplia discrecionalidad para la autoridad administrativa en cuanto a la incorporación de personal a este servicio.

En la práctica la Dirección del Trabajo, como la mayoría de las instituciones públicas, ocupa la plataforma empleospublicos.cl, dependiente de la Dirección Nacional del Servicio Civil para las contrataciones, lo cual involucra un proceso abierto y con etapas sucesivas para seleccionar al candidato o candidatos idóneos, esto es, con las aptitudes requeridas para el cargo.

En cuanto a la capacitación de los funcionarios de la Inspección del Trabajo, el Convenio 81 establece que "los inspectores del trabajo deberán recibir formación adecuada para el desempeño de sus funciones" (Art. 7 n° 3 del Convenio). Este aspecto se recoge claramente en el DFL N° 2, de 1967, al contemplar en su artículo 57 la creación en la Dirección del Trabajo, de "la Escuela Técnica de Entrenamiento, Capacitación y Perfeccionamiento de los funcionarios y los postulantes del Servicio". Agrega la misma norma que "la organización, funcionamiento y los requisitos de ingreso a ella estarán determinados en el Reglamento Orgánico General del Servicio".

Mediante la Resolución Exenta N° 293, de fecha 1° de abril de 2009, de la Directora del Trabajo de la época, se creó esta Escuela Técnica de Formación de la Dirección del Trabajo, se aprobó su Reglamento y se creó además el cargo de Director de dicha Escuela. Si bien anteriormente existía la Escuela Técnica en el texto del DFL N° 2, no fue implementada efectivamente sino hasta el año 2009.

8.3.3. Facultades de los inspectores del trabajo

Respecto de las facultades y atribuciones de los Inspectores del Trabajo, el artículo 12 del Convenio 81 dispone lo siguiente:

> "1. Los inspectores que acrediten debidamente su identidad estarán autorizados:
> (a) para entrar libremente y sin previa notificación, a cualquier hora del día o de la noche, en todo establecimiento sujeto a inspección;

(b) para entrar de día en cualquier lugar, cuando tengan un motivo razonable para suponer que está sujeto a inspección; y

(c) para proceder a cualquier prueba, investigación o examen que consideren necesario para cerciorarse de que las disposiciones legales se observan estrictamente y, en particular:

(i) para interrogar, solos o ante testigos, al empleador o al personal de la empresa sobre cualquier asunto relativo a la aplicación de las disposiciones legales;
(ii) para exigir la presentación de libros, registros u otros documentos que la legislación nacional relativa a las condiciones de trabajo ordene llevar, a fin de comprobar que están de conformidad con las disposiciones legales, y para obtener copias o extractos de los mismos;
(iii) para requerir la colocación de los avisos que exijan las disposiciones legales;
(iv) para tomar o sacar muestras de sustancias y materiales utilizados o manipulados en el establecimiento, con el propósito de analizarlos, siempre que se notifique al empleador o a su representante que las substancias o los materiales han sido tomados o sacados con dicho propósito.

2. Al efectuar una visita de inspección, el inspector deberá notificar su presencia al empleador o a su representante, a menos que considere que dicha notificación pueda perjudicar el éxito de sus funciones".

Esto está plenamente recogido en el sistema de inspección chileno, en el artículo 24 del DFL N° 2, de 1967:

"En el ejercicio de sus funciones fiscalizadoras los Inspectores podrán visitar los lugares de trabajo a cualquiera hora del día o de la noche. Los patrones o empleadores tendrán la obligación de dar todas las facilidades para que aquéllos puedan cumplir sus funciones; permitirles el acceso a todas las dependencias o sitios de faenas; facilitarles las conversaciones privadas que deseen mantener con los trabajadores y tratar personalmente con los Inspectores los problemas que deban solucionar en sus cometidos. Estarán obligados, además, a facilitar sus libros de contabilidad si los Inspectores así lo exigieran, para los efectos de la fiscalización del cumplimiento de las leyes y reglamentos laborales y sociales".

Por su parte, el artículo 13 del Convenio 81 OIT se refiere a las faenas que constituyan un peligro para la salud o seguridad de los trabajadores, en los siguientes términos:

"1. Los inspectores del trabajo estarán facultados para tomar medidas a fin de que se eliminen los defectos observados en la instalación, en el montaje o en los métodos de trabajo que, según ellos, constituyan razonablemente un peligro para la salud o seguridad de los trabajadores.
2. A fin de permitir la adopción de dichas medidas, los inspectores del trabajo estarán facultados, a reserva de cualquier recurso judicial o administrativo que pueda prescribir la legislación nacional, a ordenar o hacer ordenar:
(a) las modificaciones en la instalación, dentro de un plazo determinado, que sean necesarias para garantizar el cumplimiento de las disposiciones legales relativas a la salud o seguridad de los trabajadores; o

(b) la adopción de medidas de aplicación inmediata, en caso de peligro inminente para la salud o seguridad de los trabajadores".

Lo anterior se recoge en el artículo 28 del DFL N° 2, de 1967, como se transcribe a continuación:

"En el ejercicio de sus funciones fiscalizadoras, los Inspectores del Trabajo podrán ordenar la suspensión inmediata de las labores que a su juicio constituyan peligro inminente para la salud o vida de los trabajadores y cuando constaten la ejecución de trabajos con infracción a la legislación laboral.

En el caso del inciso anterior, los trabajadores seguirán percibiendo sus remuneraciones, o el promedio diario de los últimos seis meses si trabajaren a trato, a comisión o a sueldo y comisión, considerándose como efectivamente trabajado el período de suspensión para todos los efectos legales".

Esta norma se ve complementada por los artículos 184 y 191 del Código del Trabajo, que establecen las atribuciones fiscalizadoras de la Dirección del Trabajo en materia de salud y seguridad laboral, en los siguientes términos:

Artículo 184 incisos 4°, 5° y final del Código del Trabajo:

"Corresponderá también a la Dirección del Trabajo fiscalizar el cumplimiento de normas de higiene y seguridad en el trabajo, en los términos señalados en el artículo 191, sin perjuicio de las facultades conferidas a otros servicios del Estado en virtud de las leyes que los rigen.

La Dirección del Trabajo deberá poner en conocimiento del respectivo Organismo Administrador de la ley N° 16.744, todas aquellas infracciones o deficiencias en materia de higiene y seguridad, que se constaten en las fiscalizaciones que se practiquen a las empresas. Copia de esta comunicación deberá remitirse a la Superintendencia de Seguridad Social.

El referido Organismo Administrador deberá, en el plazo de 30 días contado desde la notificación, informar a la Dirección del Trabajo y a la Superintendencia de Seguridad Social, acerca de las medidas de seguridad específicas que hubiere prescrito a la empresa infractora para corregir tales infracciones o deficiencias. Corresponderá a la Superintendencia de Seguridad Social velar por el cumplimiento de esta obligación por parte de los Organismos Administradores".

Artículo 191 incisos 2°, 3° y final del Código del Trabajo:

"La Dirección del Trabajo respecto de las materias que trata este Título, podrá controlar el cumplimiento de las medidas básicas legalmente exigibles relativas al adecuado funcionamiento de instalaciones, máquinas, equipos e instrumentos de trabajo.

Cada vez que uno de los servicios facultados para fiscalizar la aplicación de normas de higiene y seguridad, se constituya en visita inspectiva en un centro, obra o puesto de trabajo, los demás servicios deberán abstenerse de intervenir respecto de las materias que están siendo fiscalizadas, en tanto no se haya dado total término al respectivo procedimiento.

Con todo, en caso que el Inspector del Trabajo aplique multas por infracciones a dichas normas y el afectado, sin perjuicio de su facultad de recurrir al tribunal competente, presente un reclamo fundado en razones de orden técnico ante el Director del Trabajo,

éste deberá solicitar un informe a la autoridad especializada en la materia y resolverá en
lo técnico en conformidad a dicho informe".

Como se puede ver, en materia de salud y seguridad en el trabajo, el sistema
chileno de Inspección del Trabajo, recoge claramente el texto del Convenio 81
de la OIT sobre la materia.

8.3.4. Prohibiciones a los inspectores

En materia de prohibiciones a los funcionarios que se desempeñan como Inspectores del Trabajo, el artículo 15 del Convenio 81 establece lo siguiente:

"A reserva de las excepciones que establezca la legislación nacional:

(a) se prohibirá que los inspectores del trabajo tengan cualquier interés directo o
indirecto en las empresas que estén bajo su vigilancia;

(b) los inspectores del trabajo estarán obligados, so pena de sufrir sanciones o medidas disciplinarias apropiadas, a no revelar, aun después de haber dejado el servicio, los
secretos comerciales o de fabricación o los métodos de producción de que puedan haber
tenido conocimiento en el desempeño de sus funciones;

(c) los inspectores del trabajo deberán considerar absolutamente confidencial el origen de cualquier queja que les dé a conocer un defecto o una infracción de las disposiciones legales, y no manifestarán al empleador o a su representante que la visita de
inspección se ha efectuado por haberse recibido dicha queja".

Esto está recogido en el sistema chileno de inspección, en los artículos 40 y
41 del DFL N° 2, de 1967, en el artículo 84 letra b de la Ley N° 18.834, Estatuto
Administrativo, y en el artículo 20 bis del DL N° 3.551 de 1981, del Ministerio de
Hacienda.

"Artículo 40. Queda prohibido a los funcionarios del Trabajo, bajo pena de suspensión o destitución, divulgar los datos que obtengan con motivo de sus actuaciones.

Incurrirán, además, en las sanciones establecidas en el artículo 246 del Código Penal
si revelaren secretos industriales o comerciales de que hubieran tenido conocimiento en
razón de su cargo.

Artículo 41. Prohíbese a los funcionarios del Servicio, bajo las mismas sanciones
señaladas en el inciso 1° del artículo anterior, desempeñarse en forma particular en funciones relacionadas con su cargo y que comprometen el fiel y oportuno cumplimiento
de sus deberes".

En tanto, el Estatuto Administrativo, Ley N° 18.834, dispone en su artículo 84
que el funcionario público, dentro de los cuales están los inspectores del trabajo,
estará afecto a las siguientes prohibiciones:

"b) Intervenir, en razón de sus funciones, en asuntos en que tengan interés él, su cónyuge, sus parientes consanguíneos hasta el tercer grado inclusive o por afinidad hasta el
segundo grado, y las personas ligadas a él por adopción;".

Finalmente, el artículo 20 bis, del DL N° 3551, del 2 de enero de 1981, del Ministerio de hacienda, referido al personal de las instituciones fiscalizadoras, dentro de las cuales se encuentra la Dirección del Trabajo, dispone en lo pertinente:

"Sin perjuicio de las incompatibilidades establecidas en sus respectivos estatutos, prohíbese al personal de las instituciones fiscalizadoras a que se refiere este título, prestar por sí o a través de otras personas naturales o jurídicas, servicios personales a personas o a entidades sometidas a la fiscalización de dichas instituciones o a los directivos, Jefes o empleados de ellas.

Ningún funcionario de institución fiscalizadora podrá intervenir, en razón de sus funciones, en asuntos en que tenga interés él, su cónyuge, sus parientes consanguíneos del 1° a 4° grado inclusives, o por afinidad de primero y segundo grado, o las personas ligadas con él por adopción.

Asimismo, les está prohibido actuar por sí o a través de sociedades de que formen parte, como agentes o gestores de terceras personas ante cualquier institución sometida a la fiscalización de las instituciones a que se refiere este título".

8.3.5. Infracciones y sanciones

Esta materia está contemplada en el Convenio 81 en los artículos 17 y 18, que establecen:

"1. Las personas que violen las disposiciones legales por cuyo cumplimiento velen los inspectores del trabajo, o aquellas que muestren negligencia en la observancia de las mismas, deberán ser sometidas inmediatamente, sin aviso previo, a un procedimiento judicial. Sin embargo, la legislación nacional podrá establecer excepciones, para los casos en que deba darse un aviso previo, a fin de remediar la situación o tomar disposiciones preventivas.

2. Los inspectores del trabajo tendrán la facultad discrecional de advertir y de aconsejar, en vez de iniciar o recomendar un procedimiento". (Art. 17)

"La legislación nacional deberá prescribir sanciones adecuadas, que habrán de ser efectivamente aplicadas en los casos de violación de las disposiciones legales por cuyo cumplimiento velen los inspectores del trabajo, y en aquellos en que se obstruya a los inspectores del trabajo en el desempeño de sus funciones". (Art. 18)

El sistema chileno de Inspección del Trabajo no contempla la participación de la instancia judicial en el conocimiento y sanción de las infracciones laborales. Solo se establece la posibilidad de intervención del órgano jurisdiccional en la reclamación posterior que haga el empleador sancionado por la Inspección del Trabajo. Esta reclamación judicial está contemplada en el artículo 503 del Código del Trabajo. Los incisos primero y tercero de tal disposición prescriben lo siguiente:

"Las sanciones por infracciones a la legislación laboral y de seguridad social y a sus reglamentos, se aplicarán administrativamente por los respectivos inspectores del trabajo o por los funcionarios que se determinen en el reglamento correspondiente. Dichos funcionarios actuarán como ministros de fe".

"La resolución que aplique la multa administrativa será reclamable ante el Juez de Letras del Trabajo, dentro de quince días hábiles contados desde su notificación. Dicha reclamación deberá dirigirse en contra del Jefe de la Inspección Provincial o Comunal a la que pertenezca el funcionario que aplicó la sanción".

Con respecto a las sanciones por infracciones a la legislación laboral, el sistema chileno de inspección del trabajo contempla dos tipos de sanciones: la multa y la clausura.

Respecto de la multa, ella está establecida como sanción en el DFL N° 2, de 1967, en el Código del Trabajo, y en el artículo 19 del DL 3500, de 1980. La norma genérica en materia de multas está estipulada en el artículo 506 del Código, en los siguientes términos:

"Las infracciones a este Código y sus leyes complementarias, que no tengan señalada una sanción especial, serán sancionadas de conformidad a lo dispuesto en los incisos siguientes, según la gravedad de la infracción.

Para la microempresa y la pequeña empresa, la sanción ascenderá de 1 a 10 unidades tributarias mensuales.

Tratándose de medianas empresas, la sanción ascenderá de 2 a 40 unidades tributarias mensuales.

Tratándose de grandes empresas, la sanción ascenderá de 3 a 60 unidades tributarias mensuales.

En el caso de las multas especiales que establece este Código, su rango se podrá duplicar y triplicar, según corresponda, si se dan las condiciones establecidas en los incisos tercero y cuarto de este artículo, respectivamente y de acuerdo a la normativa aplicable por la Dirección del Trabajo.

La infracción a las normas sobre fuero sindical se sancionará con multa de 14 a 70 unidades tributarias mensuales".

Específicamente respecto de los casos en que se obstruya a los inspectores del trabajo en el desempeño de sus funciones, ello se encuentra expresamente sancionado por el artículo 25 del DFL N° 2, de 1967, en los siguientes términos:

"Las personas que impidan o dificulten la fiscalización e intervención, incurrirán en multa de tres sueldos vitales mensuales a diez sueldos vitales anuales del departamento de Santiago, escala A[5], que será aplicada por el Inspector fiscalizador. En caso de reincidencia el Inspector podrá duplicar el monto de la multa primitiva o aumentarla hasta el máximo precedentemente indicado.

El patrón o empleador será, en todo caso, directa y personalmente responsable de los impedimentos y dificultades que se opongan a la fiscalización o intervención, del pago de la multa que proceda y de los daños morales, físicos o materiales que sufran los Inspectores del Trabajo en el desempeño de sus funciones.

---

[5] El artículo 8° de la Ley N° 18.018, dispuso que las cifras en sueldos vitales deben expresarse en ingresos mínimos reajustables.

> Con todo, cesará la responsabilidad del patrón o empleador si con la autoridad y el cuidado que su respectiva calidad les confiere y prescriba, no hubiere podido impedir el hecho que causa el daño".

En cuanto a la clausura, sanción que se aplica de manera excepcional y en caso de reincidencia, ella está contemplada en los artículos 34 al 37 del DFL N° 2, de 1967. El artículo 34 dispone lo siguiente:

"En todos aquellos casos en que los Inspectores del Trabajo puedan aplicar multas administrativas, las reincidencias podrán ser sancionadas, además, con la clausura del establecimiento o faena, cuando ello fuere procedente, hasta por diez días, que será aplicada por el Inspector que constate la reincidencia".

De esta forma, el sistema chile de Inspección del Trabajo cumple con establecer sanciones adecuadas en caso de violación de las normas legales por cuyo cumplimiento velan los inspectores del trabajo, tal como establece el Convenio 81 de la OIT.

8.4. A MODO DE CONCLUSIÓN: ¿POR QUÉ CHILE NO HA RATIFICADO EL CONVENIO NÚM. 81 DE LA OIT?

De la revisión que hemos hecho respecto de los contenidos del Convenio 81 de la OIT contrastados con el sistema chileno de Inspección del Trabajo, a cargo de la Dirección del Trabajo, ha quedado claro la gran coincidencia que existe entre ambos en los principales aspectos. Incluso, teniendo presente la fecha del Convenio 81, año 1947, y la de la Ley Orgánica de la Dirección del Trabajo, DFL N° 2, de 1967, puede presumirse sin temor a equivocarse que el Convenio 81 fue tenido a la vista y considerado en la redacción de la mencionada Ley Orgánica.

Ahora bien, si existen tantas coincidencias, surge la duda de por qué Chile no ha ratificado el Convenio 81. La verdad es que es imposible entregar una respuesta que entregue una certeza absoluta sobre el tema, ya que no se conoce que existan documentos oficiales del Gobierno que expresen cuáles serían los argumentos para no ratificar un convenio tan importante y que lleva tanto tiempo, sobre todo considerando la gran cantidad de países que sí lo han ratificado, 147 a la fecha según la información que entrega la propia OIT en su sitio web.

Lo que sí podemos hacer en este trabajo es identificar aquellos aspectos del sistema chileno de Inspección del Trabajo que serían más difíciles de conciliar con el Convenio 81. En nuestra opinión, ellos son básicamente dos.

El primer aspecto está expuesto en el cuerpo de este trabajo, y dice relación con que el Convenio 81 explícitamente promueve la estabilidad en el empleo de los funcionarios de la Inspección del Trabajo en su artículo 6°, "El personal de inspección deberá estar compuesto de funcionarios públicos cuya situación jurídica y cuyas condiciones de servicio les garanticen la estabilidad en su empleo y los independicen de los cambios de gobierno y de cualquier influencia exterior indebida".

Este es un tema en que claramente Chile no cumple con el Convenio 81 ya que, tal como se expuso, cerca del 70% de los funcionarios de la Dirección del Trabajo tienen una contratación temporal, ya sea a contrata u honorarios, la que provoca una inestabilidad generalizada respecto del personal de inspección, no conciliable con dicho convenio.

El segundo aspecto se refiere a señalado en el artículo 3 n° 2 del Convenio 81, esto es, que "ninguna otra función que se encomiende a los inspectores del trabajo deberá entorpecer el cumplimiento efectivo de sus funciones principales o perjudicar, en manera alguna, la autoridad e imparcialidad que los inspectores necesitan en sus relaciones con los empleadores y los trabajadores".

Sabido es que en el sistema chileno de Inspección del Trabajo, la Dirección del Trabajo cumple diversas funciones, establecidas en su Ley Orgánica, el DFL N° 2, de 1967, una de las cuales es "la realización de toda acción tendiente a prevenir y resolver los conflictos del trabajo" (art. 1° letra e del DFL N° 2, de 1967), esto es, ser el órgano administrativo encargado de la solución alternativa de los conflictos laborales, labor que ejerce a través de la conciliación y la mediación.

Si bien la función inspectiva y la función de solución de los conflictos laborales, son dos líneas institucionales claramente diferenciadas en la Dirección del Trabajo, en algunas oficinas, particularmente las más pequeñas, puede coincidir que el funcionario que realiza inspección también deba desempeñar en ocasiones la función de conciliador o de mediador, lo cual podría estimarse que entorpece o perjudica su labor inspectiva. Sin embargo, consideramos que este es un aspecto fácilmente subsanable, en la medida que los funcionarios que se desempeñan como fiscalizadores o inspectores del trabajo tengan una dedicación exclusiva a dicha función.

Finalmente, queremos manifestar que si bien Chile no ha ratificado el Convenio 81 de la OIT sobre Inspección del Trabajo, el sistema chileno de inspección del trabajo no se encuentra tan lejos del contenido de dicho convenio, razón por la cual estimamos que con algunas modificaciones legales y administrativas, nuestro país perfectamente podría asumir el estándar de dicho convenio y ratificarlo, lo cual es importante relevar precisamente en el momento en que se está discutiendo en el Congreso Nacional un proyecto de ley del Ejecutivo sobre la Modernización de la Dirección del Trabajo[6].

---

[6]   Nos referimos al Proyecto de Ley Boletín N° 12827-13, ingresado al Congreso Nacional con fecha 6 de agosto de 2019.

BIBLIOGRAFÍA

CASALE, Giuseppe, *La eficacia del Derecho del Trabajo y el papel de la Inspección del Trabajo*, XX Congreso Mundial Sociedad Internacional Derecho del Trabajo y Seguridad Social, Santiago, 2012.

LIZAMA PORTAL, Luis, *La Dirección del Trabajo: Una explicación de su facultad de interpretar la legislación laboral chilena*, Fundación Facultad de Derecho Universidad de Chile, Santiago, 1998.

RODRÍGUEZ ROJAS, Marcos, *La Inspección General del Trabajo. El surgimiento de la fiscalización laboral 1924–1934*, Dirección del Trabajo, Santiago, 2010.

Capítulo 9.

Chile y el Convenio núm. 122, sobre política de empleo

DANIELA CASTRO DELMIGLIO[*]

9.1. LA POLÍTICA DE EMPLEO EN LOS INSTRUMENTOS DE LA ORGANIZACIÓN INTERNACIONAL DEL TRABAJO

Con fecha 24 de octubre de 1968, Chile ratificó el Convenio núm. 122 sobre la política del empleo, de la Organización Internacional del Trabajo (OIT), encontrándose actualmente en vigor.

Este convenio de gobernanza establece que con el objeto de estimular el crecimiento y el desarrollo económico, de elevar el nivel de vida, de satisfacer las necesidades de mano de obra y de resolver el problema del desempleo y del subempleo, los Estados que lo ratifiquen, deben formular y llevar a cabo una política activa concebida para fomentar el pleno empleo, productivo y libremente elegido. Tal política deberá encaminarse a garantizar que haya trabajo para todas las personas que estén disponibles y que busquen trabajo; que ese trabajo sea tan productivo como sea posible; que haya libertad para escoger empleo; y que cada trabajador tenga todas las posibilidades de adquirir la formación necesaria para ocupar el empleo que le convenga y de utilizar en este empleo y esta formación las facultades que posea, sin que se tengan en cuenta su raza, color, sexo, religión, opinión política, ascendencia nacional u origen social. Esta política deberá tener debidamente en cuenta el nivel y la etapa de desarrollo económico, así como las relaciones mutuas existentes entre los objetivos del empleo y otros objetivos económicos y sociales, y será aplicada a través de métodos adecuados a las condiciones y prácticas nacionales. Asimismo, el convenio establece que los miembros deberán determinar y revisar regularmente las medidas que habrá de adoptar, como parte integrante de una política económica y social coordinada, para el logro de los objetivos del convenio y ejecutar las acciones tendientes a la aplicación de tales medidas, incluyendo, si fuere necesario, la elaboración de programas.

Por otro lado, se señala que los Estados que lo ratifiquen deberán adoptar medidas para aplicar una política del empleo previa consulta a los representantes de

---

[*] Abogada Dirección del Trabajo. Licenciada en Ciencias Jurídicas de la U. Andrés Bello y Magíster en Derecho Laboral y Seguridad Social de la Universidad Adolfo Ibáñez.

trabajadores y de empleadores con el objeto de tener en cuenta sus experiencias y opiniones y, además, de lograr su plena cooperación en la labor de formular la citada política y de obtener el apoyo necesario para su ejecución.

Sobre el particular, encontramos la Recomendación núm. 122, de 1964, que además de reiterar los objetivos de la política de empleo, señalados en el convenio, establece los principios generales de la política de empleo señalando que los fines de la misma deberán ser clara y públicamente definidos, de ser posible en términos cuantitativos para el crecimiento económico y el empleo. Reitera la necesidad de consultar a los representantes de empleadores y de trabajadores, para la elaboración de las políticas públicas y para la colaboración de ellos en su ejecución. Agrega, que la política del empleo deberá basarse en estudios analíticos sobre la magnitud y la distribución, actuales y futuras, de la fuerza de trabajo, del empleo, del desempleo y del subempleo y que deberán dedicarse recursos adecuados para la compilación de datos estadísticos, para la preparación de estudios analíticos y para la difusión de los resultados.

Continúa señalando que todo miembro debería reconocer la importancia de incrementar los medios de producción y de lograr el pleno desarrollo de las aptitudes humanas, por ejemplo, por medio de la educación, de la orientación y formación de profesionales, los servicios de higiene y de vivienda, y debería tratar de conseguir y mantener un equilibrio adecuado entre los gastos relativos a estos diversos fines. Indica, que todo miembro debería adoptar las medidas necesarias para ayudar a los trabajadores, incluidos los jóvenes, y las demás personas que se incorporen por primera vez a la fuerza de trabajo, a encontrar un empleo productivo y adecuado y a adaptarse, además a las necesidades cambiantes de la economía.

Establece que la política del empleo debería coordinarse con la política económica y social general y con la planificación o la programación en los países que las utilicen, y debería aplicarse como parte integrante de las mismas, señalando que todo miembro debería examinar la relación existente entre las medidas referentes a la política del empleo y las demás decisiones de primera importancia en la esfera de la política económica y social, a fin de obtener que tales medidas y decisiones se complementen mutuamente.

Finaliza señalando que cuando existan personas disponibles y que buscan trabajo y no se prevea, dentro de un plazo razonable, el gobierno debería examinar y explicar públicamente de qué manera piensa subvenir a sus necesidades. Que todo miembro debería, en el mayor grado en que le permitan los recursos de que dispone y el nivel de su desarrollo económico, adoptar medidas para ayudar a las personas desempleadas y subempleadas durante todo el periodo de desempleo a subvenir a sus necesidades elementales y a las de las personas a su cargo, así como a adaptarse a las oportunidades que puedan presentárseles para ejercer un nuevo empleo útil.

En este orden de ideas, la misma recomendación, trata sobre medidas generales de política económica y medidas selectivas –directamente relacionadas con el empleo de los trabajadores individualmente considerados o el de categoría de trabajadores– que deben adoptarse en una política de empleo como solución a los problemas del empleo cuyo origen debe atribuirse a fluctuaciones de la actividad económica, a cambios estructurales y, especialmente, a un nivel inadecuado de dicha actividad. También se refiere a políticas de inversión y de ingresos; a la promoción del empleo industrial y rural, así como el crecimiento demográfico en relación a los problemas del empleo asociados con el subdesarrollo económico.

Por otro lado, se refiere a la acción de los empleadores, de los trabajadores y sus organizaciones como actores relevantes en la consecución de los objetivos de las políticas de empleo y a la acción internacional como facilitadora de los mismos.

Asimismo, encontramos la Recomendación complementaria núm.169, de 1984, que reconociendo la utilidad del Convenio núm. 122 y la Recomendación núm.122, abarcó elementos más innovadores derivados de la experiencia nacional e internacional de los dos decenios anteriores[1]. Esta recomendación también establece principios generales de política de empleo señalando que la promoción del pleno empleo, productivo y libremente elegido, debería ser considerado como un medio para lograr, en la práctica, el cumplimiento del derecho a trabajar, el que a su vez, debería estar vinculado a la aplicación de políticas económicas y sociales destinadas a fomentar el pleno empleo, productivo y libremente elegido. Agrega que su promoción debería constituir la prioridad y ser parte integrante de las políticas económicas y sociales de los miembros y, cuando sea apropiado, de sus planes destinados a satisfacer las necesidades esenciales de la población. Que los miembros deberían prestar especial atención a los medios más eficaces de incrementar el empleo y la producción y formular políticas y, cuando sea apropiado, programas destinados a alentar el aumento de la producción de bienes y servicios esenciales y su justa repartición y una justa distribución de los ingresos en todo el país con el fin de satisfacer las necesidades esenciales de la población, de conformidad con la declaración de principios y programa de acción adoptado por la Conferencia Mundial del Empleo.

Reitera que las políticas, planes y programas, deberían ser formulados y aplicados en consulta y cooperación con las organizaciones de empleadores y trabajadores y con otras organizaciones representativas de las personas interesadas, en especial las del sector rural. Continúa indicando, que las políticas, planes y programas deberían estar encaminados a eliminar toda discriminación y asegurar a todos los trabajadores la igualdad de oportunidades y trato en el acceso al

---

[1]   OFICINA INTERNACIONAL DEL TRABAJO (OIT), *Estudio General sobre la política del empleo*, 92° Reunión de la Conferencia Internacional del Trabajo [en línea], en Ginebra (2004), [08/04/2019], https://www.ilo.org/public/spanish/standards/relm/ilc/ilc92/pdf/rep-iii-1b.pdf.

empleo, las condiciones de empleo, los salarios y los ingresos y la orientación, formación y promoción profesionales.

Por otro lado, indica que los miembros deberán adoptar medidas para combatir de manera efectiva el empleo ilegal y aquellas que permitan el traslado progresivo de los trabajadores del sector no estructurado –donde exista– al sector estructurado. Asimismo, deberán adoptar las políticas y medidas que teniendo en cuenta la legislación y prácticas nacionales, faciliten la adaptación al cambio estructural a nivel global, sectorial y de la empresa, y el reemplazo de los trabajadores que hayan perdido sus empleos como consecuencia del cambio estructural y tecnológico, así como también, aquellas que salvaguarden el empleo o faciliten el reempleo de los trabajadores afectados en casos de venta, traslado, cierre o desplazamiento de una sociedad, establecimiento o instalaciones.

Continúa señalando que de conformidad con la legislación y practicas nacionales, los métodos para dar efecto a las políticas del empleo podrían incluir la negociación de contratos colectivos sobre cuestiones relacionadas con el empleo tales como la promoción y salvaguardia del empleo, las consecuencias económicas y sociales de la reestructuración y racionalización de ramas de actividad económica y de las empresas, la reorganización y reducción del tiempo de trabajo, la protección de grupos particulares, la información sobre cuestiones económicas, financieras y de empleo.

Agrega que previa consulta con las organizaciones de empleadores y trabajadores, los miembros deberán tomar medidas eficaces para alentar a las empresas multinacionales a emprender y promover, en particular, las políticas de empleo enunciadas en la Declaración tripartita de principios sobre las empresas multinacionales y la política social de 1977, y para procurar se eviten los efectos negativos y se estimulen los efectos positivos de las inversiones de esas empresas multinacionales en el empleo.

Finaliza indicando que en razón de la creciente interdependencia de la economía mundial, los miembros, además de las medidas adoptadas a nivel nacional, deberán fortalecer la cooperación internacional con objeto de lograr el éxito de la lucha contra el desempleo.

Posteriormente, la misma recomendación, hace referencia a la inclusión –además de las políticas de empleo y desarrollo– de políticas y programas de población encaminadas a asegurar la promoción del bienestar familiar, por otro lado, trata especialmente las medidas concernientes al empleo de jóvenes y de grupos y personas desfavorecidas, entendidas como aquellas que tengan frecuentemente dificultades para encontrar empleo duradero; las políticas tecnológicas, con el objeto de contribuir al mejoramiento de las condiciones de trabajo y a la reducción del tiempo de trabajo y evitar que disminuya el número de empleos. También, se refiere a la importancia de las fuentes de trabajo del sector no estructurado, es decir, de las actividades económicas realizadas al margen de las estructuras económicas institucionalizadas; señala la importancia de las pequeñas empresas como fuente de empleo; la importancia de un desarrollo regional equilibrado como medio para atenuar los problemas sociales y de empleo creados por la desigual repartición de los recursos naturales y por la insuficiente movilidad de los medios de producción y para corregir la desigual distribución del crecimiento y del empleo entre diferentes regiones y zonas de un mismo país. Se refiere además, a programas de inversión pública y programas especiales de obras públicas destinados a crear y conservar empleos y aumentar los ingresos, disminuir la pobreza y satisfacer las necesidades esenciales en zonas donde reina el desempleo y el subempleo; a la cooperación económica internacional para el logro del crecimiento del empleo y las políticas de migraciones internacionales destinadas a crear más oportunidades de empleo y mejores condiciones de trabajo en los países de emigración, con el objeto de reducir la necesidad de migrar en busca de empleo y velar por que las migraciones internacionales tengan lugar en condiciones en que se promueva el pleno empleo, productivo y libremente elegido.

De conformidad a lo dispuesto en los instrumentos señalados y a los cuales Chile se encuentra obligado, corresponde entonces formular y llevar a cabo, una política activa destinada a fomentar el pleno empleo, productivo y libremente elegido. Las políticas activas pueden definirse –desde un enfoque integrado– como intervenciones destinadas a encontrar empleos de calidad de manera sostenible[2] y constituyen un enfoque de política que simultáneamente actúan para actualizar las calificaciones, mejorar el ajuste entre oferta y la demanda de trabajo y promover la creación de empleos productivos.

Las políticas del mercado de trabajo se dividen entre intervenciones activas y pasivas. El objetivo de las políticas pasivas del mercado de trabajo es ofrecer un ingreso de sustitución en periodos de desempleo. Por su parte, las políticas activas del mercado de trabajo han estado tradicionalmente dirigidas hacia la reducción del desempleo a través de: i) garantizar la correspondencia entre los solicitantes de empleo y las vacantes disponibles mediante la ayuda en la búsqueda de empleo o la oferta de información; ii) mejorar y adaptar las calificaciones de los solicitantes de empleo para aumentar su empleabilidad; iii) otorgar incentivos para que los solicitantes acepten ciertos empleos o para que las empresas contraten a determinadas categorías de trabajadores; y, iv) crear empleos ya sea en el sector privado mediante subvenciones para el empleo o en el sector público. Si bien históricamente estas políticas activas han buscado reducir el desempleo, en años recientes se han incorporado nuevos objetivos sociales y de empleo. Así

---

[2]   ESCUDERO, Verónica y LÓPEZ MOURELO, Elva, *Soluciones eficaces: Políticas activas del mercado de trabajo en América Latina y el Caribe*, [en línea], en Lima (2016), https://www.youtube.com/watch?time_continue=7&v=sDUUwmnTxR8 [08.04.2019].

pues, aunque los beneficiarios de la mayoría de las políticas activas son personas en situación de desempleo (al igual que en el caso de las políticas pasivas), también pueden estar dirigidas a personas con empleo en busca de un mejor trabajo y a jóvenes que se encuentren en la transición de sus estudios hacia el mercado del trabajo[3].

En efecto, tradicionalmente, el objetivo de las políticas activas era mantener a las personas activas en el mercado de trabajo, mejorar la reintegración laboral y contrarrestar las rigideces. Sin embargo, con el tiempo estas políticas han tomado una orientación que sobrepasa el objetivo de reducir el desempleo. En la práctica, tienen funciones múltiples que derivan de su naturaleza cada vez más diversa.

En el caso de las economías desarrolladas, emergentes y en desarrollo, este tipo de políticas suelen tener como objetivos el aumentar el empleo, reducir la desigualdad, mejorar la movilidad y calidad del empleo y reducir la pobreza[4].

9.2. CHILE Y LAS POLÍTICAS DE EMPLEO

En relación a la normativa internacional señalada, nuestro país ha informado a la Comisión de Expertos en Aplicación de Convenios y Recomendaciones de la OIT, mediante su última memoria anual (2018) sobre las medidas adoptadas para poner en ejecución los convenios a los cuales se ha adherido, señalando que se han establecido numerosos programas para aumentar la participación en el mercado de trabajo, fundamentalmente de mujeres y jóvenes que se encuentran en situación de vulnerabilidad, refiriéndose entre otros, al Programa "Más capaz", que tiene como objetivo apoyar el acceso y permanencia en el mercado laboral de mujeres, jóvenes y personas con discapacidad que pertenecen, según la clasificación socioeconómica, al 60% más desfavorecido de la población, y que cuentan con nula o escasa participación laboral.

Además informa que mediante la Unidad de ProEmpleo, la subsecretaria del Trabajo administra cinco programas orientados a la generación de empleo e inserción laboral de grupos en situación de vulnerabilidad, tales como mujeres, jóvenes, personas con discapacidad y ex prisioneros. El objetivo común de los mismos es promover el empleo y la empleabilidad a través del diseño, articulación y supervisión de políticas y programas de empleo, con el fin de facilitar la

---

[3]   ORGANIZACIÓN INTERNACIONAL DEL TRABAJO, *Soluciones eficaces: Políticas activas del mercado de trabajo en América Latina y el Caribe*, [en línea], Ginebra, 2016, p. 54 [08.04.2019] https://www.ilo.org/wcmsp5/groups/public/---dgreports/---dcomm/---publ/documents/publication/wcms_492374.pdf.

[4]   ORGANIZACIÓN INTERNACIONAL DEL TRABAJO, *Soluciones eficaces: Políticas activas...*, p. 54-60.

inserción laboral de las personas en situaciones más vulnerables y otorgar una fuente laboral en aquellos lugares donde se ha experimentado una contracción de la demanda de mano de obra como consecuencia de alguna emergencia. Estos programas se dividen en dos grupos según la naturaleza de su intervención. El primero corresponde a programas de empleos de emergencia, que incluye el programa "Inversión en la Comunidad" y los programas del Servicio Nacional de Capacitación y Empleo (SENCE), y el segundo está constituido por los programas de fomento de la empleabilidad, que incluyen el programa de apoyo al empleo sistema Chile solidario y el programa de desarrollo de competencias laborales para mujeres Chile Solidario, entre otros[5].

Este último (programa de fomento de la empleabilidad) incluye además el programa Servicios Sociales y programa mejora a la empleabilidad de artesanos y tradicionales de zonas rurales[6].

Asimismo, se informa del otorgamiento de incentivos a las empresas a través del programa impulsa personas y programa de formación en el puesto de trabajo y de beneficios a los trabajadores tales como subsidio al empleo joven y bono al trabajo de la mujer, con miras a fomentar el empleo y capacitación de jóvenes y mujeres.

Por otro lado, el Gobierno informa que en relación a la coordinación de las medidas de enseñanza y formación técnica y profesional con la política de empleo, sobre la existencia de un sistema nacional de certificación de competencias laborales (Chilevalora) conformado por organismos sectoriales de competencias laborales (OSCL) de composición tripartita que convoca a sectores más representativos de la economía a participar en el desarrollo de proyectos de competencias y en base a dicho trabajo se elaboran todos los perfiles ocupacionales vigentes, organizados en sectores y subsectores de la economía, y en virtud del cual las personas son evaluadas y certificadas. El catálogo de competencias laborales se pone a disposición del sistema de capacitación y de las instituciones educacionales a fin de incorporar las competencias al diseño de los planes de capacitación, permitir el cierre de brechas entre la oferta y la demanda de mano de obra, relacionar las competencias con los diferentes programas de estudio y niveles de educación y facilitar el reconocimiento de las competencias certificadas en los procesos formales de educación.

También se refiere al programa de formación en oficios que otorga capacitación a personas en situación de vulnerabilidad y les concede un subsidio por

---

5   COMISIÓN DE EXPERTOS EN APLICACIÓN DE CONVENIOS Y RECOMENDACIONES, *Aplicación de las normas internacionales del trabajo 2019*, Informe III parte A, Conferencia Internacional del Trabajo, 108ª Reunión, 2019, p.563.

6   SUBSECRETARIA DEL TRABAJO [en línea], Santiago (2019), [08.04.2019] http://www.subtrab. trabajo.gob.cl/programas-de-empleo/programa-de-empleo/.

cada día asistido a la capacitación y al programa de formación en el puesto de trabajo que ofrece incentivos a las empresas que contratan a personas desocupadas, desempleadas o que buscan un trabajo por primera vez con miras a que desarrollen competencias en un oficio gracias a la formación en el puesto de trabajo y a un bono de capacitación.

En otro orden de ideas, se refiere a la implementación del bono empresa y negocio que tiene como objetivo elevar la competitividad y productividad de las MYPE, otorgando un certificado a los dueños o gestores de MYPE para que puedan acceder a un curso de formación con miras a mejorar su capacitación en áreas que promuevan su competitividad y productividad.

Finalmente, respecto al cumplimiento al artículo 3° del Convenio 122, relacionado con la consulta a los interlocutores sociales, el Gobierno informa sobre la constitución, con fecha 08.05.2017, del Consejo Superior Laboral como un órgano tripartito de carácter consultivo que entre sus funciones tiene la de i) elaborar, analizar y discutir propuestas y recomendaciones de políticas públicas en materia de relaciones laborales y mercado de trabajo; ii) proponer iniciativas destinadas a incentivar la creación de empleos, aumentar la productividad y elevar la participación laboral de mujeres, jóvenes, personas con discapacidad y otros grupos de trabajadores en situación de vulnerabilidad, mejorando su empleabilidad, y iii) efectuar, por sí mismos o a través de terceros estudios o investigaciones de diagnóstico sobre el estado de las relaciones laborales y el funcionamiento del mercado de trabajo en el país. Asimismo informa respecto de la implementación del programa mesas de diálogo social en el marco de la Unidad de Diálogo Social del Ministerio del Trabajo que tiene por finalidad el establecimiento de mesas de diálogo social con miras a promover la generación de espacios de diálogo social a nivel nacional y regional en materias que son de alta prioridad, tales como políticas de empleo[7].

Atendido lo informado por el Gobierno de Chile, sumado a la circunstancia de contar en nuestro país con todo un aparataje institucional destinado a la temática, luego de la creación del Servicio Nacional de Capacitación y Empleo (SENCE) en 1976 y la creación de las oficinas municipales de empleo (OMIL) en 1997, a simple vista pareciere darse cumplimiento a lo dispuesto en la normativa internacional en cuanto se han adoptado políticas activas tendientes a fomentar el pleno empleo, productivo y libremente elegido. Ahora bien, a continuación nos referiremos en particular al Programa "Más capaz" y analizaremos si en dicho ejemplo Chile se ajusta a la normativa internacional vigente.

---

[7]   COMISIÓN DE EXPERTOS EN APLICACIÓN DE CONVENIOS Y RECOMENDACIONES, *Aplicación de las normas internacionales del trabajo 2019...*, p. 563-565.

9.3. EXAMEN DEL PROGRAMA "MÁS CAPAZ"

Es un programa de capacitación integral, del Ministerio del Trabajo y Previsión Social y ejecutado por el Servicio Nacional de Capacitación y Empleo (SENCE), creado y normado por el Decreto Afecto N° 101 de 11 de diciembre de 2014, modificado por el decreto N° 17 de 2016. Destinado al desarrollo de las competencias y empleabilidad, su fin es contribuir a la superación de la desigualdad social a través del mejoramiento de la empleabilidad de jóvenes y mujeres en situación de vulnerabilidad social y/o discapacidad. Para contribuir a dicho objetivo, el programa tiene el propósito de que Jóvenes, mujeres y personas con discapacidad que se encuentren en situación de vulnerabilidad, se inserten en puestos de trabajo de calidad, ya sea en el mercado laboral como dependientes o a través de la consolidación de emprendimientos[8]. Lo anterior, mediante la capacitación técnica en habilidades transversales e intermediación laboral y operando a través de 3 líneas de trabajo, a saber: línea regular para jóvenes y mujeres, línea personas en situación de discapacidad y línea mujer emprendedora[9].

Los requisitos para entender que una persona está en situación de vulnerabilidad son: a) encontrarse dentro del 60% más vulnerable de la población; b) Contar con nula o escasa participación laboral, lo que se traduce en una densidad de cotizaciones igual o menor al 50% en los últimos 12 meses, y/o c) ser persona en situación de discapacidad, lo cual debe ser acreditado a través de alguno de los siguientes documentos: Inscripción en el Registro Nacional de Discapacidad, Resolución de discapacidad emitida por la COMPIN, Acta de emisión de certificado de discapacidad del Registro Civil, o presentación del pago de la pensión básica solidaria de invalidez.

El programa se implementa mediante 6 componentes: el primero brinda capacitación en oficios, el segundo realiza intermediación laboral, el tercero realiza nivelación de estudios, el cuarto brinda la posibilidad de continuar con estudios superiores, el quinto realiza certificación de competencias y el sexto otorga asistencia técnica, acompañamiento y un fondo de inversión para el emprendimiento. Asimismo, el programa dispone transversalmente de un apoyo sociolaboral personalizado, y entrega subsidios para cubrir gastos necesarios tales como la movilización y alimentación de los usuarios, como también servicios de cuidado infantil para menores de 6 años[10].

---

[8]   DIRECCIÓN DE PRESUPUESTO, *Informe final de evaluación Programa Más Capaz*, [en línea], Santiago (2015), p. 6, [18.04.2019] http://www.dipres.gob.cl/597/articles-141245_informe_final.pdf.

[9]   SERVICIO NACIONAL DE CAPACITACIÓN Y EMPLEO (SENCE), "Informe de gestión y avance Más Capaz", Santiago (2018), p.1-2.

[10]   SERVICIO NACIONAL DE CAPACITACIÓN Y EMPLEO (SENCE), Unidad de Estudios, *Ficha de diseño +capaz 2018*, [en línea], Santiago, 2018, [19/04/2019] http://www.sence.cl/601/articles-9560_archivo_01.pdf.

El programa supone que parte de las dificultades que enfrentan jóvenes y mujeres en situación de vulnerabilidad para acceder y permanecer en el mercado laboral se originan en la falta de un aprendizaje adecuado para una inserción en puestos de trabajo de calidad, con las consiguientes mejoras de salarios y por tanto, el problema que intenta resolver el Programa Más Capaz es la baja empleabilidad de mujeres, jóvenes y personas en situación de discapacidad que pertenecen a sectores de bajos ingresos, en que el diagnóstico apunta a que las causas de la menor empleabilidad de los mencionados grupos son, entre otras cosas, los menores niveles de educación y capacitación[11]. Desde esta perspectiva, se reconoce que personas en situación de vulnerabilidad social tendrán menos oportunidades para aumentar su empleabilidad y por lo tanto su inserción laboral o desarrollo de estrategias para generar ingresos autónomos. En coherencia con lo anterior, se observa que las personas que tienen mayores ingresos o que están empleadas, han contado con oportunidades de capacitación y educación; si bien no se ha demostrado relaciones de causalidad, por lo menos es posible decir, que existe un problema de desigualdad social, pues quienes están desempleadas o pertenecen a los quintiles de ingresos más bajos han tenido menos oportunidades de capacitarse y/o profesionalizarse, situación que afecta en mayor medida a mujeres, jóvenes y personas en situación de discapacidad[12].

El programa busca vincular la capacitación a la colocación en puestos de trabajo de calidad, y de este modo contribuir a la disminución de la desigualdad social. Así el programa contribuiría a reducir la pobreza y la vulnerabilidad de los grupos en los cuáles se focaliza, además de favorecer la inclusión social y lograr mejores condiciones de vida no sólo respecto de las personas desempleadas, sino que también respecto de las personas inactivas o de inactividad intermitente[13].

En 2015 el diseño y el piloto del programa fueron sometidos a evaluación por parte de la Dirección de Presupuestos quien sobre el particular y considerando lo señalado por la Comisión Revisora del Sistema de Capacitación e Intermediación Laboral (Larrañaga 2011) respecto de que los beneficios de la formación de capital humano no son solamente individuales sino que se traducen en mayores tasas de crecimiento económico y en mayor cohesión social, lo que aporta al bienestar de toda la sociedad. Establece que el programa se justifica en tanto se orienta a superar una de las brechas de desigualdad social en materia laboral, correspondiendo a un menor acceso a capacitación orientada a mejorar la empleabilidad, y por tanto, la probabilidad de encontrar puestos de trabajo de calidad, con mayores ingresos. Agregando, que además el problema es abordado desde un enfoque de género, en la medida que, entre otras cosas, considera la

---

[11] DIRECCIÓN DE PRESUPUESTOS, *Informe final de evaluación Programa Más Capaz* ..., p. 17.
[12] DIRECCIÓN DE PRESUPUESTOS, *Informe final de evaluación Programa Más Capaz* ..., p. 42.
[13] DIRECCIÓN DE PRESUPUESTOS, *Informe final de evaluación Programa Más Capaz*..., p. 20.

situación particular de las mujeres en la identificación del problema que busca solucionar[14].

Sin embargo, se estima que la forma de cuantificar la población potencial no fue la correcta, atendido que la ficha de protección social y el seguro de cesantía utilizados no resultaban adecuados para este objetivo, siendo lo más apropiado la utilización de la información proporcionada por la encuesta CASEN, ya que, en caso contrario, se corre el riesgo de sobre o subestimar la población potencial y objetivo dependiendo del segmento. Agrega además que el programa, en la definición de metas de atención no considera la composición de la población potencial, contemplando la participación de personas desempleadas, inactivas y aquellas con empleo precario, sin reconocer tampoco cuáles son las condiciones de inactividad que el programa es capaz de abordar junto a estrategias diferenciadas para los segmentos de población focalizados. Así, al no estar bien definida la población potencial con las características específicas que más capaz quiere abordar conlleva el riesgo de superposición de programas y duplicidad de intervención así como el riesgo de no alcanzar las metas propuestas en caso de no atraer a la población inactiva por ser la más importante en términos de magnitud[15].

Por otro lado, se cuestiona el diseño del programa respecto de la duración en horas de las capacitaciones en oficios, que serían más acotadas que los programas de capacitación de oficio regular de SENCE y el FONTRAB, lo que no sería coherente con lo planteado por la Comisión revisora del sistema de capacitación e intermediación laboral respecto que en poblaciones vulnerables la evidencia de un impacto positivo de la capacitación se da en programas que operan con cursos de larga duración.

Se detectan debilidades relativas a la no definición de la población objetivo (ocupados con empleos precarios, desempleados, inactivos) a la que quiere llegar junto a estrategias diferenciadas para los segmentos de población focalizados en términos de su participación laboral, como en los servicios que les provee, específicamente en lo que respecta al diseño de la intermediación laboral en relación a las distintas salidas de la capacitación ya que considera únicamente la colocación de empleos dependientes, sin contemplar que como la capacitación para el emprendimiento en mujeres, la capacitación en oficios también podría derivar en la realización de una actividad por cuenta propia[16]. En este sentido se requieren ajustes que den cuenta de las características específicas de la población a la cual se quiere atender y ofrezca alternativas para que participantes

14   DIRECCIÓN DE PRESUPUESTOS, *Resumen ejecutivo evaluación programas gubernamentales, Programa Más Capaz,...*, p. 6.
15   DIRECCIÓN DE PRESUPUESTOS, *Informe final de evaluación Programa Más Capaz...*, p. 35-36.
16   DIRECCIÓN DE PRESUPUESTOS, *Informe final de evaluación Programa Más Capaz...*, p. 45.

encuentren efectivamente una ocupación laboral, ya sea en el mercado dependiente o en actividades por cuenta propia, se incorporen a la fuerza de trabajo o
mejoren su situación laboral inicial.

Señala, además, que si bien se incorporan modalidades que aumentan la probabilidad de participación tanto de mujeres y personas en situación de discapacidad, existen condiciones estructurales asociadas a la inactividad de la población
que no son abordadas por el programa.

Agrega que, en relación a los beneficiarios, no se establecieron acciones específicas para incorporar a la fuerza de trabajo a las personas inactivas que alcanzan
un 52% de la población potencial[17]. En este sentido, el diseño no estaría apun-
tando específicamente al aumento de la fuerza de trabajo[18].

Otras debilidades se presentaron respecto de la pertinencia de los planes formativos en relación a la demanda del mercado laboral al tenor de los levanta-
mientos de demanda laboral en los determinados territorios, no obstante, los
resultados del piloto da cuenta de que la parrilla ofrecida no fue la más apropiada para conseguir el objetivo de garantizar la colocación de las personas, alcan-
zando una pertinencia de un 33% en 2014 y de un 80% en 2015[19].

Así, se recomendó cuantificar correctamente la población potencial del programa; especificar los distintos segmentos de población como sus respectivas salidas; establecer mecanismos para aumentar la participación de personas inactivas;
establecer un sistema de seguimiento y evaluación; incluir componentes como el
cuidado infantil en la intermediación laboral para evitar la deserción principalmente de mujeres; practicar un análisis de la pertinencia de los planes formativos, tanto el tipo de curso como del número de cupos ofrecidos en relación a la
demanda laboral del mercado a nivel regional; establecer mecanismos que eviten
la superposición de población atendida con otros programas de SENCE; practicar encesta de satisfacción de usuarios que consigne sexo y edad de las personas
que la respondan a fin de evaluar en términos de la población objetivo[20].

Es importante señalar que la evaluación realizada por la Dirección de Presupuesto corresponde a una evaluación presupuestaria y en ningún caso constituye
una evaluación de impacto o de implementación del programa propiamente tal,
debiendo considerarse que tal evaluación recayó únicamente en el diseño del
programa y en el piloto ejecutado en 2014 y el primer semestre de 2015 –a través
de otros programas de SENCE por no contar con una asignación presupuestaria
específica[21]– en 5 regiones del país y contempló únicamente los componentes

---

17   DIRECCIÓN DE PRESUPUESTOS, *Informe final de evaluación Programa Más Capaz…*, p. 75-76.
18   DIRECCIÓN DE PRESUPUESTOS, *Informe final de evaluación Programa Más Capaz…*, p. 45.
19   DIRECCIÓN DE PRESUPUESTOS, *Informe final de evaluación Programa Más Capaz…*, p. 76.
20   DIRECCIÓN DE PRESUPUESTOS, *Informe final de evaluación Programa Más Capaz…*, p. 78-80.
21   DIRECCIÓN DE PRESUPUESTOS, *Informe final de evaluación Programa Más Capaz…*, p. 65.

asociados a la capacitación en oficios y la intermediación laboral, no así aquellos relativos a la capacitación para emprendimiento de mujeres, nivelación y continuidad de estudios[22], componentes respecto de los cuales, sin embargo, la Dipres se refirió señalando que el primero de ellos parece una estrategia apropiada para aumentar la empleabilidad y participación laboral a través de actividades por cuenta propia, que permita a las mujeres aumentar sus ingresos. Ello en atención a que éstas presentan condiciones estructurales de inactividad, principalmente por el trabajo en el hogar[23]. Y respecto de los segundos, señalando que constituyen objetivos del programa que muestran coherencia con el impacto que tienen en la desigualdad social la inversión en educación y las intervenciones tempranas, pero sin que pueda visualizarse su relación con el logro de puestos de trabajo de mayor calidad[24].

Ahora bien, a la época de la mencionada evaluación el piloto aún no concluía en su ejecución por lo que no fue posible evaluar el conjunto de indicadores asociados a los componentes ejecutados y los datos exploratorios a nivel nacional no resultaban lo suficientemente significativos para emitir algún juicio en relación al cumplimiento del propósito, en términos de usuarios/as capacitados/as y colocados en un puesto de trabajo y/o en términos de mejoras salariales[25].

Pese a lo anterior y recogiendo las recomendaciones practicadas por la Dirección de Presupuestos así como las demás observaciones de mejoras arrojadas por la ejecución del piloto, el Programa Más Capaz ha tenido como resultado ser la acción de capacitación de mayor envergadura en los últimos años en el país, con la particularidad de su orientación hacia las poblaciones con menores tasas de participación laboral y mayores brechas para el acceso al empleo. Logrando sus objetivos mediante la realización de cursos de capacitación en oficios de 180 a 450 horas de duración y definidos a través de un proceso de levantamiento de demandas laborales realizados por cada región por los equipos regionales SENCE en conjunto con empresas, gremios, instituciones públicas y representantes del mundo productivo. Su desarrollo se basa en planes formativos diseñados conforme a lo establecido en los perfiles ocupacionales por competencias acreditados por Chile Valora, que a su vez son demandados por empresas y representantes del mundo productivo.

Las metas de personas capacitadas para el año 2014 fueron de 30.000 personas y para el año 2015, de 75.000. Por su parte, y conforme los ajustes presupuestarios, la meta original para el año 2016, que contemplaba la capacitación de 120.000 personas, fue disminuida en un 48%, estableciéndose una meta de

---

22   DIRECCIÓN DE PRESUPUESTOS, *Informe final de evaluación Programa Más Capaz...*, p. 50.
23   DIRECCIÓN DE PRESUPUESTOS, *Informe final de evaluación Programa Más Capaz...*, p. 43.
24   DIRECCIÓN DE PRESUPUESTOS, *Informe final de evaluación Programa Más Capaz...*, p. 44.
25   DIRECCIÓN DE PRESUPUESTOS, *Informe final de evaluación Programa Más Capaz...*, p. 50.

62.500 personas. A su vez la meta original para el año 2017 que contemplaba un número de 145.000 personas se redujo en un 87%, quedando en 18.355 personas, cifra que se mantuvo para el año 2018[26].

Para el logro de sus metas, el diseño se preocupó de incorporar componentes que facilitaran la incorporación al programa y, disminuyeran la deserción y agregaran valor para la empleabilidad de personas vulnerables, destacando entre estos elementos los módulos de habilidades transversales, el apoyo socio laboral, el cuido infantil, la entrega de subsidios, la intermediación laboral, la certificación de competencias laborales, el fondo de inversión para emprendimiento, un modelo de empleo con apoyo para la línea discapacitados, nivelación de estudios de enseñanza media y continuidad de estudios técnicos superiores.

Asimismo, se amplió el universo inicial de oferentes de capacitación, incorporándose liceos técnicos profesionales públicos y privados, institutos profesionales y centros de formación técnica, fundaciones especializadas en el trabajo con personas en situación de discapacidad, además de los organismos técnicos de capacitación.

Así, según la información acumulada de los años 2014 a 2018, al 31 de marzo de 2018, se obtiene que, a esa fecha, el programa estuvo presente en 333 comunas del país con más de 9.800 cursos, orientados según el levantamiento continuo de demanda laboral[27]. Logrando enfocarse exitosamente, en la población más vulnerable, así un 90% de los participantes pertenecían al tramo de menores ingresos o mayor vulnerabilidad según el registro social de hogares[28]. El 88.9% pertenecía al segmento del 40% más vulnerable del país y el 98,8% al 60% más vulnerable[29].

En relación a la participación laboral y densidad de cotizaciones, un 79% de los participantes no contaban con cotizaciones a su haber y un 20% contaba con menos de 6 cotizaciones en el último año, teniendo nula o muy baja participación laboral previa, siendo en su mayoría personas inactivas y en situación de desempleo de larga duración[30].

En materia de empleabilidad, un 23.2% obtuvieron un empleo formal al sexto mes según se desprende de los datos contenidos en el seguro de cesantía para

---

26   SERVICIO NACIONAL DE CAPACITACIÓN Y EMPLEO (SENCE), *Informe de gestión y avance Más Capaz*", Santiago, 2018, p.1-2.
27   SERVICIO NACIONAL DE CAPACITACIÓN Y EMPLEO (SENCE), *Informe de gestión y avance Más Capaz...*, p.6.
28   SERVICIO NACIONAL DE CAPACITACIÓN Y EMPLEO (SENCE), *Informe de gestión y avance Más Capaz...*, p.4.
29   SERVICIO NACIONAL DE CAPACITACIÓN Y EMPLEO (SENCE), *Informe de gestión y avance Más Capaz...*, p.7.
30   SERVICIO NACIONAL DE CAPACITACIÓN Y EMPLEO (SENCE), *Informe de gestión y avance Más Capaz...*, p.4.

los egresados de la línea regular año 2016. Según los datos entregados por la encuesta de seguimiento del programa en su línea regular año 2016, se verificó un aumento de un 48.2% de las rentas promedio de los participantes entre el mes previo al ingreso del programa y al sexto mes de egreso. Junto a ello, un 52,1% de los participantes declaró estar trabajando a los 6 meses de haber egresado, y un 58,7% a los 12 meses.

Se agrega que según los seguimientos efectuados por SENCE, puede concluirse que 2 de 3 usuarios de más capaz están trabajado, después de un año de haber egresado, con un 41,1% por cuenta propia y un 58,9% de manera dependiente.

Por su parte, los datos relativos a la línea discapacidad, indicarían que de quienes han aprobado la fase lectiva de los cursos, un 59% ha logrado colocación laboral exitosa.

Adicionalmente, se establece que un 23,2% de los participantes indicaron haber retomado sus estudios luego del programa. Lo que resulta ser un factor positivo que impacta en la escolaridad y en el futuro acceso a mejores empleos[31].

De lo que se viene diciendo y de los datos aportados por SENCE puede concluirse, que la ejecución del programa Más Capaz, se ajusta o al menos está en sintonía con las exigencias internacionales en materia de políticas de empleo, en cuanto responde a una política activa, centrada en los más vulnerables y concebida para fomentar el pleno empleo, productivo y libremente elegido, abriendo la posibilidad de que cada trabajador tenga la oportunidad de adquirir la formación necesaria para el empleo que le convenga y de utilizar en él esta formación y las facultades que posea, buscando además el pleno desarrollo de las aptitudes humanas. Sin perjuicio de lo anterior, el referido programa no se encuentra actualmente dentro de la parrilla de programas ofrecidos por SENCE para el año 2019, sin mediar a su respecto una evaluación de impacto en relación a sus resultados ni de lo que fue su ejecución durante los últimos 4 años –además de aquellas practicadas por el mismo SENCE– lo que podría solicitarse por el Gobierno por ejemplo, a la misma OIT o al menos al Consejo Laboral Superior para efectos de establecer si la iniciativa logró o no sus objetivos en relación a la política de empleo a que responde, cuáles han sido sus efectos y si requiere modificaciones[32] y en definitiva, decidir sobre la base de un estudio analítico que permita resolver fundadamente sobre su continuidad o eliminación, de otro modo se estaría desechando una enorme capacidad instalada, particularmente cuando el gobierno se ha propuesto crear 600 mil empleos de calidad para el término del

[31] SERVICIO NACIONAL DE CAPACITACIÓN Y EMPLEO (SENCE), *Informe de gestión y avance Más Capaz...*, p.6.
[32] ORGANIZACIÓN INTERNACIONAL DEL TRABAJO, *Guía para la formulación de políticas nacionales de empleo*, Ginebra, 2012, p.47.

período 2018–2021[33]. Esta evaluación tampoco es practicada por la Mesa Técnica constituida por el Gobierno para el análisis de temáticas relativas a la modernización del mercado laboral y las nuevas formas de empleo, organismo que sólo hace referencia en términos generales al sistema de capacitación reproduciendo parcialmente el diagnóstico ya existentes acerca del sistema de capacitación en Chile, aportados por la Comisión Meller en 2009, entre otros, señalando que medir la calidad de los programas de capacitación es el gran problema que ha tenido SENCE y que la falta de información sobre el desarrollo de éstos, ha generado que no se cuente con un diagnóstico acabado y certero respecto de qué está fallando en el desarrollo de los programas de capacitación en oficio y agrega que en materia de intermediación laboral existe un problema en el diseño de las oficinas municipales de información laboral (OMIL) ya que tienen una lógica territorial acotada, debiendo abarcar áreas geográficas más amplias como, por ejemplo, regiones[34].

Así las cosas, podría decirse que nuestro país muestra una seria falencia para dar cumplimiento a la normativa internacional en orden a revisar regularmente las medidas que abran de adoptarse, como parte integrante de una política económica y social coordinada, para lograr los objetivos previstos en los tratados internacionales y ratificados por Chile, así como también en lo relacionado al deber de dedicarse recursos adecuados para la compilación de datos estadísticos, para la preparación de estudios analíticos y para la difusión de resultados. En este sentido entonces, sólo resta darse cuenta que la determinación de la continuidad de los programas de capacitación en nuestro país dice relación con los compromisos contenidos en los programas de los distintos Gobiernos de turno, sin que se verifique una continuidad en las políticas públicas lo que a todas luces dificulta alcanzar los objetivos impuestos por la normativa internacional en comento.

BIBLIOGRAFÍA

COMISIÓN DE EXPERTOS EN APLICACIÓN DE CONVENIOS Y RECOMENDACIONES, *Aplicación de las normas internacionales del trabajo 2019, Informe III parte A*, Conferencia Internacional del Trabajo, 108ª Reunión, 2019.

---

[33] MONCKEBERG, Nicolás, "Presentación y Agradecimientos", en *Informe final Mesa Técnica, Desafíos para la Modernización del Mercado Laboral y Las Nuevas Formas de Empleo* Santiago (2018), p.2.
[34] MONCKEBERG, Nicolás, "Presentación y Agradecimientos", p.20.

DIRECCIÓN DE PRESUPUESTO, *Informe final de evaluación programa más capaz,* [en línea], Santiago (2015), [18.04.2019] http://www.dipres.gob.cl/597/articles–141245_informe_final.pdf.

ESCUDERO VERÓNICA y LÓPEZ MOURELO Elva, *Soluciones eficaces: Políticas activas del mercado de trabajo en América Latina y el Caribe,* [en línea], en Lima (2016), [08.04.2019] https://www.youtube.com/watch?time_continue=7&v=sDUUwmnTxR8.

MONCKEBERG, Nicolás, "Presentación y Agradecimientos", en *Informe final Mesa Técnica, Desafíos para la Modernización del Mercado Laboral y Las Nuevas Formas de Empleo,* Santiago, 2018, p.2.

OFICINA INTERNACIONAL DEL TRABAJO (OIT), *Estudio General sobre la política del empleo,* 92° Reunión de la Conferencia Internacional del Trabajo [en línea], en Ginebra (2004), [08/04/2019], https://www.ilo.org/public/spanish/standards/relm/ilc/ilc92/pdf/rep–iii–1b.pdf.

ORGANIZACIÓN INTERNACIONAL DEL TRABAJO, *Guía para la formulación de políticas nacionales de empleo,* Ginebra, 2012, p.47.

ORGANIZACIÓN INTERNACIONAL DEL TRABAJO, *Soluciones eficaces: Políticas activas del mercado de trabajo en América Latina y el Caribe,* [en línea], Ginebra, 2016, [08.04.2019] https://www.ilo.org/wcmsp5/groups/public/——dgreports/——dcomm/——publ/documents/publication/wcms_492374.pdf.

SERVICIO NACIONAL DE CAPACITACIÓN Y EMPLEO (SENCE), "Informe de gestión y avance Más Capaz", Santiago (2018).

SERVICIO NACIONAL DE CAPACITACIÓN Y EMPLEO, Unidad de Estudios, *Ficha de diseño +Capaz 2018,* [en línea], Santiago (2018), [19/04/2019] http://www.sence.cl/601/articles–9560_archivo_01.pdf.

SUBSECRETARIA DEL TRABAJO [en línea], Santiago (2019), [08.04.2019] http://www.subtrab.trabajo.gob.cl/programas–de–empleo/programa–de–empleo/.

Capítulo 10.

Desde el tripartismo internacional hasta el Consejo Superior Laboral: una historia con escasos avances en Chile

ARIEL ROSSEL ZÚÑIGA[*]

La Organización Internacional del Trabajo –OIT– es la única agencia tripartita de las Naciones Unidas, pues congrega a representantes de gobiernos, empleadores y trabajadores para que diseñen conjuntamente normas de trabajo, políticas y programas.

Para el desarrollo de ese paradigma se fue transformando en un hito fundamental el Convenio N° 144 de la OIT sobre la consulta tripartita (normas internacionales del trabajo), del año 1976, pues hoy en día se ha erigido como uno de los convenios de gobernanza[1].

El tripartismo, eje y motor de la regulación de los asuntos laborales en el ámbito internacional, no siempre encuentra la misma entusiasta recepción en el derecho interno de las naciones, por razones muchas veces disímiles y complejas de entender por las diferentes raigambres nacionales, pero la técnica de creación normativa al interior de la OIT sigue seduciendo –aunque de manera más fría–, a los actores locales.

Hoy en día a través del sistema normativo de la OIT, que engloba la "asistencia técnica y un mecanismo de control encargado de supervisar la aplicación de normas en los países, estos convenios desempeñan una función esencial en la promoción de un empleo pleno, productivo y libremente elegido, en el fortalecimiento de la cohesión social por medio del diálogo social, y en el mantenimiento de las condiciones decentes de trabajo por medio de un servicio de inspección del trabajo eficaz. Contribuyen a allanar el camino para salir de la crisis actual mediante la búsqueda de políticas y soluciones concertadas en un

---

[*] Abogado, Licenciado en Ciencias Jurídicas de la Universidad Diego Portales. Ex Jefe de Asuntos Legislativos del Ministerio del Trabajo y Previsión Social. Fue Secretario Ejecutivo de la Unidad Coordinadora de la Reforma Procesal Laboral.

[1] Los demás Convenios OIT sobre gobernanza, están constituidos por el Convenio (núm.81) sobre la inspección del trabajo, 1947; Convenio (núm. 122) sobre la política del empleo, 1964, y; Convenio (núm.129) sobre la inspección del trabajo, 1969.

contexto tripartito y servicios de inspección del trabajo eficaces para evitar que la protección social toque fondo"[2].

10.1. ALGUNAS CUESTIONES PRELIMINARES

El tripartismo, como se señaló, es la fuente de creación de la OIT. Creada en 1919, la OIT tuvo como primer debate el cómo debían repartirse los votos al interior del Organismo. En un ambiente de desconfianza, post primera Guerra Mundial, en un marco de movimientos sociales y obreros y de un descarnado sistema económico liberal, las naciones debían velar por avocar dichos ánimos, que se traducían en una serie de pretensions, de tal forma que permitieran la gobernanza y, además, fueran sustento de la tan anhelada paz social. Por lo anterior la solución fue el tripartismo, que se debe entender como "la distribución del poder entre gobiernos, los empleadores y trabajadores [que] ha constituido la base de representación en la Conferencia Internacional del Trabajo y en el Consejo de Administración desde que existe la OIT"[3].

Lo anterior se tradujo en que cada "Estado miembro enviaría a cuatro delegados a la Conferencia General de la OIT […] dos en representación de su gobierno, uno de sus empleadores y uno de sus trabajadores. Cada delegado tendría un voto y el derecho de votar como lo entendiera, independiente de la forma en que lo hicieran los otros miembros de la delegación de su país"[4].

Posteriormente la OIT reconocerá al tripartismo en el contexto de una forma de diálogo social, el cual se debe entender como "todo tipo de negociación, consulta o intercambio de información entre los representantes de los gobiernos, los empleadores y los trabajadores o entre empleadores y trabajadores sobre temas de interés común relacionados con la política económica y social. […] Puede ser bipartito, entre trabajadores y empleadores (denominados por la OIT como "los interlocutores sociales") o tripartito, incluido el gobierno"[5].

En ese marco, el concepto de tripartismo de la OIT se aparta de ser una mera respuesta al conflicto de representatividad dentro del organismo, señalado en los primeros párrafos de este apartado, otorgando una denominación más amplia:

[2]   ORGANIZACIÓN INTERNACIONAL DEL TRABAJO, *Plan de acción (2010–2016) para la ratificación generalizada y la aplicación efectiva de los convenios de gobernanza*, 2011, p. 1.

[3]   ORGANIZACIÓN INTERNACIONAL DEL TRABAJO, *Los sindicatos y la OIT. Manual de educación obrera*, Oficina Internacional del Trabajo, Ginebra, 1992, p. 21.

[4]   ORGANIZACIÓN INTERNACIONAL DEL TRABAJO, *Los sindicatos y la OIT. Manual de…*, p. 21.

[5]   ORGANIZACIÓN INTERNACIONAL DEL TRABAJO, *Diálogo Social Tripartito de Ámbito Nacional. Una guía de la OIT para una mejor gobernanza*, Oficina Internacional del Trabajo, Ginebra, 2017, p. 12.

"El tripartismo es una de las principales formas de diálogo social. Es un principio fundacional y un valor fundamental de la OIT, que está en el núcleo del trabajo de la organización.

El tripartismo se puede definir como "la interacción del gobierno, empleadores y trabajadores (a través de sus representantes) como asociados iguales e independientes para buscar soluciones a asuntos de interés común" (Tesauro de la OIT).

En otras palabras, el tripartismo se refiere a la participación de las organizaciones de empleadores y de trabajadores, junto con el gobierno, en pie de igualdad, en el proceso de toma de decisiones"[6].

Lo anterior es el primer antecedente de tripartismo en la OIT. Posterior a ello la Conferencia Internacional del Trabajo ha adoptado resoluciones previas al establecimiento del Convenio N° 144, instrumento culmen de la consagración del tripartismo como un principio relevante en su labor.

Previo al instrumento citado, la OIT ha evacuado otros textos, algunos que promueven un ambiente eficaz para ejecutar las consultas tripartitas – Convenios Nos. 87, 98 y 135, que se refieren la Libertad Sindical y el Derecho de Sindicación– y otros que otorgan orientaciones para la implementación de ellas –Recomendaciones Nos. 113 y 143–[7]. En general las referencias al diálogo social tripartito se presentan en la totalidad de los instrumentos generados por la OIT.

10.2. EL CONVENIO NÚM. 144

"El propósito del Convenio núm. 144 es promover el tripartismo y el diálogo social en el ámbito nacional, asegurando la participación de las organizaciones de empleadores y de trabajadores en cada etapa de las actividades normativas de la OIT. En consecuencia, en la Declaración sobre la Justicia Social se identificó el Convenio núm. 144 como una de las normas del trabajo más importantes desde el punto de vista de la gobernanza"[8].

El convenio es un texto de breve extensión por medio del cual la OIT dispone que se celebren consultas efectivas entre los representantes del gobierno y la organizaciones de empleadores y de trabajadores en la cinco materias que forman parte del proceso normativo de la Organización Internacional: (i) Los puntos del orden del día de la Conferencia de la OIT, (ii) la presentación a las

---

[6]   ORGANIZACIÓN INTERNACIONAL DEL TRABAJO, *Diálogo Social Tripartito de Ámbito...*, p. 13.

[7]   A estos instrumentos se deben agregar los emanados con posterioridad a la entrada en vigor del Convenio N° 144: Convenios Nos. 151 de 1978, y 154 de 1981, además de las Recomendaciones del año 2002 sobre el Tripartismo y el Diálogo Social, entre otros.

[8]   ORGANIZACIÓN INTERNACIONAL DEL TRABAJO, *Promover la consulta tripartita: Ratificación y aplicación del Convenio Núm. 144*, Departamento de Relaciones Laborales y de Empleo (dialogue) y Departamento de Normas Internacionales del Trabajo (normes), Ginebra, 2011, p. 2.

autoridades nacionales de los nuevos convenios y recomendaciones adoptados por la OIT, para su eventual ratificación y/o aplicación, (iii) El nuevo examen de convenios no ratificados y de recomendaciones a las que no se haya dado aún efecto para promover su ratificación y/o su aplicación, (iv) Las memorias que han de presentarse a la OIT sobre los convenios ratificados por el respectivo país, y (v) Las propuestas de denuncia de convenios ratificados.

El convenio cuenta, además, con la Recomendación N° 152, por medio de la cual, en el espíritu de promover las consultas tripartitas a todo ámbito, se sugiere aplicar la consulta a otros temas tales como las actividades de cooperación técnica de la OIT, las resoluciones y conclusiones de las conferencias y reuniones de la Organización, además de instancias de promoción de las actividades de la OIT.

Al parecer de la OIT "a primera vista, el enfoque del Convenio No 144 podría parecer relativamente restringido, en muchos países este instrumento es el motor del diálogo sobre una gran variedad de temas, más allá de su contenido, y demuestra su potencial para fortalecer el diálogo social a nivel nacional"[9].

Es el sentido de la búsqueda de políticas y soluciones concertadas, el que el Convenio 144 ha atacado. Ahora bien, algunas de sus dificultades de aplicación y resultados se analizarán a continuación en este texto con el objeto estudiar los avances concretos que ésta forma de hacer política ha tenido en nuestro país y cómo ello se ha manifestado.

10.3. EL TRIPARTISMO EN CHILE ANTES DE LA RATIFICACIÓN DEL CONVENIO NÚM. 144

"El diálogo social y el tripartismo son tanto un objetivo y componente del trabajo decente como un medio para alcanzarlo y extenderlo. La promoción y fortalecimiento del diálogo social y del tripartismo son requerimientos insoslayables de la democracia, el desarrollo con equidad y la competitividad en una globalización más justa"[10]. De esa forma destacaba la OIT el rol del tripartismo en el desarrollo de condiciones de laborales justas y adecuadas para todos los trabajadores. El tripartismo es una forma de diálogo social que permite canalizar inquietudes de los diversos actores con un elemento de empatía mutua y espíritu de acuerdos pudiendo enriquecer el debate sobre condiciones de trabajo considerando los pareceres de todos los involucrados, en un estatus de igualdad y respeto. Así, y

---

9   ORGANIZACIÓN INTERNACIONAL DEL TRABAJO, *Diálogo Social Tripartito de Ámbito...*, p. 157.
10   OIT, *Diálogo Social y Tripartismo. Fuentes de Información OIT*", Serie Bibliografías Temáticas Digitales OIT, Oficina Regional para América y el Caribe, Lima, 2012, p. 27 [extracto del documento "Cohesión social, trabajo decente, tripartismo y diálogo social aporte de la OIT a la XVII Cumbre Iberoamericana de Jefes de Estado y de Gobierno"].

tal como se ha señalado en la cita, es un medio para lograr la meta de un trabajo decente, pero no se queda ahí, invita a fortalecerlo y conservarlo en un diálogo permanente, elemento crucial de toda nación democrática.

Como resultado de lo anterior, las naciones obtienen insumos pertinentes para avanzar en equidad y respeto, no sólo dentro de sus fronteras, sino también en las relaciones con otros estados, incorporando en tratados internacionales un enfoque laboral.

Hablar del tripartismo hoy en día, en Chile, se hace más pertinente que nunca: Actualmente, en un contexto de manifestaciones sociales se han tomado los espacios de discusión temas como la reducción de la jornada laboral – de 45 a 40 horas semanales –, el aumento del ingreso mínimo y modificaciones profundas al sistema de pensiones. Si analizamos el origen de la Organización Internacional del Trabajo no es novedad que esta surgiera en un contexto social complejo tal como el de hoy en nuestro país: Post primera Guerra Mundial, con una alta tasa de población empobrecida y objeto de abusos laborales. Ante ello, el Tratado de Versalles realiza un diagnóstico aplicable hasta el día de hoy al momento de analizar vías de resolver las situaciones de abuso y lograr, con ello, la paz social, el diálogo social y su manifestación tripartita representada por la Organización del Trabajo, más tarde llamada Organización Internacional del Trabajo u OIT:

> "Considerando que la sociedad de las Naciones tiene por objeto establecer la paz universal y que esta paz no puede fundarse sino en la base de justicia social; considerando que existen condiciones de trabajo que implican para un gran número de personas la injusticia, la miseria y privaciones, lo que engendra un descontento tal que pone en peligro la paz y la armonía universal; y considerando que es urgente mejorar esas condiciones, por ejemplo, en lo que concierne a la reglamentación de las horas de trabajo, la fijación de la duración máxima de las horas de trabajo, la fijación de la duración máxima de la jornada y de la semana de trabajo; la contratación de la mano de obra, lucha contra el desempleo, la garantía de un salario que asegure condiciones convenientes de existencia, la protección de los trabajadores contra las enfermedades profesionales, los accidentes del trabajo, la protección de niños, adolescentes y mujeres, las pensiones de vejez y de invalidez, la defensa de los trabajadores ocupados en el extranjero, la afirmación del principio de la libertad de asociación sindical, la organización de la enseñanza profesional y otras medida análogas"[11].

Al respecto, ya en 1924, Moisés Poblete Troncoso y Oscar Álvarez Andrews, miembros de la Oficina del Trabajo, actual Dirección del Trabajo, destacaban que la creación de la Organización del Trabajo a través del Título XIII del Tratado

---

[11]   INSTITUTO IBERO-AMERICANO DE DERECHO COMPARADO, *El Tratado de Versalles de 1919 y sus Antecedentes,* Publicaciones del Instituto Ibero-Americano de Derecho Comparado. Madrid, 1920, p. 427.

de Versalles, "[hizo] eco del sentir del proletariado universal" siendo el Título "acaso el más importante para la humanidad"[12].

Con lo anterior nace la más importante organización internacional que trate, entre representantes de cada país, temas de índole laboral y de seguridad social. Más tarde, al avanzar en su desarrollo se fueron incorporando en su labor actores y representantes de trabajadores y de empleadores, ya sea organizaciones propias de cada estado miembros, o instancias internacionales.

Nuestro país no ha sido ajeno al desarrollo de un contexto de políticas tendientes a mejorar la calidad de vida de los trabajadores, a través del diálogo y la activa participación de sus actores. A comienzos del siglo XX, nuestro país, al igual que la mayoría del mundo, vivía una serie de trasformaciones sociales que hicieron inevitable para el Estado construir un marco normativo y regulatorio del trabajo, dentro del cual se consideraron diversas instancias de diálogo tripartito. El tránsito de población rural a sectores urbanos y el surgimiento de la fábrica como escenario por excelencia del desarrollo de las relaciones laborales hicieron de los conflictos emanados de ese contexto una materia de interés público y de orden público:

> "En efecto, el derecho del trabajo surge para solventar los conflictos que derivan de las tensiones y los conflictos sociales, con el fin de frenar tensiones, mejorar la gobernabilidad social y resolver la llamada cuestión social. La normativa laboral trasciende a la empresa o a la industria y es del interés central de toda sociedad"[13].

Así, a partir de 1906 comienzan a aparecer en el marco normativo laboral las primeras legislaciones sobre condiciones de trabajo, junto a la estructuración de una institucionalidad pública de fiscalización y solución de controversias.

En 1921, el Director de la Oficina del Trabajo, Moisés Poblete Troncoso ya solicitaba al gobierno de la época la creación de un "Consejo Superior del Trabajo", solicitud que reitera en 1927, en cuyas palabras emana una de las primeras manifestaciones nacionales de la necesidad de una instancia tripartita de diálogo:

> "Aquí en Chile, donde el problema va adquiriendo capital importancia, donde hay una desorientación casi absoluta de parte de todo los elementos sociales, estimamos sería oportuno pensar en la creación de un organismo de esta especie, donde representantes patronales, obreros y el Gobierno, estudien sin odios ni prejuicios, honradamente y con patriotismo, la solución conveniente de los problemas económico–sociales"[14].

---

[12]   POBLETE TRONCOSO, Moisés, y ALVAREZ ANDREWS, Oscar, *Legislación Social Obrera Chilena (Recopilación de Leyes y Disposiciones vigentes sobre el Trabajo y Previsión Social)*, Imprenta Santiago, Santiago de Chile, 1924, p. 3.

[13]   RODRÍGUEZ ROJAS, Marco, *La Inspección General del Trabajo. El Surgimiento de la Fiscalización 1924-1934*, División de Estudios de la Dirección del Trabajo, Santiago de Chile, 2010, p. 20.

[14]   RODRÍGUEZ ROJAS, *La Inspección General…*, p. 34.

A partir de lo anterior, el rol del Estado dentro de este diálogo tripartito será el de un árbitro entre las partes del conflicto, interviniendo en aquellos casos que tenían alto impacto para la población y que podían afectar al país en general. Así, lo destacable de este periodo es que, más allá de los resultados positivos o negativos, existía una voluntad para negociar y un reconocimiento mutuo entre los actores del diálogo[15].

Desde 1931, con la promulgación del primer Código del Trabajo – Decreto con Fuerza de Ley N° 178 de 1931 del Ministerio de Bienestar Social, actual Ministerio del Trabajo y Previsión Social – se concreta no sólo un texto que refundiera orgánicamente todas las normas laborales y de seguridad social de la época, sino uno que otorga un marco estable a la intervención estatal en los conflictos colectivos. Así, en su Título II "de los conflictos colectivos", en su párrafo segundo se consagran las Juntas Permanentes de Conciliación, las cuales operarán en cada departamento y quien deberá conocer de los conflicto colectivos que se susciten en él. Para fines del presente artículo es notable resaltar la conformación de estas juntas:

> "Art. 513. Cada Junta de Conciliación se compondrá de seis miembros, tres de los cuales actuarán en representación de los patrones, dos en representación de los obreros y uno en representación de los empleados".

Es decir, representación de los actores de las relaciones del trabajo y del Estado. Otra materia a destacar es el alcance de sus facultades, a diferencia de las instancias de mediación creadas a partir de la Ley N°18.620 de 1987, estas juntas convivían con la posibilidad de huelga en caso de fracasar la conciliación y, además, operaban no solo en el contexto de una negociación colectiva, también en caso un cual conflicto colectivo que se suscite en el respectivo departamento. El rol del estado sigue siendo de árbitro, toda vez que en el recaía, representado a través del inspector del trabajo del sector, presidir la junta.

Esta instancia incluso podía ser constituida de forma permanente para determinadas industrias.

Otra manifestación del tripartismo en Chile, ya no como una instancia de dialogo para la resolución de conflictos, si no como una forma de participación de los actores en materia de seguridad social, es el financiamiento en porcentajes de la Caja del Seguro Obrero Obligatorio, la Caja de Previsión de Empleados Públicos – creadas en 1924 – a la que posteriormente se sumaría la Caja de Empleados Públicos, "estas instituciones se nutrían de las cotizaciones obligatorias que realizaban los trabajadores, empleadores y el Estado, lo que aseguraba al beneficiario atención médica, pensión de invalidez y una jubilación a partir de los

---

[15] RODRÍGUEZ ROJAS, *La Inspección General…*, p. 35.

65 años de edad. Basado en un sistema de reparto, los montos de las pensiones se distribuían en base al conjunto de los recursos acumulados por el total de los cotizantes"[16].

A partir de 1973, junto con la instauración de la dictadura militar comienzan en Chile una serie de reformas que eliminarían gran parte de los avances de las normas laborales y de seguridad social, y con ellas las instancias de participación tripartita ya sea para resolución de conflictos colectivos, consulta o financiamientos de regímenes de previsión social.

A partir de 1979, se comienza a ejecutar en Chile el "Plan Laboral", el cual incorpora elementos neoliberales a las relaciones laborales, acotando a un mínimo la participación colectiva de los trabajadores, propendiendo a una relación por excelencia individual. Así, el Estado disminuyó su intervención en materia laboral y previsional, abriendo paso a instancias privadas, otorgando voluntariedad a la ejecución de mediaciones, y permitiendo aquello sólo en el contexto de negociación colectiva. Así también se debilitan las instancias de organización de trabajadores, y con ello, se pone fin al diálogo tripartito entre trabajadores, empleadores y gobierno.

El nuevo sistema ve con desconfianza el tripartismo, inclusive, como un enemigo del bien común:

> "El sindicalismo de viejo cuño opera con gran efectividad y se vale de ideas que han penetrado a muchos sectores ciudadanos de buena fe. Por ejemplo, defiende a brazo partido instituciones como la concertación social, porque sabe que los acuerdos de cúpula le convienen más que los resultados objetivos de las fuerzas del mercado. Mientras menos sean los interlocutores, más fácil es alcanzar arreglos ventajosos.

Defiende también la idea de las negociaciones laborales tripartitas, donde por un lado están los trabajadores, por el otro los empleadores y, al medio, los representantes gubernativos, arbitrando entre ambos. Este modelo –patrocinado por la Organización Internacional del Trabajo (OIT)– se lleva todas las preferencias del dirigente sindical politizado y maniobrero, porque permite controlar con facilidad al gobierno. Hay dos maneras de hacerlo. Controlándolo por dentro –si el poder lo tienen los correligionarios– o controlándolo por fuera, usando la representación de las bases como arma de presión electoral. En la democracia, cuando el sindicalismo se une al caciquismo político no es difícil poner de rodillas a la autoridad.

El tripartismo es un modelo corporativista que respira una tremenda desconfianza por las soluciones y decisiones del mercado. Supone que los acuerdos a

---

[16]   BIBLIOTECA NACIONAL DE CHILE. Previsión Social en el Estado de Bienestar Social (1924-1973), [en línea] en http://www.memoriachilena.gob.cl/602/w3-article-93766.html, [consultada 12 de noviembre de 2019].

que puedan llegar tres personas sentadas a una misma mesa son por definición más justos, más sabios y mejores para el bien común que los dictados emergentes del mercado, esto es, de la voluntad y preferencia libremente manifestada por miles y millones de individuos. De este tipo de arrogancia intelectual se fabricó en su momento el socialismo. La materia prima del tripartismo es idéntica y presume que lo que piensan y acuerdan tres cabezas debe ser necesariamente mejor que lo que piensan y hacen millones de seres humanos"[17].

10.4. TRIPARTISMO EN CHILE POSTERIOR A LA RATIFICACIÓN DEL CONVENIO NÚM. 144

Con fecha 4 de diciembre de 1991 ingresa el mensaje del Ejecutivo a la Cámara de Diputados iniciando el proceso de ratificación de Chile del instrumento internacional, a través del Boletín 556–10. Finalizada la dictadura, y a breve tiempo de la asunción del Gobierno del presidente Aylwin, Chile inicia un proceso de apertura al mundo. En lo que respecta al Convenio N° 144, se destaca que su aprobación "se inserta en la política impulsada por el Gobierno para obtener los mayores grados de consenso en materia laboral y previsional, lo que a juicio del Supremo Gobierno, debe hacerse efectivo también en relación con los convenios internacionales del trabajo aprobados por la Conferencia General de la OIT y respecto de las demás actividades de dicha organización"[18], el cual, "es plenamente coherente con la política laboral seguida por nuestro país, en orden a asociar al Gobierno, a empleadores y a trabajadores en consultas efectivas respecto de materias de interés común"[19], sin perjuicio de ello, el alcance es acotado, pues el propio Gobierno hace presente "que la incorporación del país al Convenio no significa promover el tripartismo en los procedimientos de negociación colectiva, ya que es política del Gobierno, mantenerlos en el plano

---

[17]   PIÑERA ECHENIQUE, José. *La Revolución Laboral en Chile* (versión resumida por el propio autor). 2010. [en línea] en http://www.josepinera.org [consultada 11 de noviembre de 2019].

[18]   COMISIÓN DE RELACIONES EXTERIORES DE LA H. CÁMARA DE DIPUTADOS, *Informe de la Comisión de Relaciones Exteriores, Asuntos Interparlamentarios e Integración Latinoamericana recaído en el Proyecto de Acuerdo que propone aprobar el Convenio N° 144. sobre consultas tripartitas para promover la aplicación de las normas internacionales del trabajo, adoptado por la sexagésima primera Conferencia General de la Organización Internacional del Trabajo (OIT), celebrada del 2 al 22 de junio de 1976. Boletín N° 556-10*, Honorable Cámara de Diputados de Chile, Valparaíso, 1992, p. 7.

[19]   COMISIÓN DE TRABAJO Y SEGURIDAD SOCIAL DE LA H. CÁMARA DE DIPUTADOS DE CHILE, *Informe de la Comisión de Trabajo y Seguridad Social recaído en el proyecto de acuerdo que aprueba el Convenio N° 144, sobre consultas tripartitas para promover la aplicación de las normas internacionales del trabajo, adoptado por la Sexagésima Primera reunión de la Conferencia General de la Organización Internacional del Trabajo, celebrada en Ginebra, del 2 al 22 de junio de 1976. Boletín N° 556-10*, Honorable Cámara de Diputados de Chile, Valparaíso, 1992, p. 10.

de la relación bipartita empleadores y trabajadores, incluso en el ámbito de las empresas del Estado"[20].

En su discusión, el proyecto fue aprobado por unanimidad en todas sus instancias, sin perjuicio de, en la discusión de Comisiones, manifestaron algunos senadores y diputados sus temores de que la ratificación del convenio, al ser limitado a las consultas sobre ratificación de normas OIT, sea letra muerta, o que se genere un problema a la hora de determinar las "organizaciones más representativas".

Finalmente, aprobado el acuerdo, la República de Chile ratifica mediante el Decreto Supremo N° 677 de 1992, del Ministerio de Relaciones Exteriores, el Convenio N° 144, sobre Consultas Tripartitas para Promover la Aplicación de las Normas Internacionales del Trabajo, adoptado por la Conferencia General de la Organización Internacional del Trabajo el 21 de junio de 1976.

Como se señaló, la aprobación del Convenio fue respecto de la aplicación del sistema de consultas sólo en los casos establecidos por el instrumento, lo que según la evaluación de la Comisión de Expertos no presentó mayores problemas, salvo (tal cual como el temor manifestado por algunos parlamentarios), la temática relativa a las organizaciones representativas a las que se haría parte de cada proceso de consulta.

En nuestra normativa, la aprobación del Convenio no se transformó derechamente en la creación de instancias permanentes o en la ampliación del campo de aplicación de la consulta. Desde 1992 hasta 2016 se aplicaron consultas, pero no se avanzó notablemente en ellas como un motor para la ratificación del Estado de varios Convenios emitidos por la Organización Internacional del Trabajo: Se ratificaron cinco Convenios Fundamentales entre los años 1999 y 2000[21], ningún Convenio de Gobernanza, salvo el propio 144 y el 122 ratificado en 1968, y catorce convenios técnicos[22].

En lo que respecta al tripartismo en general, más allá de la consulta, posterior a la entrada en vigencia se crearon las siguientes instancias de diálogo social tripartito para los fines que se indican:

- La Comisión Ergonómica Nacional CEN: Creada en 1995 mediante la Ley N° 19.404, tiene por objetivo encargada de la calificación de una labor considerada como Trabajo Pesado. La calificación se traduce en la posibilidad de anticipar la edad de retiro a aquellas personas que se desempeñen en puestos definidos como tal, estableciendo una cotización superior

---

[20] COMISIÓN DE RELACIONES EXTERIORES DE LA H. CÁMARA DE DIPUTADOS, *Informe de la Comisión de Relaciones...*, p. 7.
[21] Convenios núms. 87, 98, 105, 138 y 182.
[22] Previo al Convenio núms. 144, ya se habían ratificado treinta y nueve instrumentos.

al 10% obligatorio. Está constituida entre otros, por un trabajador y un empresario, miembros de las organizaciones más representativas del país de dichos sectores.

- El Consejo Nacional de Capacitación y los Consejos Regionales de Capacitación: Creados a través de la Ley N° 19.518 de 1997, tiene por función asesorar al Ministerio del Trabajo y Previsión Social en la formulación de la política nacional de capacitación. Lo constituyen, entre otros, Ministros de Estado (presididos por el de la Cartera de Trabajo y Previsión Social) y cuatro consejeros provenientes del sector laboral y cuatro consejeros provenientes del sector empresarial, quienes son designados por el Presidente del Consejo, previa consulta a las organizaciones nacionales más representativas de dichos sectores.

- El Consejo Nacional Tripartito de Usuarios de la Dirección del Trabajo, creado mediante la Resolución Exenta N° 476, de 2004, de la Dirección del Trabajo. Su objetivo es, entre otros, establecer un mecanismo institucional, permanente, de carácter nacional centralizado, de diálogo tripartito con los actores sociales, a través de sus organizaciones más representativas con el fin de transparentar y fortalecer el quehacer institucional. El Consejo está integrado por representantes de los trabajadores y representantes de los empleadores, a través de las organizaciones más representativas de las áreas productivas de mayor relevancia económica y social del país, además de funcionarios del Organismo.

- La Comisión de Usuarios del Sistema de Pensiones: Creado por la Ley N° 20.255, de marzo de 2008, tiene como función informar a la Subsecretaría de Previsión Social y a otros organismos públicos del sector, sobre las evaluaciones que sus representados efectúen sobre el funcionamiento del sistema de pensiones y proponer las estrategias de educación y difusión de dicho sistema. Se integra por un representante de los trabajadores, uno de los pensionados, uno de las instituciones públicas, uno de las entidades privadas del sistema de pensiones y un académico universitario, que la preside.

- La Comisión del Sistema Nacional de Certificación de Competencias Laborales, creada en junio del año 2008, mediante la Ley N° 20.267, y tiene por función, entre otras, desarrollar, adquirir, actualizar y aprobar, previa evaluación, las propuestas presentadas por los Organismos Sectoriales de Competencias Laborales respecto a la generación, adquisición y actualización, así como también la acreditación, de las Unidades de Competencias Laborales que se aplicarán en el Sistema, manteniendo un registro público de éstas. Se compone de nueve miembros, entre ellos, tres del gobierno, tres de las organizaciones de empleadores de mayor representatividad y tres designados por las centrales de trabajadores de mayor representación.

10.5. APLICACIÓN DEL CONVENIO NÚM. 144 EN CHILE, CONFORME LAS EVALUACIONES DE LA COMISIÓN DE EXPERTOS EN APLICACIÓN DE CONVENIOS Y RECOMENDACIONES

Desde la fecha de su ratificación, la aplicación de dicho texto ha sido objeto de evaluación por parte de la Comisión de Expertos en Aplicación de Convenios y Recomendaciones – CEACR – en 13 ocasiones, de las cuales seis han sido solicitudes directas – años 1995, 1996, 1997, 2002, 2003 y 2006 – y siete han sido observaciones sobre su aplicación – años 2007, 2008, 2009, 2011, 2013, 2014 y 2016 –[23]. En dicho periodo, nuestro país ha ido incorporando en su legislación diversas instancias de tripartismo y diálogo social, siendo el más reciente la creación del Consejo Superior Laboral, a través de la Ley N° 20.940, que moderniza el sistema de relaciones laborales, promulgada en agosto de 2016.

En las observaciones realizada por la Comisión de Expertos, las solicitudes directas apuntan a concretar las consultas tripartitas para la ratificación de otros convenios de la OIT, fortalecer las instancias de consulta permanente informadas por Chile en cada oportunidad, con énfasis en la Comisión Tripartita por el Convenio N° 144 constituida en el país e informada en la memoria evacuada en octubre del año 1995. Así también sugiere que ante denuncias contra Chile por el cumplimiento de Convenios, se entregue información concreta sobre la posibilidad de realizar consultas ante la Comisión Tripartita constituida por la nación para dicho fin. Más adelante, la Comisión de Expertos acota sus observaciones a requerir información concreta sobre las consultas realizadas, las organizaciones representativas que participaron en las discusiones, la posibilidad de remitir a la instancia un informe anual sobre la aplicación concreta del convenio, y los resultados de los debates respecto al análisis de la ratificación de determinados convenios.

A partir del año 2007, la CEACR, habiendo transcurrido quince años desde la ratificación del Convenio N° 144, es decir, un plazo más que prudente para que Chile adoptase las medidas necesarias para la cabal aplicación del instrumento, comienza a hacer observaciones a su implementación. En el año 2007 informa que la Unión Nacional de Trabajadores – UNT – había denunciado ser discriminada al no ser considerada por el Gobierno en las consultas realizadas respecto a análisis de normativa de la OIT. En observación del año 2008, solicita al Gobierno, nuevamente, referirse a la acusación de discriminación presentada por la UNT.

---

[23]   ORGANIZACIÓN INTERNACIONAL DEL TRABAJO. NORMLEX. Control de la aplicación de las Normas Internacionales del Trabajo Para Chile. Examen por los órganos de control. Comentarios de la Comisión de Expertos (CEACR) [en línea] [consultada 10 noviembre 2019].https://www.ilo.org/dyn/normlex/es/f?p=1000:11110:0::NO:11110:P11110_COUNTRY_ID,P11110_CONTEXT:102588,SC

En las memorias presentadas en el año 2009, el Estado responde abriendo un debate que continuará hasta el año 2017, al constituirse el primer Consejo Superior Laboral: Qué se debe entender por "organizaciones más representativas" en los términos descritos por el convenio. Chile responde a lo planteado ante la OIT por la Unión Nacional de Trabajadores: Destaca que en la aplicación del convenio ha considerado a la Central Unitaria de Trabajadores – CUT – cómo la única organización representativa atendido su número de afiliados (casi diez veces el número de miembros de la UNT), y su nivel de representación general de los intereses de los trabajadores chilenos al estar constituida por trabajadores del sector público y privado. Ante ello, la CEACR se remite al Estudio General del año 2000, sobre Consulta Tripartita la cual, al analizar el alcance de la expresión "organizaciones más representativas" señala que ésta no impide en modo alguno que participen otras organizaciones y, además, al parecer de la Comisión, utilizar la frase en plural implica que se debe incluir en la consulta a todas aquellas organizaciones representativas que hayan indicado interés en participar en dicho proceso. Finalmente, la CEACR recuerda que el Gobierno de Chile, siempre ha destacado que sus trabajadores se encuentran organizados en tres centrales: Central Unitaria de Trabajadores, Central Autónoma de Trabajadores, y la Unión Nacional de Trabajadores, por lo cual invita al país a considerarlas en las futuras consultas tripartitas relativas a normas internacionales que requiere el Convenio.

En la observación presentada en el proceso de memorias del año 2011, la Comisión de Expertos celebra que Chile informe tener la firme intención de mantener consultas tripartitas efectivas con las entidades más representativas de los trabajadores y los empleadores, sin exclusividad alguna. Así, Chile, en su memoria, destaca haber invitado a formular comentarios a las memorias sobre la aplicación de los convenios ratificados a las organizaciones de empleadores, Confederación de la Producción y el Comercio CPC, a la Confederación Nacional de la Micro, Pequeña y Mediana Empresa de Chile CONAPYME, y a las organizaciones de trabajadores Central Unitaria de Trabajadores CUT, a la Central Autónoma de Trabajadores CAT y a la Unión Nacional de Trabajadores UNT. Sin perjuicio de lo anterior, es pertinente señalar que Chile insiste en reiterar que su criterio para evaluar la calidad de "más representativa" de una organización por su número, representación sectorial e influencia en los temas locales.

En 2013, el país informa mediante sus memorias la implementación de una serie de medidas administrativas en materia de protección a la salud y la seguridad de los trabajadores. Así también destaca que la Dirección del Trabajo estableció un procedimiento para conformar consejos tripartitos de usuarios de dicho servicio. Ante ello, la Comisión de Expertos solo observa requiriendo que en las memorias del año 2014 presente información detallada sobre consultas realizadas en el contexto de estudios para ratificar determinados convenios.

En las últimas observaciones realizadas al país, se debe destacar un notable avance en la regulación de procedimientos e instancias nacionales de consultas tripartitas. En 2014 la Comisión toma nota con interés sobre la señal otorgada por las nuevas autoridades, quienes manifiestan la intención de proceder a consultas relacionadas a la sumisión y ratificación de convenios de la OIT, a lo menos una vez al año. Finalmente en sus observaciones del año 2016, nuevamente expresan su interés en la promulgación en agosto de dicho año, de la Ley N° 20.940, la cual, en su artículo 4° crea el Consejo Superior Laboral, entidad de carácter tripartito y consultivo, cuya misión es colaborar en la formulación de propuestas y recomendaciones de políticas públicas destinadas a fortalecer y promover el diálogo social y una cultura de relaciones laborales justas, modernas y colaborativas. Otro de los aspectos destacados por la CEACR es el proceso de elaboración y lanzamientos de la Política Nacional de Seguridad y Salud en el Trabajo PNSST, vinculada la ratificación del Convenio N° 187, para la cual se constituyeron instancias de dialogo regionales, con participación de las organizaciones representativas tanto de trabajadores como de empleadores.

10.6. EL CONSEJO SUPERIOR LABORAL

El Consejo es la instancia tripartita creada mediante la Ley N° 20.940, promulgada en el año 2016, regulado en los artículos 4° al 11 de dicha norma. En el artículo 4° se describe como una instancia "de carácter tripartito y consultivo, cuya misión será colaborar en la formulación de propuestas y recomendaciones de políticas públicas destinadas a fortalecer y promover el diálogo social y una cultura de relaciones laborales justas, modernas y colaborativas en el país".

Sus funciones específicas comprenden las siguientes –artículo 5°–:

"1. Elaborar, analizar y discutir propuestas y recomendaciones de política pública en materia de relaciones laborales y mercado del trabajo.

2. Proponer iniciativas destinadas a incentivar la creación de empleos, aumentar la productividad y elevar la participación laboral de mujeres, jóvenes, personas con discapacidad y trabajadores vulnerables, mejorando su empleabilidad.

3. Efectuar, por sí o a través de terceros, estudios o investigaciones de diagnóstico sobre el estado de las relaciones laborales y funcionamiento del mercado de trabajo en el país.

4. Formular propuestas sobre los criterios generales para la asignación de los recursos del Fondo de Formación Sindical y Relaciones Laborales Colaborativas.

5. Informar las materias que se le encomienden expresamente a través del Ministerio del Trabajo y Previsión Social.

6. Rendir en el mes de abril de cada año un informe anual de sus actividades, propuestas y el resultado de las mismas al Presidente de la República y al Congreso Nacional. Este informe deberá publicarse a través de la página web del Ministerio del Trabajo y Previsión Social".

Sobre su constitución, se dispone que está integrado por nueve miembros designados de la siguiente forma:

"a) Un consejero designado por el Ministro del Trabajo y Previsión Social.

b) Un consejero designado por el Ministro de Hacienda.

c) Un consejero designado por el Ministro de Economía, Fomento y Turismo.

d) Tres consejeros designados por las organizaciones de empleadores de mayor representatividad del país, incluyendo al menos un representante de las organizaciones de empresas de menor tamaño.

e) Tres consejeros designados por las centrales sindicales de mayor representatividad del país".

La renovación de sus miembros se realizará cada dos años, en parcialidades de cinco y cuatro miembros, pudiendo cada consejero ser designado por un periodo adicional, por una sola vez.

Esta instancia tripartita se constituye actualmente como un retorno a aquel espíritu que guió a inicios del siglo XX a considerar el diálogo social como una vía de resolución pacífica y práctica de materias colectivas.

En su Reglamento, aprobado por medio del Decreto Supremo N° 6, de 2017, del Ministerio del Trabajo y Previsión Social, junto con reiterar el marco orgánico establecido por la citada norma, se establece que la instancia se " reunirá en sesiones ordinarias y extraordinarias, y serán presididas por el Presidente y en su ausencia, por el Vicepresidente. Las sesiones ordinarias se efectuarán una vez al mes, en el día y hora que para este efecto acuerde el Consejo. Las sesiones extraordinarias se celebrarán cuando su Presidente estime conveniente convocarlas para tal efecto, o en los casos en que a lo menos cinco de sus miembros en ejercicio soliciten su convocatoria. La convocatoria deberá especificar su motivo y las materias que se someterán a consideración del Consejo". Además, se establece que "la Subsecretaría del Trabajo dispondrá de la secretaría técnica, infraestructura y recursos necesarios para el adecuado funcionamiento del Consejo".

Cabe destacar que en el Mensaje inicial del Ejecutivo, por medio del cual se dio origen a la discusión del, en aquel entonces, Proyecto de Ley del Boletín N° 9835, no consideraba un consejo con tan amplias atribuciones, sino un "Comité de Selección" integrado de forma tripartita para la asignación del Fondo de Formación Sindical y Relaciones Laborales Colaborativas, el cual debía proponer dicha asignación la Subsecretaría del Trabajo, para que, mediante concursos públicos, ésta los otorgue.

Con posterioridad, dentro del debate parlamentario, se fue robusteciendo esta institucionalidad. En primer lugar, mediante indicación, el Gobierno propuso cambiar el nombre del Comité, por el de Consejo Superior Laboral. Luego, mediante un articulado nuevo se incorpora la creación del Consejo y sus atributos conforme se dispuso al inicio de este apartado.

Sobre su composición uno de los temas discutidos en su trámite era qué se consideraría organización representativas, al respecto, el Subsecretario de la época, responde en los siguientes términos:

"El Subsecretario del Trabajo, señor Francisco Javier Díaz, explicó que la regla propuesta se encuentra contenida en distintas disposiciones que requieren la participación de organizaciones de trabajadores y empleadores. Con la finalidad de asegurar un criterio de representatividad proporcional entre las distintas centrales u organizaciones gremiales, describió que se requieren informes a las entidades que cuentan con la información pertinente"[24].

Al respecto vemos cómo el Ejecutivo mantiene su opinión sobre los criterios de representatividad señalados a la OIT en las observaciones realizadas por la CEACR.

Sobre el carácter tripartito vemos, en esta institución, la pretensión que tuvo Versalles, conforme lo expuso la Ministra del Trabajo y Previsión Social al Senado:

"Por último, el proyecto crea el Consejo Superior Laboral, que tiene por misión colaborar en la formulación de propuestas y recomendaciones de políticas públicas destinadas a fortalecer y promover el diálogo social y a desarrollar una cultura de relaciones laborales justas, modernas y colaborativas.

Será un órgano tripartito integrado por tres consejeros designados por el Ejecutivo, tres nombrados por las organizaciones de empleadores y tres escogidos por las centrales sindicales.

Estimados Senadores y Senadoras, vivimos en un mundo que cambia muy rápidamente sus hábitos, sus creencias, sus conceptos y sus modos de transformar la naturaleza. Nuestra sociedad es cada vez más vigilante y deliberante, cada día más informada y cada coyuntura más exigente. Lo que estamos aprobando hoy es una manera, una metodología política y social para hacer de Chile un país sin riesgos en el futuro: de ruptura, de conmoción social, de pérdida de confianza en las instituciones y en las estructuras sociales. En dos palabras: desequilibrio e inestabilidad"[25].

10.7. CONCLUSIONES: EL CONSEJO, UN AVANCE DE MUCHOS QUE SE REQUIEREN

Hemos visto como a comienzos del siglo XX el diálogo social, manifestado a través del tripartismo, fundó las bases de la Organización Internacional del Trabajo, de lo cual Chile no fue ajeno.

---

[24]   BIBLIOTECA DEL CONGRESO NACIONAL DE CHILE, *Historia de la Ley N° 20.940*, Congreso Nacional de Chile, Valparaíso, 2018, p. 1091.
[25]   BIBLIOTECA DEL CONGRESO NACIONAL DE CHILE, *Historia de la...*, p. 1406.

Lo avanzado, se debe señalar, en caso alguno significó un cambio estricto en las relaciones laborales, paupérrimas e injustas, pero expone al análisis la pretensión de los Gobiernos de la época de utilizar el diálogo como una herramienta de canalización de conflictos laborales.

En la historia, los movimientos obreros de la época se fueron organizando en diversas instancias logrando el establecimiento de una serie de derechos, que se vieron interrumpidos bruscamente por el advenimiento de la dictadura militar. Desde esa fecha, a través del Plan Laboral, el mundo colectivo se acotó lo mayor posible a fin de no interrumpir el advenimiento del mercado que regulaba todo. Lo colectivo se cambió por lo individual, eliminando lo poco avanzado desde 1906 a 1973, e imponiendo un sistema que hoy en día aflora y explica buena parte de las situaciones sociales que marcan al país.

Es notable que recién en 2016 se pudieren incorporar cambios rotundos al marco laboral neoliberal, y con él se abandonase el temor al diálogo tripartito, siempre, lamentablemente, acotado a temas generales y con un rol meramente asesor de la autoridad, no adentrándose en las definiciones sobre negociaciones colectivas o ramales.

Dentro de ese contexto sin duda que el Consejo Superior Laboral implica un avance, pero mínimo: No se escapa del alcance realizado en 1992 al aprobar el Convenio N° 144, haciendo oídos sordos al hecho de que dicho instrumento es una herramienta que propone procesos de consulta para la ratificación de convenios de la OIT, pero que recomienda ampliarlo a mayores materias.

Al parecer el temor predicado por el Plan Laboral le quita la esencia a tan enriquecedora instancia, de hecho, desde 2016 a 2019 se ha limitado a ser un lugar de debate débil, que no se ha traducido en grandes medidas o políticas estatales y que tiene como gran logro el primer informe evacuado respecto a la aplicación de la Ley N° 20.940.

En Chile, el Consejo Superior Laboral no ha manifestado opiniones potentes, ocupando gran parte de su trabajo en estudios sobre la adjudicación de fondos para formación laboral.

Nos falta mucho por avanzar, las pretensiones de una instancia de diálogo que permita una adecuada gobernanza utilizando como estrategia un debate franco fortalecen sin duda nuestra democracia y en estos días parece cobrar mayor importancia que el mundo del trabajo se involucre en todas sus líneas en las definiciones del Chile que vendrá.

BIBLIOGRAFÍA

BIBLIOTECA DEL CONGRESO NACIONAL DE CHILE, *Historia de la Ley N°
20.940*, Congreso Nacional de Chile, Valparaíso, 2018, [en línea] < https://
www.bcn.cl/ > [consultada noviembre 2019].

CÁMARA DE DIPUTADOS, CONGRESO NACIONAL DE CHILE [en línea] <
http://www.camara.cl/ > [consultada noviembre 2019].

CHILEVALORA [en línea] < https://www.chilevalora.cl > [consultada noviembre 2019].

DIRECCIÓN DEL TRABAJO [en línea] < https://www.dt.cl > [consultada noviembre 2019].

INSTITUTO IBERO–AMERICANO DE DERECHO COMPARADO, *El Tratado de
Versalles de 1919 y sus Antecedentes*, Publicaciones del Instituto Ibero–Americano de Derecho Comparado, Madrid, 1920.

MEMORIACHILENA BIBLIOTECA NACIONAL DE CHILE [en línea] <http://
www.memoriachilena.gob.cl/602/w3–channel.html > [consultada noviembre
2019].

ORGANIZACIÓN INTERNACIONAL DEL TRABAJO [en línea] < https://www.
ilo.org/global/lang—es/index.htm > [consultada noviembre 2019].

ORGANIZACIÓN INTERNACIONAL DEL TRABAJO, *Diálogo Social Tripartito de
Ámbito Nacional. Una guía de la OIT para una mejor gobernanza*, Oficina Internacional del Trabajo, Ginebra, 2017.

ORGANIZACIÓN INTERNACIONAL DEL TRABAJO, *Diálogo Social y Tripartismo. Fuentes de Información OIT*, Oficina Regional para América y el Caribe,
Lima, 2012.

ORGANIZACIÓN INTERNACIONAL DEL TRABAJO, *Los sindicatos y la OIT. Manual de educación obrera*, Oficina Internacional del Trabajo, Ginebra, 1992.

ORGANIZACIÓN INTERNACIONAL DEL TRABAJO, *Plan de acción (2010 –
2016) para la ratificación generalizada y la aplicación efectiva de los convenios de
gobernanza*, Oficina Internacional del Trabajo, Ginebra, 2011.

ORGANIZACIÓN INTERNACIONAL DEL TRABAJO, *Promover la consulta tripartita: Ratificación y aplicación del Convenio Núm. 144*, Departamento de Relaciones Laborales y de Empleo (dialogue) y Departamento de Normas Internacionales del Trabajo (normes), Ginebra, 2011.

POBLETE TRONCOSO, Moisés, y ALVAREZ ANDREWS, Oscar, *Código del Trabajo. Decreto con Fuerza de Ley N° 178, publicado en el "Diario Oficial" de 28 de mayo*

de 1931 conforme a la Edición Oficial, Editorial Nascimiento, Santiago de Chile. 1932.

POBLETE TRONCOSO, Moisés, y ALVAREZ ANDREWS, Oscar, *Legislación Social Obrera Chilena (Recopilación de Leyes y Disposiciones vigentes sobre el Trabajo y Previsión Social,* Imprenta Santiago, Santiago de Chile, 1924.

RODRIGUEZ ROJAS, Marco, *La Inspección General del Trabajo. El Surgimiento de la Fiscalización 1924–1934,* División de Estudios de la Dirección del Trabajo, Santiago de Chile, 2010.

SENADO, CONGRESO NACIONAL DE CHILE [en línea] < https://www.senado.cl/ > [consultada noviembre 2019].

SUBSECRETARÍA DE PREVISIÓN SOCIAL [en línea] < https://www.prevision-social.gob.cl < [consultada noviembre 2019].

SUPERINTEDENCIA DE PENSIONES [en línea] < https://www.spensiones.cl > [consultada noviembre 2019].

VALDÉS ROMERO, Víctor Felipe, *El Sistema del Estatuto de Capacitación Chileno diseñado entorno a la empresa y los mecanismos legales que contempla para la promoción del diálogo social,* Memoria para optar al grado de Licenciado en Ciencias Jurídicas y Sociales, Universidad de Chile, Santiago de Chile, 2014.

Capítulo 11.

El Sistema Previsional chileno a la luz del Convenio núm. 35 de la OIT

PATRICIA FUENZALIDA MARTÍNEZ[*]

11.1. INTRODUCCIÓN

El Convenio 35 sobre el seguro de vejez (industria, etc.), de 1933, forma parte de la primera generación de normas internacionales adoptadas en materia de seguridad social, destinados a buscar soluciones comunes y de aplicación general a uno de los problemas más urgentes de la humanidad, como es, el asegurar la subsistencia de quienes, debido a su edad, ya no cuentan con la fuerza o salud necesarias para seguir trabajando y proveerse de un ingreso. Cuestión de especial relevancia en la actualidad, dado el aumento en la expectativa de vida y el envejecimiento en la población, que conduce al aumento de las personas afectadas por esta contingencia y de los años de sobrevida que deben financiar luego de la jubilación[1].

Tal propósito, según se desprende de sus primeros artículos, debe ser cumplido mediante el establecimiento de un seguro obligatorio de vejez (Art. 1), en beneficio de los obreros, empleados y aprendices de las empresas industriales, de las empresas comerciales y de las profesiones liberales, así como a los trabajadores a domicilio y del servicio doméstico (Art. 2), que les permita gozar de una pensión una vez que hayan alcanzado la edad de retiro prevista en la legislación nacional (Art. 4), sin perjuicio que el derecho pueda sujetarse al cumplimiento de requisitos, tales como, un período de afiliación previa y un determinado monto o plazo de cotizaciones aportadas por el beneficiario (Art. 5).

Nuestro país lo ratificó el 18 de octubre de 1935, no obstante que, a esa época, la incipiente legislación nacional en la materia no contemplaba el derecho a la pensión por vejez. En efecto, las leyes 4.054 y 4.055 establecían sistemas de protección frente a enfermedades e invalidez, y a los accidentes del trabajo, respectivamente, en tanto que el Decreto Ley 857, de 1925, que creó la Caja de

---

[*]   Abogada, Juez del 2° Juzgado de Letras del Trabajo de Santiago, Relatora (I) de la Excma. Corte Suprema, Profesora de Derecho del Trabajo de la Facultad de Derecho de la Pontificia Universidad Católica de Chile.

[1]   ALONSO OLEA, Manuel y TORTUERO PLAZA, José Luis, *Instituciones de seguridad social*, 13° Edición, Editorial Civitas, Madrid, España, 1992, pp. 337-338.

Previsión de Empleados Particulares, pese a su nombre, sólo preveía un fondo de retiro e indemnizaciones por años de trabajo, pero no la jubilación, prestación que fue incorporada durante el año 1952, a través de la Ley 10.475, que la agregó a los beneficios otorgados a los empleador particulares, mismo año en que la ley 10.383 creó el Servicio de Seguro Social, que absorbió a la antigua Caja de Seguro Obligatorio, destinada a los obreros, permitiendo la incorporación de los trabajadores independientes y los afiliados voluntarios, a quienes garantizaba, entre otros, pensiones por vejez, invalidez, viudez y orfandad[2]. Así, se estableció un régimen que, bajo la lógica del reparto y la administración de diversas cajas de previsión, durante los años siguientes se haría extensivo a distintos tipos de trabajadores dependientes del sector público y privado, y a quienes, sin cumplir con este requisito, se afiliaran al sistema como independientes o imponentes voluntarios, lo que permitió ampliar considerablemente el porcentaje de la población protegida frente al riesgo de vejez.

Sin embargo, desde el año 1933 los sistemas nacionales e internacionales han experimentado importantes cambios; a nivel internacional la OIT adoptó los convenios 102, de 1952, sobre la seguridad social, también conocido como norma mínima, que incluye un apartado relativo a las prestaciones de vejez, y el 128, de 1967, sobre las prestaciones de invalidez, vejez y sobrevivientes, ninguno de los cuales ha sido ratificado por Chile; en tanto que, en el país, el Decreto Ley 3.500, de 1980, modificó íntegramente la estructura del sistema nacional[3], que pasó de uno solidario, basado en la modalidad de reparto, a uno centrado en el ahorro o capitalización individual, característica que ha sido morigerada, especialmente en lo que respecta a los sectores de menores ingresos, mediante la Ley 20.255, de 2008. Dichos cambios, sumados a las fuertes presiones y críticas que actualmente pesan sobre el monto de las pensiones y las instituciones encargadas de su administración, hacen pertinente preguntarse acerca del cumplimiento de nuestro país a las reglas y principios que consagra el convenio, así como respecto de su pertinencia a las actuales condiciones sociales, económicas y políticas.

---

[2]   HUMERES NOGER, Héctor. *Derecho del trabajo y de la seguridad social,* Tomo III, 19° Edición, Editorial Jurídica de Chile, Santiago, 2019, pp. 17-18.

[3]   CASTIGLIONI, Rossana, "Reforma de pensiones en América Latina: orígenes y estrategias, 1980-2002", *Revista de Ciencia Política* (Santiago) [online]. 2005, vol. 25, N. 2, pp. 173-189 [14-4-2019], en: https://scielo.conicyt.cl/scielo.php?script=sci_arttext&pid=S0718-090X2005000200009&lng=es&nrm=iso.

11.2. PRINCIPALES CARACTERÍSTICAS DEL CONVENIO NÚM. 35

11.2.1. Beneficiarios

Conforme al artículo 2 del Convenio, "El seguro obligatorio de vejez se aplicará a los obreros, empleados y aprendices de las empresas industriales, de las empresas comerciales y de las profesiones liberales, así como a los trabajadores a domicilio y del servicio doméstico", sin perjuicio de admitir exclusiones o excepciones en perjuicio, entre otros, de quienes perciban rentas altas, quienes ejerzan profesiones liberales, trabajadores menores de una edad determinada que recién se incorporen al mercado laboral, o que sean demasiado mayores para incorporarse al seguro, o ya sean beneficiarios de pensiones por vejez o invalidez, o de rentas privadas que puedan asimilarse a una pensión.

A este respecto, cabe considerar que la doctrina reconoce de manera unánime a la universalidad como uno de los principios fundamentales de la llamada seguridad social moderna, construida a partir de las principales propuestas del Informe Beveridge, y que en su aspecto subjetivo significa proteger a todas las personas, sin consideración a factores tales como su nacionalidad, el trabajo que desempeña, el monto de su remuneración u otros[4]; sin embargo, el Convenio fue adoptado el año 1933, durante los albores de lo que hoy conocemos como Seguridad Social, en una etapa que ha sido denominada como de la seguridad social tradicional, inaugurada con las leyes Bismark, dictadas en Alemania durante la década de 1880, mediante las cuales se crearon los primeros seguros sociales de carácter obligatorio y administrados por el Estado, pero destinados a proteger sólo a una parte de la población, los trabajadores de las industrias con rentas bajas[5].

Posteriormente, los Convenios 102 y 128, no ratificados por Chile, han buscado ampliar la base de personas protegidas a fin de incluir a la mayor parte posible de la población asalariada o económicamente activa y a los residentes de bajos recursos, según se desprende de sus artículos 27 y 16, respectivamente.

En este sentido, la normativa nacional en vigencia efectúa una adecuada aplicación del Convenio, pues si consideramos conjuntamente sus pilares contributivo y solidario podemos concluir que incluye: 1) A todos los trabajadores dependientes del sector público y privado; 2) A los independientes respecto de quienes la Ley 20.255 consagró la obligatoriedad de su afiliación al sistema; 3) A quienes sin desempeñar labores remuneradas se incorporen en forma voluntaria y efectúen el pago de cotizaciones mensuales; y 4) A quienes, aún sin haber cotizado, integren uno de los grupos familiares pertenecientes al 60% más pobre de la

---

4   NOVOA FUENZALIDA, Patricio, *Derecho de Seguridad Social*, Editorial Jurídica de Chile, Santiago, 1977, pp. 84-85.
5   NOVOA FUENZALIDA, *Derecho de Seguridad Social*, pp. 21-23.

población y reúnan los requisitos de edad y residencia en el país previstos en el artículo 3 de la citada Ley 20.255.

La obligatoriedad de la afiliación y pago de cotizaciones de los trabajadores independientes, establecida mediante la Ley 20.255, de 2008, prorrogada en varias oportunidades y cuya plena entrada en vigencia se produjo a contar del año 2019, conforme a la Ley 21.133, vino a corregir un importante defecto del sistema previsional que, hasta entonces, dejaba entregada la incorporación a su sola voluntad, sin considerar que en caso que durante su vejez no contaran con recursos suficientes para proveerse sus necesidades más básicas podían llegar a transformarse en beneficiarios de prestaciones asistenciales, imponiendo al erario público un gravamen innecesario, en tanto puede ser evitado mediante el ahorro coactivo que supone la cotización.

Un grupo respecto de quien la normativa previsional no ha generado una respuesta adecuada, en términos de la universalidad de las prestaciones, son las personas que ejercen actividades no remuneradas en beneficio directo de sus familias, e indirectamente de la sociedad, como son el cuidado del hogar o de terceros que no pueden valerse por sí mismos. Actualmente, su única alternativa es incorporarse como cotizantes voluntarios a fin que otro miembro de la familia asuma el correspondiente pago mensual; sin embargo, dada la natural propensión al gasto y la inadecuada ponderación de los riesgos futuros de buena parte de la población, esta no es una alternativa que se haya traducido en su incorporación masiva, manteniéndolos en un estado de desprotección frente a la vejez, en particular, ante la ausencia o la inacción de aquellos que se vieron favorecidos por su postergación profesional.

La Ley 20.255 intentó avanzar en la solución de este problema, que abordó en el título referido a las "normas sobre equidad de género y afiliados jóvenes", en el entendido que se trata de una situación que afecta mayoritariamente a las mujeres[6], y permitió que, en caso que el matrimonio termine por nulidad o divorcio, se pueda compensar el menoscabo económico causado por la dedicación exclusiva o preferente al cuidado del hogar y de los hijos, mediante el traspaso de fondos desde la cuenta de capitalización económica de uno de los cónyuges a la del otro (Art. 80), con lo que el cónyuge más débil quedaría habilitado para percibir una pensión de vejez; sin embargo, se trata de una solución parcial, que no garantiza a todas las mujeres, u hombres, dedicados a estas labores no remuneradas un ingreso propio con que mantenerse durante la vejez.

---

[6]   De acuerdo a los datos elaborados por el Instituto Nacional de Estadísticas la participación de las mujeres en el mercado laboral aumentó desde un 45,3% durante el año 2010 a un 48,5% en el 2017, lo que aún la sitúa muy por debajo del 71,2% de participación masculina en este último año [13/04/2019], https://www.ine.cl/estadisticas/menu-sociales/genero.

A este respecto cabe hacer presente que la seguridad social no es un bien de consumo disponible para quienes puedan adquirirlo, ni un beneficio que graciosamente otorgue el Estado, sino que, atendidos los males que busca combatir y el modo en que estos afectan la dignidad de la persona humana[7], se trata de un derecho fundamental; calidad que a nivel global le reconoce la Declaración Universal de Derechos Humanos de 1948 (Art. 22) y que en términos nacionales ratifica la Constitución Política de la República (Art. 19 N° 18), lo que impone a los Estados la responsabilidad de buscar los medios para asegurar el acceso a las prestaciones a todas las personas que sufran un estado de necesidad derivado de una contingencia social, como es la vejez, sin que resulte legítimo ligarla única o exclusivamente con la calidad de trabajador formal que sólo posee una parte de la población[8]. Lo anterior, sumado a la declaración que efectúa nuestra Constitución Política, en orden a que la familia es el núcleo fundamental de la sociedad (Art. 1), impone la carga de extender la seguridad social y, en particular, el sistema de pensiones por vejez, a todos los sectores tradicionalmente excluidos, entre ellos, a quienes han renunciado a desarrollarse en el ámbito laboral y a formar un patrimonio propio por privilegiar el cuidado de la familia, lo que puede concretarse tanto por la vía asistencial como por la de los seguros sociales; sea, ampliando la base de beneficiarios de la pensión básica solidaria de vejez a todos quienes cumplan con este requisito, sin importar si forman parte de un grupo familiar correspondiente al 60% más pobre de la población o no, o estableciendo una cotización familiar obligatoria en beneficio de quien postergó su vida laboral, de modo que el costo sea asumido por el grupo completo y no sólo por uno de sus miembros.

11.2.2. Prestaciones

El Convenio prevé tanto prestaciones financiadas por los afiliados como otras de tipo asistencial en beneficio de aquellos que pueden ser excluidos de la obligación de cotizar. Respecto a las primeras, su artículo dispone que "El asegurado tendrá derecho a una pensión de vejez a la edad que fije la legislación nacional, edad que en los regímenes de seguro de los asalariados no podrá exceder de los sesenta y cinco años cumplidos", y los siguientes agregan que el derecho puede sujetarse al cumplimiento de requisitos mínimos, como cierto número de cotizaciones desde el ingreso al seguro o durante un período previo a la concreción del riesgo, y que el asegurado que deje de estar sujeto a la obligación sin haber

---

[7]   SOSA, Víctor Marcelo, *Seguridad social, perspectivas actuales*, Editorial Rubinzal-Culzoni, Buenos Aires, Argentina, 2014, pp. 23 y ss.

[8]   FUENZALIDA MARTÍNEZ, Patricia, "El Derecho de la Seguridad Social como herramienta de inclusión social del Estado Democrático Constitucional", *Revista Chilena de Derecho del Trabajo y de la Seguridad Social*, Vol. 6, Núm. 11, Santiago, Facultad de Derecho, Universidad de Chile, 2015, p. 186.

adquirido el derecho a una prestación que constituya la contrapartida de las cotizaciones abonadas conservará sus derechos con respecto a dichas cotizaciones. No se establece un monto o forma de cálculo determinado, aunque se le vincula con el aporte efectuado o con la remuneración que le sirvió de pago, al señalar que "consistirá en una cantidad fija, en un porcentaje del salario asegurado, o en una suma variable según el importe de las cotizaciones pagadas" (Art. 7).

La consideración al aporte o a la remuneración que le sirvió de base al momento de determinar el monto de la prestación, refuerza la idea de que el convenio obedece a la lógica de un seguro obligatorio y no una de tipo solidario o asistencial, en que lo relevante para regularlo pudiera ser la necesidad del afiliado más que la entidad de su contribución; sin perjuicio, en forma adicional, se prevé la posibilidad de reconocer "el derecho de pensión a todo solicitante cuyos recursos anuales no excedan del límite que fije la legislación nacional, teniendo debidamente en cuenta el coste mínimo de la vida" (Art. 18), pero, en tal caso, la pensión será una suma inferior, cuya cuantía dependerá de los recursos que cada país puede destinar a este concepto y de lo que, en cada tiempo y lugar, se considere como suficiente para satisfacer, a lo menos, las necesidades esenciales del pensionado.

Los convenios posteriores no ratificados por Chile, agregan mayor especificidad a las reglas relativas al cálculo de la pensión, pero mantienen la distinción entre la que perciben los trabajadores que han contribuido a su financiamiento y la de carácter asistencial, al señalar que cuando se trate de asalariados o categorías de la población económicamente activa, el monto se determinará de acuerdo a fórmulas que lo vinculan con un porcentaje del salario, y que podrá ser mayor o inferior dependiendo de la existencia de cargas de familia y de otros criterios similares, mientras que cuando los beneficiarios sean todos los residentes cuyos recursos durante la contingencia no excedan de ciertos límites, se sujetará a la escala o regla que prevea la autoridad nacional, siempre contemplando un mínimo que deberá ser suficiente para asegurar a la familia condiciones de vida sanas y convenientes.

Nuevamente, en este punto, nuestra legislación se acerca bastante a la normativa internacional, con las diferencias propias de un sistema de capitalización, pues a contar de la reforma introducida por el Decreto Ley 3.500, el monto de la pensión contributiva dejó de estar determinado por la remuneración percibida al momento de jubilar (como regla general, sin perjuicio de las particularidades previstas para cada caja de previsión), para ser calculada, en términos simples y bajo el sistema residual de retiro programado, en función del total del ahorro acumulado durante la vida útil, representado por las cotizaciones, incrementado por las inversiones que la administradora realizó con esos fondos, y divididos por los años en que se espera deberá vivir el afiliado (de acuerdo a las tablas de mortalidad elaboradas por la autoridad), considerando, además, el grupo familiar del afiliado y una tasa de interés técnico que proyecta la rentabilidad futura de los ahorros del pensionado. Asimismo, en paralelo, se preveía la alternativa de una pensión asistencial para aquellas personas carentes de recursos económicos y que no cumplían los requisitos para acceder a una pensión autofinanciada.

Ambos sistemas fueron mejorados por la Ley 20.255, que, en cuanto a las pensiones autofinanciadas, creó el aporte previsional solidario de vejez que permite incrementar el monto de la pensión de quien, teniendo derecho a percibirla lo hace sobre la base de una suma que no se considera suficiente para atender a sus necesidades mínimas, lo que, hasta el 30 de junio de 2019[9], permitía a sus beneficiarios llegar a un máximo mensual de $317.085[10], cifra que aun cuando pueda estimarse baja en términos absolutos, parece bastante apropiada al compararla con el sueldo mínimo que, para el mismo período, asciende a $301.000 (Ley 21.112). Y, en lo que respecta a las prestaciones de tipo asistencial, se incorporó la pensión básica solidaria de vejez, en favor de quienes no lograron cotizar y acumular un ahorro que les permita acceder a una pensión contributiva y que cumplan con determinados requisitos de edad, condición socioeconómica y residencia previa en el país, lo que les garantiza el derecho a percibir $107.304 mensuales, conforme a su valor hasta el 30 de junio de 2019[11].

En cuanto a la edad máxima en que es posible exigir la prestación, el Convenio 35 establece un máximo de 65 años, no obstante que los Convenios 102 y 128, probablemente haciéndose cargo de una realidad más actual, permiten que la legislación nacional la eleve teniendo en cuenta la capacidad de trabajo de las personas de edad avanzada en el país de que se trate (Art. 26 C102), o criterios demográficos, económicos y sociales apropiados, justificados por datos estadísticos (Art. 15 C128).

Por su parte, el artículo 3 del Decreto Ley 3.500, reconoce el derecho a pensionarse por vejez a los hombres que hayan cumplido 65 años de edad y a las mujeres que hayan enterado 60 años, para quienes nace el derecho, no así la obligación, de jubilar y reclamar el beneficio, sin perjuicio de poder seguir trabajando e incluso de seguir cotizando mensualmente; no obstante, la Ley 20.255, en lo que respecta al pilar solidario, innovó en este aspecto y sujetó el pago de todas las prestaciones financiadas por el Estado al cumplimiento de 65 años de edad, sin distinción de género, lo que en la práctica supone que las únicas que pueden pensionarse antes de esa edad, bajo la modalidad ordinaria, dejando a

---

[9]   Se considera esa fecha, y no una más actualizada, en atención a la época de elaboración del presente artículo y de envío a los editores.

[10]   SUPERINTENDENCIA DE PENSIONES CHILE [1-4-2019], en: https://www.spensiones.cl/portal/institucional/594/w3-article-13328.html.

[11]   SUPERINTENDENCIA DE PENSIONES CHILE [1-4-2019], en: https://www.spensiones.cl/portal/institucional/594/w3-article-13328.html.

salvo la alternativa de la pensión anticipada y la situación de quienes realizan trabajos calificados de pesados, son las mujeres que tienen derecho a pensiones autofinanciadas, sin perjuicio que su monto pueda incrementarse al cumplir 65 años, si cumplen los requisitos para obtener el aporte previsional solidario o si son beneficiarias de la bonificación por hijos, creada por la misma ley para reparar el daño provocado por la falta de empleo o la obtención de menores remuneraciones en razón de la maternidad y la crianza de los hijos.

11.2.3. Contribución

El artículo 9 del Convenio establece, en primer término, la obligación de los asegurados y sus empleadores de contribuir al financiamiento del seguro, sin perjuicio de permitir que se excluya a los aprendices, trabajadores jóvenes que recién se integran al mercado laboral y a aquellos cuyos salarios sean muy bajos, para quienes el beneficio tendrá un carácter asistencial, pero, además, impone a los poderes públicos la participación en la constitución de los recursos o de las prestaciones que se establezcan en beneficio de los obreros o de los asalariados en general, lo que supone instar por un financiamiento tripartito de las pensiones por vejez.

El Convenio 102, reitera la idea de que el costo de las prestaciones y gastos de administración no pueden ser de carga exclusiva de los afiliados, al señalar que deberán ser asumidos colectivamente, por medio de cotizaciones, impuestos, o una mezcla de ambos, de manera de evitar una carga demasiado onerosa para las personas de escasos recursos; agregando que el total de cotizaciones de seguro a cargo de los asalariados protegidos no debe exceder del 50% del total de recursos destinados a la protección de los asalariados y de los cónyuges y de los hijos de éstos (Art. 71), sin que el Convenio 128 innove en la materia.

La legislación nacional, a partir del Decreto Ley 3.500, consagró un sistema estructurado casi exclusivamente sobre la base del ahorro individual, en que el aporte de cada afiliado es la principal fuente de financiamiento de las prestaciones y de los gastos de administración, y el rol del empleador y del Estado eran muy limitados, siendo éste uno de los puntos que han sido reiteradamente observados por la Comisión de Expertos sobre Aplicación de Convenios y Recomendaciones de la Organización Internacional del Trabajo (CEACR)[12].

El empleador sólo participaba en el procedimiento de pago de las cotizaciones, dado que a fin de facilitar la recaudación se le impuso la carga de retenerlas

---

[12]   ARELLANO ORTIZ, Pablo y CIFUENTES LILLO, Hugo, "Legislación chilena de pensiones e indicaciones de la Comisión de Expertos de la OIT", en *Revista Chilena de Derecho del Trabajo y de la Seguridad Social*, Vol. 1, Núm. 1, Santiago, Facultad de Derecho, Universidad de Chile, 2010, pp. 123-124.

de la remuneración del trabajador y enterarlas en la administradora de fondos de pensiones respectiva, pero, por regla general, no efectuaba aportes en materia de vejez; luego, la Ley 19.404, de 1995, introdujo una modificación a fin de permitir rebajar la edad legal para pensionarse por vejez de quienes realicen trabajados calificados como pesados, atendidos los efectos que este tipo de labores ocasionan en la salud física y psíquica, que se traducen en un envejecimiento precoz, y, con tal fin, se dispuso un aporte adicional, financiado en partes iguales por el trabajador y el empleador; posteriormente, la Ley 20.255, agregó el ahorro previsional colectivo a las modalidades de cotizaciones voluntarias que pueden pagar los afiliados para incrementar el saldo de su cuenta de capitalización individual, estableciéndolo como un contrato suscrito entre el empleador, por sí y en representación de sus trabajadores, y la administradora de fondos de pensiones o institución autorizada a ofrecer planes de ahorro previsional voluntario, mediante el cual, éste se obliga a efectuar aportes financiados parcialmente por él y por los trabajadores beneficiados, pero, nuevamente, se trata de una contribución muy marginal dentro de la estructura general del sistema que no logra alterar la pasividad del empleador como regla general.

Por último, en lo que respecta al Estado, que inicialmente sólo intervenía financiando las pensiones asistenciales, a contar de la Ley 20.255, ha incrementado su relevancia en el sistema, dado que si bien sigue vinculado únicamente al pilar solidario, la creación de las pensiones básicas solidarias, el aporte previsional solidario de vejez, y la bonificación por hijo nacido han permitido que su aporte favorezca a un sector más amplio de la población, incluyendo a beneficiarios del pilar contributivo. La mayor relevancia del rol estatal en materia de seguridad social, que supone disminuir la importancia del aporte individual frente al colectivo, financiado a través de impuestos cuyo pago es una muestra de solidaridad propia del Estado Democrático[13], no sólo se traduce en una mayor cantidad de recursos, sino que refuerza la idea de que la seguridad social es un derecho y no un bien disponible únicamente para quienes puedan costearlo.

11.2.4. Administración del sistema

Respecto de este punto, el artículo 10 del Convenio prevé que el seguro sea administrado por instituciones sin fines de lucro, creadas por los poderes públicos, o por cajas de seguro de carácter público; sin perjuicio de la posibilidad de confiar la administración a instituciones creadas por iniciativa de los interesados o de sus agrupaciones; además de establecer la participación de los representantes de los asegurados en la administración de sistema, mismo derecho que se

---

[13]   SOSA, *Seguridad social, perspectivas actuales,* p. 46.

reconoce a los empleadores y poderes públicos. En el caso que la administración se encuentre a cargo de instituciones autónomas, se dispone su sujeción a la vigilancia financiera y administrativa de los poderes públicos.

A su vez, los Convenios 102 y 128, disponen, en sus artículos 72 y 36, respectivamente, que cuando la administración no esté confiada a una institución reglamentada por las autoridades públicas o a un departamento gubernamental responsable ante el poder legislativo, representantes de las personas protegidas deberán participar en la administración o estar asociados a ella, con carácter consultivo, en las condiciones prescritas, agregando que la legislación nacional podrá prever asimismo la participación de representantes de los empleadores y de las autoridades públicas.

Nuevamente en este punto el diseño original del sistema previsional establecido por el Decreto Ley 3.500 se alejó de la normativa internacional, al entregar la administración del ahorro previsional obligatorio y de las prestaciones, únicamente a instituciones privadas, denominadas Administradoras de Fondos de Pensiones, que corresponden a sociedades anónimas, revestidas de ciertas exigencias especiales, cuyo objeto exclusivo es la citada administración, por la que perciben una comisión de cargo de los afiliados, conforme al monto que libremente regule cada una, y que se encuentran sujetas al control de la Superintendencia de Pensiones. Este aspecto, que también ha sido materia de observaciones por parte de la Comisión de Expertos sobre Aplicación de Convenios y Recomendaciones[14], fue morigerado a través de sucesivas reformas legislativas; en primer lugar, la Ley 19.768, de 2001, amplió el espectro de organismos vinculados con la gestión de las cotizaciones y entregó nuevas opciones a los afiliados, al permitirles entregar su ahorro previsional voluntario a las propias administradoras o a otras entidades, tales como, bancos e instituciones financieras, administradoras de fondos mutuos, compañías de seguros de vida, administradoras de fondos de inversión y administradoras de fondos para la vivienda; y, luego, la Ley 20.255, a fin de hacer realidad la participación de los afiliados en la administración del sistema, creó la Comisión de Usuarios, integrada por un representante de los trabajadores, uno de los pensionados, uno de las instituciones públicas, uno de las entidades privadas del sistema de pensiones y un académico universitario, dotada de facultades consultivas y que se relaciona con la Subsecretaria de Previsión Social; además, entregó la gestión del sistema solidario previsional, financiado con fondos públicos, a un organismo de igual naturaleza, el Instituto de Previsión Social; sin embargo, el carácter lucrativo de las sociedades encargadas del manejo de los fondos de los afiliados sigue siendo un escollo que deja al sistema expuesto a críticas de los usuarios y a las observaciones de los organismos internacionales.

---

[14]   ARELLANO ORTIZ y CIFUENTES LILLO, "Legislación chilena de pensiones…".

11.3. DIAGNÓSTICO Y PROPUESTAS DE CAMBIO

Como hemos visto, el sistema nacional de pensiones por vejez regido por el Decreto Ley 3.500 y modificado por la Ley 20.255, cumple con buena parte de las disposiciones contenidas en el Convenio 35 OIT, especialmente, en lo que respecta a la determinación de beneficiarios y prestaciones, alejándose más de su contenido en lo relativo a su financiamiento y administración; sin embargo, cabe recordar que dada la fecha en que éste fue adoptado es tributario de la lógica de los seguros sociales tradicionales y no de los principios que inspiran la seguridad social moderna[15], por lo que un adecuado análisis del sistema previsional nacional no sólo debería considerar su armonía con el convenio sino también con los principios que rigen la materia, que incluyen la universalidad, integridad o suficiencia, solidaridad, y unidad[16].

Lo anterior, supone que un buen sistema previsional debiera, a lo menos, cumplir con los siguientes requisitos: garantizar pensiones por vejez a todas las personas expuestas al riesgo, esto es, a todos quienes alcanzan una edad que les impida proveerse sus propios ingresos; consistentes en una suma de dinero suficiente para atender a la contingencia de que se trata, de manera que permita, en la rama contributiva, mantener un estilo de vida austero, pero similar al que la persona tenía en actividad, y en la rama solidaria, solventar, a lo menos, las necesidades básicas del individuo; prestaciones que no debieran ser resultado únicamente del esfuerzo individual, sino también reflejar el aporte de todos los miembros de la sociedad, en particular, en beneficio de los sectores más desprotegidos; administradas y otorgadas por una estructura única u homogénea para todos los afiliados.

Respecto a la universalidad, ya hemos señalado que el sistema otorga protección a todos los trabajadores dependientes del sector público y privado, a los independientes, a quienes, sin ser trabajadores formales, pagan igualmente una cotización periódica, y a quienes, sin poseer ingresos y pagar cotizaciones, cumplen con los requisitos para acceder a una pensión básica solidaria; de modo que el desafío, en este punto, consiste en integrar a quienes no se han logrado incorporar al mercado laboral formal, realizando labores remuneradas de manera informal, y a quienes desempeñan tareas carentes de retribución económica, como son el cuidado del hogar y de terceros.

Desde el punto de vista de la solidaridad, si bien el pilar contributivo es estrictamente individual, es posible dar por cumplido el requisito mediante el desarrollo y la ampliación del pilar solidario, financiado de manera colectiva a través de

---

[15]   ROQUETA BUJ, Remedios y GARCÍA ORTEGA, Jesús, *Derecho de la seguridad social*, 5° Edición, Editorial Tirant Lo Blanch, Valencia, España, 2016, pp. 33-36.

[16]   NOVOA FUENZALIDA, *Derecho de Seguridad Social*, p. 83.

impuestos, que ha permitido que el aporte de todos los miembros de la sociedad garantice el derecho a la prestación para las personas carentes de ingresos o de ingresos más bajos.

Lo mismo puede decirse en matera de unidad, toda vez que la acción integrada de cada una de las administradoras de fondos de pensiones, sumada a la del Instituto de Previsión Social, encargado de la gestión de las prestaciones financiadas por el Estado, conduce a un actuar armónico, en que los requisitos de ingreso al sistema, así como las cotizaciones a pagar, los presupuestos de procedencia de los beneficios, y su base de cálculo, son idénticos para todos los afiliados a lo largo de todo el país.

Así, es en lo relativo a la suficiencia de las prestaciones donde se plantea el problema mayor, por cuanto el pilar solidario permite otorgar pensiones que pese a su bajo monto, a lo menos, suponen una ayuda frente a la falta absoluta de ingresos para quienes no cotizaron, o que permiten elevar las de quienes sí lo hicieron a una suma que excede del sueldo mínimo que podrían percibir de mantenerse en actividad, por lo que sin perjuicio de la posibilidad de mejorarlas en la medida que existan los recursos necesarios, es posible efectuar una evaluación positiva de esa parte del sistema de pensiones por vejez; no obstante, distinto es el escenario al analizar el pilar contributivo, dado que las pensiones autofinanciadas, en promedio, ascienden a un monto muy bajo, que no logra reemplazar la remuneración que se obtuvo durante la vida laboral, por lo que ocasionan una merma en la calidad de vida del pensionado.

Para analizar este punto, resulta pertinente recordar que el Decreto Ley 3.500, en su artículo 61, establece cuatro modalidades de pensiones, dos puras, la renta vitalicia inmediata y el retiro programado, y dos mixtas, la renta temporal con renta vitalicia diferida y la renta vitalicia inmediata con retiro programado. La renta vitalicia, en su forma pura o combinada con retiro programado, corresponde a un seguro que el afiliado contrata con una compañía aseguradora, que, dependiendo del monto de su ahorro, le ofrecerá una renta fija y garantizada, pagadera en forma mensual hasta su fallecimiento, lo que otorga certeza a la prestación, puesto que el beneficiario conoce desde un inicio el monto que percibirá durante todo el período sin que éste expuesto a su disminución o desaparición al consumir la totalidad del ahorro; sin embargo, no todos los afiliados pueden acceder a ella, sólo se encuentra disponible para quienes cuenten con un saldo en su cuenta que les permita contratar una renta mensual cuyo monto sea igual o mayor a la pensión básica solidaria de vejez, lo que supone que una gran parte de los afiliados sólo podrá acceder al retiro programado, en que es la Administradora quien calcula anualmente el monto de la pensión, sobre la base del saldo en su cuenta de capitalización individual y su esperanza de vida, por lo que el monto varía año a año, disminuyendo y pudiendo llegar a $0, en la medida que se trate de un pensionado longevo. Luego, si nos centramos en esta última modalidad, la Superintendencia de Pensiones determinó que el promedio mensual de las pensiones pagadas a cada afiliado al 31 de diciembre de 2017, ascendió a 4,75 Unidades de Fomento, que, conforme a su valor a esa misma fecha, equivale a $127.291,165, esto es, menos de la mitad del sueldo mínimo que, para ese entonces, alcanzaba los $270.000.

Para explicar el bajo monto de las pensiones ofrecidas por el sistema se ha acudido a una serie de argumentos que, en general, apuntan a rentabilidad de las inversiones menores a las proyectadas, mayores expectativas de vida de hombre y mujeres, baja tasa y densidad de cotización, y baja cobertura de trabajadores independientes, entre otros[17], tendencias que, salvo lo relativo a los independientes cuya presencia en el sistema debiera aumentar notoriamente a partir de la obligatoriedad de su afiliación, no parecen ser pasajeras o tener una solución en el corto plazo.

La insatisfacción con el monto de las prestaciones, en particular al ser contrastado con las utilidades que año a año exhiben las administradoras, es compartida entre afiliados y distintos actores de la política nacional. Los primeros se han movilizado a fin de pedir cambios al sistema, lo que ha llevado a ciertos sectores de la ciudadanía a articularse a través del movimiento "No + AFP"[18], que ha manifestado su deseo por volver a un sistema de reparto, que contemple financiamiento tripartito y sea administrado por el Estado a fin de lograr que la pensión corresponda a un porcentaje más alto de la remuneración percibida al momento de jubilar; en tanto que desde el interior del sistema previsional, la Comisión de Usuarios también ha efectuado propuestas para mejorarlo[19]; y los últimos gobiernos, pese a representar a distintos sectores y partidos políticos, con distintas visiones sobre el modo en que deben financiarse, administrarse y otorgarse las prestaciones relativas a vejez, han respondido, emprendiendo acciones tendientes a mejorar las pensiones.

La ley 20.255, promulgada durante el primer gobierno de la presidenta Michelle Bachelet, introdujo una modificación al decreto ley 3.500 que, si bien carece de influencia en el monto final de las pensiones, en algo beneficia la situación de los afiliados al rebajar las comisiones que mensualmente pagan por la administración de sus fondos, lo que se logró mediante la licitación del

---

[17] Entre otros: SUPERINTENDENCIA DE PENSIONES DE CHILE, en documento denominado "Reforma previsional, principales propuestas" [5-4-2019], disponible en: https://www.spensiones.cl/portal/institucional/594/articles-13365_recurso_1.pdf; LANATA FUENZALIDA, Gabriela, *Manual de Legislación Previsional*, 2° edición, Legal Publishing Chile, Santiago, 2015, p. 78.

[18] Durante los últimos años la prensa nacional ha destacado numerosas manifestaciones encabezadas por este movimiento, cuyas principales críticas y propuestas se encuentran en la página www.nomasafp.cl.

[19] COMISIÓN DE USUARIOS DEL SISTEMA DE PENSIONES [15-4-2019], en: https://www.comisionusuarios.cl/publicaciones/estudios-informes-reglamentos-y-leyes/.

servicio de administración de las cuentas de capitalización individual de quienes se incorporen por primera vez al sistema durante un período de veinticuatro meses, disponiendo que esta sería adjudicada a la entidad que, cumpliendo con los requisitos previstos en la legislación, ofrezca cobrar la menor comisión por depósito de cotizaciones periódicas al momento de la presentación de las ofertas. Ahora bien, dada la insuficiencia de tal reforma, durante su segundo gobierno convocó a una Comisión Asesora Presidencial Sobre el Sistema de Pensiones, compuesta por un grupo de expertos en la materia, que entre los años 2015 y 2016, realizó sesiones de trabajo durante las cuales se escuchó a expertos, organizaciones sociales, centros de estudios, entre otros, elaborando tres propuestas globales, atendidas las distintas posturas y visiones de sus miembros, pero todas formuladas desde el consenso existente acerca de la "necesidad de incrementar las pensiones de los actuales jubilados, y crear las condiciones para que los futuros pensionados accedan a mejores jubilaciones"[20], ninguna de las cuales alcanzó a concretarse en un proyecto de ley.

Por su parte, el actual gobierno encabezado por el presidente Sebastián Piñera, con fecha 6 de noviembre de 2018, presentó ante la Cámara de Diputados un proyecto de ley que mejora pensiones del sistema de pensiones solidarias y del sistema de pensiones de capitalización individual, crea nuevos beneficios de pensión para la clase media y las mujeres, crea un subsidio y seguro de dependencia, e introduce modificaciones en los cuerpos legales que indica[21], en cuyo mensaje también, si bien se destacan los éxitos del sistema en vigencia, se reconoce que "está entregando pensiones de vejez por debajo de las expectativas de parte importante de la población. En particular, los más vulnerables, la clase media y las mujeres no están recibiendo del sistema de pensiones lo que esperan de él"[22].

El proyecto plantea cinco principios: primero, reconocer el esfuerzo individual de los trabajadores y respetar plenamente sus derechos de propiedad sobre las cotizaciones y el ahorro previsional que acumulan en sus cuentas individuales, segundo, concentrar el mayor esfuerzo fiscal en los más vulnerables, en la clase media y en las mujeres; tercero, asegurar que cada uno de los cambios ayuden, en forma directa o indirecta, a mejorar las pensiones; cuarto, evitar efectos negativos de las reformas sobre el crecimiento económico y la creación de empleos; y quinto, responsabilidad fiscal, asegurando la sustentabilidad de largo plazo de los beneficios, en particular los que se financian con el presupuesto público. Principios que, a su vez, se plasman en los siguientes objetivos específicos:

---

[20]   Resumen ejecutivo comisión asesora presidencial sobre el sistema de pensiones 2015, p. 18 [10-04-2019], en: http://www.comision-pensiones.cl/resumen_ejecutivo_esp.pdf.

[21]   Boletín N°12.212-13 de la Cámara de Diputados [12-04-2019], disponible en: https://www.camara.cl/pley/pley_detalle.aspx?prmID=12718&prmBL=712212-13.

[22]   Boletín N°12.212-13 de la Cámara de Diputados [12-04-2019], disponible en: https://www.camara.cl/pley/pley_detalle.aspx?prmID=12718&prmBL=712212-13.

mejorar las pensiones de los más vulnerables; desarrollar mecanismos especiales de protección económica para los adultos mayores en condición de dependencia funcional severa; mejorar las pensiones de la clase media; mejorar las pensiones de las mujeres, especialmente de la clase media que no se benefician del Pilar Solidario; mejorar las pensiones que recibirán en el futuro las generaciones de trabajadores más jóvenes como resultado de su esfuerzo individual; fortalecer la competencia en el sistema de pensiones; mejorar la información y educación previsional, y fortalecer la fiscalización del sistema previsional.

En concreto, para mejorar el pilar solidario se propone, entre otras medidas, aumentar gradualmente los beneficios que otorga, los que deberán ser mayores para los pensionados de mayor edad, además de garantizar que la pensión en la modalidad de retiro programado no sea inferior a la básica solidaria y crear un seguro de longevidad para evitar que la pensión decrezca en el tiempo. Este punto aparece como adecuado, en la medida que se compatibilice con las mejoras respecto de la efectividad de la afiliación y pago de cotizaciones en el pilar contributivo, a fin de evitar destinar recursos públicos al financiamiento de pensiones de quienes habiendo trabajado carecen de ahorro previsional, sea porque decidieron no cotizar o porque su empleador incumplió la obligación de enterar los dineros retenidos de la remuneración; y resulta especialmente destacable la opción que se toma por los beneficiarios de la modalidad de retiro programado, que, como dijéramos, agrupa a importantes sectores medios de la población, que no favorecen del pilar solidario, ni logran contratar modalidades pura o mixtas de rentas vitalicias, dejando entregados sus ingresos futuros a la incertidumbre acerca de su monto y permanencia.

A fin de mejorar las pensiones autofinanciadas se plantea, entre otros, aumentar gradualmente la tasa de cotización en 4 puntos porcentuales[23], de cargo del empleador; ampliar las instituciones autorizadas para administrar este aporte adicional; fortalecer los incentivos tributarios para el ahorro previsional voluntario, tanto individual como colectivo; crear un seguro para lagunas previsionales; mejorar el procedimiento de cobranza de las cotizaciones previsionales, creando un sistema unificado de cobro; además de establecer incentivos para postergar la decisión de pensionarse. Sobre tales propuestas cabe observar que el aporte del empleador ha sido planteado en los convenios internacionales, y tiene la ventaja de permitir rebajar la carga que pesa sobre el trabajador, pero presenta el riesgo de que el mayor costo afecte el monto de las remuneraciones, por lo que de concretarse tal medida deben buscarse los medios de evitar que el incremento en la

---

[23]   Proyecto que durante el año 2019 y primer semestre del 2020 ha seguido su tramitación, sufriendo algunas modificaciones, entre las que destacan el aumento de la cotización previsional en un 6% sobre la renta imponible en forma gradual a lo largo de doce años, incremento que será distribuido en partes iguales entre un Ahorro Previsional Adicional y un Ahorro Colectivo Solidario.

cotización conduzca a una rebaja en los sueldos percibidos por los trabajadores; los incentivos a la postergación de la edad de jubilación y al ahorro voluntario también aparecen como una buena medida, sin perjuicio que no debieran desviar el foco de la necesaria discusión sobre el aumento de la edad legal a partir de la cual es posible jubilar, como se indicó, los Convenios 102 y 128 permiten que la legislación nacional la eleven cuando ello sea sugerido por distintos criterios, entre ellos, el demográfico, lo que hace necesario considerar la creciente esperanza de vida, actualmente 80,6 años de edad[24], que importa que cada vez las cotizaciones acumuladas durante la vida activa deba financiar una cantidad mayor de años por afiliado, lo que necesariamente llevará a pensiones decrecientes; y, sin dudas, que el sistema debe buscar formulas para disminuir las lagunas previsionales y el incumplimiento a la obligación de cotizar, dado que una baja densidad en las cotizaciones inciden directamente en la baja del monto de la pensión final.

Para aumentar la competencia en la industria de administración de fondos de pensiones, se proponen distintas medidas de orden administrativo, pero, quizás, la más sustantiva consiste en permitir que las administradoras de fondos de pensiones se puedan constituir como sociedades anónimas especiales que no distribuyen utilidades, y autorizar a actuales entidades sin fines de lucro, tales como cajas de compensación y cooperativas de ahorro y crédito, a formar filiales dedicadas a la administración de los fondos y de las prestaciones, así como perfeccionar el sistema de licitación afiliados. Este punto, que debiera llevar a modificar en forma drástica a las administradoras y su funcionamiento podría ser capaz de armonizar las pretensiones de los movimientos ciudadanos que buscan terminar con las administradoras con las opiniones de quienes estiman inconveniente volver a un sistema como el anterior al Decreto Ley 3.500; además, entregar la gestión de este riesgo a instituciones sin fines de lucro, que ya funcionan con éxito en materia de accidentes del trabajo y enfermedades profesionales, supone una serie de ventajas, al eliminar la sospecha de que las actuales sociedades puedan privilegiar su interés de ganancia por sobre el de los fondos previsionales, y terminar con las comisiones, permitiendo que el dinero que actualmente se destina a su pago pueda incrementar las cotizaciones y, en consecuencia, el saldo de la cuenta de capitalización individual, con efectos directos en las pensiones futuras.

También se sugieren medidas para fortalecer la educación y mejorar la información previsional, que son fundamentales si se pretende incrementar la participación de los afiliados en el sistema y, en especial, si se considera que el sistema les ofrece distintas alternativa durante su vida activa y al momento de jubilar en que la opción que elijan incide directamente en el monto final de la pensión.

---

[24]   INSTITUTO NACIONAL DE ESTADÍSTICAS [11-4-2019], en: https://ine.cl/.

Además, para aumentar la transparencia del sistema de administradoras de fondos de pensiones se plantea ampliar los cargos incompatibles entre ellas y las entidades que forman parte del mismo grupo empresarial, mejorar la información sobre sus controladores, incorporar una cuenta anual, entre otras medidas que también resultan de relevancia, atendido el descredito de que gozan estas instituciones frente a buena parte de los afiliados, que afecta la legitimidad de todo el sistema.

Asimismo, se consideran medidas para fortalecer la fiscalización del sistema de pensiones, lo que supone incrementar el rol del Estado, y limitar la libertad de acción de privados, en la administración de lo que, en esencia, debiera ser un servicio público, toda vez que está destinado a satisfacer un derecho fundamental; lo que, como señaláramos previamente, sigue la línea trazada por los convenios internacionales y mejora uno de los ámbitos que han sido observados por la Comisión de Expertos de la OIT.

Finalmente, encontramos el acápite del proyecto destinado a la creación de un subsidio y seguro de dependencia, de carácter no contributivo, para adultos mayores de 65 años que se encuentren en situación de dependencia funcional severa, cuyo propósito es aumentar directamente sus ingresos e indirectamente el de sus cuidadores, permitiendo robustecer los actuales programas de cuidado, lo que aparece como una herramienta interesante en nuestra actual realidad demográfica, no sólo para incrementar la calidad de las prestaciones, sino para contribuir al problema que supone la creciente cantidad de adultos mayores que no cuentan con nadie que los asista.

Cabe hacer mención a que, atendidos los acontecimientos ocurridos en el país, a partir del mes de octubre de 2019 y entre la fecha de elaboración y publicación del presente artículo, no sólo se han modificado los énfasis y el foco de interés que el Gobierno y los distintos sectores políticos han puesto en el proyecto antes referido, sino que además se han aprobado nuevos grupos de leyes que han venido a modificar el panorama en materia de seguridad social. Entre estas normas, es pertinente señalar la Ley 21.190, publicada en el Diario Oficial el 11 de diciembre de 2019, destinada a mejorar y establecer nuevos beneficios en el sistema de pensiones solidarias, cuya principal novedad es el garantizar al pensionado por vejez que, integrando uno de los grupos familiares pertenecientes al 60% más pobre de la población, y reuniendo los requisitos de edad y residencia en el país previstos en el artículo 3 de la Ley 20.255, perciba una pensión bajo la modalidad de retiro programado que no podrá ser inferior a la pensión básica solidaria de vejez.

Lo anterior, supone un avance en la línea establecida por el Convenio 35 en análisis, al incrementar la protección de los beneficiarios del sistema, en particular, de aquellos que no cuentan con los medios para hacerlo por sí mismos y requieren del aporte del Estado, y permite suponer que cualquier nueva modificación en la materia seguirá por la misma senda, profundizando el componente social y solidario de los seguros por vejez.

11.4. CONCLUSIONES

Conforme al análisis previo, sea que el proyecto en tramitación logre completarla o no, o cualesquiera sean los términos de su producto final, parece posible afirmar la existencia de un consenso acerca de la necesidad de mejorar nuestro actual sistema de pensiones a fin de dar real eficacia al derecho fundamental a la seguridad social; cambio que, en nuestra opinión, debiera tender a despegarse de la lógica en que se basa el Convenio 35 OIT para aproximarse más al Convenio 102, que refleja de mejor modo los principios que rigen la materia y sus fines.

En ese orden de ideas, cualquier modificación legislativa debe contemplar la incorporación de mayores sectores de la población, en particular, de aquellos tradicionalmente excluidos, lo que debe concretarse tanto respecto del otorgamiento de los beneficios como de la participación en la administración de los fondos destinados a solventar las pensiones.

Además, debe tender a privilegiar la administración de las prestaciones por parte de entidades sin fines de lucro o, a lo menos, permitir la convivencia de las actuales administradoras con otras instituciones que no prevean el reparto de utilidades entre sus fines, de modo que el afiliado pueda ejercer el mismo derecho a opción que actualmente se le reconoce en otros aspectos del proceso. En el mismo sentido, parece conveniente avanzar hacia un modelo de administración en que los sectores público y privado tengan un rol similar, en términos de injerencia en el funcionamiento del sistema, de modo que une actúe como contrapeso del otro, a fin de equilibrar las bondades y defectos de ambos.

Asimismo, las medidas que adopte la autoridad pública deben, necesariamente, contemplar la actual realidad nacional, y considerar elementos tales como la demografía del país, cuya debida consideración revela la urgencia con que deben discutirse cuestiones como el aumento en la edad legal para jubilar, atendida la postergación de la afiliación que deriva del incremento en los años de estudios profesionales en amplios sectores de la población y en la expectativa de vida, lo que supone que se cotice durante menos años para financiar una pensión por un período más extenso, dificultad que sólo tiene tres vías de solución, asumir pensiones de baja calidad, elevar el monto de las cotizaciones o la edad legal para pensionarse; otro tipo de alternativas que pretendan alcanzar una mejor pensión en las condiciones previamente descritas, sin ningún tipo de costo para el afiliado, sea en su calidad de tal o en cuanto ciudadano obligado a aportar al financiamiento general del Estado a través de impuestos, parecen más la expresión de un deseo que una posibilidad viable en el corto o mediano plazo.

BIBLIOGRAFÍA

ALONSO OLEA, Manuel y TORTUERO PLAZA, José Luis, *Instituciones de seguridad social*, 13° Edición, Editorial Civitas, Madrid, España, 1992.

ARELLANO ORTIZ, Pablo y CIFUENTES LILLO, Hugo, "Legislación chilena de pensiones e indicaciones de la Comisión de Expertos de la OIT", en *Revista Chilena de Derecho del Trabajo y de la Seguridad Social*, Vol. 1, Núm. 1, Santiago, Facultad de Derecho, Universidad de Chile, 2010, pp. 123–130.

CASTIGLIONI, Rossana, "Reforma de pensiones en América Latina: orígenes y estrategias, 1980–2002", *Revista de Ciencia Política* (Santiago) [online], 2005, vol. 25, N. 2, pp. 173–189.

FUENZALIDA MARTÍNEZ, Patricia, "El Derecho de la Seguridad Social como herramienta de inclusión social del Estado Democrático Constitucional", *Revista Chilena de Derecho del Trabajo y de la Seguridad Social*, Vol. 6, Núm. 11, Santiago, Facultad de Derecho, Universidad de Chile, 2015, pp. 181–191.

HUMERES NOGER, Héctor, *Derecho del Trabajo y de la Seguridad Social* tomo III, 19° Edición, Editorial Jurídica de Chile, Santiago, 2019.

LANATA FUENZALIDA, Gabriela, *Manual de Legislación Previsional*, 2° edición, Legal Publishing Chile, Santiago, 2015.

NOVOA FUENZALIDA, Patricio, *Derecho de Seguridad Social*, Editorial Jurídica de Chile, Santiago, 1977.

ROQUETA BUJ, Remedios y GARCÍA ORTEGA, Jesús, *Derecho de la Seguridad Social*, 5° Edición, Editorial Tirant Lo Blanch, Valencia, España, 2016.

SOSA, Víctor Marcelo, *Seguridad social, perspectivas actuales*, Editorial Rubinzal–Culzoni, Buenos Aires, Argentina, 2014.

Capítulo 12.

El aporte de la ratificación por Chile del Convenio núm. 121 de la OIT a la consolidación de un sistema de seguridad social con enfoque de derechos. Avances, déficits y retrocesos

PEDRO CONTADOR ABRAHAM[*]

12.1. ANTECEDENTES DEL CONVENIO NÚM. 121 DE LA OIT SOBRE PRESTACIONES EN CASO DE ACCIDENTES DEL TRABAJO Y ENFERMEDADES PROFESIONALES

Destaca la doctrina que la protección del trabajador contra riesgos de accidentes del trabajo y las enfermedades profesionales, ha estado siempre en primera línea de las preocupaciones de la OIT, pues figura en el Preámbulo de su Constitución del año 1919 y se reafirma en la Declaración de Filadelfia de 1944[1].

Respecto de las motivaciones tenidas a la vista para elaborar este Convenio, se ha señalado que, en noviembre de 1958 el Consejo de Administración de la OIT convocó a una reunión de la comisión de expertos en seguridad social, con el objetivo de revisar los convenios existentes hasta el momento en materia de riesgos del trabajo, que debía concebirse en forma tal que permitiera su aplicación por los Estados que aseguren la indemnización por enfermedades profesionales, sea cual sea la definición adoptada en su legislación para determinar estas patologías[2]. El antecedente normativo directo de este Instrumento, lo podemos encontrar en el Convenio 102 sobre la Seguridad Social (norma mínima) que en su Parte VI, relativa a "Prestaciones en Caso de Accidente del Trabajo y de

---

[*] Profesor de Derecho del Trabajo y de la Seguridad Social. Magíster en Derecho del Trabajo y Seguridad Social, Universidad de Talca, Chile, y Universidad de Valencia, España. Magíster en Prevención de Riesgos Laborales Universidad de Alcalá y OISS. Abogado, Universidad de Concepción.

[1] ARELLANO ORTIZ, Pablo. "La cobertura de los accidentes del trabajo y enfermedades profesionales por las normas internacionales del trabajo de la OIT". *Revista Chilena de Derecho del Trabajo y de la Seguridad Social*, 2(3), 2011, pp. 163-164.

[2] RODRÍGUEZ, Carlos Aníbal. *Los Convenios de la OIT sobre seguridad y salud en el trabajo: Una oportunidad para mejorar las condiciones y el medio ambiente de trabajo*, Centro Internacional de Formación de la Organización Internacional del Trabajo, Turín, Italia, 2009, p. 431.

Enfermedad Profesional," incluye normas sobre contingencias cubiertas, personas protegidas, prestaciones médicas y pecuniarias[3].

El Convenio 121[4] fue adoptado con fecha 8 de julio de 1964, durante la 48a Conferencia Internacional del Trabajo, y se dirige especialmente a regular las prestaciones que se deben brindar ante los accidentes del trabajo y las enfermedades profesionales[5]. El Convenio ha sido ratificado a la fecha por 24 países[6] y es considerado como de tercera generación de normas de seguridad social, ya que es parte de los instrumentos posteriores al Convenio 102, aunque ofrece una protección superior en términos de población cubierta y de nivel de prestaciones[7]. El Convenio 121[8] tiene desde el año 2002 el estatus de actualizado para la OIT, por tanto, abierto a la ratificación por parte de los Estados Miembros[9].

12.2. CRONOGRAMA DE LA RATIFICACIÓN Y PRINCIPALES CONSIDERACIONES DE LA DISCUSIÓN LEGISLATIVA PARA LA APROBACIÓN DEL CONVENIO NÚM. 121[10]

Con fecha 4 de marzo de 1997, el Presidente de la República envío a la H. Cámara de Diputados un proyecto de Acuerdo por el que solicitaba la aprobación del Congreso Nacional del Convenio N° 121. Destaca el Mensaje que "la legislación chilena se ajusta al contenido del instrumento internacional: a los accidentados o enfermos les garantiza atención médica completa, subsidios por incapacidad laboral, sin el requisito de carencia; así como indemnizaciones

---

[3]   ARELLANO ORTIZ, "La cobertura de los accidentes…", pp. 169-171.

[4]   Este Convenio se estructura 39 artículos y de los siguientes anexos: Cuadro I: lista de enfermedades profesionales (enmendada en 1980). Cuadro II: pagos periódicos al beneficiario tipo, y Anexo: clasificación industrial internacional uniforme de todas las actividades económicas.

[5]   ARELLANO ORTIZ, "La cobertura de los accidentes…", p. 171.

[6]   Alemania, Bélgica, Estado Plurinacional de Bolivia, Bosnia y Herzegovina, Chile, Chipre, Croacia, República Democrática del Congo, Ecuador, Eslovenia, Finlandia, Guinea, Irlanda, Japón, Libia, Luxemburgo, Macedonia del Norte, Montenegro, Países Bajos, Senegal, Serbia, Suecia, Uruguay y República Bolivariana de Venezuela. En: https://www.ilo.org/dyn/normlex/es/f?p=NORMLEXP UB:11300:0::NO::P11300_INSTRUMENT_ID:312266 (marzo 2019).

[7]   ARELLANO ORTIZ, "La cobertura de los accidentes…", p. 165.

[8]   Este convenio debe entenderse complementado por la Recomendación 121, de 1964 sobre las prestaciones en caso de accidentes del trabajo y enfermedades profesionales, por el Protocolo 155 de 2002 relativo al Convenio sobre seguridad y salud de los trabajadores, 1981 y por la Recomendación 194, de 2002 sobre la lista de enfermedades profesionales.

[9]   https://www.ilo.org/dyn/normlex/es/f?p=NORMLEXPUB:12030:0::NO::: (visto en marzo 2019) y ARELLANO ORTIZ, "La cobertura de los accidentes…", p. 164.

[10]   BIBLIOTECA DEL CONGRESO NACIONAL DE CHILE, *Historia del Decreto N° 1.864, Proyecto de acuerdo relativo a dos Convenios Internacionales del Trabajo en materias de seguridad social, adoptados por la Conferencia General de la Organización Internacional del Trabajo*, [en línea] en http://www.bcn.cl/ historiadelaley [marzo de 2019].

globales, pensiones parciales, totales, incrementos por gran invalidez, pensiones en beneficio de los sobrevivientes, y cuota mortuoria en su caso".. En cuanto a las personas protegidas por el Seguro de la ley N° 16.744, indica el Mensaje que éste incorpora en su protección, no solo a los trabajadores dependientes del sector privado, sino también a los trabajadores del sector público, así como "grupos de trabajadores independientes".

Durante la discusión de la iniciativa legislativa en la Comisión de RR.EE. de la Cámara, la posición del Ejecutivo fue representada, entre otros, por el ilustre iuslaboralista don Patricio Novoa, quien planteó que la incorporación de nuestro país a este Convenio fijaba un mínimo normativo bajo el cual la ley chilena no podría ser modificada, en tanto que la autoridad de la época reiteró que, en lo sustancial, Chile cumplía ampliamente con esta normativa de la OIT.

En Segundo Trámite Constitucional ante el Senado de la República, el Ejecutivo expresó que ha primado la tesis en el sentido de que los convenios de la OIT constituyen legislación internacional de índole multilateral, aprobada en un órgano legislativo internacional –la Conferencia– que requieren de la ratificación por parte de los Estados.

Finalmente, el Congreso comunicó al Presidente de la República la aprobación del Convenio 121, mediante Oficio N° 2948, de 17 de agosto de 1999, siendo promulgado mediante D.S. N° 1.864, de 8 de noviembre de 1999 del Ministerio de Relaciones Exteriores, publicado en el Diario Oficial el día 29 de enero de 2000, habiéndose depositado el instrumento de ratificación del Convenio ante el Director General de la OIT con fecha 30 de septiembre de 1999 y su entrada en vigor se produjo, de conformidad al artículo 33 del Convenio, un año después de la fecha del depósito.

12.3. ANÁLISIS DEL CONTENIDO PRINCIPAL DEL CONVENIO NÚM. 121 Y SU RELACIÓN CON LA LEGISLACIÓN CHILENA SOBRE PROTECCIÓN CONTRA LOS RIESGOS DEL TRABAJO

12.3.1. Cuestiones Generales

Del artículo 1° sobre definiciones, destacaremos sus letras c, d y e sobre "establecimiento industrial", "persona a cargo" e "hijo a cargo", respectivamente[11].

---

[11]   "(c) la expresión establecimiento industrial comprende todos los establecimientos de las siguientes ramas de actividad económica: minas y canteras; industrias manufactureras; construcción; electricidad, gas, agua y servicios sanitarios, y transportes, almacenamiento y comunicaciones;
(d) la expresión persona a cargo se refiere a un estado de dependencia que se supone existe en casos prescritos;

Al respecto, del análisis de los artículos 2° y 25 de esta ley y en la ley N° 19.345, todas las ramas de actividad económica, con excepciones acotadas, están afectas obligatoriamente al Seguro de la ley N° 16.744[12]. De lo antes expuesto, se puede colegir que nuestra legislación, en este punto, se encuentra en armonía con el instrumento internacional.

Respecto de las denominadas cláusulas de flexibilización[13] contenidas en los artículos 2, 3 y 5 del Convenio[14], Chile no efectuó ninguna declaración para acogerse a estas excepciones temporales y parciales.

12.3.2. Personas Protegidas

De conformidad al artículo 4 del Convenio, la legislación nacional en caso de accidentes del trabajo y enfermedades profesionales debe proteger a todos los asalariados, incluidos los aprendices, de los sectores público y privado, comprendidos

---

(e) la expresión hijo a cargo comprende:

(i) al hijo que no ha llegado aún, sea a la edad en que termina la enseñanza obligatoria o a los 15 años, cualquiera de ellas que sea la más alta; y

(ii) bajo condiciones prescritas, al hijo que no ha llegado aún a una edad prescrita superior a aquella especificada en el inciso i), y que es un aprendiz o estudiante o que tiene una enfermedad crónica o una dolencia que le incapacite para toda actividad lucrativa, a menos que en la legislación nacional la expresión hijo a cargo comprenda a todo hijo que no tiene aún una edad notablemente superior a aquella especificada en el inciso i)."

[12] Respecto de las definiciones de persona a cargo e hijo a cargo, cabe indicar que el artículo 43 de la ley N° 16.744 dispone que, si el accidente o enfermedad produjere la muerte del afiliado, o si fallece inválido, tendrán derecho a pensión de supervivencia el cónyuge, sus hijos de filiación matrimonial o no matrimonial, la madre de hijos de filiación de filiación no matrimonial, los ascendientes o descendientes, en los términos indicados en el Párrafo 5° del Título V de este Seguro.

[13] En efecto, se ha señalado que en los Convenios de la OIT, a diferencia de otros tratados internacionales, su ratificación no puede ir de reservas, lo que no significa que estos instrumentos carezcan de mecanismos que otorguen a los Estados un marguen de maniobra frente a la obligaciones originadas por la ratificación, para la cual la Conferencia ha recurrido a diversos mecanismos de flexibilidad al alcance de los método de aplicación o la las obligaciones de fondo de las normas internacionales del trabajos, permitiendo así preservar el principio de universalidad de los convenios. (VALDUEZA BLANCO, María Dolores. *El Convenio N° 121 de la OIT sobre prestaciones en caso de accidente de trabajo y enfermedad profesional y los mecanismos de control de su aplicación*, pp. 2-3, [en línea] en http://islssl.org/wp-content/uploads/2013/01/El-Convenio-No-121.pdf [marzo de 2019]).

[14] Se trata de excepciones temporales previstas en los artículos 5; 9, párrafo 3, apartado b); 12; 15, párrafo 2, y artículo 18, párrafo 3 del Convenio. De igual forma, podrá excluir del campo de aplicación del Convenio: (a) a la gente de mar, incluidos los pescadores de pesquerías marítimas; (b) a los funcionarios públicos, cuando estas categorías estén protegidas en virtud de regímenes especiales que concedan en conjunto prestaciones por lo menos equivalentes a las del Convenio. Por último, cuando esté en vigor una declaración formulada de conformidad con lo dispuesto en el artículo 2, la aplicación de la legislación nacional sobre prestaciones en caso de accidentes del trabajo y enfermedades profesionales podrá limitarse a categorías prescritas de asalariados cuyo número total no debería ser inferior al 75% de todos los asalariados que trabajen en establecimientos industriales, y, en caso de fallecimiento del sostén de familia, a categorías prescritas de beneficiarios.

aquellos de las cooperativas, y en caso de fallecimiento del sostén de familia, a categorías prescritas de beneficiarios[15]. Teniendo a la vista lo dispuesto en el artículo 2° de la ley N° 16.744, las personas protegidas por este Seguro son:

- Los trabajadores del Sector Privado (los trabajadores por cuenta ajena[16], los trabajadores independientes y los trabajadores familiares[17]).
- Los estudiantes[18].

---

[15] Sin embargo, todo Miembro podrá prever las excepciones que estime necesarias en lo que se refiere: (a) a las personas que realicen trabajos ocasionales ajenos a la empresa del empleador;(b) a los trabajadores a domicilio; (c) a los miembros de la familia del empleador que vivan con él respecto del trabajo que realicen para él; (d) a otras categorías de asalariados, siempre que su número total no exceda del 10 por ciento de todos los asalariados no exceptuados en virtud de los apartados a) a c) del párrafo 2 del artículo 4.
Igualmente, el Convenio, en su artículo 27, dispone que cada Miembro en su territorio deberá asegurar a los extranjeros igualdad de trato con sus nacionales respecto de las prestaciones en caso de accidentes del trabajo y enfermedades profesionales.

[16] Aquellas personas que presten servicios determinados bajo un vínculo de subordinación y dependencia, de conformidad al Código del Trabajo, sean estos intelectuales o manuales y por los cuales obtenga una remuneración, cualquiera que sea la naturaleza de la empresa, institución o persona para quien trabajen, incluyendo los trabajadores de casa particular y los aprendices.

[17] La Clasificación Internacional de la Situación en el Empleo (CISE), de la OIT define a este tipo de trabajadores como aquéllos que tienen un "empleo independiente" en un establecimiento con orientación de mercado, dirigido por una persona de su familia que vive en el mismo hogar, pero a la que no puede considerarse como socia (en https://www.ilo.org/public/spanish/bureau/stat/class/icse.htm [marzo de 2019]). Asimismo, dado que los trabajadores familiares no perciben remuneración ni tienen vínculo de subordinación o dependencia con las entidades empleadoras donde trabajan, no han contado hasta ahora con la protección del seguro de la ley N° 16.744, por lo que hasta la fecha se han atendido en su sistema previsional de salud común (Ordinario N° 59008, de 11.09.2012, de la Superintendencia de Seguridad Social).

[18] Respecto de esta categoría de personas protegidas, debemos distinguir:
a) Aquellos establecimientos estatales o reconocidos por el Estado que, de acuerdo con los programas de enseñanza aprobados por el Ministerio de Educación deban ejecutar labores técnicas, agrícolas y/o industriales que signifiquen una fuente de ingreso para el respectivo plantel, quedan cubiertos por la ley N° 16.744. Las cotizaciones se deben enterar sobre dichos ingresos percibidos en el respectivo período por el plantel educacional, siendo de su cargo el pago de la cotización básica exclusivamente y en caso de accidente en el trabajo o de enfermedad profesional, los estudiantes tendrán derecho a todos los beneficios establecidos en la ley N° 16.744 y en sus reglamentos, excepto los subsidios;
b) Todos los demás estudiantes por los accidentes que sufran a causa o con ocasión de sus estudios o en la realización de su práctica profesional. Para estos efectos se entenderá por estudiantes a los alumnos de cualquiera de los niveles o modales educativas de acuerdo a lo establecido en la ley N° 20.370, Ley General de Educación, todos los cuales quedan protegidos por el D.S. N° 313, de 1972, del Ministerio del Trabajo y Previsión Social.
En este sentido, debe tenerse presente que el párrafo 3 de las Recomendación 121, plantea una cobertura aún más amplia, a través de seguros voluntarios, a personas que no detentan la calidad de trabajadores:
(1) "Todo Miembro debería asegurar de conformidad con condiciones prescritas, si fuere necesario por etapas, y por medio de un seguro voluntario si ha lugar a ello, la concesión de prestaciones por accidentes del trabajo y enfermedades profesionales o de prestaciones análogas:

– Los trabajadores del Sector Público[19]

Podemos señalar entonces que, la legislación chilena cumple los estándares de universalidad subjetiva exigidos por el Convenio núm. 121[20].

(a) a los miembros de cooperativas dedicados a la producción de bienes o a la prestación de servicios;

(b) a categorías prescritas de personas que trabajen por cuenta propia, especialmente a los propietarios dedicados activamente a la explotación de pequeños negocios o granjas agrícolas;

(c) a ciertas categorías de personas que trabajen sin remuneración, entre las que deberían figurar:

(i) las personas que, en preparación para su futuro empleo, estén recibiendo formación profesional, u otra clase de preparación, o que se sometan a un examen profesional, incluidos los alumnos y estudiantes;

(ii) los miembros de brigadas de voluntarios para la lucha contra las catástrofes naturales, el salvamento de vidas humanas y de bienes o el mantenimiento de la ley y del orden;

(iii) otras categorías de personas no protegidas por otro concepto que trabajen en beneficio del público o que se dediquen a actividades cívicas o de beneficencia, como las personas que presten voluntariamente servicios en la administración pública, los servicios sociales u hospitalarios;

(iv) las personas encarceladas y otras personas detenidas que efectúen trabajos ordenados o aprobados por las autoridades competentes.

(2) Los recursos financieros del seguro voluntario previsto para las categorías mencionadas en el subpárrafo 1) de este párrafo no deberían provenir de cotizaciones destinadas a financiar los sistemas obligatorios para trabajadores asalariados".

[19] La ley N° 19.345 dispuso la aplicación de este Seguro Social a los siguientes trabajadores del sector público:

a) Los trabajadores de la Administración Civil del Estado, centralizada y descentralizada;

b) Los trabajadores de las Instituciones de Educación Superior del Estado;

c) Los trabajadores de las Municipalidades, incluido el personal traspasado a la Administración Municipal de conformidad con lo dispuesto en el D.F.L. N° 1-3063 de 1980, del Ministerio del Interior, que hubiera optado por mantener su afiliación al régimen previsional de los Empleados Públicos;

d) Los funcionarios de la Contraloría General de la República;

e) Los funcionarios del Poder Judicial;

f) Los funcionarios del Congreso Nacional;

g) Los parlamentarios afiliados a un régimen previsional de pensiones;

h) Concejales;

i) Funcionarios del Ministerio Público, y

j) Los trabajadores de las empresas públicas creadas por ley, que se relacionen con el Gobierno a través del Ministerio de Defensa Nacional, esto es, Fábricas y Maestranzas del Ejército-FAMAE, Astilleros y Maestranzas de la Armada-ASMAR y la Empresa Nacional de Aeronáutica de Chile-ENAER, que presten servicios regidos por el Código del Trabajo y que se encuentren afiliados al sistema previsional establecido en el decreto ley N° 3.500, de 1980.

Con todo, la ley N° 19.345 dispone que el Seguro de la ley N° 16.744 no será aplicable al personal de las FF.AA. que esté afecto en materia de accidentes en actos de servicio y enfermedades profesionales a las disposiciones contenidas en el D.F.L. N° 1, de la Subsecretaría de Guerra, y en el D.F.L. N° 2, del Ministerio del Interior, ambos de 1968; en el D.F.L. N° 1, de la Subsecretaría de Investigaciones, y en las leyes N°s. 18.948 y 18.961.

[20] Durante el año 2018 estuvieron protegidos por el Seguro de la ley N°16.744 un promedio mensual de 6.105.926 trabajadores, lo que representa un porcentaje cercano al 70% de la fuerza de trabajo ocupada del país. En Estadísticas de la Seguridad Social, mayo de 2019, Superintendencia de Seguridad Social.

12.3.3. Contingencias cubiertas

Los artículos 6, 7 y 8 del Convenio, establecen las contingencias cubiertas en caso de un accidente del trabajo o una enfermedad profesional[21]. Así, todo Miembro deberá prescribir una definición de accidente del trabajo, incluyendo las condiciones bajo las cuales un accidente sufrido en el trayecto al o del trabajo es considerado como un accidente laboral[22]. Respecto a las enfermedades profesionales, deberá contemplarse una definición y/o un listado de enfermedades profesionales[23]. Por su parte, la Recomendación 121[24], el Protocolo

---

[21] "(a) estado mórbido; (b) incapacidad para trabajar que resulte de un estado mórbido y que entrañe la suspensión de ganancias, tal como esté definida en la legislación nacional; (c) pérdida total de la capacidad para ganar o pérdida parcial que exceda de un grado prescrito, cuando es probable que dicha pérdida total o parcial sea permanente, o disminución correspondiente de las facultades físicas; y (d) pérdida de los medios de existencia, sufrida a consecuencia del fallecimiento del sostén de la familia, por categorías prescritas de beneficiarios".

[22] De acuerdo al artículo 1 letra a) del Protocolo de 2002 relativo al Convenio sobre seguridad y salud de los trabajadores, 1981, el término "accidente del trabajo" designa los accidentes ocurridos en el curso del trabajo o en relación con el trabajo que causen lesiones mortales o no mortales. Por su parte de acuerdo al Párrafo 5 de la Recomendación 121, todo Miembro debería considerar accidentes del trabajo los siguientes:
"(a) los accidentes sufridos durante las horas de trabajo en el lugar de trabajo o cerca de él, o en cualquier lugar donde el trabajador no se hubiera encontrado si no fuera debido a su empleo, sea cual fuere la causa del accidente;
(b) los accidentes sufridos durante períodos razonables antes y después de las horas de trabajo, y que estén relacionados con el transporte, la limpieza, la preparación, la seguridad, la conservación, el almacenamiento o el empaquetado de herramientas o ropas de trabajo;
(c) los accidentes sufridos en el trayecto directo entre el lugar de trabajo y:
(i) la residencia principal o secundaria del asalariado; o
(ii) el lugar donde el asalariado toma habitualmente sus comidas; o
(iii) el lugar donde el asalariado percibe habitualmente su remuneración".

[23] "(a) prescribir una lista de enfermedades en la que figuren, por lo menos, las que se enumeran en el cuadro I del Convenio (en su versión modificada en 1980) y que serán reconocidas como enfermedades profesionales cuando sean contraídas en las condiciones prescritas; o (b) incluir en su legislación una definición general de las enfermedades profesionales, que deberá ser suficientemente amplia para que abarque, por lo menos, las enfermedades enumeradas en el cuadro I del Convenio; o (c) establecer una lista de enfermedades en cumplimiento del apartado a), añadiendo, además, sea una definición general de enfermedades profesionales o bien otras disposiciones que permitan establecer el origen profesional de las enfermedades que no figuran en la lista o que se manifiestan bajo condiciones diferentes de las prescritas".

[24] Todo Miembro debería: "(1) considerar como enfermedades profesionales las que se sabe provienen de la exposición a sustancias o condiciones peligrosas inherentes a ciertos procesos, oficios u ocupaciones. (2) El origen profesional de estas enfermedades debería presumirse, salvo prueba en contrario, cuando el trabajador: (a) haya estado expuesto al riesgo por lo menos durante un período determinado; y (b) haya mostrado síntomas de la enfermedad dentro de un período determinado siguiente a la terminación del último empleo en que haya estado expuesto al riesgo. (3) Para establecer y poner al día sus listas nacionales de enfermedades profesionales, los Miembros deberían tomar especialmente en consideración cualquier lista de enfermedades profesionales que de tiempo en tiempo puede ser aprobada por el Consejo de Administración de la Oficina Internacional del Trabajo".

de 2002[25], relativo al Convenio sobre Seguridad y Salud de los Trabajadores (1981) y la Recomendación 194[26], perfeccionaron las exigencias sobre la determinación de las enfermedades profesionales.

En relación con la legislación chilena, el artículo 5° de la ley N° 16.744 define que debe entenderse por accidente del trabajo y de trayecto[27]. Se consideran también accidentes del trabajo, los sufridos por dirigentes sindicales a causa o con ocasión de su desempeño gremial[28].

Por su parte, de acuerdo al artículo 7 de la ley las enfermedades profesionales, son aquellas causadas directamente por el ejercicio de una profesión o trabajo que realice una persona y que le produzca incapacidad o muerte. Las enfermedades que se consideran profesionales se encuentran enumeradas en el D.S. N° 109, de 1968, del Ministerio del Trabajo y Previsión Social. Sin embargo, esta lista no es taxativa y el trabajador puede acreditar que alguna patología que, pese a no

---

Igualmente, "cuando en la legislación nacional exista una lista en la que se establezca el presunto origen profesional de ciertas enfermedades, se debería permitir la prueba del origen profesional de otras enfermedades o de las enfermedades incluidas en la lista cuando se manifiesten en condiciones diferentes de aquellas en que se haya establecido su presunto origen profesional".

[25]   El término enfermedad profesional designa toda enfermedad contraída por la exposición a factores de riesgo que resulte de la actividad laboral.

[26]   "1) La autoridad competente debería elaborar una lista nacional de enfermedades profesionales a los fines de la prevención, registro, notificación y, de ser procedente, indemnización de las mismas, mediante métodos adecuados a las condiciones y práctica nacionales y, de ser necesario, por etapas y previa consulta con las organizaciones de empleadores y de trabajadores más representativas. Esta lista debería:
(a) a los fines de la prevención, registro, notificación e indemnización, incluir por lo menos las enfermedades enumeradas en el cuadro I del Convenio sobre las prestaciones en caso de accidentes del trabajo y enfermedades profesionales, 1964, en su forma modificada en 1980;
(b) incluir, en la medida de lo posible, otras enfermedades que figuren en la lista de enfermedades profesionales que se recoge en el anexo de esta Recomendación;
(c) incluir, en la medida de lo posible, una parte titulada "Presuntas enfermedades profesionales."
2. La lista nacional de enfermedades profesionales debería ser reexaminada y actualizada teniendo en cuenta la lista más reciente establecida de conformidad con el párrafo que antecede".

[27]   Toda lesión que una persona sufra a causa o con ocasión del trabajo y que le produzca incapacidad o muerte. El inciso segundo del artículo 5° de la ley N° 16.744 considera que son también accidentes del trabajo los que ocurren en el trayecto directo de ida o regreso entre la habitación y el lugar de trabajo y aquéllos que ocurran en el trayecto directo entre dos lugares de trabajo, aunque correspondan a distintos empleadores. En este último caso, se considerará que el accidente dice relación con el trabajo al que se dirigía el trabajador al ocurrir el siniestro.
La ley contempla dos tipos de excepciones para efectos del otorgamiento de su cobertura social frente a la ocurrencia de determinados siniestros, saber, los accidentes debidos a fuerza mayor extraña que no tengan relación alguna con el trabajo y los producidos intencionalmente por la víctima.

[28]   Sobre esta materia consultar en CONTADOR ABRAHAM, Pedro y HOLGADO VARGAS, Leonardo. "La cobertura de los accidentes del trabajo con motivo del desempeño de actividades sindicales: Entre una adecuada garantía y una restricción injustificada a la libertad sindical", *Revista Chilena de Derecho del Trabajo y de la Seguridad Social*, 6(12), 2015, pp. 14-31. doi:10.5354/0719-7551.2016.38445.

estar comprendida en este listado, ha sido causada directamente por su trabajo y, por ende, solicitar las prestaciones de la ley[29].

Del análisis de las normas legales citadas, es posible concluir que en Chile se ha optado por un sistema mixto para la determinación del carácter laboral de una patología, pues por un lado, contempla una definición de enfermedad profesional, en que la acreditación del nexo causal directo entre el ejercicio de la profesión o el trabajo y la incapacidad o muerte que le produce a la persona, es preponderante para efectuar tal calificación y por el otro, considera la existencia de un listado de enfermedades profesionales.

Sin embargo, creemos que esta misma normativa recoge de forma deficiente algunos criterios de calificación contenidos en las Recomendaciones 121 y 194, particularmente en cuanto no establece como criterios para considerar como enfermedades profesionales: las que se sabe provienen de la exposición a sustancias o condiciones peligrosas inherentes a ciertos procesos, oficios u ocupaciones; al establecimiento de una presunción del carácter laboral, cuando el trabajador haya estado expuesto al riesgo por lo menos durante un período determinado; haya mostrado síntomas de la enfermedad dentro de un período determinado y la indicación de presuntas enfermedades profesionales. El menguado nivel de enfermedades profesionales reconocidas por los organismos administradores de la ley N° 16.744, demuestra la debilidad de nuestra institucionalidad existente en la materia[30].

---

[29]   Para que una enfermedad se considere profesional es indispensable que haya tenido su origen en los trabajos que entrañan el riesgo respectivo, aun cuando éstos no se estén desempeñando a la época del diagnóstico, en tanto que para ejercer el derecho a que una enfermedad no listada sea considerada como profesional, los afectados deberán solicitar al respectivo organismo administrador se les practiquen los exámenes correspondientes para estudiar la eventual existencia de una enfermedad profesional, en caso que existan o hayan existido en el lugar de trabajo, agentes y/o factores de riesgo que pudieran asociarse a esa enfermedad, artículos 16 y 22 del D.S. N° 109. El artículo 18 del mismo reglamento enumera los agentes específicos que entrañan el riesgo de enfermedad profesional; el artículo 19 enumera, de forma no taxativa, las enfermedades que se consideran como profesionales y finalmente, el artículo 20 prescribe que la Superintendencia de Seguridad Social revisará, por lo menos cada 3 años, la nómina de enfermedades profesionales y de sus agentes, a que se refiere el artículo anterior, y propondrá al Ministerio del Trabajo y Previsión Social las modificaciones que sea necesario introducirle.

[30]   En efecto, para año el año 2018, se calificaron como profesionales un total de 6.911 enfermedades, lo que representa un 13% de las enfermedades denunciadas (En *V Memoria Anual del Sistema Nacional de Seguridad y Salud Laboral*, mayo de 2018, y *Boletín de Estadísticas de Seguridad Social 2017*, ambos de la Superintendencia de Seguridad Social). Véase además, el Informe de la Comisión de Trabajo y Seguridad Social de la Cámara de Diputados, recaído en los proyectos de ley refundidos relacionados con seguridad y salud en el trabajo, boletines N°s. 9.657-13-1, 10.988-13-1, 11.113-13-1, 11.276-13-1, 11.286-13-1 y 11.287-13-1, [en línea] en https://www.camara.cl/pley/pley_detalle.aspx?prmID=11804&prmBoletin=11287-13 [marzo de 2019].
No obstante lo anterior y respecto del listado de enfermedades profesionales aprobado por el Consejo de Administración de la OIT, en su reunión de 25 de marzo de 2010 y contenido de en la Recomendación 194, la Superintendencia de Seguridad Social sostuvo que de la revisión en para-

12.3.4. Prestaciones

a. En el Convenio

i. Asistencia médica y monetaria

De conformidad al párrafo 1 del artículo 9 del Convenio, todo Miembro deberá garantizar a las personas protegidas: a) asistencia médica y servicios conexos en caso de estado mórbido; y b) prestaciones monetarias[31].

Para el primero de los casos, el artículo 10 del Convenio señala qué debe comprender la asistencia médica[32]. Respecto a las prestaciones monetarias, primeramente, el artículo 13 del Convenio se refiere a la incapacidad temporal o inicial. En tanto que el artículo 14, se refiere a la pérdida de la capacidad de ganancia, cuando sea probable que sea permanente o por disminución correspondiente de las facultades físicas, en todos los casos en que esta pérdida de capacidad o esta disminución de facultades excedan de un porcentaje prescrito y subsistan una vez terminado el período establecido[33].

---

lelo del listado de agentes y enfermedades individualizado en el citado D.S. N° 109 y de la lista de enfermedades profesionales de la OIT del año 2010, se concluye que la mayor parte de las enfermedades señaladas en ésta se encuentran en dicho listado. En Ordinario N°40523, de 02.07.2010.

[31] Prestaciones monetarias que deben otorgarse en caso de incapacidad para trabajar que resulte de un estado mórbido y que entrañe la suspensión de ganancias, tal como esté definida en la legislación nacional; o pérdida total de la capacidad para ganar o pérdida parcial que exceda de un grado prescrito, cuando es probable que dicha pérdida total o parcial sea permanente, o disminución correspondiente de las facultades físicas; y pérdida de los medios de existencia, sufrida a consecuencia del fallecimiento del sostén de la familia.

[32] "(a) la asistencia médica general y la ofrecida por especialistas a personas hospitalizadas o no hospitalizadas, incluidas las visitas a domicilio; (b) la asistencia odontológica; (c) la asistencia por enfermeras, a domicilio, en un hospital o en cualquier otra institución médica; (d) el mantenimiento en un hospital, centro de convalecencia, sanatorio u otra institución médica; (e) el suministro del material odontológico, farmacéutico y cualquier otro material médico o quirúrgico, comprendidos los aparatos de prótesis y su conservación, reparación y renovación cuando sea necesario, así como los lentes; (f) la asistencia suministrada, bajo la vigilancia de un médico o de un dentista, por miembros de otras profesiones reconocidas legalmente como conexas con la profesión médica; y (g) en la medida de lo posible, el siguiente tratamiento en el lugar de trabajo:(i) tratamiento de urgencia a las víctimas de accidentes graves; (ii) cuidados ulteriores a las víctimas de lesiones leves que no acarreen interrupción del trabajo.

Las prestaciones se dispensarán, por todos los medios apropiados, a fin de conservar, restablecer o, si esto no fuera posible, mejorar la salud de la víctima, así como su aptitud para trabajar y para hacer frente a sus necesidades personales."

[33] También se prevé el pago de prestaciones monetarias en caso de fallecimiento del sostén de la familia, artículo 18 del Convenio.

Para todos estos casos el Convenio establece pagos periódicos, calculados de acuerdo a los artículos 19 y 20 del Convenio, pero en los casos de pérdida total o parcial de la capacidad de ganancia, sea total o parcial, como en caso de fallecimiento del sostén de la familia y en determinadas circunstancias, los pagos periódicos pueden ser reemplazados por una suma global.

ii. Prestaciones preventivas, de readaptación profesional y de colocación laboral

El artículo 26 del Convenio dispone que los Miembros deberán de tomar medidas de prevención contra los accidentes del trabajo y las enfermedades profesionales; proporcionar servicios de readaptación profesional que, cuando sea posible, preparen a la persona incapacitada para reanudar sus actividades anteriores o, si esto no fuere posible, para ejercer la actividad lucrativa más adecuada, en la medida posible, a su actividad anterior, habida cuenta de sus calificaciones y aptitudes y tomar medidas para facilitar la colocación adecuada de los trabajadores que hayan quedado inválidos.

iii. Principales normas especiales relativas a la iniciación, duración, suspensión y rechazo de las prestaciones

– La iniciación del derecho a las prestaciones no puede ser subordinada a la duración del tiempo del empleo, ni a la duración del período de afiliación al Seguro ni al pago de las cotizaciones. Sin embargo, en lo relativo a las enfermedades profesionales puede establecerse un período de exposición al riesgo, párrafo 2, artículo 9.

– Las prestaciones se concederán mientras exista la situación que da derecho a ellas, párrafo 3.

– Respecto de la suspensión de las prestaciones que, de conformidad con el Convenio, serían pagaderas a una persona protegida, podrán ser suspendidas en la medida en que se prescriba en los casos indicados en el artículo 22[34].

– Sobre el rechazo de las prestaciones, el Convenio dispone que, todo solicitante tendrá derecho a apelar en caso que se le niegue la prestación o se le discuta su calidad o cantidad, artículo 23.

Según el artículo 16 del Convenio, se pagarán incrementos de los pagos periódicos u otras prestaciones suplementarias o especiales a las personas incapacitadas cuyo estado requiera la ayuda o asistencia constantes de otra persona.

[34] "(a) mientras el interesado no esté en el territorio del Estado Miembro; (b) mientras la persona interesada esté mantenida con fondos públicos o a expensas de una institución o de un servicio de seguridad social; (c) cuando el interesado hubiera intentado fraudulentamente obtener la prestación de que se trate; (d) cuando el accidente del trabajo o la enfermedad profesional haya sido provocado por un delito cometido por el interesado; (e) cuando el accidente del trabajo o la enfermedad profesional haya sido provocado por el estado de intoxicación voluntaria del interesado, o por una falta grave e intencional del mismo; (f) cuando la persona interesada, sin causa justificada, no utilice los servicios médicos y conexos o los servicios de readaptación profesional puestos a su disposición, o no observe las reglas prescritas para comprobar la existencia o la prolongación de la contingencia o las reglas respecto de la conducta de los beneficiarios de las prestaciones; (g) mientras el cónyuge sobreviviente viva en concubinato."

b. Las prestaciones que establece la ley N° 16.744:

i. Médicas, artículo 29[35].

ii. Pecuniarias. Estas prestaciones consisten en sumas de dinero que, se otorgan al accidentado o enfermo en caso de incapacidad temporal[36] o permanente o invalidez[37] y a los causahabientes en el evento de fallecer el
trabajador. Las invalideces pueden ser parcial, total o gran invalidez[38].

Respecto de las prestaciones monetarias por supervivencia[39], si el accidente o enfermedad produce la muerte del afiliado activo o pensionado,
tienen derecho a pensión de sobrevivencia la cónyuge, los hijos y, a falta

---

[35]   Ellas son:
    a) Atención médica, quirúrgica y dental.
    b) Hospitalización si fuere necesario, a juicio del facultativo tratante.
    c) Medicamentos y productos farmacéuticos.
    d) Prótesis y aparatos ortopédicos.
    e) Rehabilitación física y reeducación profesional.
    f) Gastos de traslado y cualquier otro que sea necesario para el otorgamiento de las prestaciones.
    Las prestaciones médicas se otorgan gratuitamente desde el día del accidente o diagnóstico de la
    enfermedad hasta la curación completa o mientras subsistan las secuelas causadas.
    Las víctimas de los accidentes del trabajo debidos a una fuerza mayor extraña que no tenga relación
    con el trabajo o de los producidos intencionalmente por ellas, solo tendrán derecho a las prestacio-
    nes médicas de la ley N° 16.744.
[36]   Durante este período la víctima tiene derecho al pago de subsidios, los que tienen por objeto re-
    emplazar la renta, remuneración o ingreso que la persona deja de percibir cuando se encuentra
    incapacitado temporalmente.
    La duración de los subsidios se extiende desde el día que ocurrió el accidente o se comprobó la
    enfermedad, hasta la curación del afiliado o su declaración de invalidez. En todo caso, su duración
    máxima es de 52 semanas, prorrogable hasta por 52 semanas más.
[37]   Cabe señalar que el trabajador pensionado por accidente del trabajo o enfermedad profesional
    que cumple la edad para tener derecho a pensión por vejez dentro del correspondiente régimen
    previsional debe entrar a percibir esta última, dejando de recibir la pensión de que disfrutaba de
    acuerdo a la ley N° 16.744.
[38]   Invalidez parcial: inválido parcial es quien haya sufrido una disminución de su capacidad de ganan-
    cia, presumiblemente permanente, igual o superior a un 15% e inferior a un 70%. Cuando es igual
    o superior a un 15% pero inferior a un 40%, da derecho a una indemnización, con un monto máxi-
    mo de 15 veces el sueldo base. Si es igual o superior a un 40% pero inferior a un 70%, da derecho
    a una pensión, cuyo monto es equivalente al 35% del sueldo base.
    Invalidez total: inválido total es quien haya sufrido una disminución de su capacidad de ganancia
    igual o superior a un 70%, dando también derecho a pensión, cuyo monto es equivalente al 70%
    del sueldo base.
    Gran invalidez: gran inválido es quien requiere del auxilio de otras personas para realizar los actos
    elementales de su vida. Da derecho a una pensión incrementada en un 30% de su sueldo base.
[39]   Conforme al art. 9 de la ley N° 20.255, las personas que perciban una pensión de sobrevivencia de la
    ley N° 16.744, tendrán derecho a Aporte Previsional Solidario de Vejez, en la medida que cumplan
    con los requisitos señalados en esa norma.

de los anteriores, los demás ascendientes y descendientes causantes de asignación familiar[40].

iii. Preventivas. Conforme al Compendio de Normas del Seguro Social de Accidentes del Trabajo y Enfermedades Profesionales de la Superintendencia de Seguridad Social, son aquellas actividades de asistencia técnica que los organismos administradores realizan con profesionales especialistas en prevención, con la finalidad de contribuir a evitar o disminuir los accidentes del trabajo y las enfermedades profesionales, en sus entidades empleadoras adheridas.

c. Normas de suspensión de prestaciones

Los artículos 33 y 42 de la ley N° 16.744, establecen normas acotadas de suspensión de prestaciones pecuniarias[41].

---

[40] La cónyuge mayor de 45 años, o inválida de cualquier edad, tiene derecho a pensión vitalicia equivalente al 60% de la pensión básica que le habría correspondido a la víctima si se hubiere invalidado totalmente, o de la pensión básica que percibía en el momento de su muerte.
A la viuda menor de 45 años le corresponde igual pensión, por el período de un año, el que debe prorrogarse por todo el tiempo durante el cual mantenga a su cuidado hijos de filiación matrimonial que le causaren asignación familiar. Si al término del plazo o de su prórroga hubiere cumplido los 45 años, la pensión se transforma en vitalicia.
Cesa el derecho de la cónyuge si contrajere nuevas nupcias. Si disfruta de pensión vitalicia y contrae matrimonio, tiene derecho a que se le pague, de una sola vez, el equivalente a dos años de pensión. La madre de hijos de filiación no matrimonial del causante, soltera o viuda, que hubiere estado viviendo a sus expensas hasta el momento de su muerte, tiene derecho a una pensión equivalente al 36% de la pensión calculada de la misma forma que para la cónyuge viuda. Se le aplican las mismas normas que a ésta.
El viudo inválido que haya vivido a expensas de la cónyuge afiliada tiene derecho a pensión en idénticas condiciones que la viuda inválida.
Los hijos menores de 18 años, o mayores de esta edad y hasta los 24 años que sigan estudios regulares, o inválidos de cualquier edad, tienen derecho cada uno a pensión equivalente al 20% de la que tenía el padre fallecido o de la que le hubiere correspondido tener en caso de invalidez total.
A falta de todos los beneficiarios anteriores, tienen derecho a pensión cada uno de los ascendientes y demás descendientes del fallecido que le causaban asignación familiar. El monto es idéntico al de la pensión correspondiente a los hijos.

[41] Artículo 33.- "Si el accidentado o enfermo se negare a seguir el tratamiento o dificultare o impidiere deliberadamente su curación, se podrá suspender el pago del subsidio a pedido del médico tratante y con el visto bueno del jefe técnico correspondiente".
Artículo 42.- "Los organismos administradores podrán suspender el pago de las pensiones a quienes se nieguen a someterse a los exámenes, controles o prescripciones que les sean ordenados; o que rehúsen, sin causa justificada, a someterse a los procesos necesarios para su rehabilitación física y reeducación profesional que les sean indicados".

12.3.5. Administración

El artículo 24 del Convenio establece que, cuando la administración no sea confiada a una institución que esté bajo la dirección de las autoridades públicas[42] o a un departamento gubernamental responsable ante un parlamento, representantes de las personas protegidas deberán participar en la administración o estar asociados a ella con carácter consultivo, en condiciones prescritas[43].

Por su parte, el artículo 8° de la ley N° 16.744, dispone que la administración[44] del Seguro estará a cargo de un servicio público, como lo es el Instituto de Seguridad Laboral[45], y de corporaciones de derecho privado sin fines de lucro, denominadas mutualidades de empleadores dirigidas por un directorio paritario, integrado por representantes de los empleadores adherentes y representantes de los trabajadores afiliados[46].

12.4. ALGUNOS COMENTARIOS DE LA COMISIÓN DE EXPERTOS EN LA APLICACIÓN DE CONVENIOS Y RECOMENDACIONES [47]

La Comisión de Expertos en Aplicación de Convenios y Recomendaciones (CEACR), ha formulado al Gobierno chileno en relación a este Convenio, entre otros, los siguientes comentarios[48]:

Respecto de la aplicación del artículo 7 del Convenio: la Comisión tomó nota que, en virtud del párrafo 4 del artículo 5 del Convenio, leído con el artículo 29 de la ley N° 16.744, los accidentes debidos a fuerza mayor extraña que no tienen relación alguna con el trabajo no dan derecho a las prestaciones en metálico previstas por la ley, y la carga de la prueba de dicho caso de fuerza mayor corresponderá al empleador. De esta forma, teniendo en cuenta que en virtud del artículo 7 del Convenio es la legislación nacional la que tiene que definir la noción

---

[42]   En Chile, la Superintendencia de Seguridad Social, es la autoridad técnica de control de las entidades administradoras de Seguro Social de la ley N° 16.744.

[43]   Conforme al Convenio, la legislación nacional podrá decidir también acerca de la participación de representantes de los empleadores y de las autoridades públicas.

[44]   Sin perjuicio de la existencia de Organismos Administradores de la ley N° 16.744, la propia ley, artículo 72 y ss. establece que las empresas que cumplan con las condiciones que señala la ley pueden solicitar al ISL, que les confiera la calidad de administradoras delegadas de este Seguro respecto de sus propios trabajadores, en cuyo caso tomarán a su cargo el otorgamiento de las prestaciones médicas, pecuniarias y preventivas que contempla la ley, a excepción de las pensiones, las que seguirán siendo de cargo del ISL.

[45]   Creado en virtud del artículo 63 de la ley N° 20.255.

[46]   Artículo 12 ley N° 16.744 y D.F.L. N° 285, de 1970, del Ministerio del Trabajo y Previsión Social.

[47]   [En línea] en: https://www.ilo.org/dyn/normlex/es/f?p=NORMLEXPUB:20010:0::NO::: [marzo de 2019].

[48]   Adopción: 2004, Publicación: 93ª reunión CIT (2005).

de accidente del trabajo, la Comisión señaló que el hecho que la disposición del artículo 5 de la ley N° 16744, relativa a la fuerza mayor, es restrictiva en la medida que no permite cubrir en todos los casos los accidentes ocurridos durante el empleo o en relación con el empleo[49].

Artículo 9, párrafo 3. La Comisión señaló que en virtud del artículo 53 de la ley N° 16744 y de los artículos 3 y 86, párrafo 2, del decreto ley N° 3500 de 1980, la pensión de invalidez total o parcial debida en caso de lesiones profesionales dejará de ser pagada a la edad de 65 años para los hombres y de 60 años para las mujeres, ya que el trabajador tendrá entonces derecho a pensionarse por vejez. La Comisión solicitó al Gobierno que proporcionará informaciones detalladas sobre la forma en la que esta conversión de la pensión debida en aplicación de la ley N° 16744 en una pensión de vejez se realiza en la práctica. Asimismo, solicitó se indicara si la garantía prevista en el párrafo 2 del artículo 53 de la ley N° 16744, que prevé que en ningún caso la nueva pensión puede ser inferior al monto de la pensión de la que beneficiaba el inválido ni inferior al 80 % de la base salarial que sirve de cálculo a esta pensión, continúa siendo garantizada durante toda la duración de la contingencia y cualquiera que sea la modalidad de pensión de vejez que se elija[50].

12.5. ALGUNOS ASPECTOS REGULATORIOS DE LOS TRABAJADORES INDEPENDIENTES

El artículo 2° de la ley N° 16.744, señala que estarán sujetas obligatoriamente a este Seguro las siguientes personas:

"d) los trabajadores independientes[51] y a los trabajadores familiares".

---

[49]   A este respecto, la jurisprudencia reiterada de la SUSESO ha interpretado restrictivamente la excepción de fuerza mayor extraña al trabajo, al sostener que para calificar a un siniestro como laboral será necesario determinar si la fuerza mayor que haya intervenido es extraña o, por el contrario, es inherente al trabajo. La fuerza mayor inherente al trabajo es el hecho de la naturaleza o del hombre, imprevisto e imposible de evitar o resistir, que tiene relación con el trabajo. En esta clase de fuerza mayor los factores y/o elementos del trabajo, son un medio a través del cual opera la fuerza mayor. v.gr. Ordinario N° 6662, de fecha 07 de febrero de 2018 y Ordinario N° 13725, de fecha 27 de febrero de 2015.

[50]   Conforme a lo resuelto por la reiterada jurisprudencia administrativa (v. gr. Ord. N° 41585, de 14.08.2018, de la SUSESO), dicha norma aplica para los afiliados al antiguo sistema de pensiones, no así para quienes se encuentren afiliados a una AFP.

[51]   De acuerdo a lo indicado en el Compendio de Normas del Seguro Social de Accidentes del Trabajo y Enfermedades Profesionales de la SUSESO, se considerarán trabajadores independientes o por cuenta propia las personas naturales que ejecutan algún trabajo o desarrollan alguna actividad, industria o comercio, sea independientemente o asociados o en colaboración con otros, tengan o no capital propio y sea que en sus profesiones, labores u oficios predomine el esfuerzo intelectual sobre el físico o éste sobre aquél, y que no estén sujetos a relación laboral con alguna entidad em-

Para estudiar la regulación existente sobre protección de los trabajadores independientes, debemos efectuar la siguiente distinción, aunque solo nos referiremos en esta oportunidad a la incorporación reglada en los artículos 88 y 89 de la ley N° 20.255:

- Incorporación de los trabajadores independientes en virtud del inciso final del artículo 2° de la ley N° 16.744[52].
- La reforma previsional y la incorporación de los trabajadores independientes a la ley N° 16.744. La ley N° 20.255 sobre Reforma Previsional, estableció en sus artículos 88 y 89 normas sobre la incorporación de dos categorías de trabajadores independientes al Seguro de la ley N° 16.744, ambas normas fueron modificadas por las leyes N°s, 20.894, de 2017 y 21.133 de 2019[53].

---

pleadora, respecto de dicho trabajo o actividad, cualquiera sea su naturaleza, derivada del Código del Trabajo o estatutos legales especiales.

Se presume, salvo prueba en contrario, que en una persona concurre la condición de trabajador por cuenta propia o independiente, si él mismo ostenta la titularidad de un establecimiento abierto al público como propietario, arrendatario, usufructuario u otro concepto análogo.

[52] En ejercicio de las facultades otorgadas por el artículo 2° de la ley N° 16.744 al Presidente de la República, distintos grupos de trabajadores independientes se incorporaron hasta hoy a la protección del Seguro Social contra riesgos de accidentes del trabajo y enfermedades profesionales. Respecto a esta facultad, el Tribunal Constitucional declaró la inconstitucionalidad el Decreto con Fuerza de Ley N° 192, de 1996 del Ministerio del Trabajo y Previsión Social dictado bajo su amparo., sentencia de 18.03.1996 Rol N° 231-1996. Conforme al criterio del Tribunal Constitucional, conforme al actual artículo 64 de la Constitución Política de la República el Presidente de la República podrá solicitar autorización al Congreso Nacional para dictar disposiciones con fuerza de ley durante un plazo no superior a un año sobre materias que correspondan al dominio de la ley y que esta autorización no podrá extenderse a la nacionalidad, la ciudadanía, las elecciones ni al plebiscito, como tampoco a materias comprendidas en las garantías constitucionales o que deban ser objeto de leyes orgánicas constitucionales o de quórum calificado. Por su parte, de acuerdo al artículo 19 N° 18 de la Constitución, ésta asegura a todas las personas el derecho a la seguridad social y dispone que las leyes que regulen el ejercicio de este derecho serán de quórum calificado y que de acuerdo al artículo 63 N° 4 de la Constitución son materias de ley, las materias básicas relativas al régimen jurídico laboral, sindical, previsional y de seguridad social; en tanto que el artículo 65 N° 6 señala que el Presidente tendrá iniciativa exclusiva en los proyectos de ley que establecen o modifican las normas sobre seguridad social o que incidan en ella, tanto del sector público como del sector privado.

[53] Respecto a la vigencia de esta ley y la exclusión de su aplicación a ciertos grupos etarios de trabajadores independientes, se establece las siguientes disposiciones transitorias:

Artículo segundo.- "Los trabajadores a que se refiere el inciso primero del artículo 89 del decreto ley N° 3.500, de 1980, deberán efectuar las cotizaciones del Título III del mencionado decreto ley y el 7% destinado a financiar prestaciones de salud, así como la cotización del seguro social de la ley N° 16.744 y la cotización para el seguro de acompañamiento de niños y niñas de la ley N° 21.063, por el 100% de la renta imponible establecida en el inciso primero del artículo 90 del citado decreto ley, en el proceso de declaración conforme con el artículo 65 de la Ley sobre Impuesto a la Renta del año tributario 2019. Los trabajadores podrán en forma expresa manifestar su voluntad de cotizar por los montos a que se refiere el inciso siguiente, en el proceso de declaración conforme con el artículo 65 de la Ley sobre Impuesto a la Renta del año tributario 2019. La Superintendencia de

12.5.1. Categorías de trabajadores independientes

Respecto de estas categorías de trabajadores independientes, debe distinguirse:

i. Trabajadores independientes a que se refiere el artículo 89 del D.L. N° 3500[54], de 1980, que perciben rentas gravadas por el artículo 42 N°2 de la Ley sobre Impuesto a la Renta, artículo 88 ley N° 20.255[55]. Principales regulaciones:

    – Obligación de registro previo del trabajador independiente[56]. Deberá registrarse en alguno de los organismos administradores del Seguro

---

Pensiones, mediante una norma de carácter general, establecerá el procedimiento para el ejercicio de este derecho.

Los trabajadores que ejerzan el derecho a que se refiere el inciso anterior, deberán efectuar las cotizaciones del Título III del decreto ley N° 3.500, de 1980, y el 7% destinado a financiar prestaciones de salud, con excepción de la cotización destinada al financiamiento del seguro de invalidez y sobrevivencia, de la cotización del seguro social de la ley N° 16.744 y de la cotización para el seguro de acompañamiento de niños y niñas de la ley N° 21.063, por la renta imponible establecida en el inciso primero del artículo 90 del citado decreto ley, multiplicada por 5%, 17%, 27%, 37%, 47%, 57%, 70%, 80%, 90% y 100%, en la declaración anual de la renta del año tributario 2019 y siguientes, respectivamente.

A los subsidios por incapacidad a que tuvieren derecho los trabajadores que ejerzan el derecho a que se refiere el inciso primero no se les aplicará lo dispuesto en el inciso primero del artículo 17 del decreto con fuerza de ley N° 44, del Ministerio del Trabajo y Previsión Social, de 1978".

Artículo tercero.- "No regirán las obligaciones de efectuar las cotizaciones del Título III del decreto ley N° 3.500, de 1980, el 7% destinado a financiar prestaciones de salud, la cotización del seguro social de la ley N° 16.744 y la cotización para el seguro de acompañamiento de niños y niñas de la ley N° 21.063, para aquellos trabajadores a que se refiere el artículo 89 del decreto ley N° 3.500, de 1980, que tengan 55 años o más, en el caso de los hombres, o 50 años o más, en el caso de las mujeres, al 1 de enero de 2018".

54   "Artículo 89.-Toda persona natural que, sin estar subordinada a un empleador, ejerza individualmente una actividad mediante la cual obtiene rentas del trabajo de las señaladas en el inciso primero del artículo siguiente, deberá afiliarse al Sistema que establece esta ley".

55   El inciso quinto del artículo 92 del D.L. N° 3.500, dispone que "el trabajador independiente a que se refiere el artículo 89, mayor de sesenta y cinco años de edad si es hombre, o mayor de sesenta, si es mujer, o aquel que estuviere acogido a pensión de vejez o invalidez total, y continuare trabajando, deberá efectuar la cotización para salud, para el seguro social de la ley N° 16.744 y para el seguro de acompañamiento de niños y niñas de la ley N° 21.063; y estará exento de la obligación de cotizar establecida en el Título III".

56   El Compendio de Normas del Seguro Social de Accidentes del Trabajo y Enfermedades Profesionales de la SUSESO establece sobre esta materia que los trabajadores independientes obligados que no opten por adherirse a una mutualidad de empleadores, se entenderán afiliados al ISL, y deberán registrarse ante dicho organismo administrador. Sin perjuicio de lo anterior, respecto de estos trabajadores, la falta de registro no obstará, por si sola, a la cobertura de éste por parte del ISL, en la medida que sus cotizaciones para dicho Seguro se encuentren íntegramente pagadas.

Respecto de los trabajadores independientes señalados en el párrafo precedente, el ISL deberá efectuar las gestiones para obtener su registro, utilizando, para estos efectos, entre otros, los datos de contacto que le proporcione la Tesorería General de la República. La adhesión de un trabajador independiente a una mutualidad se regirá por lo establecido en su respectivo estatuto orgánico.

Social de la ley Nº 16.744[57], en forma previa al entero de la primera
cotización para el Seguro, ya sea anual o mensual respectivamente[58],
inciso sexto, artículo 88[59].

– Requisitos para tener derecho a las prestaciones. Deberán estar registrados en un organismo administrador con anterioridad al accidente
o al diagnóstico de la enfermedad. Sólo procederá el pago de los beneficios, una vez verificado que el afiliado independiente se encuentra
al día en el pago anual de sus cotizaciones para el Seguro de la ley Nº
16.744, incisos quinto y final, artículo 88.

---

[57] Para efectos de lo dispuesto del pago de las cotizaciones anuales a este Seguro, los trabajadores
independientes que no se encuentren adheridos a una mutualidad de empleadores, se entenderán
afiliados al ISL. Compendio de Normas del Seguro Social de Accidentes del Trabajo y Enfermedades Profesionales.

[58] Para efectos de encontrarse al día en el pago anual de las cotizaciones, según el Compendio de
Normas del Seguro Social de Accidentes del Trabajo y Enfermedades Profesionales, deberá tenerse
en consideración lo siguiente:
i.   La Tesorería General de la República enterará mensualmente a los organismos administradores, los recursos destinados a financiar las cotizaciones del Seguro de la ley Nº 16.744.
ii.   Asimismo, durante el mes de junio de cada año, la Tesorería General de la República remitirá
al organismo administrador la información correspondiente a las cotizaciones anuales totales para
el Seguro de la ley Nº 16.744 de cada trabajador independiente, determinadas por el Servicio de
Impuestos Internos en el proceso de declaración anual del Impuesto a la Renta. Dicha información
incluye, entre otros antecedentes, el saldo insoluto por cotizar, que debe ser pagado directamente
por el trabajador independiente.
iii. Si el saldo insoluto por cotizar es cero, el trabajador independiente se encontrará al día en el
pago de las cotizaciones durante todo el periodo de cobertura, esto es, entre el 1° de julio del año
del respectivo proceso de declaración anual del Impuesto a la Renta hasta el 30 de junio del año
siguiente.
iv.   Si existe un saldo insoluto que deba ser pagado directamente al organismo administrador por
el trabajador independiente, dicho trabajador se encontrará al día en el pago de las cotizaciones,
durante el periodo que resulte cubierto con los enteros de cotizaciones que mensualmente realizará la Tesorería General de la República. Respecto de los restantes meses, se entenderá que se
encuentra al día aquel trabajador independiente que haya pagado íntegramente el saldo insoluto,
o bien que, al menos, pague mensualmente dicho saldo, a más tardar el último día hábil de cada
mes, a partir del mes siguiente a aquel en que se efectuó el último entero de cotizaciones por la
Tesorería General de la República.
v.   Si producto de la actualización de la actividad económica que desarrolla el trabajador independiente, éste debe pagar al organismo administrador la diferencia de cotizaciones que se produzca,
el plazo para pagar dichas cotizaciones será hasta el último día hábil del mes siguiente a aquel en
que el organismo administrador recepcione el correspondiente entero de cotizaciones por la Tesorería General de la República.

[59] Tratándose de los trabajadores independientes que, se entiendan afiliados al ISL, éstos se considerarán registrados ante dicho organismo administrador, para efectos de acceder a las prestaciones
del Seguro de la ley Nº 16.744, a partir del 1° de julio del año en que se pagaron las cotizaciones
hasta el 30 de junio del año siguiente, sin perjuicio de la obligación del ISL, en orden a efectuar las
gestiones pertinentes para formalizar su registro. Asimismo, la fecha del accidente o del diagnóstico de la enfermedad debe encontrarse dentro del periodo de cobertura indicado. Compendio de
Normas del Seguro Social de Accidentes del Trabajo y Enfermedades Profesionales.

- Tipo de Cotizaciones. Quedarán obligados a pagar la cotización general básica contemplada en la letra a) del artículo 15 de la ley N° 16.744 y la cotización adicional diferenciada que corresponda en los términos previstos en los artículos 15 y 16 de la ley N° 16.744, inciso segundo, artículo 88.

- Renta anual imponible. Corresponderá al 80% del conjunto de rentas brutas gravadas por el artículo 42, N°2, de la Ley sobre Impuesto a la Renta, obtenida por el afiliado independiente en el año calendario anterior a la declaración de dicho impuesto, la que no podrá ser inferior a cuatro ingresos mínimos mensuales, ni superior al producto de multiplicar 12 por el límite máximo imponible establecido en el inciso primero del artículo 16 del artículo 90 incisos primero y segundo del D.L. N° 3.500, inciso segundo, artículo 88.

- Cobertura anual de la ley N° 16.744. Tendrán derecho a las prestaciones médicas y los beneficios pecuniarios del Seguro Social a que se refiere la ley N° 16.744, a partir del día 1 de julio del año en que se pagaron las cotizaciones hasta el día 30 de junio del año siguiente a dicho pago.

ii. Trabajadores independientes a que se refiere el inciso tercero del artículo 90[60] del D.L. N° 3.500 de 1980, que no perciban rentas gravadas por el artículo 42 N°2 de La Ley sobre Impuesto a la Renta, artículo 89 de la ley N° 20.255. Principales regulaciones:

- Afiliación al Seguro. Pueden incorporarse voluntariamente al Seguro de la ley N° 16.744, siempre que en el mes correspondiente enteren cotizaciones para pensiones y salud, artículo 88 inciso primero y artículo 2 del D.S. N° 67, de 2008.

---

[60] Conforme al Compendio de Normas del Seguro Social de Accidentes del Trabajo y Enfermedades Profesionales de la SUSESO, aquellos trabajadores independientes que perciban rentas del artículo 42 N°2 Ley sobre Impuesto a la Renta por un monto anual imponible inferior a 4 ingresos mínimos mensuales, no tendrán obligación de cotizar para el Seguro de la ley N°16.744, sin perjuicio de que podrán hacerlo de manera voluntaria. La misma regla se aplica para aquellos trabajadores que, por haberse encontrado haciendo uso de orden de reposo o licencia médica de origen común, laboral o del Seguro de la ley N°21.063, no obtuvieron la renta mínima imponible señalada en el artículo 90 del D.L. N° 3500, de 1980, y para aquellos que al 1° de enero de 2018 tenían 50 años o más, en el caso de las mujeres, y 55 años o más, en el caso de los hombres.
Los trabajadores independientes afiliados a DIPRECA y CAPREDENA que perciban rentas gravadas en el artículo 42 N° 2 de la, estarán excluidos de la obligación de cotizar para el Seguro de la ley N°16.744. A su vez, los trabajadores independientes que perciban rentas del artículo 42 N°2 y que, adicionalmente, hubieren cotizado en calidad de trabajador dependiente por el tope imponible durante todos los meses del año, estarán excluidos de la obligación de cotizar para el Seguro de la ley N°16.744 y sólo podrán hacerlo de manera voluntaria si la diferencia entre la remuneración que se encuentren percibiendo durante el periodo en que coticen voluntariamente y el ingreso máximo imponible, sea igual o superior a un ingreso mínimo mensual.

- Tipo de Cotizaciones. Son las mismas que aquellas ya estudiadas para los trabajadores independientes a que se refiere el artículo 89 del D.L. N° 3500, inciso primero, artículo 89.

- Obligación de registro previo del Trabajador Independiente. Deberán registrarse en alguno de los organismos administradores del Seguro Social de la ley N° 16.744, en forma previa al entero de la primera cotización para el referido Seguro, inciso final, artículo 89.

- Requisitos para tener derecho a las prestaciones. Deberán estar registrados en un organismo administrador con anterioridad al accidente o al diagnóstico de la enfermedad. Asimismo, deberán haber enterado la cotización correspondiente al mes anteprecedente a aquel en que ocurrió el accidente o tuvo lugar el diagnóstico de la enfermedad profesional, o haber pagado a lo menos, seis cotizaciones continuas o discontinuas en los últimos doce meses anteriores a los mencionados siniestros[61], sea que aquellas se hayan realizado en virtud de su calidad de trabajador independiente o dependiente, incisos quinto y final, artículo 89[62].

12.5.2. Breves reflexiones sobre la regulación actual sobre la protección contra riesgos del trabajo para los trabajadores independientes

No obstante que el Convenio 121 parece referirse a los asalariados[63] como sujetos de protección, de conformidad con el párrafo 21 de la Recomendación 67 sobre la seguridad de los medios de vida, de 1944, los trabajadores independientes y los miembros de su familia que residan en el hogar, aparte de las personas a su cargo, deberían estar asegurados en las mismas condiciones que los asalariados. Por su parte, el párrafo 25 de la misma Recomendación expresamente prescribe que el derecho a prestaciones, con la excepción hecha de la indemnización por daños causados en el trabajo, debería estar sujeto a condiciones de cotización que permitan probar que la situación normal del solicitante es la de un asalariado o trabajador independiente. El párrafo 7 de la Recomendación

---

[61] De acuerdo Compendio de Normas del Seguro Social de Accidentes del Trabajo y Enfermedades Profesionales, se requiere además que este tipo de trabajador independiente haya pagado las cotizaciones para pensión y para salud, en estos mismos periodos.

[62] Con todo, el trabajador que se afilia por primera vez al Seguro de la ley N° 16.744 en su calidad de independiente, durante los tres primeros meses posteriores a su registro, accederá a las prestaciones de aquél siempre que pague, a lo menos, las cotizaciones del mes en que ocurrió el accidente o se diagnosticó la enfermedad de que se trate, inc. sexto, artículo 89.

[63] La Clasificación Internacional de la Situación en el Empleo (CISE) de la OIT, ha definido a los empleos asalariados: como aquellos en los que los titulares tienen contratos de trabajo implícitos o explícitos (orales o escritos), por los que reciben una remuneración básica que no depende directamente de los ingresos de la unidad para la que trabajan.

explícitamente dispone que el Seguro Social debería otorgar una indemnización en caso de incapacidad para trabajar y de muerte causada por el trabajo.

Por su parte y como se indicó, Chile al ratificar el Convenio 121 tuvo a en consideración el régimen de incorporación al Seguro de la ley N° 16.744 de los trabajadores independientes, época en las que no se les exigía como requisitos para acceder a sus prestaciones, el registro previo en un organismo administrador[64] ni el de densidad mínima de cotizaciones anteriores a la ocurrencia del siniestro, exigencia esta última que, como se estudió, no es permitida por el párrafo 2 del artículo 9 del Convenio 121, al menos respecto de los trabajadores asalariados.

Por ello, en virtud del principio de irreversibilidad de las normas sociales en general[65] o de irregresividad de la seguridad social[66] y atendido lo dispuesto en el inciso segundo del artículo 5° de la Constitución, las regulaciones introducidas inicialmente por la leyes N° 20.894 y mantenidas por la ley N° 21.133 en materia de incorporación de trabajadores independientes a la ley N° 16.744, al efectuar una distinción con mayores exigencias solo respecto de los trabajadores independientes, relativas al acceso a las prestaciones que no existían anteriormente, aparecen en contradicción con las disposiciones del Convenio 121.

Finalmente, se echa en falta en los artículos 88 y 89 de la ley N° 20.255, así como en la ley N° 16.744 normas de rango legal sobre prevención de riesgos laborales que sean específicas, adecuadas y con estándares internacionales para los trabajadores independientes[67].

---

[64] Lo anterior no obstante que una interpretación administrativa de la Superintendencia de Seguridad Social, contenida en el Compendio de Normas del Seguro, haya establecido que la falta de registro no obstará, por si sola, a la cobertura de éste, por parte del ISL, en la medida que sus cotizaciones para dicho Seguro se encuentren íntegramente pagadas.

[65] Según este principio, se persigue la imposibilidad la imposibilidad jurídica que se reduzca la protección ya otorgada a los trabajadores por normas anteriores, más favorables (BARBAGELATA, Héctor-Hugo, *El Particularismo del Derecho del Trabajo y los Derechos Humanos Laborales*, Editorial Fundación de Cultura Universitaria, Montevideo, Uruguay, 2009, pp. 245-246).

[66] Según el cual, el nivel de protección social alcanzado en un periodo histórico por un sistema de seguridad social determinado no puede ser eliminado, disminuido o restringido por cualquier actuación posterior de los poderes públicos del Estado. (BUENAGA CEBALLOS, Oscar, *El derecho a la seguridad social. Fundamentos éticos y principios configuradores*, Granada, España, Editorial Comares, 2017, pp. 321-340).

[67] Ello no obstante que el D.S. 67, de 2008 del Ministerio del Trabajo y Previsión Social que reglamenta la incorporación de los trabajadores independientes que indica al Seguro Social contra riesgos por accidentes del trabajo y enfermedades profesionales establecido en la ley N° 16.744 en su Título Séptimo sobre Prevención de Riesgos, establece un conjunto de obligaciones para los trabajadores independientes (descripción de las actividades que realiza y lugares que en que las ejecuta, de adoptar las medidas de seguridad que les prescriba su Organismo Administrador); la obligación de los Organismos Administradores de brindar la asistencia técnica que necesiten los trabajadores independientes y la facultad de requerir a la entidad empleadora información de los agentes de riesgos a los que se expondrá y de las medidas preventivas para controlarlos.

12.6. CONCLUSIONES

La ratificación por parte de Chile del Convenio 121 de la OIT, significó la consolidación de un sistema de seguridad social de protección contra los riesgos del trabajo que, contenido en la ley N° 16.744, de 1968, estableció un Seguro Social basado en los principios y orientaciones del instrumento internacional y que, en términos generales, se mantiene sin mayores modificaciones hasta nuestros días.

Sin embargo, se hace urgente revisar y modernizar algunas de sus instituciones, particularmente las referidas al reconocimiento y calificación de las enfermedades profesionales, a fin de asegurar el acceso eficaz y expedito a una de las prestaciones claves para garantizar la salud de nuestra población laboral. También se hace necesario revisar la excepción de fuerza mayor extraña al trabajo, así como el mecanismo de sustitución de la pensión de invalidez que otorga el Seguro, por la pensión de vejez del Sistema de Capitalización Individual.

Una de las características más marcadas del Seguro de la ley N° 16.744, recogida del Convenio 121 es su universalidad subjetiva, pues se ha ampliado su cobertura a prácticamente todos los estamentos laborales de la población laboral chilena, incluyendo funcionarios públicos y estudiantes, existiendo una constante preocupación por la incorporación efectiva de los trabajadores por cuenta propia. Las últimas modificaciones legales introducidas en materia de trabajadores independientes plantean, no obstante, una legítima duda de su completa conformidad con el marco de protección establecido en el Convenio 121.

BIBLIOGRAFÍA

ARELLANO ORTIZ, Pablo. "La cobertura de los accidentes del trabajo y enfermedades profesionales por las normas internacionales del trabajo de la OIT". *Revista Chilena de Derecho del Trabajo y de la Seguridad Social*, 2(3), 2011.

BARBAGELATA Héctor–Hugo. *El Particularismo del Derecho del Trabajo y los Derechos Humanos Laborales.* Editorial Fundación de Cultura Universitaria, Montevideo, Uruguay, 2009.

BIBLIOTECA DEL CONGRESO NACIONAL DE CHILE. *Historia del Decreto N° 1.864, Proyecto de acuerdo relativo a dos Convenios Internacionales del Trabajo en materias de seguridad social, adoptados por la Conferencia General de la Organización Internacional del Trabajo.* [En línea] en http://www.bcn.cl/historiadelaley.

BUENAGA CEBALLOS, Oscar, *El derecho a la seguridad social. Fundamentos éticos y principios configuradores,* Granada, España, Editorial Comares, 2017, pp. 321–340.

COMISIÓN DE EXPERTOS EN APLICACIÓN DE CONVENIOS Y RECOMEN-
DACIONES DE LA OIT. Comentarios en https://www.ilo.org/dyn/normlex/
es/f?p=NORMLEXPUB:20010:0::NO.

RODRÍGUEZ, Carlos Aníbal, *Los Convenios de la OIT sobre seguridad y salud en el
trabajo: Una oportunidad para mejorar las condiciones y el medio ambiente de trabajo*,
Centro Internacional de Formación de la Organización Internacional del Trabajo, Turín, Italia, 2009.

SUPERINTENDENCIA DE SEGURIDAD SOCIAL, "V Memoria Anual del Sistema Nacional de Seguridad y Salud Laboral, mayo de 2018", *Boletín de Estadísticas de Seguridad Social* del año 2018 y *Compendio de Normas del Seguro Social de
Accidentes del Trabajo y Enfermedades Profesionales*.

VALDUEZA BLANCO, María Dolores, *El Convenio N° 121 de la OIT sobre prestaciones en caso de accidente de trabajo y enfermedad profesional y los mecanismos de control
de su aplicación*. En http://islssl.org/wp–content/uploads/2013/01/El–Convenio–No–121.pdf.

La recepción normativa y la aplicación en Chile del Convenio núm. 135 de la OIT, sobre protección y facilidades que deben otorgarse a los representantes de los trabajadores en la empresa.

RODRIGO PALOMO VÉLEZ[*]

13.1. PLANTEAMIENTO

La discusión sobre la dimensión tutelar de la representación colectiva de los trabajadores en Chile suele quedar postergada. Y es que ante el panorama del sistema normativo chileno de sindicalismo, que reclama atención urgente e intensiva en la revisión de su propia esencia, de sus bases estructurales, la llamada "dimensión tutelar" de la organización de los trabajadores suele aparecer como una cuestión accesoria. Accesoria no en un sentido peyorativo, sino que en cuanto depende, en gran medida, de cómo se resuelvan los principales nudos de la institucionalidad orgánica y funcional del sindicalismo en nuestro país[1].

Asimismo, el debate sobre las facilidades y garantías que han de preverse para el ejercicio de la función sindical suele confundirse con la discusión sobre la tutela de la libertad sindical, referida a los diversos mecanismos –normativos, administrativos y jurisdiccionales– que contempla la regulación vigente para hacer efectivos los derechos que integran el principio central del Derecho Colectivo del Trabajo.

Aunque la ligazón entre todas estas cuestiones es, sin duda, estrecha, conviene reconducir el análisis a su estricto centro. En esta perspectiva, los comentarios siguientes están referidos a algunas de las principales facilidades y garantías que

---

[*] Profesor asociado de la Facultad de Ciencias Jurídicas y Sociales, Director del Centro de Estudios de Derecho del Trabajo y de la Seguridad Social (CENTRASS), Universidad de Talca. Correo electrónico: rpalomo@utalca.cl.

El autor agradece la colaboración de Diego Villavicencio Pinto, ayudante de investigación CENTRASS, Universidad de Talca.

[1] Una primera versión de este trabajo fue publicada en PALOMO VÉLEZ, Rodrigo. "El sistema de garantías y facilidades para el ejercicio de la función sindical. Comentarios desde un enfoque dogmático y de derecho comparado", en PALOMO VÉLEZ, Rodrigo (Coord.) *La organización sindical en Chile*. Librotecnia, Chile, 2014, p. 375 y ss. En esta oportunidad se presenta una versión revisada, actualizada y ampliada de dicho trabajo.

se contemplan para la tutela de la acción representativa sindical, teniendo como telón de fondo el contenido del Convenio 135 de la Organización Internacional del Trabajo (en adelante, OIT) y de la Recomendación 143.

La representación de los intereses colectivos de los trabajadores "constituye la esencia misma de las relaciones colectivas de trabajo y el punto de partida del Derecho Sindical"[2]. La protección y los derechos que se reconozcan a quienes la ejercen son, por tanto, cuestiones de vital relevancia en la definición de un concreto modelo de sindicalismo.

En concreto, el acercamiento a dicho subsistema o dimensión tutelar del modelo de organización de los trabajadores se propone a partir de una visión dogmática, de clarificación conceptual, y de un aporte desde la óptica del Derecho Internacional del Trabajo, hilo conductor de este trabajo. A ello se agregan algunas referencias a modelos europeos –especialmente al español [3]– a modo de contraste con la regulación chilena.

13.2. LA DISTINCIÓN ENTRE FACILIDADES Y GARANTÍAS, Y LA DEFINICIÓN DE LOS SUJETOS EN QUE SE CONCENTRA LA TUTELA DE LA ACTIVIDAD REPRESENTATIVA

El ejercicio de la actividad representativa exige una especial protección de los trabajadores que la desempeñan, atendida la posición particular que asumen en la empresa. Asimismo, la función de representación de los trabajadores requiere de unos medios instrumentales esenciales que garanticen que su desarrollo sea adecuado y eficaz. A lo primero suele denominarse garantías y a lo segundo, facilidades, prerrogativas o derechos instrumentales.

La distinción entre garantías y facilidades proviene de las normas de la OIT, concretamente del Convenio 135/1971, relativo a la protección y facilidades que deben otorgarse a los representantes de los trabajadores en la empresa[4], y de la Recomendación 143/1971, de igual denominación, que se ha de integrar como el primer referente a la hora de precisar la interpretación y aplicación del Convenio.

El art. 1 del Convenio 135, reiterado en el apartado 5 de la Recomendación 143, dispone que "los representantes de los trabajadores en la empresa deberán gozar de protección eficaz contra todo acto que pueda perjudicarlos, incluido el despido por razón de su condición de representantes de los trabajadores, de

---

[2]   SALA FRANCO, Tomás. "El sistema español de representación de los trabajadores". *Revista de Treball*, N° 9. 1989, p. 9.

[3]   En extenso sobre dicho referente comparado: PALOMO VÉLEZ, Rodrigo, *El modelo español de representación de los trabajadores en la empresa*, Tirant Lo Blanch, España. 2017.

[4]   Ratificado por Chile el 13 de septiembre de 1999.

sus actividades como tales, de su afiliación al sindicato, o de su participación en la actividad sindical, siempre que dichos representantes actúen conforme a las leyes, contratos colectivos u otros acuerdos comunes en vigor"[5].

Las garantías de los representantes de los trabajadores aparecen, entonces, como mecanismos de control o modalización del ejercicio de los poderes empresariales cuando tienen por sujeto pasivo a aquellos[6]. Pretenden constituir un modo de defensa o neutralización de eventuales actuaciones empresariales que pudiesen perturbar, menoscabar o impedir el ejercicio de la función representativa, siempre que ésta se desarrolle dentro del marco jurídico imperante.

Las denominadas "facilidades"[7] de los representantes de los trabajadores, por su parte, son derechos instrumentales que la ley les confiere a fin de que puedan desarrollar adecuadamente las actuaciones que exige su función de representación.

Su otorgamiento viene también exigido por las normas de la OIT. El art. 2 del Convenio 135, cuyo contenido es reiterado en el apartado 9.1 de la Recomendación 143, establece que "los representantes de los trabajadores deberán disponer en la empresa de las facilidades apropiadas para permitirles el desempeño rápido y eficaz de sus funciones". A tal efecto deberán tenerse en cuenta las características del sistema de relaciones obrero–patronales del país y las necesidades, importancia y posibilidades de la empresa interesada, de modo que la concesión de dichas facilidades no perjudique su funcionamiento eficaz.

En definitiva, en atención a que los representantes o dirigentes personifican el interés colectivo de los trabajadores, a menudo contrapuesto a los intereses del empresario, el ordenamiento jurídico debe dotarlos de herramientas dirigidas básicamente a protegerlos de eventuales decisiones empresariales adversas. Asimismo, las exigencias materiales y prácticas de la función representativa exigen el otorgamiento o reconocimiento de unos derechos instrumentales a los sujetos que la desarrollan.

---

[5]   El art. 2.1 del Convenio 98/1949, relativo a la aplicación de los principios del derecho de sindicación y de negociación colectiva (ratificado por Chile, también en 1999) ya prescribía que las organizaciones de trabajadores deben gozar de adecuada protección contra todo acto de injerencia del empresario en su constitución, funcionamiento o administración.

[6]   Por todos, véase SALA FRANCO, Tomás; ALBIOL MONTESINOS, Ignacio, *Derecho Sindical*, Tirant Lo Blanch, España, Novena edición, 2003, p. 213, y BALLESTER PASTOR, Inmaculada, "La representación de los trabajadores en la empresa: la representación unitaria", en GARCÍA NINET, José Ignacio (Dir.), *Manual de Derecho Sindical*, Atelier, España. Segunda edición, 2007, p. 222.

[7]   Si bien la voz "facilidades" parece estar pensada en su acepción inglesa ("*facilities*"), donde encuentra mayor corrección y precisión jurídica que en la lengua castellana (CASAS BAAMONDE, María Emilia. *Representación unitaria de los trabajadores en la empresa y derechos de comunicación*, AKAL, España. 1984, p. 33), se asume de todos modos en este trabajo -aunque indistintamente con otras expresiones a las que se viene asignando igual significación- en atención a su uso en las normas internacionales citadas.

De este modo, si bien las garantías protegen directamente a los representantes individualmente considerados, y las facilidades se otorgan también a estos, cabe señalar que el interés jurídicamente protegido por unas y otras trasciende a estos sujetos, centrándose en el interés colectivo que representan[8].

Por la misma razón, y respecto de las garantías, la Recomendación 143 señala que deberían aplicarse también a los trabajadores que son candidatos a representantes. Ellos también quedan especialmente susceptibles a sufrir represalias empresariales. Hay en estos casos una expectativa de representación de los intereses colectivos de los trabajadores que, desde luego, merece especial protección. Asimismo, las garantías –sobre todo las que protegen frente al ejercicio del poder disciplinario del empresario– han de acompañar a los representantes más allá de la extinción del mandato representativo, a fin de "permitir que decaigan los recelos y resquemores de antaño"[9]. En estos casos, si bien es cierto que aumenta la intensidad de la protección directa de la persona del representante, no por ello desaparece la protección de la función representativa que aquel personificó, dado que su sanción post–mandato puede igualmente desincentivar el ejercicio de la representación.

En definitiva, la intervención del legislador para reconocer garantías y facilidades a los representantes de los trabajadores supone una regulación promocional de la organización de los trabajadores, que exige además una interpretación finalista y funcional a dicho propósito. Asimismo, puede y suele suponer la imposición de cargas y/o obligaciones para el empresario. Por ello, es indispensable que los instrumentos internacionales, las Constituciones y las normas legales aseguren los equilibrios necesarios para que el ejercicio de la acción colectiva se realice con autonomía, pero también con resguardo de otros bienes jurídicos que puedan ser socialmente valiosos.

13.3. LAS FACILIDADES

13.3.1. Las horas de trabajo sindical

Como se indicó, el Convenio 135 establece que "los representantes de los trabajadores deben disponer en la empresa de las facilidades apropiadas para permitirles el desempeño rápido y eficaz de sus funciones". No plantea, sin

---

[8]   TUDELA CAMBRONERO, Gregorio, "Las garantías de los representantes de los trabajadores", *Tribuna Social*, N° 51, 1995, p. 9.
[9]   IGLESIAS CABERO, Manuel, *Derecho sindical y representación de los trabajadores*, Colex, España, 1996, p. 122.

embargo, una enumeración, ni siquiera ejemplificativa, de cuáles han de ser esas "facilidades".

Se trata, pues, de un concepto jurídico indeterminado que ha de ser valorado en términos de suficiencia para el desempeño de una actividad sindical que se caracteriza por dos atributos: rápida y eficaz.

La Recomendación 143, en cambio, sí enuncia determinadas facilidades o medios de acción que deberían reconocerse a los representantes de los trabajadores. En primer término, debería reconocérseles suficiente disponibilidad de tiempo para la atención de la función representativa (arts. 10 y 11).

En efecto, el ejercicio de la representación de los trabajadores en la empresa conlleva una serie de funciones, desarrolladas en concretas competencias, en las que se hace indispensable la inversión de tiempo. Si no se garantizara con este fin un número de horas imputables a la jornada laboral del representante, la asunción de tareas de representación le supondría ocupar su tiempo de descanso, lo que claramente sería un desincentivo a ocupar tales cargos y entorpecería el correcto desarrollo de dichas tareas. Por tanto, el tiempo para realizar funciones representativas y la retribución de ese tiempo son dos presupuestos esenciales en el derecho de representación[10].

Los problemas que en general se plantean en torno a estos tiempos dicen relación con la definición del número de horas que se reconoce a los representantes, la determinación de quién ha de pagarlas, y la delimitación de sus límites funcionales y formales, es decir, en qué, cuándo y dónde pueden utilizarse.

Respecto de la definición de la cuantía de horas para el ejercicio de tareas de representación, cabe señalar que se trata de un derecho de concesión periódica. Nuestro Código del Trabajo establece un rango general que va de 6 a 8 horas semanales por cada director con derecho a permiso sindical, y reglas especiales para directores de federaciones, confederaciones y centrales sindicales. Además, se reconocen horas adicionales de trabajo sindical, de concesión particularizada, cada vez que se cumplen supuestos legales[11]. En los ordenamientos europeos, en

---

[10]   BARREIRO GONZÁLEZ, Germán, *El crédito de horas de los representantes de los trabajadores*, Ministerio de Trabajo y Seguridad Social, España, 1984, p. 9.

[11]   La regulación de las horas de trabajo sindical en el Código del Trabajo chileno se establece en los artículos 235, 249 a 252, 274 y 283. Véase al respecto: SIERRA HERRERO, Alfredo, "Horas de trabajo sindical, fueros, quórum de constitución y reglas especiales para las micro y pequeñas empresas en la negociación colectiva", en ARELLANO ORTIZ, Pablo; SEVERIN CONCHA, Juan Pablo; FERES NAZARALA, María Ester (Ed.). *Reforma al Derecho Colectivo del Trabajo. Examen crítico de la Ley N° 20.940*, Thomson Reuters, Chile, 2016, pp. 309 a 313.
        En el caso de los directores de asociaciones de funcionarios públicos, sus permisos están regulados en los artículos 31 a 34 de la Ley N° 19.296. La regulación es similar a la del Código del Trabajo; las principales diferencias se plantean respecto de la cuantía mínima y de la retribución.

cambio, la definición de la cuantía de horas suele ser mensual; por ejemplo, en España el rango va desde 15 a 40 horas mensuales por cada representante.

La comparación se hace más odiosa si se tiene presente el criterio en que se funda la concreta asignación de horas. Mientras en los ordenamientos europeos el criterio determinante es el número de trabajadores de la empresa, en el caso chileno la concreta cuantía de horas está relacionada con el número de afiliados al sindicato respectivo.

Por otra parte, los ordenamientos jurídicos a menudo reconocen la posibilidad de acumulación interpersonal de horas, como un instrumento que permite conseguir la mayor eficacia en el ejercicio de las actividades de representación. Esta acumulación no supone aumento alguno en la cuantía de horas definida legal o convencionalmente, sino que sólo se traduce en una distribución distinta de dichas horas entre los representantes de los trabajadores. También se reconocen fórmulas de cesión de horas entre directores. Así ocurre, por ejemplo, en el sistema normativo chileno. Se trata, por tanto, de un derecho de titularidad individual, que admite soluciones colectivas para su disfrute atendido el interés tutelado.

Otra cuestión especialmente sensible en los sistemas comparados es la determinación de quién debe retribuir estas horas: quién las paga y qué conceptos remuneracionales se pagan. La Recomendación 143 se conforma con señalar que esta cuestión debe determinarse por la legislación nacional, los instrumentos colectivos o por cualquier otra forma compatible con la práctica nacional.

En el caso chileno, salvo pacto en contrario, es de cargo del sindicato respectivo el pago de las remuneraciones, cotizaciones previsionales y beneficios que corresponden al director sindical por el tiempo que comprenden los permisos. Situación bien distinta a la fórmula que prevén los sistemas europeos, donde en general estas horas deben ser retribuidas por el empleador, como tiempo efectivamente trabajado (Ej. España, Italia, Alemania y Francia).

Con independencia de quién pague estas horas, quedará otro problema, cual es definir el alcance objetivo del carácter retribuido de las mismas. El principio rector es la indemnidad o equivalencia remuneracional, esto es, las horas en cuestión deben ser retribuidas como si hubiesen sido horas efectivamente trabajadas, no pudiendo sufrir el representante menoscabo o sanción económica alguna por la mera circunstancia de ejercer labores de representación. Lo contrario haría que la institución deviniera en ineficaz y contrariaría la prohibición de discriminación. Ha de evitarse, en definitiva, que las funciones representativas –que tienen su causa no en un interés individual del representante, sino en el interés colectivo del grupo representado– se vean gravadas con perjuicios patrimoniales para quien la ejerce.

En cuanto al límite funcional de estas horas, la premisa básica es que, como cualquier derecho, no se trata de un derecho absoluto, sino que se configura como un derecho limitado por la propia función a la que se dirige. Las horas de trabajo sindical deben usarse, por tanto, para el ejercicio de las tareas que demanda la función de representación.

Dado que dichas tareas no admiten fácil demarcación, ha de postularse una interpretación amplia y flexible de las actividades imputables a estas horas, de modo que comprendan todas aquellas acciones que realizan los dirigentes y que, de una u otra forma, con mayor o menor intensidad, redundan en una mayor eficacia de la misión de defensa del interés colectivo de los trabajadores, tanto en su proyección interna como externa a la empresa. En esta perspectiva, la delimitación del límite funcional requerirá necesariamente de un análisis casuístico y dinámico de las actividades que realizan los representantes. Igual solución, por idéntico fundamento, ha de postularse respecto del momento y lugar en que puede utilizarse el crédito horario.

En directa relación con el límite funcional, las legislaciones (o la interpretación que se hace de éstas) frecuentemente contemplan también, de modo expreso o tácito, límites formales al uso de estas horas. Concretamente, exigen que se dé previo aviso al empleador y/o se justifique ex post el uso de las horas. Con ello se pretende, por un lado, minimizar los eventuales perjuicios que la ausencia del representante puede acarrear en el proceso productivo y, por otro, dotar al empresario de ciertas facultades de control sobre la utilización de estas horas, sobretodo en sistema en que es aquel quien remunera dicho tiempo[12]. Téngase en cuenta que la Ley N° 20.940 cambió la denominación de este instituto, dejando de llamarse permisos y licencias sindicales para llamarse horas de trabajo sindical, precisamente para remarcar que no se trata de una concesión empresarial, sino de un derecho que debe ser reconocido para su finalidad intrínseca[13].

Como idea final a este respecto, téngase presente que los problemas indicados se agudizan cuando se trata de un representante que es liberado sindical, es decir, que por acumulación de horas o por pacto con el empresario, dedica todo su tiempo de trabajo a tareas sindicales.

13.3.2. El derecho de información

Otro derecho instrumental que debiese reconocerse a los representantes de los trabajadores es el derecho a acceder o a recibir información del empresario.

---

[12]   Por todos, TUDELA CAMBRONERO, Gregorio, *Las garantías de los representantes de los trabajadores en la empresa*, Tecnos, España, 1988, pp. 183 y 184; y SEMPERE NAVARRO, Antonio; PÉREZ CAMPOS, Ana Isabel, *Las garantías de los representantes de los trabajadores (Estudio del artículo 68 ET)*, Thomson Aranzadi, España, 2004, p. 150.

[13]   Así se plantea en el Mensaje Presidencial que inició la tramitación del proyecto que luego se convertiría en la Ley N° 20.940.

La Recomendación 143 establece que "los representantes de los trabajadores deberían tener la posibilidad de entrar en comunicación, sin dilación indebida, con la dirección de la empresa y con los representantes de ésta autorizados para tomar decisiones, en la medida necesaria para el desempeño eficaz de sus funciones". Otros instrumentos de la OIT que se refieren a esta materia son los siguientes: Recomendación 94/1952, sobre la consulta y la colaboración entre empleadores y trabajadores en el ámbito de la empresa; Recomendación 129/1967, sobre las comunicaciones entre la dirección y los trabajadores dentro de la empresa; Recomendación 163/1981, sobre el fomento de la negociación colectiva; y algunos Convenios, respecto de informaciones específicas, como ocurre con el Convenio 158/1982, sobre la terminación de la relación de trabajo por iniciativa del empleador.

Como fórmula elemental de participación de los trabajadores, este derecho plantea una doble naturaleza. Además de constituir una importante prerrogativa, identificable por si misma dentro de cualquier marco competencial de la representación de los trabajadores en la empresa, ostenta una naturaleza instrumental respecto del correcto desarrollo de otras competencias a las que sirve y, por elevación, respecto de la propia función representativa[14]. Piénsese, señaladamente, en la relevancia de estos derechos de cara al ejercicio de las competencias de negociación colectiva o conflicto colectivo, o para la vigilancia y fiscalización del cumplimiento de normativa laboral en la empresa.

En este sentido, el derecho de información es un instrumento encaminado a influir, con mayor o menor intensidad, en determinadas decisiones del empresario. Su reconocimiento, por tanto, pone en cuestión el principio de que la dirección y gestión de la empresa se atribuye exclusivamente al empresario, al tiempo que permite el paso a la idea de democracia industrial[15].

En términos generales, para valorar el marco jurídico que preside el derecho de información de los representantes hay que evaluar su alcance objetivo (materias que deben informarse), la calidad de la información (contenido concreto de lo que se informa, condiciones en que se informa y claridad informativa), el alcance subjetivo (a quién se informa), las restricciones que se plantean (fundamentalmente, el deber de sigilo o confidencialidad), y las garantías de estos derechos (consecuencias del incumplimiento empresarial)[16].

---

[14] Sobre el carácter instrumental de los derechos de información, véase MONEREO PÉREZ, José Luis, *Los derechos de información de los representantes de los trabajadores*, Civitas, España, 1992, p. 114 y ss.
[15] MONEREO PÉREZ, *Los derechos de información*, p. 82 y ss.
[16] Véase un análisis sobre los problemas que plantea el reconocimiento jurídico y la aplicación del derecho de información de los representantes de los trabajadores, en PALOMO VÉLEZ, Rodrigo, "Modelo analítico del derecho de información de los representantes de los trabajadores y valoración de su reconocimiento en Chile". *Revista Latinoamericana de Derecho Social*, N° 26, 2018, pp. 117-154.

El reconocimiento del derecho de información de los representantes de los trabajadores es de reciente data en Chile. El principal referente normativo de este derecho fue incorporado por la denominada "segunda reforma laboral" de los Gobiernos de la Concertación, anclado a la regulación del procedimiento de negociación colectiva reglada de empresa. Con anterioridad a dicha reforma, las manifestaciones normativas de este derecho fueron marginales[17].

En efecto, la Ley N° 19.759, de 2001, reconoció por primera vez de manera explícita el derecho de información, reconduciéndolo fundamentalmente a la norma que estuvo contenida en los incisos 5 y 6 del artículo 315 del Código del Trabajo. Dicha norma estaba llena de conceptos jurídicos indeterminados, que en la práctica condujeron a que el derecho de información en la negociación colectiva fuese casi una ilusión jurídica.

El actual régimen jurídico de este derecho viene determinado por la Ley N° 20.940, sobre modernización de las relaciones laborales, vigente desde abril de 2017. La nueva regulación (arts. 315 a 319 del Código del Trabajo) supone un avance respecto de la anterior[18], pero se queda a medio camino, tanto por el alcance general de la última reforma laboral como por su incidencia en la delimitación de los contornos normativos del derecho de información, en particular[19].

La primera dimensión que condiciona la eficacia del derecho de información en Chile es su alcance subjetivo. La ley establece que los sindicatos –y particularmente, los sindicatos de empresa o aquellos que tienen derecho a negociar colectivamente, según los casos– son los titulares exclusivos del derecho de información[20]. Considerando que en el país tan solo nueve de cada cien empresas

---

[17]   Sobre los hitos histórico-normativos del derecho de información de los sindicatos en Chile, véase a GONZÁLEZ FLORES, Daniela, "Antecedentes históricos del derecho de información en la negociación colectiva", en PALOMO VÉLEZ, Rodrigo (Dir.), *Derecho de información de los sindicatos*, Librotecnia, Chile, 2017, pp. 53 a 82.

[18]   En este sentido, la Comisión de Expertos en Aplicación de Convenios y Recomendaciones de la OIT observa "con satisfacción" la ampliación del derecho de información por la Ley N° 20.940 (ORGANIZACIÓN INTERNACIONAL DEL TRABAJO, *Informe de la Comisión de Expertos en Aplicación de Convenios y Recomendaciones*, OIT, Suiza, 2017, p. 87).

[19]   Atendida la preeminente naturaleza instrumental del derecho de información, de poco sirve robustecerlo si el contexto normativo en que está llamado a servir no sigue igual suerte. Dicho de otro modo, y respecto del caso chileno, la posibilidad de aumentar la virtualidad práctica del derecho de información de los sindicatos es baja si no se modifican sustancialmente los institutos jurídicos que son determinantes de la baja afiliación sindical, de la escasa incidencia de la negociación colectiva en el sistema de relaciones laborales, y del constreñido espacio reconocido al conflicto colectivo. Tal modificación no se ha producido.
Sobre la actual recepción normativa del derecho de información de los representantes de los trabajadores en Chile, véase: PALOMO VÉLEZ, Rodrigo, "El derecho de información de los sindicatos en Chile. Bases dogmáticas y reconocimiento normativo", en PALOMO VÉLEZ, Rodrigo (Director), *Derecho de información de los sindicatos*, Librotecnia, Chile, 2017 pp. 11 y ss.

[20]   La excepción a este respecto es el derecho de información específico para la negociación colectiva, reconocido también al grupo negociador.

cuentan con al menos un sindicato de empresa o establecimiento activo, y que no se contemplan otros mecanismos de representación o participación de los trabajadores en empresas sin sindicatos, la virtualidad práctica del derecho en estudio se resiente fuertemente. En efecto, la legislación chilena no contempla, como sí ocurre en otros sistemas normativos, fórmulas ad hoc para canalizar información en empresas sin sindicato, como podrían ser las representaciones electas o unitarias.

El segundo elemento de valoración dice relación con el alcance objetivo del derecho de información. Al respecto, la nueva regulación legal distingue entre el derecho de información periódica, el derecho de información específica para la negociación colectiva, y el derecho de información por cargos o funciones de los trabajadores. Las materias que deben informarse en cada caso han quedado determinadas por el tamaño de la empresa. La ley ha dejado fuera, nuevamente, informaciones de corte laboral (por ejemplo, sobre contratación y subcontratación, o sobre ciertas vicisitudes contractuales) y otras específicas que suelen contenerse en legislaciones de otros países con sistemas laborales más avanzados. En efecto, urge el reconocimiento legal de otros derechos de información específicos, por ejemplo, en supuestos de transmisión de empresas, donde la información es esencial para la identificación de los titulares de las mismas y la efectividad del ejercicio de los derechos laborales[21].

En cuanto a los elementos que inciden en la calidad de la información, la nueva regulación plantea algunos avances, entre los que es preciso mencionar la periodicidad anual establecida respecto del derecho de información periódica y el derecho de información por cargos y funciones de los trabajadores. Asimismo, el nuevo marco jurídico determina con claridad los plazos de entrega de información. Sin embargo, se mantienen otros factores que pueden incidir negativamente en el derecho de información. Así, por ejemplo, no se dan garantías suficientes del carácter fidedigno de la información que se entrega a los representantes, ni se regula la forma de transmisión de la información[22]. Tampoco se facilita en todos los casos el acceso a expertos a efecto de favorecer la

---

[21]   Véase a JOFRÉ BUSTOS, María Soledad; PLANET SEPÚLVEDA, Lucía, "Derecho de información en supuestos de cambios empresariales por transmisión o por crisis de la empresa en Chile", en PALOMO VÉLEZ, Rodrigo (Dir.), *Derecho de información de los sindicatos*, Librotecnia, Chile, 2017, pp. 84-103.

[22]   Atendiendo a un criterio finalista y de eficacia, se postula que "la transmisión de la información debe necesariamente materializarse en un soporte que permita su estudio y consulta, siendo únicamente posible que su entrega sea en forma escrita" (DOMÍNGUEZ MONTOYA, Álvaro, "Presente y futuro del derecho de información de las organizaciones sindicales en Chile", en AAVV, XXII *Jornadas Nacionales de la Sociedad Chilena de Derecho del Trabajo y de la Seguridad Social. Análisis crítico de la reforma al sistema de relaciones sindicales en Chile*, Universidad de Chile, Chile, 2016, p. 93).

comprensión de informaciones técnicas o complejas, salvo en procesos de negociación colectiva[23].

En lo referente a las restricciones al ejercicio del derecho, se consagra muy rudimentariamente el deber de sigilo. Se considera una práctica antisindical de los trabajadores divulgar a terceros ajenos al sindicato (o a la negociación, en su caso) los documentos o la información que hayan recibido del empleador y que tengan el carácter de confidencial o reservados. De otra parte, el empresario mantiene su facultad de calificar cierta información (aquella que incida en la política futura de inversiones de la empresa) como confidencial, sin que pueda verificarse que dicha decisión obedezca a criterios objetivos.

Con todo, la principal dificultad para la eficacia del derecho de información de los sindicatos viene dada por las sanciones que se prevén frente al incumplimiento del deber correlativo del empresario. Si bien la norma contempla la posibilidad requerir información por vía administrativa y judicial, la negativa a proporcionar la información contemplada en la ley sólo configura una práctica antisindical, cuyos efectos no siempre serán lo suficientemente disuasivos del incumplimiento. En efecto, la infracción de este derecho no afecta la validez o procedencia de los actos empresariales que se informan.

13.3.3. Facilidades materiales

La Recomendación 143 señala, finalmente, que deberían reconocerse a los representantes de los trabajadores las facilidades materiales que sean necesarias para el ejercicio de sus funciones.

En este sentido, los representantes deberían ser autorizados a entrar en todos los lugares de trabajo en la empresa, cuando ello fuere necesario para permitirles desempeñar sus funciones de representación. Asimismo, se les debería autorizar a que coloquen avisos sindicales en los locales de la empresa, en lugares fijados de acuerdo con la dirección y a los que los trabajadores tengan fácil acceso. También debería permitírseles distribuir publicaciones entre los trabajadores, siempre que estén relacionadas con las actividades sindicales normales.

Nada de esto se reconoce, al menos en términos específicos, en la regulación normativa vigente en Chile, por lo que su concreción en principio dependerá fundamentalmente del acuerdo al que los representantes puedan arribar con la

---

[23]   El artículo 343 del Código del Trabajo consagra el derecho de las partes a solicitar una reunión de asistencia técnica, como un mecanismo orientado a facilitar el desarrollo de la negociación en micro y pequeñas empresas (y en empresas medianas que negocien por primera vez), informando a las partes sobre aspectos técnicos de la misma (procedimiento, plazos, derechos y obligaciones). Asimismo, tanto el empleador como el sindicato pueden designar hasta tres asesores que les asistan en el desarrollo de las negociaciones.

empresa. Con todo, el art. 255 del Código del Trabajo establece que se entenderá también por sede sindical todo recinto dentro de la empresa en que habitualmente se reúna la respectiva organización. Por su parte, la jurisprudencia ha sostenido que el hecho de no otorgar un espacio para que funcione el sindicato configura un atentado a la libertad sindical, siempre que ello limite o impida la actividad sindical, más aún cuando configura un acto de discriminación[24], sin que ello atente contra el derecho de propiedad empresarial (sentencia de la Corte de Apelaciones de Santiago, N° Reforma Laboral 1.109–2016, 20 de julio de 2016).

13.4. LAS GARANTÍAS

Según se señaló, las garantías son disposiciones específicas que han de asegurar la protección efectiva de los representantes de los trabajadores. Se justifican en razón de su situación de mayor vulnerabilidad frente al empleador, atendidas las funciones que asumen. En efecto, la especial posición del representante frente al empresario (doble condición, laboral y representativa) lo convierte en un sujeto particularmente vulnerable a decisiones empresariales adversas.

Al respecto, la Recomendación 143 recoge un catálogo ejemplificativo de garantías, entre las que es posible distinguir aquellas que se conciben frente al poder disciplinario empresarial, y otras que se plantean frente a la potestad de dirección del empresario.

13.4.1. Las garantías frente al poder disciplinario del empleador

Estas garantías encuentran su base en la contraposición de intereses entre las partes de la relación de trabajo, incrementada por la condición de representante del trabajador; ésta determina la exigencia de una tutela específica de la situación contractual de éste ante posibles despidos u otras sanciones empresariales.

Así, las garantías de los representantes frente al poder disciplinario empresarial son especialmente trascendentes en los sistemas normativos, dado que tienen por finalidad la tutela de un interés colectivo que, en principio, resulta siempre afectado por los actos de sanción a los representantes, en cuanto que a través de tales actos puede atentarse, de forma directa o indirecta, contra su independencia y, por tanto, contra la propia autonomía de la acción representativa en la empresa. Estas garantías constituyen, de este modo, el núcleo central o la espina

---

[24]   El art. 289 letra e) del Código del Trabajo considera que constituye una práctica antisindical -en particular, un acto de injerencia empresarial- "discriminar entre los diversos sindicatos existentes otorgando a unos y no a otros, injusta y arbitrariamente, facilidades o concesiones extracontractuales".

dorsal de todo el aparato protector de la actividad de los representantes de los trabajadores en la empresa[25].

En concreto, estas garantías deben traducirse fundamentalmente en la debida protección de los representantes frente al despido discriminatorio. Entre las diversas fórmulas que pueden concretar tal protección pueden incluirse las siguientes: definición precisa de los motivos que pueden justificar el despido de representantes de los trabajadores; exigencia de consulta o acuerdo con un órgano independiente o paritario, antes de que el despido de un representante sea definitivo; procedimiento especial de recurso accesible a los representantes que consideren que han sido injustamente despedidos; establecimiento de una reparación eficaz cuando se acredita que el despido ha sido injustificado; e imposición al empleador de la obligación de probar la justificación de sus actuaciones cuando se alega que han sido discriminatorias.

Retomando el caso español, se reconoce allí el derecho del representante a no ser despedido ni sancionado por el ejercicio de su representación (art. 68.c ET). Se reafirma de ese modo que la acción del trabajador como representante no puede constituir causa, directa o indirecta, para la extinción de su contrato de trabajo por decisión unilateral del empresario. No es una mera reiteración formal de la prohibición de discriminación; además de circunscribirla a un ámbito específico de actuación del trabajador, en el que se presenta especialmente vulnerable frente al empresario, la norma envuelve una llamada de atención del legislador al juzgador, en el sentido de que se cuide de no utilizar una causa justa de despido o de sanción para encubrir una finalidad última de sancionar al representante por su actuar en cuanto tal[26].

Se confiere, en definitiva, una inmunidad relativa a los representantes frente al poder disciplinario del empresario, dado que la aplicación improcedente del despido u otra sanción respecto de aquellos lesiona el interés colectivo que representan.

Visto así, esta garantía no sustrae al empresario el poder de despedir o sancionar a los representantes de los trabajadores en términos absolutos. Por cierto, la condición representativa no puede erigirse en circunstancia propiciadora de una absoluta impunidad. El dirigente sindical sí puede ser sancionado, incluso con el despido, si incumple sus obligaciones laborales en los términos en que legal o convencionalmente le vengan impuestas. En estos casos, fuera del marco de las

---

[25]   DURÁN LÓPEZ, Federico, "Despido y sanción de los representantes sindicales", *Revista Española de Derecho del Trabajo*, N° 1, 1980, pp. 51 a 69, p. 51, y TUDELA CAMBRONERO, *Las garantías de los representantes*, p. 32.

[26]   DURÁN LÓPEZ, "Despido y sanción...", p. 56; LÓPEZ ÁLVAREZ, María José, "Las garantías de los representantes de los trabajadores en la jurisprudencia", *Actualidad Laboral*, N° 2, 2005, pp. 2520 a 2536; entre otros.

funciones representativas, el trabajador está subordinado al poder disciplinario empresarial y las actuaciones que realice en contravención de la legalidad vigente pueden ser objeto de sanción conforme al régimen general. En cambio, no puede ser despedido o sancionado como consecuencia de actuaciones propias del ejercicio de su mandato representativo. El mayor problema a este respecto es que las señaladas esferas de actuación –individual y colectiva– no están radicalmente separadas y diferenciadas, máxime si se piensa en la amplitud y difícil delimitación de lo que debe entenderse por funciones representativas.

En Chile, por su parte, la situación normativa se traduce en la protección ante el despido antisindical, y la tutela genérica del fuero sindical[27].

13.4.2. *Las garantías frente al poder de dirección del empleador*

El poder de dirección del empresario, por otro lado, también se ve limitado por el régimen legal de garantías de los representantes de los trabajadores. Recuérdese que el art. 1 del Convenio 135 dispone que "los representantes de los trabajadores en la empresa deberán gozar de protección eficaz contra todo acto que pueda perjudicarlos por razón de su condición de representantes de los trabajadores, de sus actividades como tales, de su afiliación al sindicato, o de su participación en la actividad sindical; la protección, por tanto, no se limita al despido.

---

[27]   Una contundente visión crítica sobre las referidas garantías en Chile se plantea en la ya citada sentencia del Juzgado de Letras del Trabajo de la Serena (RIT T-20-2012): "(…) Bien podría decirse que en este caso el Derecho ha llegado tarde. Por más que la denunciada sea sancionada, y de hecho lo será, con el mayor rigor que nuestro sistema permite, se trata en este caso sólo de sanciones pecuniarias. Multas que la denunciada probablemente pagará gustosa desde que ha conseguido un objetivo mucho más trascendente para sus intereses, claramente manifestados en esta causa. Ya no tendrá que lidiar con sindicato alguno. No habrá asociación de trabajadores que cuestione, que critique, que exija, que busque mejores condiciones laborales, más dignas y justas. El sindicato ha muerto y sólo falta la extensión del certificado de defunción. Y el Derecho no pudo hacer nada.
Pero si hacemos un examen un poco más profundo observaremos que el Derecho no llegó tarde. En realidad el Derecho no tenía nada que hacer en un caso como este desde sus comienzos. En efecto, estas prácticas abusivas por parte de un empleador no han de ser contenidas desde la judicatura. No hay acción procesal que pueda poner a salvo la libertad sindical en una situación como la de marras. La respuesta al problema de fondo es política. El sindicato pequeño en un sistema como el chileno está destinado al fracaso. Con una negociación colectiva limitada y excesivamente reglamentada, con un derecho de huelga prácticamente inexistente, la oferta de participación democrática que se les hace a los trabajadores de un sindicato como el que ha sido desarticulado por la denunciada, y con excesiva facilidad, es un canto de sirenas que se recibe con entusiasmo cuando se formula pero que sólo puede llevar al naufragio de las esperanzas que estos trabajadores tenían en orden a ser considerados como partes legítimas del diálogo social que tanto nos gusta como sociedad sacar a colación, pero que lamentablemente estamos lejos de hacer realidad".
Véase en extenso sobre esta materia: TOLEDO CORSI, César, *Tutela de la Libertad Sindical*, Abeledo-Perrot – Thomson Reuters, Chile, 2013.

En el comentado ordenamiento español, por ejemplo, el representante "no podrá ser discriminado en su promoción económica o profesional en razón, precisamente, del desempeño de su representación" (art. 68.c ET). Lo propio se establece en Alemania y otros sistemas europeos. Esta garantía de indemnidad constituye una concreción específica de las normas constitucionales y legales que con carácter general consagran la prohibición de discriminación. Pretende reforzar la paridad de trato que en materia retributiva y profesional debe darse entre representantes y demás trabajadores. En lo que respecta a la promoción económica del representante, la garantía pretende básicamente impedir que el empresario traslade al representante el coste derivado de su representación, a modo de privarle de ventajas o percepciones económicas que le habrían correspondido de no haber ejercido dichas funciones. Proyectada sobre la promoción profesional, por su parte, la garantía procura evitar la vulneración de la profesionalidad del representante, defendiendo tanto su capacidad y conocimientos ya adquiridos como aquellos que venideros[28].

No se contempla una norma similar en la ley chilena, por lo que hemos de contentarnos con la interdicción genérica de discriminación por motivos sindicales.

La Recomendación 143 (apartado 6.2.f) también señala entre las garantías que deberían reconocerse a los representantes la prioridad de su continuación en el empleo en caso de reducción del personal. Tal prioridad de permanencia en la empresa es reconocida en la mayoría de los ordenamientos europeos (ej. Italia, España), generalmente ante supuestos de suspensión o extinción contractual por causas tecnológicas o económicas, o ante supuestos de movilidad geográfica, donde se les reconoce prioridad de permanencia en sus puestos de trabajo.

Siguiendo la lógica del régimen de garantías legales de los representantes de los trabajadores, el fundamento de esta prioridad de permanencia no radica tanto en la necesidad de amparar al sujeto concreto que asume las tareas de representación sino, sobre todo, en la tutela de la propia función representativa. Su finalidad es proteger a los representantes frente a determinadas elecciones empresariales que pudieran perjudicarle, evitando al mismo tiempo que la representación sufra restricciones que, aunque justificadas en general, puedan resultar evitables en su aplicación inicial y concreta al titular de la representación.

Nada de esto se contempla, al menos de modo expreso, en el caso chileno. Indirectamente, sin embargo, se establece una especie de prioridad de permanencia en el puesto de trabajo para directores y delegados sindicales, en cuanto mientras dure su fuero el empleador no puede, salvo caso fortuito o fuerza mayor, ejercer respecto de ellos el *ius variandi* (art. 243 del Código del Trabajo).

---

[28]   TUDELA CAMBRONERO, Gregorio, "Las garantías de los representantes...", p. 23.

13.5. EL CONVENIO NÚM.135 EN LA MIRADA DE LOS ÓRGANOS DE CONTROL DE LA OIT

13.5.1. La Comisión de Expertos en Aplicación de Convenios y Recomendaciones

La Comisión de Expertos en Aplicación de Convenios y Recomendaciones (CEACR) no ha abordado directamente en sus informes la recepción y aplicación del Convenio 135 de la OIT en nuestro país. Sin embargo, la última referencia hecha por la Comisión a este Convenio fue a propósito del control del Convenio 98, en relación con la Ley N° 20.940. En particular, refiriéndose a la titularidad negocial y los grupos negociadores, sostuvo que "la Comisión toma nota de que el Gobierno precisa que sólo la negociación colectiva con sindicatos se encuentra regulada en el CT, que esta situación está siendo evaluada junto con los interlocutores sociales y que el Gobierno confía en que pueda alcanzarse una solución satisfactoria en aplicación del Convenio sobre los representantes de los trabajadores, 1971 (núm. 135)". Luego agrega que "la Comisión debe recordar que, sin perjuicio de que el ordenamiento jurídico chileno pueda reconocer la titularidad del derecho a la negociación colectiva a todos y cada uno de los trabajadores, se trata de un derecho de ejercicio colectivo y el Convenio (98), así como otros convenios de la OIT ratificados por Chile, reconoce al respecto un papel preponderante a los sindicatos u organizaciones de trabajadores, frente a otras modalidades de agrupación"[29].

Con anterioridad, la CEACR se había referido al Convenio 135 a propósito de determinar si las facilidades que se han de otorgar a los representantes de las organizaciones de empleados públicos según lo previsto en el artículo 6 del Convenio 151 se aplican de igual modo a los representantes elegidos por los empleados de instituciones públicas (delegados del personal y comités de empresa, existentes en varios sistemas normativos europeos) cuando un Estado ha ratificado los Convenios 151 y 154. En dicha oportunidad señaló que "la Comisión estima que la expresión «representantes de las organizaciones reconocidas de empleados públicos» recogida en el artículo 6 del Convenio núm. 151 comprende tanto a los representantes sindicales (designados o elegidos) como a los representantes electos por el conjunto de los trabajadores concernidos, si la legislación o la práctica nacionales lo autorizan"[30].

Volviendo al caso chileno, la CEACR se refirió al Convenio 135 con ocasión de Solicitudes Directas realizadas sucesivamente en los años 2001, 2002 y 2003. En concreto, en 2001 la Comisión, revisando las normas del Código del Trabajo

---

[29]   ORGANIZACIÓN INTERNACIONAL DEL TRABAJO, *Informe de la Comisión de Expertos...*, 2017, p. 88.

[30]   ORGANIZACIÓN INTERNACIONAL DEL TRABAJO, *Informe de la Comisión de Expertos en Aplicación de Convenios y Recomendaciones*, OIT, Suiza, 2013, p. 41.

sobre permisos sindicales (actualmente, horas de trabajo sindical), solicitó al Gobierno que le informara en su próxima memoria si por medio de la legislación o a través de convenios colectivos los dirigentes y delegados en cuestión gozaban de otras facilidades para el desempeño de sus funciones (por ejemplo, local sindical en la empresa, cartelera de anuncios a disposición de la organización sindical, material de oficina, etc.).

En 2002, la Comisión tomó nota de que no recibió la memoria del Gobierno, y lo exhortó a que la enviara para examinarla en su próxima reunión, solicitando expresamente que dicha memoria incorporara informaciones completas acerca de las cuestiones planteadas en su solicitud directa anterior.

En 2003, la CEACR tomó nota de que el Gobierno informó que las facilidades que se otorgan a los dirigentes y delegados sindicales para el desempeño de sus funciones son objeto de negociación directa entre trabajadores y empleadores, que el artículo 255 del Código de Trabajo precisa los lugares que se consideran sede sindical para los efectos de llevar a cabo las reuniones ordinarias y extraordinarias de las organizaciones sindicales, y que en los sindicatos constituidos por gente de mar las asambleas o votaciones podrán realizarse en los recintos señalados en el artículo del Código citado e igualmente en las naves en que los trabajadores se encuentren embarcados.

13.5.2. El Comité de Libertad Sindical

En el Caso N° 3017, de 28 de marzo de 2013, el Comité de Libertad Sindical analizó aristas del Convenio 135 respecto del caso chileno. La organización querellante alegaba restricciones de acceso a los lugares de trabajo a su presidente, reducciones unilaterales y discriminación en materia de permisos sindicales, incumplimiento de convenios colectivos, despidos antisindicales, exclusión y cuestionamiento de la labor sindical y utilización de un bono para fomentar la negociación colectiva anticipada no reglada y obstaculizar el ejercicio del derecho a la huelga por parte de la Sociedad Química y Minera de Chile S.A. (SQM) y sus filiales.

Respecto de la primera alegación, pese a que el Comité estimó que no se habían presentado antecedentes suficientes, recordó el principio en virtud del cual los representantes de los trabajadores deberían ser autorizados a entrar en todos los lugares de trabajo de la empresa, cuando ello sea necesario para permitirles desempeñar sus funciones de representación.

Si bien hay otros casos tratados por el Comité de Libertad Sindical referidos al Convenio 135, en ellos no hay declaraciones del Comité sobre el fondo del Convenio y su regulación en nuestro país[31].

Conforme a lo señalado, cabe concluir que el sistema chileno de garantías y facilidades previstas para los representantes de los trabajadores está conforme a las exigencias directas del Convenio 135. No obstante, nuestro sistema está lejos de recepcionar los estándares previstos en la Recomendación 143, que es un insumo de la mayor relevancia para interpretar el Convenio 135. Así queda en evidencia, por lo demás, al comparar el sistema chileno con otros modelos normativos, como los europeos. En el caso chileno se aplica plenamente aquello que ha advertido Alfredo Villavicencio: El Estado tiene una lógica invertida: donde debiese intervenir se abstiene y donde no debiese, sí lo hace[32].

Lo anterior, sumado a los nudos conflictivos de la institucionalidad orgánica y funcional, hace imperativa la revisión del sistema normativo sobre sindicatos en Chile.

BIBLIOGRAFÍA

BALLESTER PASTOR, Inmaculada. "La representación de los trabajadores en la empresa: la representación unitaria", en GARCÍA NINET, José Ignacio (Dir.), *Manual de Derecho Sindical*, Atelier, España, Segunda edición, 2007, pp. 187–235.

BARREIRO GONZÁLEZ, Germán, *El crédito de horas de los representantes de los trabajadores*, Ministerio de Trabajo y Seguridad Social, España, 1984.

CASAS BAAMONDE. María Emilia. *Representación unitaria de los trabajadores en la empresa y derechos de comunicación*, AKAL, España, 1984.

DOMÍNGUEZ MONTOYA, Álvaro. "Presente y futuro del derecho de información de las organizaciones sindicales en Chile", en AAVV, *XXII Jornadas Nacionales de la Sociedad Chilena de Derecho del Trabajo y de la Seguridad Social. Análisis*

---

[31]   En tal sentido, el Comité de Libertad Sindical ha ratificado reiteradamente la importancia del derecho de información en la configuración de sistemas jurídicos conforme a requerimientos de libertad sindical. Así lo ha sostenido, por ejemplo, a propósito de los mecanismos destinados a facilitar la negociación colectiva y, más genéricamente, a propósito de la comunicación de sindicatos con la dirección de la empresa.

[32]   VILLAVICENCIO RÍOS, Alfredo, "La intervención del sindicato por la ley en América Latina: los planos orgánico y tutelar", en PALOMO VÉLEZ, Rodrigo (Coord.), *La organización sindical en Chile*, Librotecnia, Chile, p. 14.

crítico de la reforma al sistema de relaciones sindicales en Chile, Universidad de Chile, Chile. 2016.

DURÁN LÓPEZ, Federico. "Despido y sanción de los representantes sindicales". *Revista Española de Derecho del Trabajo*, N° 1. 1980, pp. 51 a 69.

GONZÁLEZ FLORES, Daniela. "Antecedentes históricos del derecho de información en la negociación colectiva". En PALOMO VÉLEZ, Rodrigo (Dir.), *Derecho de información de los sindicatos*. Librotecnia, Chile. 2017.

IGLESIAS CABERO, Manuel. *Derecho sindical y representación de los trabajadores*. Colex, España. 1996.

JOFRÉ BUSTOS, María Soledad; PLANET SEPÚLVEDA, Lucía. "Derecho de información en supuestos de cambios empresariales por transmisión o por crisis de la empresa en Chile". En PALOMO VÉLEZ, Rodrigo (Dir.). *Derecho de información de los sindicatos*. Librotecnia, Chile. 2017.

LÓPEZ ÁLVAREZ, María José. "Las garantías de los representantes de los trabajadores en la jurisprudencia". *Actualidad Laboral*, N° 2. 2005. pp. 2520 a 2536.

MONEREO PÉREZ, José Luis. *Los derechos de información de los representantes de los trabajadores*. Civitas, España. 1992.

OIT. *Informe de la Comisión de Expertos en Aplicación de Convenios y Recomendaciones*. OIT, Suiza. 2013.

OIT. *Informe de la Comisión de Expertos en Aplicación de Convenios y Recomendaciones*. OIT, Suiza. 2017.

PALOMO VÉLEZ, Rodrigo. "El derecho de información de los sindicatos en Chile. Bases dogmáticas y reconocimiento normativo". En PALOMO VÉLEZ, Rodrigo (Director). *Derecho de información de los sindicatos*. Librotecnia, Chile. 2017a.

PALOMO VÉLEZ, Rodrigo. El modelo español de representación de los trabajadores en la empresa. Tirant Lo Blanch, España. 2017b.

PALOMO VÉLEZ, Rodrigo. "El sistema de garantías y facilidades para el ejercicio de la función sindical. Comentarios desde un enfoque dogmático y de derecho comparado". En PALOMO VÉLEZ, Rodrigo (Coord.). *La organización sindical en Chile*. Librotecnia, Chile. 2014.

PALOMO VÉLEZ, Rodrigo. "Modelo analítico del derecho de información de los representantes de los trabajadores y valoración de su reconocimiento en Chile". *Revista Latinoamericana de Derecho Social*, N° 26. 2018. pp. 117 a 154.

SALA FRANCO, Tomás. "El sistema español de representación de los trabajadores". *Revista de Treball*, N° 9. 1989. pp. 9 a 24.

SALA FRANCO, Tomás; ALBIOL MONTESINOS, Ignacio. Derecho Sindical. Tirant Lo Blanch, España. Novena edición. 2003.

SEMPERE NAVARRO, Antonio; PÉREZ CAMPOS, Ana Isabel. *Las garantías de los representantes de los trabajadores* (Estudio del artículo 68 ET). Thomson Aranzadi, España. 2004.

SIERRA HERRERO, Alfredo. "Horas de trabajo sindical, fueros, quórum de constitución y reglas especiales para las micro y pequeñas empresas en la negociación colectiva". En ARELLANO ORTIZ, Pablo; SEVERÍN CONCHA, Juan Pablo; FERES NAZARALA, María Ester (Ed.). *Reforma al Derecho Colectivo del Trabajo*. Examen crítico de la Ley N° 20.940. Thomson Reuters, Chile. 2016.

TOLEDO CORSI, César. *Tutela de la Libertad Sindical.* AbeledoPerrot – Thomson Reuters, Chile. 2013.

TUDELA CAMBRONERO, Gregorio. "Las garantías de los representantes de los trabajadores". *Tribuna Social,* N° 51. 1995. pp. 7 a 46.

TUDELA CAMBRONERO, Gregorio. *Las garantías de los representantes de los trabajadores en la empresa.* Tecnos, España. 1988.

VILLAVICENCIO RÍOS, Alfredo. "La intervención del sindicato por la ley en América Latina: los planos orgánico y tutelar". En PALOMO VÉLEZ, Rodrigo (Coord.). *La organización sindical en Chile.* Librotecnia, Chile.

Capítulo 14.

Aplicabilidad en Chile del Convenio núm. 151 de la OIT, sobre protección del derecho de sindicación y los procedimientos para determinar las condiciones de empleo en la administración pública

WENDOLING SILVA REYES[*]

14.1. INTRODUCCIÓN

El Convenio 151 de la OIT, de 7 de junio de 1978, sobre protección del derecho de sindicación y los procedimientos para determinar las condiciones de empleo en la administración pública[1], tal como señala su Preámbulo, recoge lo estipulado en el Convenio N°87 y Convenio N°98, de los cuales se desprende que está permitido ampliar los derechos reconocidos en ellos a los empleados públicos, otorgándoles oficialmente el derecho a participar en la determinación de sus condiciones de empleo, cuya negociación colectiva se menciona como una de las modalidades posibles entre otras que pudiere adoptar como formas de solución de conflictos[2]. En cuanto a la negociación colectiva y el ejercicio del derecho a huelga, debe entenderse que este convenio, busca su promoción, de lo contrario, desconfiguraría el sistema del derecho colectivo del trabajo que triangula como elementos esenciales de la libertad sindical, el sindicato, la negociación colectiva y la huelga[3].

Por su parte el Comité de Libertad Sindical (CLS) ha sostenido que "no sería equitativo establecer, desde el punto de vista de la libertad sindical, una distinción entre los asalariados de la industria privada y los trabajadores de los servicios

---

[*]   Abogada, Universidad de Chile. Magíster LLM en Derecho con mención en Derecho Constitucional, Pontificia Universidad Católica de Chile. Ex jefa de División de Relaciones Laborales, Dirección del Trabajo.

[1]   Ratificado por Chile en julio de 2000, decreto núm. 1.539, de 11 de septiembre de 2000.

[2]   PINTO SARMIENTO, Yenny, "Negociación colectiva del sector público en Chile", *Revista Internacional y Comparada de Relaciones Laborales y Derecho del Empleo*, Volumen 4, núm. 3, julio-septiembre de 2016, pp. 1-18.

[3]   GAMONAL CONTRERAS, Sergio, "Derecho del Trabajo en el Sector Público", *Revista Laboral Chilena*, 1998.

públicos, puesto que unos y otros debieran tener la posibilidad de asegurar mediante la organización, la defensa de sus intereses"[4].

En este sentido, el Convenio 151, reconoce a los empleados públicos, en general, el derecho a organizarse o de sindicación, lo que se contempla en los artículos 4, 5 y 6[5] de instrumento internacional. Sobre el derecho de negociación, al tenor del artículo 7, "[d]eberán adoptarse, de ser necesario, medidas adecuadas a las condiciones nacionales para estimular y fomentar el pleno desarrollo y utilización de procedimientos de negociación entre las autoridades públicas competentes y las organizaciones de empleados públicos acerca de las condiciones de empleo, o de cualesquiera otros métodos que permitan a los representantes de los empleados públicos participar en la determinación de dichas condiciones", y conforme al artículo 8, se deberá propender a la existencia de mecanismos que permitan la solución de conflictos, entre ellos la negociación entre las partes, junto con los mecanismos alternativos de solución de conflictos, como por ejemplo la mediación, la conciliación y el arbitraje Por su parte, en el artículo 9 se les reconoce los derechos civiles y políticos, al expresar que "[l]os empleados públicos, al igual que los demás trabajadores, gozarán de los derechos civiles y políticos esenciales para el ejercicio normal de la libertad sindical, a reserva so-

---

[4] ORGANIZACIÓN INTERNACIONAL DEL TRABAJO, *La Libertad Sindical, Recopilación de decisiones y principios del Comité de Libertad Sindical del Consejo de Administración de la OIT*, Ginebra (2006), p. 49.
[5] "Artículo 4.
1. Los empleados públicos gozarán de protección adecuada contra todo acto de discriminación antisindical en relación con su empleo.
2. Dicha protección se ejercerá especialmente contra todo acto que tenga por objeto:
a) sujetar el empleo del empleado público a la condición de que no se afilie a una organización de empleados públicos o que deje de ser miembro de ella;
b) despedir a un empleado público, o perjudicarlo de cualquier otra forma, a causa de su afiliación a una organización de empleados públicos o de su participación en las actividades normales de tal organización.
Artículo 5.
1. Las organizaciones de empleados públicos gozarán de completa independencia respecto de las autoridades públicas.
2. Las organizaciones de empleados públicos gozarán de adecuada protección contra todo acto de injerencia de una autoridad pública en su constitución, funcionamiento o administración.
3. Se consideran actos de injerencia a los efectos de este artículo, principalmente los destinados a fomentar la constitución de organizaciones de empleados públicos dominadas por la autoridad pública, o a sostener económicamente, o en otra forma, organizaciones de empleados públicos con objeto de colocar estas organizaciones bajo el control de la autoridad pública.
Artículo 6.
1. Deberán concederse a los representantes de las organizaciones reconocidas de empleados públicos facilidades apropiadas para permitirles el desempeño rápido y eficaz de sus funciones durante sus horas de trabajo o fuera de ellas.
2. La concesión de tales facilidades no deberá perjudicar el funcionamiento eficaz de la administración o servicio interesado.
3. La naturaleza y el alcance de estas facilidades se determinarán de acuerdo con los métodos mencionados en el artículo 7 del presente Convenio o por cualquier otro medio apropiado".

lamente de las obligaciones que se deriven de su condición y de la naturaleza de sus funciones", y, como hemos señalado, la huelga es un elemento esencial del tridente de derechos que configuran la libertad sindical.

La forma de implementar y adoptar la normativa internacional contenida en el convenio 151 de la OIT, se debe en primer término analizar en torno a las normas legales existentes, y la forma que tanto la doctrina como la jurisprudencia administrativa y judicial han desarrollado en torno a su aplicabilidad e interpretación a la luz de las normas internacionales del trabajo.

14.2. LA LIBERTAD SINDICAL DE LOS FUNCIONARIOS PÚBLICOS EN EL DERECHO CHILENO. MARCO NORMATIVO

14.2.1. Algunos antecedentes históricos.

En la década de los 50, el profesor Héctor Humeres Magnam, advertía que la mayoría de los Estados, salvo México y Ecuador, prohibían la huelga de los funcionarios públicos, basándose en que prevalecían los intereses de la comunidad toda por sobre los intereses profesionales del colectivo de trabajadores del Estado, y en Chile, señala, había contradicción, dado que a esa época el Código del Trabajo reconocía el derecho a huelga, sin embargo era severamente restringido este derecho en el Estatuto Administrativo y en la Ley de Seguridad Interior del Estado[6]. El primero establecía en su artículo 166 "los empleados y obreros que presten sus servicios al Estado no podrán sindicalizarse ni pertenecer a sindicato alguno, ni formar brigadas, equipos o grupos funcionales de carácter esencialmente político. Tampoco podrán declararse en huelga, suspender o interrumpir total o parcialmente sus labores en cualquier forma, ni realizar acto alguno que perturbe el normal funcionamiento del servicio a que pertenezca".

En cuanto a la sindicación, el Código del Trabajo de 1931, establecía en su artículo 365 "No podrán sindicalizarse ni pertenecer a sindicato alguno, los empleados u obreros que presten sus servicios al Estado, a las Municipalidades o que pertenezcan a empresas fiscales".

Esta referencia histórica no dista mucho de la actual legislación, dado que con la ley 20.940, que modifica todo el libro sobre negociación colectiva para los trabajadores privados, se define la huelga como un derecho que debe ser ejercido colectivamente por los trabajadores, y tanto la doctrina como la jurisprudencia,

---

[6]   HUMERES MAGNAM, Héctor, *La Huelga*, Editorial Jurídica de Chile, 1957, en VARAS MARCHANT, Karla, "La huelga en la función pública", *Revista Laboral Chilena*, 2015, Número 9-10.

y así también la interpretación de la Dirección del Trabajo, han señalado que se trata de un derecho fundamental[7].

14.2.2. Constitución Política de la República.

En nuestro marco normativo, debemos comenzar el análisis del ejercicio de la libertad sindical de los funcionarios públicos, revisando la Constitución Política, primero en ella se da el marco de la función pública y se encomienda a una ley orgánica constitucional regular sus aspectos básicos, estableciendo la vinculación entre el Estado y su personal mediante un régimen estatutario especial.

Por otra parte podríamos identificar una serie de normas, en el artículo 19 de la Constitución Política, que nos permiten enmarcar la libertad sindical, sin olvidar lo establecido en el artículo 5 de la Carta Fundamental, en cuanto a la integración de las normas internacionales, donde se debe tener en consideración los convenios 87, 98 y 151, para el caso de análisis.

En la carta magna, tenemos el derecho a reunirse pacíficamente sin permiso previo y sin armas (art. 19, Nº13), el derecho de asociación sin permiso previo que garantiza específicamente la libertad de asociación en cuanto estas se ajusten o establezcan de conformidad a la ley y el derecho a que nadie puede ser obligado a pertenecer o permanecer en una asociación (art. 19, nº15); el derecho de sindicación en toda su faz individual, estableciendo expresamente que la afiliación sindical será siempre voluntaria del siguiente modo "El derecho de sindicarse en los casos y forma que señale la ley. La afiliación sindical siempre será voluntaria. Las organizaciones sindicales gozarán de personalidad jurídica por el solo hecho de registrar sus estatutos y actas constitutivas en la forma y condiciones que determine la ley. La ley contemplará los mecanismos que aseguren la autonomía de estas organizaciones. Las organizaciones sindicales no podrán intervenir en actividades político partidistas" (art. 19, nº19) y la Libertad de Trabajo y su protección (art. 19, nº 16), dentro del cual se regula la Negociación Colectiva en el ámbito de la empresa y el derecho a huelga, exponiéndolo de manera tal, que solo señala las áreas donde se excluye su ejercicio, expresando "No podrán declararse en huelga los funcionarios del Estado ni de las Municipalidades. Tampoco podrán hacerlo las personas que trabajen en corporaciones o empresas, cualquiera que sea su naturaleza, finalidad o función, que atiendan servicios de utilidad pública o cuya paralización cause grave daño a la salud, a la economía del país, al abastecimiento de la población o a la seguridad nacional. La ley establecerá los procedimientos para determinar las corporaciones o

---

[7]   DIRECCIÓN DEL TRABAJO, Dictamen N° 441/07, de 25 de enero de 2017, informa sobre el sentido y alcance de la Ley N° 20.940 publicada en el Diario Oficial de 08/09/2016, en particular, en lo referido al derecho de huelga en la negociación colectiva reglada.

empresas cuyos trabajadores estarán sometidos a la prohibición que establece este inciso". Sobre esto último, las tesis doctrinarias, van desde que nuestra carta fundamental no reconoce el derecho a huelga como un derecho fundamental a una tesis dogmática, en que al reconocer la libertad sindical, y siendo la huelga parte de esta, tiene reconocimiento constitucional, en el medio se encuentran quienes estiman que existe un reconocimiento implícito, al establecer solo aquellas áreas que quedan excluidas del derecho a huelga y un análisis desde el bloque de constitucionalidad, conforme lo preceptuado en el artículo 5 inciso segundo de la Constitución, que establece como límite a la soberanía el respeto a los derechos esenciales de la naturaleza humana, garantizados por los tratados internacionales ratificados por Chile, y en esta mataría se invocan los convenios 87, 98 y 151, todos de la organización Internacional del Trabajo.

14.2.3. Regulación legal

a. Estatuto de los Funcionarios Públicos

En este ámbito, la Ley N° 18.575, sobre Bases Generales de la Administración del Estado, la Ley N° 18.834, sobre Estatuto Administrativo, que regula las relaciones entre el Estado y su personal, sin perjuicio que existen servicios del Estado que tienen su propia regulación funcionarial, entre ellos una ley importante es aquella que rige a las Municipalidades (Ley N° 18.883)[8].

El artículo 84, letra i), del Estatuto Administrativo establece "El funcionario estará afecto a las siguientes prohibiciones: organizar o pertenecer a sindicatos en el ámbito de la administración del Estado; dirigir, promover o participar en huelgas, interrupción o paralización de actividades, totales o parciales, en la retención indebida de personas o bienes, y en otros actos que perturben el normal funcionamiento de los órganos de la Administración del Estado". Idéntica norma se encuentra en la Ley N° 18.883, denominada el Estatuto Administrativo para Funcionarios Municipales, en su artículo 82, letra i.

Sin embargo, con la dictación de la ley N° 19.296, que creó las Asociaciones de Funcionarios Públicos, se deroga tácitamente lo establecido en la letra i) del artículo 84 y su símil para el ámbito municipal, tal como se explicará más adelante.

---

[8]   Otros organismos que tienen regulación especial, son las que se refieren al personal de la Contraloría General de la República, Banco Central, Fuerzas Armadas y a las Fuerzas de Orden y Seguridad Pública, Gobiernos Regionales, Municipalidades, Consejo Nacional de Televisión, Consejo para la Transparencia, y empresas públicas creadas por ley.

b. Código del Trabajo

La concepción y aplicación original del Código laboral en Chile fue al margen de los trabajadores del sector público, principalmente su avance ha sido desde el ámbito de los derechos individuales, principalmente en situaciones generadas al término de la relación laboral y en materias de tutela de derechos fundamentales, el Tribunal Constitucional, ha señalado que la jurisdicción laboral no es competente para resolver materias de tutela de derechos fundamentales de los trabajadores del Estado, discusión que se encuentra en actual desarrollo entre el criterio de la judicatura constitucional y la Corte Suprema.

El Código del Trabajo, en su artículo 1° señala que sus normas no se aplicarán a los "funcionarios de la Administración del Estado, centralizada y descentralizada, del Congreso Nacional y del Poder Judicial", salvo de manera supletoria, esto es cuando no se encuentre regulado en sus estatutos y que no fueren contrarias a los mismos.

La irrupción del derecho del trabajo en materias de función pública, ha sido en un principio de aplicación supletoria de las normas laborales en donde el estatuto especial no regula y en algunos casos, de aplicación directa de las normas laborales como régimen jurídico directo. Mas esta irrupción se ha dado en el ámbito de los derechos individuales, no abarcando aún aspectos del ámbito colectivo, ya sea en la faz organizativa o funcional de la libertad sindical.

En lo que se refiere al derecho a negociación colectiva, el Código del Trabajo establece que procederá en las empresas del sector privado y en aquellas en las que el Estado tenga aportes, participación y representación, y extiende la prohibición ya notada respecto de los funcionarios públicos, a quienes no siéndolos, son trabajadores de empresas del Estado dependientes del Ministerio de defensa o que se relacionan a través de él, y va más allá, prohíbe la negociación colectiva en las empresas o instituciones públicas o privadas cuyos presupuestos, cumpliendo determinadas condiciones, hayan sido financiados en más de un 50% por el Estado, ya sea directamente o través de derechos o impuestos, en este sentido, una última interpretación de la Dirección del Trabajo, expande la prohibición al interpretar extensivamente la norma[9], en consecuencia, ya no solo los

---

[9]   DIRECCIÓN DEL TRABAJO, Dictamen 258/04, de 18 de enero de 2019. en su conclusión señala "[e]n consecuencia, sobre la base de las disposiciones legales citadas, y consideraciones expuestas, cumplo con informar a Ud. que la prohibición de negociar impuesta por la norma del artículo 304, inciso tercero del Código del Trabajo a las empresas o instituciones públicas o privadas cuyos presupuestos, en cualquiera de los dos últimos años calendar, se hubieren financiado en más del 50% directamente por el Estado, rige respecto de todas aquellas entidades a que se refiere la citada disposición legal, beneficiarias de dicho aporte estatal, no siendo un presupuesto señalado en la norma para su aplicación que la provisión de fondos se les hubiere otorgado a título gratuito o implique a su respecto la obligación de efectuar una contraprestación en compensación por dicho financiamiento".

funcionarios públicos se ven privados del ejercicio pleno de la libertad sindical, sino también los trabajadores del mundo privado que se relacionan con el Estado a través del financiamiento, quitándole el derecho a trabajadores que históricamente lo habían ejercicio, como en las universidades, colegios, entre otros.

c. Ley 19.296, Sobre Asociaciones de Funcionarios de la Administración del Estado

En esta norma se reconoce la faz organizativa de la libertad sindical, esto es reconoce el derecho de formar sindicatos o asociaciones de funcionarios, los que, sin embargo, no pueden negociar colectivamente o ejercer el derecho a huelga.

En esta ley se establece que dentro de las finalidades de las Asociaciones de Funcionarios, se encuentra la de promover el mejoramiento económico de sus afiliados y de las condiciones de vida y de trabajo de los mismos, en el marco que esta normativa permite (artículo 7 del Convenio 151 OIT), lo que en nada difiere en aquello que nuestro propio ordenamiento ha definido como materias de la negociación colectiva, artículo 306 del Código del Trabajo "Son materia de la negociación colectiva aquellas de interés común de las partes que afecten las relaciones mutuas entre trabajadores y empleadores, especialmente las que se refieran a remuneraciones u otros beneficios en especie o en dinero y, en general, a las condiciones comunes de trabajo".

d. Ley de Seguridad Interior del Estado

En su artículo 11 la Ley N° 12.927 de Seguridad Interior del Estado sanciona penalmente la huelga en el sector público "Toda interrupción o suspensión colectiva, paro o huelga de los servicios públicos o de utilidad pública; o en las actividades de la producción, del transporte o del comercio producidos sin sujeción a las leyes y que produzcan alteraciones del orden público o perturbaciones en los servicios de utilidad pública o de funcionamiento legal obligatorio o daño a cualquiera de las industrias vitales, constituye delito y será castigado con presidio o relegación menores en sus grados mínimo a medio. En la misma pena incurrirán los que induzcan, inciten o fomenten alguno de los actos ilícitos a que se refiere el inciso anterior".

Al prohibirse el derecho a huelga, se subentiende la posibilidad de negociar colectivamente, por cuanto no existen normas que establezcan servicios mínimos o esenciales para este sector o alguna forma de solucionar el conflicto mediante un mecanismo alternativo, como lo es el arbitraje obligatorio, mecanismo utilizado en otras legislaciones.

14.3. RELACIÓN DE LA NORMATIVA INTERNA
CON EL CONVENIO NÚM. 151 DE LA OIT

Conforme a lo expuesto, en nuestro ordenamiento existen normas constitucionales y legales, que de manera expresa restringen el ejercicio de la libertad sindical, y por ende, los derechos establecidos en el Convenio 151 de la OIT.

En nuestro país el modelo de libertad sindical, a la luz de los Convenio ratificados, principalmente el 87, 98 y 151, ha llevado a algunos autores a denominarlo "libertad sindical imperfecta"[10], debido a que las normas constitucionales y legales ya expuestas, no se ajustan en su contenido a las normas internacionales del trabajo, lo cual se hace más patente en el ámbito del sector público, donde existe contradicción expresa entre las leyes nacionales y el Convenio.

En cuanto, al avance y la interpretación extensiva del derecho del trabajo en esta materia, es preciso, citar lo señalado por el profesor Américo Plá, quien señala que pueden existir uno o varios estatutos para diferentes categorías de funcionarios públicos en función de las peculiaridades de su trabajo sin mengua de la aplicación del derecho laboral general[11], en ese sentido Oscar Ermida, sostiene que a partir del deterioro de la condición privilegiada que ostentara otrora el funcionario público se abandona la imagen del Estado–buen patrón, la doble función del Estado como creador del derecho y como empleador hace que deba cumplir las normas que crea para regir las relaciones jurídicas de que forma parte y la creciente privatización del derecho público y la publicización del privado desdibuja la vieja distinción entre funcionario público y trabajador privado, el fundamento principal, es la identidad material del trabajo en toda forma de relación jurídica cualquiera sea el empleador[12]. Reflexiones que tienen plena aplicación al contexto chileno, dada la transición desde el derecho administrativo de regulación de los funcionarios públicos a la laboralización desde el prisma del derecho del trabajo y sus principios, cuyo reconocimiento en el ámbito individual y en el contexto del término de la relación laboral ha sido adoptado por nuestra jurisprudencia judicial.

Desde la faz organizativa de la libertad sindical, esto es desde el derecho a la sindicalización, la Ley N° 19.296, reconoce el derecho de las agrupaciones de funcionarios a existir y actuar en representación de sus afiliados, y en ese sentido, se ajusta y acerca a lo ratificado internacionalmente, a pesar de existir

[10]   TAPIA GUERRERO, Francisco, *Sindicatos*, Editorial Lexis Nexis, 2005, p.185.
[11]   PLA RODRÍGUEZ, Américo, "Los trabajadores públicos y los convenios colectivos", *Revista Derecho Laboral*, T. XXIX, número 143, julio-septiembre, 1986, p. 417, en BABACE PETRONE, Héctor, *La representación sindical*, Fundación de Cultura Universitaria, 1993, p. 62.
[12]   ERMIDA URIARTE, Oscar, *Sindicatos en Libertad Sindical*, Fundación de Cultura Universitaria, 1985, en BABACE PETRONE, Héctor, *La representación sindical*, Fundación de Cultura Universitaria, 1993, p. 61.

normas prohibitivas que aún subsisten, pero que se deben entender derogadas tácitamente, y aún una excesiva regulación desde el ámbito administrativo de la Dirección del Trabajo, que regula la forma de constituirse, los espacios territoriales de organización y las formalidades a que se encuentran afectos, que vienen en cierta medida a limitar el ejercicio libre de la sindicación, no obstante, estas regulaciones no logran mermar el ejercicio del derecho.

Sin embargo, en cuanto al derecho a negociar colectivamente y el ejercicio del derecho a huelga, que se encuentran prohibidos expresamente y no permitidos de manera formal por normativa interna, genera una "antinomia jurídica que cuestiona la titularidad del ejercicio del derecho a negociar colectivamente por parte de los funcionarios públicos"[13]. La ausencia de una regulación clara, le resta protección al ejercicio del derecho y deja a merced de los cambios jurisprudenciales e interpretaciones administrativas (tanto de la Dirección del Trabajo como de la Contraloría General de la República), el cabal ejercicio de la libertad sindical por parte de los trabajadores del Estado.

A pesar de la antinomia jurídica expuesta, en los hechos, existe el ejercicio de la negociación colectiva de los funcionarios públicos, con ejercicio del derecho a huelga, el hecho más común es la negociación del sector público del reajuste salarial, que se desarrolla anualmente con el ejecutivo y que posteriormente debe ser ratificado por el congreso, sin perjuicio que existen negociaciones y movilizaciones sectoriales, siendo las más relevantes las del sector salud y educación y las de carácter particular que se desarrollan en el ámbito de cada servicio público en particular[14].

14.4. APLICACIÓN DEL CONVENIO NÚM. 151 POR LOS ÓRGANOS DE LA ADMINISTRACIÓN PÚBLICA QUE REGULAN A LOS FUNCIONARIOS PÚBLICOS

En lo que se refiere al derecho de sindicación de los funcionarios públicos, encontramos en dictámenes de la Dirección del Trabajo, jurisprudencia que aplica directamente los Convenios Internacionales, a efectos de garantizar la organización de los funcionarios del Estado, en ese sentido encontramos el Dictamen

---

[13]   DOMÍNGUEZ, Carmen, TAPIA Francisco, SINGER Marcos, AZÓCAR, Rodrigo, DONAIRE, Claudia, BRAVO, David, "Regulación de la negociación colectiva en el sector público. Una propuesta para dar operatividad al convenio 151 de la OIT", en *Propuestas para Chile*, Concurso Políticas Públicas 2016. en https://politicaspublicas.uc.cl/wp-content/uploads/2017/04/CAP.-2.pdf.

[14]   Un desarrollo pormenorizado de los ámbitos en que se manifiestan están negociaciones se puede encontrar en DOMÍNGUEZ, TAPIA, SINGER, AZÓCAR, DONAIRE y BRAVO, "Regulación de la negociación…".

N° 0154/003, de fecha 11 de enero de 2016, que en su conclusión señala "sobre la base de las disposiciones constitucionales, supranacionales y legales citadas, jurisprudencia administrativa invocada y consideraciones expuestas, cumplo con informar a Uds. que la circunstancia de constituirse una organización sindical con arreglo a las normas de los Convenios 87 y 151 de la OIT, pero sin estricto apego a las disposiciones legales regulatorias contenidas en el Libro III del Código del Trabajo o a las de la ley 19.296, circunscribe la actuación de la Dirección del Trabajo a practicar la inscripción de dicha organización en el registro pertinente, a fin de que adquiera personalidad jurídica y a otorgar los certificados pertinentes", esto al pronunciarse sobre la constitución de una organización que agrupaba a asociaciones de funcionarios y sindicatos de trabajadores de cementerios, señalando a su vez que en caso de discrepancia con el acto constitutivo, serían los tribunales de justicia quienes debiesen resolver. Argumenta a su vez lo siguiente "resulta necesario señalar que la ley no contempla normas que regulen la forma y condiciones en que esta Dirección debería actuar frente a la constitución de una organización de grado superior de la naturaleza analizada –como sí ocurre respecto de los sindicatos constituidos a la luz del Código del Trabajo o de las asociaciones de funcionarios de la Administración del Estado afectas a la ley N°19.296–, atendido lo cual, en tal caso, la intervención que sobre la materia compete a este Servicio debe circunscribirse a efectuar el registro de la constitución de dicha federación y a comprobar que la misma ha sido creada con arreglo a las normas de los Convenios 87 y 151 de la OIT, ya citados". Una aplicación directa de los Convenios OIT para resolver la controversia planteada ante el órgano fiscalizador, si bien no es usual encontrar esta jurisprudencia, se ha ido avanzando en la comprensión cabal del derecho a sindicación establecido en los convenios.

En el mismo sentido, y con el afán de ampliar y hacer más efectiva la afiliación a asociaciones de funcionarios por parte de los trabajadores públicos en el año 2014, la Dirección del Trabajo emitió el Dictamen 2358/26 de fecha 27 de junio de 2014, que permite a las trabajadores que se desempeñan en jardines infantiles en la Municipalidades bajo la figura "vía de transferencia de fondos" (VTF), considerar un quórum más acotado respecto de la totalidad de funcionarios del área de educación municipal a efectos de propender a la organización de trabajadores con condiciones comunes de desempeño, realizando una interpretación extensiva de las normas legales, teniendo presente la promoción de la sindicalización en el sector municipal.

De esta forma el referido dictamen señala, "Sin embargo, el suscrito estima que es posible, por la vía de la interpretación extensiva, aplicar las reglas analizadas a los trabajadores en referencia, máxime cuando ellas tienen por objeto promover la sindicalización de los funcionarios municipales asistentes de la educación, docentes y del sector salud, por la vía de acotar el universo sobre el cual

debe calcularse el quórum requerido para constituir una asociación, considerando solo el estamento respectivo, toda vez que el establecimiento de tal prerrogativa para tales funcionarios, en caso alguno puede avenirse con la tesis planteada
en el ordinario impugnado, mediante la cual se sostuvo que la determinación del
quórum de constitución de una asociación conformada por trabajadores que,
como en la especie, no conforman dichos estamentos, debe llevarse a cabo considerando para tal efecto a todos los funcionarios de la respectiva municipalidad,
por cuanto tal conclusión implicaría establecer a su respecto una limitación tal a
la libertad sindical que haría impracticable la constitución de una asociación, lo
cual implicaría, a su vez, incurrir en una acto de discriminación no deseado por
el legislador".

Señala que la tesis vigente en ese momento contenida en el ordinario Nº 2012,
de 02.05.2012, vulnera la garantía constitucional consagrada en el artículo 19 Nº
19 de la Constitución Política de la República, y lo dispuesto en los Convenios
Nºs. 87 y 151 de la OIT, en particular el artículo 9 de este último.

Concluye en consecuencia, que "Es posible, por la vía de la interpretación
extensiva, aplicar a la situación en estudio la norma del citado inciso 5º del artículo 13 de la ley 19.296, y determinar que para efectos del cálculo del quórum
requerido por el citado artículo 13 para la constitución de una asociación de
funcionarios conformada por los trabajadores de jardines infantiles y salas cuna
de que se trata, debe considerarse exclusivamente el universo conformado por
aquellos que prestan tales servicios en el respectivo municipio".

Por otra parte la ley 19.296, en su artículo 64, otorga a la Dirección del Trabajo amplias facultades fiscalizadoras respecto de las asociaciones de funcionarios,
señalando "Las asociaciones de funcionarios estarán sujetas a la fiscalización de
la Dirección del Trabajo y deberán proporcionarle los antecedentes que les soli-
citare.", sin embargo, la jurisprudencia administrativa, a la luz de la ratificación
del Convenio 151 de la OIT, ha razonado en el siguiente sentido, con apego a
lo dispuesto en el artículo 19 Nº 19 de la Constitución Política de la República,
que garantiza la autonomía sindical y a los Convenios 87, 98 y 151 de la OIT,
las facultades de la Dirección del Trabajo se deben ejercer ponderadamente,
teniendo siempre en consideración el principio de libertad y autonomía de que
gozan estas organizaciones, pronunciamiento que aplica el Dictamen 273/3, de
20.01.2015, en lo referido a la autonomía sindical señala "esta Dirección ha sostenido la necesidad de que la supervisión de la administración financiera de las
organizaciones de funcionarios sea ejercida por los propios asociados, a través
de sus asambleas y comisiones revisoras de cuentas, con el fin de evitar la participación de agentes externos a las mismas", "La tesis expuesta resulta coincidente,
por lo demás, con la intención manifestada por el legislador, quien, en virtud de
las modificaciones introducidas al Código del Trabajo, mediante la ley Nº19.759,
de 2001, derogó similares normas aplicables a los sindicatos, que otorgaban

facultades de fiscalización a este Servicio en materia patrimonial, reconociendo de este modo, claramente, el principio de autonomía sindical".

Por su parte, la Contraloría General de la República, quien sostenía, mediante dictamen N°28.535 y oficio 2943 de 2008 y 2013 respectivamente, que la Dirección del Trabajo no se encontraba limitada en sus facultades fiscalizadoras respecto de las asociaciones de funcionarios, en virtud de lo establecido en el artículo 64 de la Ley 19.296, ya citado, reconsideró su jurisprudencia, en los dictámenes 39.037, de 03.06.2014 y 91.038, de 21.11.2014, reconociendo la autonomía sindical para resolver los conflictos internos, basando su pronunciamiento en el Convenio núm. 87 de la OIT[15].

Una mirada optimista es la plasmada en el presente trabajo, presentando aquella interpretación administrativa que en los últimos años ha avanzado en aplicar los principios contenidos en los Convenios de la OIT al momento de resolver controversias que involucran la libertad sindical de los funcionarios públicos, ya que por otra parte, dada la legislación existente y la antinomia jurídica ya expresada, abundan pronunciamientos que restringen la organización de los funcionarios públicos, cuestión que se ha ido flexibilizando con el tiempo, pero que aún no logra permear toda la administración pública.

---

[15] "En conformidad con lo manifestado por esta Contraloría General en el dictamen N°39.037, de 2014, y en armonía con los oficios N°s. 3054 y 4070, ambos de 2013, de la Dirección del Trabajo —tenidos a la vista al emitir dicho pronunciamiento—, los conflictos internos que afecten a una asociación de funcionarios deberán ser resueltos por la misma organización, de acuerdo con los mecanismos establecidos en sus propios estatutos y, en defecto de ello, sometiendo el asunto a los tribunales de justicia.
El criterio señalado se fundamentó en el principio de autonomía que rige a este tipo de agrupaciones, reconocido en el artículo 19 N°19, de la Constitución Política de la República, que garantiza el derecho a sindicarse en los casos y formas que señale la ley, ordenando a ésta contemplar los mecanismos que aseguren la autonomía de estas organizaciones. En dicho razonamiento incidió, asimismo, lo establecido en el artículo 3° del Convenio N°87, de la Organización Internacional del Trabajo, sobre la libertad sindical y la protección del derecho de sindicación.
Al respecto, la precitada disposición del convenio internacional prescribe que «Las organizaciones de trabajadores y de empleadores tienen el derecho de redactar sus estatutos y reglamentos administrativos, el de elegir libremente sus representantes, el de organizar su administración y sus actividades y el de formular su programa de acción», añadiendo su número dos que «Las autoridades públicas deberán abstenerse de toda intervención que tienda a limitar este derecho o a entorpecer su ejercicio legal».
De tal modo, atendido que la supervisión de la administración financiera de las organizaciones de funcionarios es un asunto de orden interno, en concordancia con el aludido dictamen N°39.037, de 2014, de este Ente Contralor, es dable concluir que no corresponde a la Dirección del Trabajo efectuar una fiscalización sobre esa materia, por lo que se reconsideran en ese sentido los dictámenes N°s. 28.535 y 60.130, ambos de 2008, y 66.625, de 2009, de este Organismo de Control, así como el oficio N°2.943, de 2013, de la Contraloría Regional de Los Ríos".

14.5. APLICACIÓN DE LOS JUECES LABORALES DEL CONVENIO NÚM. 151 EN LA SOLUCIÓN DE CONFLICTOS QUE SE LE PRESENTAN.

En materia de sindicación, al menos existe un fallo en primera instancia, que invocando los convenios internacionales, resuelve el derecho de los trabajadores del Hospital Militar a formar una asociación de funcionarios, fallo que incluso va en contra de la jurisprudencia de la Contraloría General de la República y de lo resuelto por la Dirección del Trabajo, que en este ámbito habían resuelto que no era posible constituir una asociación de funcionarios en dicha repartición. Dentro de las alegaciones de la Dirección del Trabajo, se expresa que la constitución de la asociación, se llevó a efecto con infracción de un requisito esencial, esto es, que el Hospital Militar constituye una repartición dependiente del Ministerio de Defensa Nacional, a través del Ejército de Chile, y en tal carácter forma parte de la Administración del Estado, reafirmando su postura en el dictamen N° 47.967, de fecha 13 de diciembre de 2000, de la Contraloría General de la República, que sostiene que los trabajadores del Hospital Militar no pueden constituir una organización sindical, pues según el artículo 3° inciso segundo de la Ley 18.476, dichos trabajadores están afectos a la prohibición de constituir sindicatos y de afiliarse a organizaciones sindicales, dada su calidad de servidores públicos. Tampoco les es factible constituir una Asociación de Funcionarios acorde a la Ley 19.296, pues según el artículo 1° inciso segundo de ese texto legal, sus normas no son aplicables a los servidores vinculados a la Fuerzas Armadas.

Planteada la controversia, la magistrada Rayén Durán, del Primer Juzgado de Letras del Trabajo de Santiago, expone en su sentencia:

"DECIMO CUARTO: (…) cabe tener en consideración que, el derecho de asociación y el derecho a sindicarse, se encuentran consagrados en la Constitución Política de la República, en su artículo 19 N° 15 y 19, derechos que, la carta fundamental asegura a todas las personas, siempre que se constituyan en conformidad a la ley; y en los tratados internacionales reconocidos por Chile, a saber, Convenio 87, Convenio 151, ratificados por Chile.

Por otra parte, en el caso que nos convoca, cabe tener en cuenta que el derecho de los funcionarios públicos de constituir asociaciones, constituye una expresión de las garantías en comento, habida consideración que, tal derecho, se encuentra reconocido en el Convenio 151 de la OIT, ratificado por Chile, en específico, el derecho de sindicación en el sector público. Es así que, en el artículo 3° del referido convenio, se estableció que "la expresión organización de empleados públicos designa a toda organización que tenga por objeto fomentar y defender los intereses de los empleados públicos"; y así ha sido reconocido en la ley N° 19.296.

DECIMO QUINTO: Que, resulta pertinente tener en consideración, que las modificaciones introducidas con la Reforma Laboral efectuadas mediante la Ley N°19.759, de diciembre de 2001, tuvieron como base fundamental concordar nuestra legislación en materia de organizaciones sindicales con los Convenios Internacionales de la OIT y el derecho a la libertad sindical, lo cual ha impactado en nuestro quehacer institucional.

Es así que, la Constitución Política de la República en el artículo. 19, N° 15, reconoce a todas las personas el derecho de asociarse sin permiso previo, por lo que es rol del

Estado asegurar que esa garantía constitucional pueda ser ejercida dentro de los marcos legales. Entonces, la Carta Fundamental, reconoce y protege el derecho de las personas a asociarse entre sí, y especialmente en su lugar de trabajo. Luego, para obtener personalidad jurídica, es necesario hacerlo de conformidad a la Ley. Originalmente las asociaciones de funcionarios del sector público se habían agrupado en entidades de hecho o al amparo de las disposiciones del Libro I Título III del Código Civil, como instituciones de derecho privado sin fin de lucro".

"VIGESIMO: Que, así las cosas, estimando que los trabajadores, afiliados a la asociación demandante, en su calidad de personal civil de un servicio público, en la especie, del recinto hospitalario que les sirvió de base para asociarse (Hospital Militar de Santiago de Chile), regidos por las normas propias de subordinación a su respectiva jefatura, por lo tanto, ajenos a los deberes disciplinarios de la jerarquía militar, razón por la cual no se advierte que exista fundamentos alguno para sostener que a dichos trabajadores no les resulta aplicable la normativa sobre asociaciones de funcionarios de la Administración del Estado contemplada en la Ley N° 19.296".

Como se puede advertir, el razonamiento empleado, va desde el derecho de asociación garantizado constitucionalmente, el reconocimiento de los estatutos especiales, principalmente en materia de defensa nacional y fuerzas armadas, que siendo estas situaciones excepcionales, deben ser interpretadas restrictivamente, siguiendo las recomendaciones del Comité de Libertad Sindical y de la Comisión de Expertos en Aplicación de Convenios y Recomendaciones, que los funcionarios civiles empleados en los servicios del Ejército deberían tener derecho a formar sindicatos, como es la situación sometida al conocimiento del tribunal[16].

En cuanto al reconocimiento de la calidad de titulares de la libertad sindical de los funcionarios de la administración pública y el ejercicio del trípode de derechos que conlleva, incluyendo la negociación colectiva y la huelga, la Corte de Apelaciones de Santiago, razonó en el siguiente sentido:

"5°) Que para la debida apreciación del contexto fáctico legal atendible en la especie, resulta necesario en primer lugar tener presente que, como lo señala el tratadista Sergio Gamonal ("Negociación colectiva en el sector público y el Convenio N° 151 de la OIT"), citado por el propio Servicio recurrido, «en el sector público se producen numerosas negociaciones informales, se firman acuerdos y protocolos que a veces son verdaderos contratos colectivos y se ha vuelto común la realización de huelgas y paralizaciones ilegales a fin de presionar a la autoridad respecto de una determinada pretensión».

Se trata, al decir del autor citado, de «numerosas huelgas informales» en el sector público y, según es público y notorio, movilizaciones o paralizaciones, cuya existencia indesmentible ha venido a caracterizar y aún condicionar —desde hace ya tiempo— las relaciones laborales en los servicios públicos, sin que se haya necesariamente desvirtuado ni la función pública ni su debida continuidad, merced a la reflexiva prudencia de

---

[16]   PRIMER JUZGADO DE LETRAS DEL TRABAJO DE SANTIAGO, RIT I-147-2014 "Asociación Nacional Funcionarios Hospital Militar con Inspección Comunal Trabajo Santiago Sur".

acuerdos y consensos entre la autoridad y los funcionarios involucrados, al cabo de las referidas movilizaciones.

Ello resulta concordante con la normativa del citado Convenio 151 de la OIT, ciertamente proclive a la protección de los derechos sindicales de los funcionarios públicos, entre los cuales debe entenderse ínsito el derecho a negociar colectivamente"[17].

La Corte Suprema, en sentencia de fecha 19 de enero de 2012[18], quien pronunciándose sobre recurso de apelación a un recurso de protección interpuesto por funcionarios del Servicio de Impuestos Internos, a quienes se les estaba realizando descuento de remuneraciones por paralización de los funcionarios debido a un llamado realizado por la Asociación Nacional de Empleados Fiscales (ANEF), resuelve en forma contraria al estándar que emana de las normas internacionales del trabajo[19], señalando "Cuarto: Que, es preciso revisar la materia que rige el asunto controvertido. Al caso de autos son aplicables las normas de la Ley N° 18.834 que aprueba el Estatuto Administrativo, la que en el artículo 84 consagra las prohibiciones a las cuales están afectos los funcionarios públicos, cuya letra i) dispone que no pueden participar en huelgas, interrupción o paralización de actividades, totales o parciales y en otros actos que perturben el normal funcionamiento de los órganos de la Administración Pública.

Por su parte el artículo 72 de la norma citada, que se encuentra incluido en el párrafo "De la Jornada de Trabajo", establece que "por el tiempo durante el cual no se hubiere efectivamente trabajado no podrán percibirse remuneraciones, salvo que se trate de feriado, licencias o permisos con goce de remuneraciones.

Mensualmente deberá descontarse por los pagadores, a requerimiento escrito del jefe inmediato, el tiempo no trabajado por los empleados...".

En controversias similares en el orden de discutir la procedencia de descuentos de remuneraciones de funcionarios públicos por realizar paralizaciones (huelgas) en pos de obtener mejores remuneraciones o negociar condiciones de trabajo, nuestras cortes, han establecido resuelto invocando normativa interna, sin hacer referencia a los Convenios Internacionales del Trabajo[20].

La aplicación de nuestros tribunales de justicia de lo establecido en materia de libertad sindical de los funcionarios públicos es escaso, teniendo las herramientas jurídicas en razón del bloque de constitucionalidad y la interpretación unitaria que se le debe dar a los derechos fundamentales colectivos de los trabajadores, tradicionalmente se ha entendido la función pública en razón del estatuto

---

[17]   CORTE DE APELACIONES DE SANTIAGO, Séptima Sala, Rol 544-2011, sentencia de fecha 16 de septiembre de 2011.

[18]   CORTE SUPREMA, Rol 10.788-2011.

[19]   TOLEDO CORSI, César, *Tutela de la libertad sindical*, Legal Publishing. 2012, pp. 42-43.

[20]   Entre ellos los siguientes fallos, CORTE SUPREMA. Rol 4515-2011, CORTE DE APELACIONES DE VALPARAÍSO, Rol 3136-2014.

especial que los rige, las características y finalidades de los servicios públicos, la supuesta convergencia de intereses entre el Estado y su personal, y la primacía del interés colectivo de la ciudadanía frente a las necesidades particulares de los funcionarios han sido los argumentos centrales para justificar la exclusión de los trabajadores públicos del goce de los derechos de negociación colectiva y de huelga, desconociendo la realidad del empleo público, cada vez más precario y de los derechos que como trabajadores, independiente de quien los emplee que los asiste.

14.6. CONCLUSIONES

Habiendo Chile ratificado el Convenio 151 hace casi 20 años, no ha logrado adecuar su legislación a los principios contenidos en la norma internacional, desde una dimensión estrictamente jurídica y desde una lectura aislada del artículo 19 N° 16 de la Constitución Política, no existe un reconocimiento del derecho a huelga para los trabajadores del Estado, por el contrario existen normas que expresamente lo prohíben.

Sin perjuicio de aquellas prohibiciones expresas, si se realiza una interpretación armónica entre la Constitución, más allá de sus normas aisladas, la normativa internacional ratificada por Chile y los principios del derecho del trabajo y de la libertad sindical, podríamos concluir que pueden ejercer plenamente el derecho a sindicación, negociación colectiva y huelga, solo requiriendo una regulación especial aquellas áreas en que la misma OIT reconoce restricciones al ejercicio de la libertad sindical, como sería el ámbito de la defensa nacional, y algunos servicios básicos para la población, que debiesen estar comprendidos entre aquellos que requieren definición de servicios esenciales.

A su vez existen otros instrumentos de carácter internacional que permiten sostener el reconocimiento de la libertad sindical para los funcionarios públicos, como el Pacto Internacional de Derechos Económicos, Sociales y Culturales, la Convención Americana de Derechos Humanos, o Pacto de San José de Costa Rica, y sin lugar a dudas el Convenio N° 151, que trata de manera específica sobre la protección del derecho de sindicación y los procedimientos para determinar las condiciones de empleo en la Administración Pública, es aplicable a todas las personas empleadas por el Estado, con excepción de los funcionarios de alto nivel y de las fuerzas armadas y de policía, respecto de los cuales el convenio entrega a cada país la facultad de determinar el grado de aplicación de sus normas.

Los avances legislativos han sido infructuosos, manteniéndose normas que deben entenderse tácitamente derogadas en cuanto al derecho de organización de los funcionarios públicos, y que mantienen la confusión de legislaciones vigentes que sostiene categóricamente la prohibición, por cuanto es fácil para un lego entender que dichas normas se encuentran sin vigencia, esta desprolijidad legislativa, al menos ha sido salvada por las interpretaciones contestes que existen en la materia, y con la plena aplicación de la Ley 19.296.

En cuanto al derecho a negociar colectivamente, no existe un cumplimiento a lo que busca el Convenio N° 151, esto es que los Estados miembros estimulen y fomenten el pleno desarrollo y utilización de procedimientos de negociación para determinar las condiciones de empleo, o cualquier otro método que permita a los representantes de los empleados públicos participar en la determinación de dichas condiciones. Es más, deben los estados propender al ejercicio pleno de la libertad sindical, que conlleva organizarse, con el objetivo de establecer condiciones comunes de trabajo, mejoras en las remuneraciones y diálogo con la autoridad, y como un mecanismo de presión para los trabajadores organizados a efectos de plantear sus demandas en igualdad de armas con quien ejerce de empleador, garantizar el derecho a huelga, que le permita, negociar en similares condiciones de poder. De esta forma, el Convenio N° 151 consagra todos los atributos de la libertad sindical, tanto en su fase organizativa como funcional, si bien es cierto el convenio no establece la negociación colectiva como fórmula única de solución de controversias, si se recomienda a los Estados tener procedimientos para determinar condiciones de empleo, lo que en Chile formalmente no existe, sin perjuicio, que dicha realidad formal ha sido superada por la forma que los funcionarios públicos han venido negociando con los gobiernos al menos los últimos 25 años, sin reglas, sin plazos, sin embargo protocolizadas por una ley de presupuesto, que en el devenir de los años, no solo incluye temas remuneracionales, sino que condiciones comunes de empleo.

No habría razones jurídicas para no reconocer el derecho de libertad sindical, con sus tres pilares para los funcionarios públicos a la luz de la normativa internacional, sin perjuicio que nuestro derecho interno lo controvierte abiertamente, existiendo una tremenda brecha entre ambos ámbitos y poca voluntad política de modificación de la normativa interna.

Hemos intentado plasmar, aquellas luces de aplicabilidad directa del derecho internacional a los conflictos planteados en el ámbito sindical de los trabajadores del Estado, si bien son escasos ejemplos, permiten ir construyendo jurisprudencia, que 19 años después de haber ratificado el Convenio 151 de la OIT vienen a reconocer los derechos allí consagrados, como se puede advertir, son más proclives a dicho reconocimiento algunos organismos administrativos, como la Dirección del Trabajo y los Tribunales de Justicia en el ámbito de primera instancia o Cortes de Apelaciones, no logrando aún un reconocimiento unívoco de la Corte Suprema.

BIBLIOGRAFÍA

DOMÍNGUEZ, Carmen, TAPIA Francisco, SINGER Marcos, AZÓCAR, Rodrigo, DONAIRE, Claudia, BRAVO, David, "Regulación de la negociación colectiva en el sector público. Una propuesta para dar operatividad al convenio 151 de la OIT", en *Propuestas para Chile*, Concurso Políticas Públicas 2016, en https://politicaspublicas.uc.cl/wp–content/uploads/2017/04/CAP.–2.pdf.

ERMIDA URIARTE, Oscar, *Sindicatos en Libertad Sindical*, Fundación de Cultura Universitaria, 1985, en BABACE PETRONE, Héctor, *La representación sindical*, Fundación de Cultura Universitaria, 1993.

GAMONAL CONTRERAS, Sergio, "Derecho del Trabajo en el Sector Público", *Revista Laboral Chilena*, 1998.

HUMERES MAGNAM, Héctor, *La Huelga*, Editorial Jurídica de Chile, 1957, en VARAS MARCHANT, Karla, "La huelga en la función pública", Revista Laboral Chilena, 2015, Número 9–10, pp. 56 y ss.

ORGANIZACIÓN INTERNACIONAL DEL TRABAJO, *La Libertad Sindical, Recopilación de decisiones y principios del Comité de Libertad Sindical del Consejo de Administración de la OIT*, Ginebra, 2006.

PINTO SARMIENTO, Yenny, "Negociación colectiva del sector público en Chile", *Revista Internacional y Comparada de Relaciones Laborales y Derecho del Empleo*, Volumen 4, núm. 3, julio–septiembre de 2016.

PLA RODRÍGUEZ, Américo, "Los trabajadores públicos y los convenios colectivos", *Revista Derecho Laboral*, T. XXIX, número 143, julio–septiembre, 1986, p. 417, en BABACE PETRONE, Héctor, La representación sindical, Fundación de Cultura Universitaria, 1993.

TAPIA GUERRERO, Francisco, *Sindicatos*, Editorial Lexis Nexis, 2005.

TOLEDO CORSI, César, *Tutela de la libertad sindical*, Legal Publishing. 2012.

Capítulo 15.

El Convenio 169 de la OIT y la agencia política–económica de los pueblos indígenas: desafíos para el empleo indígena público y privado

MANUEL NÚÑEZ POBLETE[*]

15.1. INTRODUCCIÓN. DERECHO Y PODER: EL CONVENIO 169 COMO INSTRUMENTO DE RECONOCIMIENTO Y EMPODERAMIENTO CONSTITUCIONAL

El 15 de septiembre del año 2019 se cumplieron diez años desde que en Chile entrara en vigor el Convenio 169 sobre pueblos indígenas y tribales[1]. Este decenio ha marcado, sin lugar a dudas, un hito en el desarrollo de las instituciones jurídicas para el reconocimiento de los derechos de los pueblos indígenas. Y si bien él no ha sido acompañado por un proceso equivalente de reconocimiento constitucional formal[2], puede decirse con propiedad que el proceso de reconocimiento constitucional ha tomado forma desde que el Estado ha limitado su soberanía por la vía convencional y ha reconocido, especialmente a través de sus instituciones judiciales, que los derechos fundamentales del Capítulo III de la Constitución admiten una lectura pluralista. Esta última lectura hace de las reglas de derechos constitucionales instrumentos comprensivos tanto de los contextos culturales tradicionales de ejercicio como de los contextos indígenas. En suma, desde que es posible una interpretación constitucional pluralista que el reconocimiento constitucional dejó de tener un sentido fundacional. Esta interpretación judicial pluralista ha admitido, por ejemplo, que las cosmovisiones

---

[*] Profesor Titular de la Facultad de Derecho de la Pontificia Universidad Católica de Valparaíso, Departamento de Derecho público. El presente trabajo forma parte del Proyecto de investigación Nº 1181451, patrocinado por el Fondo Nacional de Desarrollo Científico y Tecnológico (Fondecyt) y del cual el autor es investigador principal.

[1] DS núm. 236, de 2 de octubre de 2009, D. Of. de 14 de octubre de 2008. El instrumento de ratificación se depositó el 15 de septiembre de 2008 y en conformidad al propio Convenio (art. 38), entró en vigor el 15 de septiembre de 2009.

[2] Desde el Acuerdo de Nueva Imperial (1988) que viene sonando, sin asomo de concreción, la promesa del reconocimiento constitucional. El último hito de esta promesa fue el proceso constituyente iniciado durante el segundo gobierno de la Presidenta Bachelet. por impulsado por la Presidenta Bachelet, el que incluyó un proceso de consulta indígena. De uno y de otro proceso, a la fecha, no se ha visto resultado.

religiosas indígenas pueden tener amparo bajo el núm. 6 del art. 19 o que la propiedad no es monolítica sino que admite diversas formas de dominio.

El reconocimiento constitucional nacional, no parte entonces de cero sino que se levanta sobre dos escalones previos: el Convenio 169 y su jurisprudencia constitucional (especialmente de la Tercera Sala de la Corte Suprema).

El Convenio diseña entonces los pilares fundamentales sobre los cuales ha de configurarse cualquier reconocimiento constitucional posterior y que son, a saber, los siguientes:

a) *El sujeto de reconocimiento es uno de carácter colectivo y con vocación política.* Que sea colectivo quiere decir que, sin perjuicio de brindar protección a sus miembros, el eje de reconocimiento y de protección está puesto sobre el grupo y los componentes culturales que le otorgan identidad indígena. Se trata, en definitiva, de un pueblo y no meramente de una asociación o grupo intermedio como era el lenguaje tradicional de la Constitución de 1980. Ahora bien, puesto que el Convenio no crea sino que reconoce, la entidad y densidad política del grupo reconocido no vienen dadas por la regla internacional sino que dependen de variables sociopolíticas al interno del grupo y dentro de su territorio. El proceso constitutivo del pueblo, como tal, reside entonces en su comunidad y no viene, como regalo del alto, de una regla estatal o interestatal.

La vocación política, que se expresa en el autogobierno, se ve en todo caso limitada por cuanto solo el Preámbulo del Convenio 169 se refiere al control de las propias instituciones y por cuanto su art. 1.3 limita no reconoce el derecho a la independencia del estado. Distinto es, en cambio, el régimen de la Declaración de Naciones Unidas sobre los derechos de los pueblos indígenas[3] o la Declaración Americana[4], que reconocieron con algo más de densidad (pero también con limitaciones) el derecho a la autodeterminación en su dimensión interna.

b) *El sujeto tiene, en cuanto pueblo y no población[5], derechos de naturaleza política que se incardinan en el orden constitucional existente.* Este proceso traerá como consecuencia necesaria la fragmentación del poder político: desde el modelo del Estado unitario (artículo 3° de la Constitución política), se transita en diversos grados hacia formas de descentralización política que, si bien

---

[3]   A/61/L.67, aprobada por la Asamblea General el 13 de septiembre de 2007. Sobre la autodeterminación, veáse ENGLE, Karen, "On Fragile Architecture: The UN Declaration on the Rishgt of Indigenous Peoples in the Context of Human Rights". *The European Journal of International Law* 22/1 (2011), pp. 144-148 y, desde una perspectiva más amplia, XANTHAKI, Alexandra, *Indigenous Rights and United Nations Standards,* Cambridge University Press, Cambridge, 2007, pp. 131-176.

[4]   AG/RES. 2888 (XLVI-O/16), aprobada el 14 de junio de 2016.

[5]   El cambio del giro "población" por "pueblo" es fundamental para la transición entre el Convenio 107 y el 169.

no implican reconocer un derecho a la independencia política (art. 1.3 Convenio 169), desafían las formas tradicionales de distribución del poder. Estas formas de descentralización quedan abiertas o autorizadas por las normas internacionales, pero su concreción depende de los arreglos institucionales internos y de los acuerdos políticos entre los grupos y el Estado y sus agentes.

Entre los derechos de naturaleza política más relevantes se encuentran el derecho a decidir sus propias prioridades en lo que atañe a su desarrollo (art. 7 Convenio 169) y el derecho a conservar derecho consuetudinario e instituciones de justicia indígena (arts. 8 y 9 Convenio 169). Un derecho político de segundo grado, pues no reposa en la autonomía sino en la heteronomía política, es el derecho a la consulta previa (art. 6º del Convenio). Este derecho, llamado la "piedra angular" del Convenio por el Comité de Expertos, presupone que el soberano que decide es un tercero y que, en el ejercicio de sus competencias legislativas o administrativas, éste debe consultar previamente a los pueblos susceptibles de ser afectados.

c) *El sujeto no habita en el vacío, sino que se le reconoce el derecho sobre un territorio.* Sobre este espacio se reconocen, junto con la propiedad colectiva no política, el derecho de acceso para actividades tradicionales y de subsistencia (cuando la posesión no es exclusiva) y el derecho de participar en la utilización, administración y conservación de los recursos naturales, como asimismo, el derecho a participar en los beneficios que reporten tales actividades.

La dimensión constitucional reside entonces en tres ejes —(i) el pueblo que ejerce (ii) la autodeterminación (iii) sobre su territorio— que no son muy distintos a los que componen cualquier teoría del Estado. Y como acontece con el Estado, el modo en que estos ejes se articulan depende de variables sociológicas, políticas y económicas frente a las cuales las reglas operan como facilitadoras mas no como fuerzas propiamente constructivas. Estas variables son las que realmente dan o restan densidad política al pueblo como grupo con pretensiones políticas sobre un territorio. En efecto, y como suele suceder en un país tan largo como Chile, las reglas sobre derechos de los pueblos indígenas necesariamente se contextualizan en distintos tipos de pueblos y en territorios muy diversamente caracterizados.

Entre las variables que influyen en el empoderamiento pueden mencionarse, sin ser exhaustivos:

i. El espesor identitario de sus miembros, factor cualitativo que puede ser mucho más relevante que el número de individuos que componen el grupo.

ii. La capacidad de organización política del grupo y de sus élites. Esta capacidad permite al grupo migrar desde las micro–formas de organización territorial o funcional con que la ley nacional[6] gestiona hacia comunidades y asociaciones indígenas hacia formas políticamente más complejas.

iii. La entidad del territorio, expresada en su valor cultural–patrimonial y en su condicionamiento geográfico (urbano/rural), geopolítico y jurídico (propiedad del suelo estatal/privada).

iv. La cantidad y el valor de los recursos naturales sobre el territorio.

v. La existencia de proyectos de inversión dentro de los contornos del territorio, como asimismo los estándares de comportamiento de los inversores.

vi. El grado de conocimiento de los derechos, sea propio o a través de asesores expertos.

De la combinación de estos elementos constitutivos emerge un paisaje variado de pueblos, muchas veces en tensión con el Estado o con aquellos particulares que compiten con ellos por el dominio o por el uso exclusivo del territorio o de sus recursos. Esos pueblos han tomado, con mayor o menor destreza, las reglas que el Estado se ha dado para regular las relaciones interétnicas y han principiado a recorrer un camino de empoderamiento que no se había conocido hasta la entrada en vigor, en 2009, del Convenio 169 de la OIT. Este empoderamiento se manifiesta de diversas formas:

Empoderamiento	Horizontal	Entre grupos indígenas
		Entre el Grupo y los individuos del grupo
		Entre el grupo indígena y actores privados
		Entre el grupo y otros grupos no indígenas
	Vertical	Con la Administración centralizada, el Congreso y otros poderes del Estado
		Con la administración territorial del Estado

El Convenio 169, o la "Ley 169" como lo he escuchado llamar más de una vez, ha permitido una suerte de empoderamiento horizontal entre los grupos indígenas y sus pares no indígenas, como asimismo entre grupos indígenas. Este último fenómeno se da en aquellos casos en que se asoman formas de predominio de un tipo de organizaciones sobre otras (por ejemplo, de las organizaciones territoriales sobre aquellas que no tienen expresión territorial) que se encuentran en posiciones desaventajadas, sea por recursos, emplazamiento geográfico o composición social. Al interior del grupo, también se advierten formas

---

[6]   Me refiero a la Ley núm. 19.253, D. Of. de 5 de octubre de 1993, que va camino a cumplir su tercera década sin grandes ni profundas modificaciones.

de empoderamiento del todo (el grupo) sobre las partes (sus individuos), lo que permite la primacía de la gestión basada en los derechos territoriales colectivos por sobre los derechos de naturaleza puramente privada[7]. Por último, también es horizontal el empoderamiento de las comunidades frente a los operadores privados que compiten con ellas por el uso, acceso o explotación de los recursos naturales del territorio. Allí, como veremos más abajo, se ha generado una dinámica económica y política interesante de ser analizada desde el punto de vista legal.

En el orden vertical, se advierte una tensión entre las comunidades y las autoridades estatales, dado que la ganancia de las primeras parecen generar un temor de pérdida por las segundas. La primera muestra de esta tensión se advierte con el fallo que dio la luz verde a la ratificación del Convenio 169. La sentencia de julio del año 2000[8] resolvió un requerimiento de inconstitucionalidad interpuesto contra el Convenio 169 y, a pesar de declarar constitucional el tratado, emitió discutibles apreciaciones sobre el alcance de las normas sobre propiedad y justicia penal indígenas. En particular, respecto de esta última, afirmó su improcedencia al sostener que de por sí contrariaba el mandato constitucional relativo a la atribución exclusiva de jurisdicción al Estado[9], sin contar con que el fallo redujo sensiblemente el sentido político del reconocimiento de los pueblos al que nos hemos venido refiriendo. En efecto, en el fallo se lee:

> "Que todo lo expuesto y, especialmente los propios términos de la Convención N° 169 cuestionada, es suficiente para que este Tribunal llegue a la íntima convicción que la expresión 'pueblos indígenas', debe ser considerada en el ámbito de dicho tratado, como un conjunto de personas o grupos de personas de un país que poseen en común características culturales propias, que no se encuentran dotadas de potestades publicas

---

[7]   Véase, paradigmáticamente, la sentencia de la Corte de Apelaciones de Iquique de 19 de diciembre de 2014, rol 541-2014, confirmada por sentencia de la Corte Suprema de 1 de abril de 2015, rol 130-2015. El asunto versaba sobre quién debía otorgar la autorización para construir un sondaje: si los copropietarios proindiviso de acuerdo con las reglas del Código Civil o si una Junta de Vecinos de acuerdo con la costumbre del territorio. Ganó lo último, aun cuando la Corte Suprema eliminó lo mejor de los considerandos del fallo de primera instancia que reconocía la existencia de una "comunidad sociológica" y de un derecho a la administración territorial que limita la posición de "una minoría perteneciente a la misma comunidad" (considerando 6° del fallo de primera instancia).

[8]   Tribunal Constitucional, sentencia de 4 de agosto de 2000, rol 309.

[9]   "Confrontado el texto del artículo 9°, número 1°, con el contenido de los artículos 73° y 19°, No 3o, de la Constitución, debe necesariamente concluirse que lo que el Convenio dispone es absoluta y nítidamente incompatible con el sistema procesal nacional. En efecto, nuestra Constitución es categórica en cuanto ordena que todos los conflictos que se promuevan dentro del territorio de la República, deberán someterse a la jurisdicción de los tribunales nacionales para ser resueltos por medio de un debido proceso. Por su parte, el artículo 73° señala "La facultad de conocer de las causas civiles y criminales, de resolverlas y de hacer ejecutar lo juzgado, pertenece exclusivamente a los tribunales establecidos por la ley". Por lo tanto, dicha disposición excluye el empleo de cualquier otro medio de solución de conflictos que pudieran usar los pueblos interesados para la represión de los delitos cometidos por sus miembros, como lo es el que propone el artículo 9° del Convenio No 169 que, por ende, es inoponible e incompatible con nuestro sistema procesal penal contemplado para la sanción de los ilícitos que tipifica" (considerando 52°).

y que tienen y tendrán derecho a participar y a ser consultadas, en materias que les con-
ciernan, con estricta sujeción a la Ley Suprema del respectivo Estado de cuya población
forman parte. Ellos no constituyen un ente colectivo autónomo entre los individuos y
el Estado" (considerando 44°); "Que las disposiciones del Convenio N° 169 transcritas
en el considerando precedente son suficientemente claras como para concluir que los
pueblos indígenas, al igual que sus connacionales quedan enteramente sometidos al
ordenamiento constitucional vigente y demuestran, asimismo, que no están dotados de
potestades públicas propias. Los derechos de los pueblos indígenas de participación y de
ser consultados, en las materias que les conciernen, no configuran, por cierto, un estatuto de poderes o potestades públicas. Así, también, parece, que lo entienden los propios
requirentes, ya que las normas relativas a esas materias se objetan, por modificar preceptos propios de leyes orgánicas constitucionales y haber sido calificadas como propias de
ley común lo que está en contraposición con la idea de que ellas modificarían la Carta
Fundamental" (considerando 46°).

Esta jurisprudencia de "bienvenida" al Convenio 169 no hizo, sin embargo,
escuela[10] ni tradición en la jurisprudencia chilena. El fallo quedó en los anales de
la jurisprudencia judicial y poca proyección tuvo en el discurso jurisprudencial y
político del decenio posterior. Por el contrario, la presión al alza de los derechos
fue aumentando y el Convenio se transformó en la principal herramienta de
empoderamiento político y litigios en las relaciones interétnicas en que participa
el Estado de Chile.

15.2. AGENCIA POLÍTICA Y ECONÓMICA DE LOS PUEBLOS INDÍGENAS EN EL CONVENIO 169

El lenguaje del Convenio 169 no es sin embargo perfecto. En las reglas críticas de empoderamiento político, el Tratado contiene excepciones y giros de
redacción que, a poco avanzar en el reconocimiento de un derecho, retroceden
en favor de una regalía para el Estado. Así por ejemplo, la consulta se configura
como una forma de participación que no implica veto y opera sobre la base de
una decisión que adopta un tercero, el derecho a los recursos naturales se limita cuando ellos pertenezcan al Estado o el derecho al consentimiento frente al
traslado de las tierras se reconoce acompañado de una fórmula que se aplica
"cuando no pueda obtenerse" ese consentimiento. Esta ambivalencia se explica
por difícil proceso de revisión del Convenio 107, que da lugar al 169, en el seno
de una organización que no fue diseñada para permitir la participación indígena

---

[10] Véase mi trabajo "Las representaciones internas del Derecho internacional. Control preventivo e
inaplicabilidad de los tratados internacionales en la jurisprudencia del Tribunal Constitucional",
en MARSHALL, Pablo (Coord.), *Jurisprudencia constitucional destacada (2008-2009). Análisis crítico. II
Coloquio sobre la jurisprudencia del Tribunal Constitucional.* Abeledo Perrot LegalPublishing, Santiago
de Chile, 201), pp. 19-36.

en un tratado que lo que busca es, precisamente, aumentar las formas de participación de esos pueblos. A este último "pecado original"[11] hay que agregar la escasa densidad de las pocas observaciones generales[12], que contrasta con el lenguaje contundente de las observaciones y estándares del sistema interamericano de derechos humanos.

El Convenio, con todas sus debilidades y ambigüedades de redacción, ha sido sin embargo la fuerza motriz más importante para hacer crecer la capacidad política de las organizaciones indígenas y para articular estrategias de empoderamiento dentro del territorio. Este instrumento ha encontrado además en la región cuatro formidables correas transportadoras: la Corte Interamericana de Derechos Humanos[13], la Comisión Interamericana de Derechos Humanos[14], los tribunales nacionales[15] y las instituciones nacionales de derechos humanos (NHRIs). Incluso podría decirse que el llamado sistema interamericano de derechos humanos ha propiciado estándares que en alguna media exceden aquellos fijados por la OIT y su instrumento insignia sobre la materia.

---

[11]   El término lo tomo de Rodríguez Piñero, Luis, *Indigenous Peoples, Postcolonialism, and International Law. The ILO Regime (1919-1989)*, Oxford University Press, Oxford, 2005, p. 301.

[12]   Véanse referencialmente CEACR Observación General, 98ª Reunión CIT (2009) y CEACR Observación General, 100ª Reunión CIT (2011).

[13]   Corte IDH. *Caso Comunidad Indígena Sawhoyamaxa Vs. Paraguay*. Fondo, Reparaciones y Costas. Sentencia de 29 de marzo de 2006. Serie C No. 146, párr. 117: "Al analizar el contenido y alcance del artículo 21 de la Convención, en relación con la propiedad comunitaria de los miembros de comunidades indígenas, la Corte ha tomado en cuenta el Convenio No. 169 de la OIT, a la luz de las reglas generales de interpretación establecidas en el artículo 29 de la Convención, para interpretar las disposiciones del citado artículo 21 de acuerdo con la evolución del sistema interamericano, habida consideración del desarrollo experimentado en esta materia en el Derecho Internacional de los Derechos Humanos. El Estado ratificó e incorporó el referido Convenio No. 169 a su derecho interno mediante la Ley No. 234/9".

[14]   CIDH, *Derechos de los pueblos indígenas y tribales sobre sus tierras ancestrales y recursos naturales. Normas y jurisprudencia del sistema interamericano*. OEA/Ser. L./V/II, Doc. 56/09. 30 de diciembre de 2009, párr. 12: "Para la CIDH el Convenio 169 de la OIT 'es el instrumento internacional de derechos humanos más relevante para los derechos de los indígenas', por lo cual es directamente pertinente para la interpretación del alcance de los derechos de los pueblos indígenas y tribales y sus miembros, en particular bajo la Declaración Americana". Con relación a la diversidad de estándares propios de la OIT y la jurisprudencia de la Corte IDH, véase Ovejas, Álvaro, *Análisis comparativo Convenio 169. Convergencias y divergencias entre OIT y Corte IDH*. OIT Oficina Regional para América Latina y el Caribe, s.l., 2017.

[15]   Véase, como referencia de entrada al año de ratificación del Convenio por Chile, Courtis, Cristian, "Apuntes sobre la aplicación del Convenio 169 de la OIT sobre pueblos indígenas por los tribunales de América Latina", en *SUR Revista Internacional de Derechos Humanos* 6/10 (2009), pp. 53-80.

15.2.1. Agencia política

Aunque la implementación a nivel nacional no ha estado exenta de críticas[16], lo cierto es que la entrada en vigor del Convenio 169 constituyó un impulso inigualable para el desarrollo de la agencia política de las comunidades. En efecto, hasta el año 2009 el ordenamiento jurídico no ofrecía herramientas que permitieran configurar y canalizar el poder de acción política de las comunidades indígenas. La mayor herramienta era la Ley núm. 19.253, que gestionaba a los grupos indígenas desde una perspectiva más bien vecinal o funcional que política, y que a lo sumo concedía representación a los indígenas en el Consejo de la agencia estatal especializada en la materia. Salvo un par de excepciones (como el derecho de participación del art. 34 o el derecho de uso compartido de tierras fiscales del art. 19 de la Ley), el enfoque político de la Ley núm. 19.253 era muy estrecho.

A las pocas normas de la Ley núm. 19.253, había que añadir la legislación administrativa municipal que, también de forma muy limitada, permite hasta el día de hoy encauzar gobiernos comunales con algún componente étnico[17]. Debo subrayar que esto ha sido posible solo a nivel comunal (las comunas de San Pedro de Atacama o de Isla de Pascua son un buen ejemplo), pues el poder central ha sido omnímodo a nivel provincial y no existe una región que, por su componente étnico, pudiere equipararse a aquellas comunas de población predominante indígena.

El Convenio vino a dar un empujón a las pretensiones indigenistas no tanto porque el Estado chileno se hubiese encargado de llevar los derechos políticos a un plano legislativo–territorial, sino más bien porque el tratado internacional cambió el relato de las autoridades locales. En efecto, las autoridades administrativas o las organizaciones indígenas del territorio ya no hicieron reposar su legitimidad en la sola legislación administrativa y su orden constitucional, sino que reforzaron su autoridad en el Derecho internacional y en las dos declaraciones

---

[16]   Poco antes de que entrara en vigor el Convenio 169, el 4 de septiembre de 2009, el Gobierno dictó el Decreto núm. 124 (D. Oficial de 25 de septiembre de 2009), reglamentando el artículo 34 de la Ley núm. 19.253. El que este último Decreto no fuera consultado fue objeto de críticas, lo mismo que su contenido, véase Instituto Nacional de Derechos Humanos, Informe Anual 2010, Santiago de Chile, 2010, p.99. Véase también, CONTESSE, Jorge y LOVERA, Domingo, "El convenio169 de la OIT en la jurisprudencia chilena: prólogo del incumplimiento", *Anuario de Derecho público* 1 (2011), pp. 127-151.

[17]   El fenómeno, en todo caso, es accidental porque la legislación es general. El único caso de legislación especial es la norma constitucional que se refiere al Territorio Especial de Isla de Pascua (art. 126 bis). A la fecha, y después de más de un decenio de dictada la norma sobre territorios especiales, ésta permanece como norma programática y la que parece permanente es la norma transitoria que establece " Mientras no entren en vigencia los estatutos especiales a que se refiere el artículo 126 bis, los territorios especiales de Isla de Pascua y Archipiélago Juan Fernández continuarán rigiéndose por las normas comunes en materia de división político-administrativa y de gobierno y administración interior del Estado".

sobre pueblos indígenas, la universal y luego la americana. Este fenómeno ha permitido el desarrollo de comunidades territoriales organizadas al alero de la legislación estatal administrativa, sea la Ley de municipalidades o la Ley núm. 19.243, que intentan empinarse sobre las limitaciones de un Derecho administrativo construido para y desde el Estado y sobre el modelo de la talla única.

a. Nuevas formas de empoderamiento

Emplazados sobre este Derecho administrativo, han sido posibles algunas prácticas que manifiestan nuevas formas de empoderamiento político–territorial:

i.   La organización de entidades territoriales que aspiran a superar el carácter vecinal de las comunidades indígenas. La Ley indígena reconoce dos formas de organizaciones indígenas, las comunidades y las asociaciones. A pesar de que por mandato legal, las asociaciones no pueden atribuirse la representación de las comunidades (art. 36 Ley núm. 19.253), se han gestado asociaciones que reúnen a todas las comunidades de un territorio determinado o comunidades y que aspiran a constituirse como interlocutoras del territorio con la autoridad estatal. Cuando estas organizaciones se emplazan en territorios activos para la institucionalidad ambiental o ricos en recursos naturales o patrimoniales, se abren cauces interesantes para la disputa por el control del territorio, tanto con el Estado como con las organizaciones menores.

ii. La gestión de municipios con componente étnico. Además de algunos municipios que administran comunas con fuerte componente poblacional indígena (Isla de Pascua, San Pedro de Atacama, Tirúa, etc.), existe una asociación de municipalidades "con alcalde mapuche", que no es lo mismo que decir municipios mapuche. Esta última aspira a la construcción de un estado plurinacional y busca coordinar el trabajo de los municipios con una perspectiva de interculturalidad.

iii. La coadministración o administración de aquello que las leyes administrativas llaman bienes fiscales y que la legislación internacional llama territorios. El caso de los parques nacionales, administrados por la CONAF, o de otros bienes fiscales administrados por el Ministerio de Bienes Nacionales, ha generado atención cuando éstos se emplazan en territorios indígenas. Utilizando la vía de los contratos de concesión gratuita de bienes fiscales o los de coadministración de los parques administrados por la Corporación Nacional Forestal, las comunidades han recuperado parcialmente[18] y no sin conflictos[19] el control del territorio y principiado a manifestar formas de empoderamiento vertical y horizontal: frente al Fisco y frente a los ciudadanos no indígenas que tienen interés en usar, transitar o explotar esos mismos espacios. De aquí emanará también una agencia de naturaleza económica.

Hasta aquí, las formas de empoderamiento político vertical y horizontal son importantes pero todavía incipientes[20]. Los procesos más importantes seguramente todavía están por venir y se refieren, esencialmente, al proceso de constitucionalización.

b. El proceso pendiente de constitucionalización: dimensión interna y externa

El proceso de constitucionalización, como lo he explicado en otro lugar[21], tiene dos dimensiones. Una es interna y se refiere al proceso constitutivo del propio pueblo. Para ello son necesarias fuerzas y dinámicas centrípetas de organización que ciertamente no provienen de las reglas estatales o internacionales. A lo sumo, esas reglas facilitan los procesos, pero nunca los reemplazan. Los procesos son, por el contrario, internos y autónomos o de lo contrario no son autodeterminantes. La dimensión externa, en cambio, se refiere al modo en que los otros sujetos políticos reconocen a los pueblos constituidos. En el caso de un Estado unitario tan concentrado como el chileno, ello se reduce a determinar como con él se resuelve el problema del reconocimiento.

Hasta la fecha, la imaginación política ha sido más bien escasa y se ha reducido a debatir, con los mismos pueblos, la forma de reconocimiento constitucional en una fórmula escrita que contenga bien las aspiraciones de los pueblos indígenas. Lo anterior, como si hubiese una sola forma de reconocimiento constitucional

---

[18] Estas vías administrativas no corresponden, en propiedad, a formas o procedimientos de restitución en los términos del art. 14 del Convenio 169. En efecto, tanto en el contrato de concesión como en los convenios de coadministración la titularidad del dominio permanece en el Fisco, esto es, en el Estado. Sólo cuando hay transferencia a título gratuito puede hablarse, en rigor, de restitución que satisface la reinvindicación.

[19] Véase Corte Suprema, 1 de agosto de 2016, rol 4238-2016. El asunto versa sobre la impugnación del proceso de consulta indígena por la coadministración del Parque Nacional Rapa Nui.

[20] Si son o no suficientes, es una pregunta que deben responder las comunidades: lo suficiente o lo insuficiente no se mide desde la legalidad sino desde la satisfacción o insatisfacción de las pretensiones políticas.

[21] NÚÑEZ, Manuel "Pueblos indígenas y su reconocimiento constitucional. Formas de autonomía territorial y no territorial", en ANINAT, Isabel, FIGUEROA, Verónica y GONZÁLEZ, Ricardo, *El pueblo mapuche en el siglo XXI. Propuestas para un nuevo entendimiento entre culturas en Chile*, Centro de Estudios Públicos, Santiago de Chile, 2018, pp. 118 y ss.

o como si el reconocimiento constitucional se redujera exclusivamente al modo en que el texto constitucional recoge la existencia de los pueblos indígenas que quieren mayores formas de control de sus territorios.

Ahora bien, con independencia de la seriedad con que los sujetos se toman los procesos constituyentes, el Convenio 169 no contiene formas precisas de reconocimiento constitucional pero sí entrega ciertos mínimos bajo los cuales no es posible actuar y, lo que es más importante aquí, entrega un procedimiento de partida como es la consulta. Este procedimiento, esconde un potencial que escapa al procedimiento en sí y que ha sido escasamente analizado. Me refiero a la formidable capacidad que el Convenio 169 atribuye al Estado para llegar a acuerdos vinculantes con los pueblos indígenas tras los procesos de consulta. Esta capacidad, atribuida directamente por el Tratado, permite generar nuevos arreglos que incluso podrían constituir la forma más perfecta de reconocimiento constitucional.

El Convenio 169 esconde entonces un procedimiento no unilateral de reconocimiento constitucional que permanece inexplorado. El énfasis exagerado que ha tenido en Chile la discusión "constitucional", que concentra jacobinamente el proceso constituyente en la redacción de "un" texto y en el ejercicio de "un" poder constituyente que se despliega en "una" asamblea o convención constituyente ha liquidado, al menos temporalmente, la idea de un pacto verdadero entre el Estado y sus naciones. El reconocimiento pacticio, a partir de los fundamentos de obligatoriedad que residen en el Convenio y que refuerzan ambas declaraciones[22], ofrece soluciones diversas adaptadas a realidades distintas y, lo que es más relevante, obra sobre las premisas de una relación que, si no es paritaria, al menos aspira a serlo. A diferencia del procedimiento constitucional

---

[22]   Véanse el art. 37 de la Declaración de Naciones Unidas y el art. XXIV de la Declaración Americana. El art. 37.1 dispone "Los pueblos indígenas tienen derecho a que los tratados, acuerdos y otros arreglos constructivos concertados con los Estados o sus sucesores sean reconocidos, observados y aplicados y a que los Estados acaten y respeten esos tratados, acuerdos y otros arreglos constructivos". El art. XXIV declara "1. Los pueblos indígenas tienen derecho al reconocimiento, observancia y aplicación de los tratados, acuerdos y otros arreglos constructivos concertados con los Estados, y sus sucesores, de conformidad con su verdadero espíritu e intención, de buena fe y hacer que los mismos sean respetados y acatados por los Estados. Los Estados darán debida consideración al entendimiento que los pueblos indígenas han otorgado a los tratados, acuerdos y otros arreglos constructivos. 2. Cuando las controversias no puedan ser resueltas entre las partes en relación a dichos tratados, acuerdos u otros arreglos constructivos, estas serán sometidas a órganos competentes, incluidos los órganos regionales e internacionales, por los Estados o Pueblos interesados. 3. Nada de lo contenido en la presente Declaración se interpretará en el sentido que menoscaba o suprime los derechos de los pueblos indígenas que figuren en tratados, acuerdos y otros arreglos constructivos". Con relación a la Declaración Universal, véase VAN GENUGTEN, Willem y LENZERINI, Federico, "Legal Implementation and Internacional Cooperation and Assistance", en HOHMANN, J. y WELLER M. (Eds.), *The UN Declaration in The Rights of Indigenous Peoples*, Oxford University Press, Oxford, 2018, pp. 543-545.

unilateral predominante América Latina[23], los acuerdos o tratados fortalecen el ejercicio de la soberanía pues antes que concederla o prometerla, la presuponen. ¿No es acaso superior aquella relación que reconoce como premisa del diálogo y el entendimiento la autonomía del otro? Hay que añadir también que los procedimientos pacticios ofrecen mayor estabilidad que los procedimientos legislativos o incluso que los constituyentes, donde los acuerdos parecen seguir la buena o mala suerte de la "nave" legislativa que los cobija. En efecto, ¿quién se acuerda de los acuerdos totales y parciales a los que se llegó durante la consulta indígena constituyente de 2017?[24]

Sin embargo, resta como un misterio el que aquellos países donde mayor desarrollo han tenido la política de los acuerdos no pertenezcan al círculo del Convenio 169[25]. Razones para despejar el misterio en América Latina puede haber muchas —el centralismo legislativo, la supervivencia de algunos dogmas revolucionarios franceses, la formidable salud que luce el estatismo en las relaciones con los pueblos indígenas y el escaso desarrollo de la organización indígena por mencionar tres— pero lo que aquí interesa de verdad es que la escasa tradición de relaciones negociadas, que campea en América Latina, puede ser superada. Para superarla bastará con recordar la historia pre republicana[26] y seguir la hebra que esconde el art. 6° del Convenio y que lleva a la política de acuerdos entre indígenas y el Estado.

15.2.2. Agencia económica

La capacidad de administrar un territorio, la de explotar un recurso o componente (aun cultural) de ese territorio, o la de influir en la toma de decisiones del Gobierno, pueden llevar aparejadas el desarrollo de la capacidad económica de las comunidades. Esta capacidad se expresa, para decirlo en términos constitucionales, en el desarrollo de actividades económicas en su más amplia expresión, vale decir, no solo explotando recursos y generando bienes o servicios,

---

[23]   Véase ARNAUD, Martin, "La reconnaissance des droits indigènes en Amérique Latine", en ARNAUD, Martin (Dir.), *Les droits indigènes en Amérique Latine*, L´Harmattan, Paris, 2015, pp. 34 y ss., y Schilling-Vacaflor, Almut y KUPPE, René (2012). "Plurinational Constitutionalism: A New Era of Indigenous-State Relations?", en NOLTE, D. y Schilling-Vacaflor A. (Eds.), *New Constitutionalism in Latin America. Promises and Practices*, Farnham y Burlington, Ashgate, 2012, pp. 347 y ss.

[24]   Véase, Ministerio de Desarrollo Social, *Informe Final. Sistematización Proceso de Consulta Constituyente Indígena*, Santiago, 2017.

[25]   Véase de modo general LANGTON, Marcia, TEHAN, Maureen, PALMER, Lisa y SHAIN, Kathryn, *Honor Among Nations? Treaties and Agreemens with Indigenous People*, Melbourne University Press, Carlton, 2004 y MILLER, J. R., *Compact, Contract, Covenant. Aboriginal Treaty-Making in Canada*, University of Toronto Press, Toronto, 2009.

[26]   LEVAGGI, Abelardo, *Diplomacia hispano-indígena en las fronteras de América*, Centro de Estudios Políticos y Constitucionales, Madrid, 2002.

sino también organizándose y relacionándose con ese fin. Esta capacidad para promover el desarrollo económico de las comunidades indígenas viene expresamente reconocida por el Convenio 169, tanto en lo que se refiere al derecho a decidir sus propias prioridades en lo que atañe al proceso de desarrollo (art. 7°), a la protección de sus actividades económicas tradicionales (art. 23) como a la posibilidad de compartir con el Estado los beneficios que reporte la explotación de los recursos naturales (art. 15).

Las comunidades tienen, entonces, un derecho al desarrollo[27] que les capacita para mejorar sus condiciones económicas y sociales[28]. Este derecho tiene numerosas proyecciones que no pueden sino marginalmente ser anotadas aquí. En efecto, él se conecta con las seguridades que los estados deben otorgarles respecto de la tenencia de la tierra y con las obligaciones estatales de resguardar la sostenibilidad ambiental, los ecosistemas y la biodiversidad, por mencionar algunos. No es accidental que, a diferencia de los Objetivos de Desarrollo del Milenio (ODM), los Objetivos de Desarrollo Sostenible (ODS) —bien enraizados en el lenguaje de los derechos humanos— se refieran con reiteración a la situación de los pueblos indígenas[29].

En su dimensión organizativa y relacional, la capacidad de actuar como agentes económicos implica el derecho a organizarse, a constituirse como otras personas jurídicas, y a relacionarse con terceros. A continuación esbozaré este componente organizativo y el relacional.

a. Dimensión organizativa para la acción económica

La Ley indígena chilena contempla solamente dos formas básicas de organización para los grupos, las comunidades indígenas y las asociaciones. De ello sin embargo no se sigue que, tanto los individuos como el grupo (comunidades y asociaciones) estén privados de acceder a otras formas de asociatividad para ejercer actividades económicas. Poco sentido tendría reconocerles autonomía y derecho al desarrollo si no les fuera reconocida la capacidad para organizarse.

---

[27]   Véase CASTELLINO, Joshua, "Indigenous Rights ans The Right to Development: Emerging Synergies or Collusion?", en ALLEN, Stephen y XANTHAKI, Alexandra (Eds.), *Reflections on the UN Declaration on the Rights of Indigenous Peoples*, Hart, Oxford-Portland-Oregon, 2011, pp. 367-386; QUANE, Helen, "The Rights of Indogenpius Peoples and the Development Process", *Human Rights Quarterly* 27/2 (2005), pp. 652-682; GILBERT, Jérémie y LENNOX, Corinne, "Towards new Developments Paradigms: The United Nations Declaration on the Righrs of Indigenous Peoples as a Tool to Support Self-Determined Development", *The International Journal of Human Rights* 23 (2029), pp. 104-124.

[28]   Véanse también los artículos 21 y 23 de la Declaración Universal.

[29]   Véanse Objetivos 2, 4 y 15.

La capacidad organizativa, que puede incardinarse inicialmente en la garantía constitucional de la libertad de asociación, viene reforzada, cuando corresponde, por la eficacia que el Convenio 169 da al Derecho consuetudinario. La costumbre, por lo tanto, no solo debe ser reconocida como una fuente reguladora de los derechos y obligaciones al interior de una organización, sino también como una norma legitimadora de la organización en sí misma. La costumbre, en otras palabras, tiene aquí valor al interno del propio grupo, como al exterior, es decir, frente al Estado (art. 8).

Es interesante notar cómo las formas de organización, distintas al binomio comunidad–asociación, son reconocidas por el Estado de las más diversas maneras. Hay, en efecto, organizaciones reconocidas por Ley (como acontece con el Consejo de Ancianos Rapa Nui y la Ley núm. 19.253) y otras que han sido reconocidas por normas reglamentarias (como por ejemplo el Consejo Territorial Mapuche que es reconocido por una Ordenanza de la Municipalidad de Galvarino sobre uso del Mapuzungún). A las formas autoritativas y legales, habría que añadir las convencionales (como cuando se negocia y suscribe un acuerdo), las procedimentales (como cuando se diseña un proceso de consulta y se las incluye dentro de las comunidades participantes o como cuando se las admite como interesadas en un procedimiento administrativo) y las asociativas (en caso de formarse consorcios que las comprenden).

Los límites de esta capacidad organizativa permanecen sin embargo poco explorados. Por una parte, si bien es posible entender que las características étnicas del grupo pueden traspasarse a las asociaciones que ellas constituyen, ello solo es posible cuando esas organizaciones tienen como componente esencial la pertenencia étnica. En otras palabras, la conformación de asociaciones que, por las razones que sean, disuelven la identidad indígena (por ejemplo, porque participan no indígenas) en el grupo que se crea no puede permitir que a la nueva organización se le trasladen los derechos propios de los pueblos indígenas.

La capacidad organizativa tampoco obsta, dentro del marco legal vigente, para que las comunidades se dividan y den lugar a nuevas comunidades (siempre y cuando cumplan con los requisitos legales) dentro del mismo pueblo. Esta dimensión práctica puede generar conflictos, especialmente cuando el remanente del grupo no comparte la decisión de quienes se escinden de él. Ello será especialmente sensible cuando el grupo que se escinde permite la fragmentación del territorio y, con ello, se lleva la administración de los recursos que les corresponden sobre esa parte del territorio.

Por último, la capacidad organizativa también comprende la capacidad de resolver los conflictos internos mediante la jurisdicción doméstica. Ésta no es sino la manifestación más ordinaria del derecho de asociación, que aquí se ve condimentada por la eventual aplicación del Derecho consuetudinario. Debo subrayar, sin embargo, que la existencia de normas consuetudinarias que organicen una suerte de jurisdicción civil de conflictos no es esencial —al menos en Chile— a la noción de organización indígena. Por el contrario, se observa una tendencia que esconde alguna forma de contradicción: la fuerza con que se quiere huir del Estado para organizarse y administrar sus propios recursos no es la misma cuando se necesita resolver los conflictos al interior de la comunidad. En efecto, los conflictos suelen llevarse con facilidad a los foros estatales que ofrecen el Derecho administrativo (la Contraloría General de la República o la Corporación Nacional de Desarrollo Indígena), el Derecho privado (particularmente cuando las directivas no cumplen con el deber de rendir cuenta) o el Derecho constitucional. Este último, particularmente a través de las acciones constitucionales (principalmente el recurso de protección) o el Derecho electoral (a través de los tribunales electorales regionales o el Tribunal Calificador de Elecciones). Reside en todos estos casos un enorme desafío para cumplir con los estándares del Convenio 169.

b. Dimensión relacional: (de nuevo) la facultad de negociar y contratar

La agencia económica comprende, al igual que la política, la capacidad del grupo para relacionarse con otros grupos indígenas, con sus miembros o también con sujetos, colectivos o individuales, no indígenas. Esta capacidad permite negociar, lo que supone un método específico cuando ella es intercultural[30], y llegar a acuerdos que deben ser jurídicamente exigibles. De esta dimensión negociadora y contractual deben destacarse dos cuestiones. Por una parte, el Estado debe garantizar que estos acuerdos sean cumplidos y, por la otra, cuando el acuerdo es intercultural, todas las partes deben tener presente que la contratación es una forma de contacto y de comunicación entre comunidades.

En tanto medio de contacto, las relaciones interétnicas permiten la circulación de reglas de una cultura a otra. Esta circulación obliga, más de una vez, a ajustar las formas de comportamiento en ambos sentidos. Así, el sujeto no indígena queda obligado a tener en cuenta la singularidad del sujeto con el que se relaciona, como asimismo el estatuto protector especial que le empara, y el indígena tiene el deber de considerar las normas irrenunciables que, desde el Estado, le vienen impuestas para eventualmente limitar su propia autonomía. Este último fenómeno es advertido por el Convenio 169, particularmente cuando reconoce el derecho a conservar las costumbres e instituciones a condición "que éstas no sean incompatibles con los derechos fundamentales definidos por el sistema jurídico nacional ni con los derechos humanos internacionalmente reconocidos" (art. 8°).

---

[30] O´FAIRCHEALLAGH, Ciaran, *Negotiations in the Indigenous World*, Routledge, London-New York, 2016, pp. 25 y ss.

15.3. LA BUROCRACIA DEL PODER: EMPLEO PÚBLICO Y EMPLEO PRIVADO

El empoderamiento, cuando no es simbólico, suele llevar aparejada la creación de empleo. E incluso cuando el poder pertenece a un tercero, el empoderamiento individual obliga al empleador a ajustar su comportamiento a las nuevas reglas de reconocimiento. Por ello, parece oportuno cerrar este ensayo con algunas reflexiones relativas a las formas en que los principios de reconocimiento presente en el Convenio 169 han ido modificando, o al menos desafiando, las monolíticas reglas del Derecho administrativo chileno y cómo esas mismas reglas han abierto una puerta para que por ella penetren las reglas de protección al trabajador.

15.3.1. Empleo público

El Convenio 169 ha supuesto un desafío importante para las relaciones entre la Administración del Estado y sus funcionarios. Por una parte, la existencia de territorios con fuerte componente indígena ha hecho en ocasiones dificultosa la aplicación de un Derecho administrativo general hecho para un paraíso de homogeneidad cultural y territorial que no existe. Así, la jurisprudencia administrativa de la Contraloría General de la República ha debido revisar, entre otros, la aplicación de las normas sobre probidad en funcionarios indígenas[31], la procedencia del uso de emblemas indígenas junto a los nacionales (incluso en municipios sin un componente étnico gravitante)[32], el uso de la lengua indígena en la administración municipal (vía ordenanzas comunales)[33], todos aspectos que inciden directamente en la relación del Estado con sus funcionario o con los habitantes de los territorios. El empleo público estatal, incipientemente, comienza a mostrar una cara adaptada a las particularidades culturales producto de las nuevas obligaciones asociadas a la protección de la identidad y cultura indígenas.

Otro aspecto crítico, del que no hay mayor información, es el de las políticas estatales para atraer empleo indígena. A diferencia de otros países, donde

---

[31]   Véase Contraloría General de la República, Dictamen núm. 24.985, de 12 de noviembre de 2015, sobre aplicación de inhabilidades propias de la Ley núm. 18.575 a un funcionario perteneciente al pueblo Yagán.

[32]   Contraloría General de la República, Dictámenes núm. 22.247, 28 de abril de 2010; 57.658, de 29 de julio de 2014 y núm. 22.796, de 24 de marzo de 2016. Véase el Dictamen núm. 70.312 de 3 de noviembre de 2015, sobre la obligación de izar la bandera mapuche junto con la chilena.

[33]   Contraloría General de la República, Dictamen núm. 45.010, de 20 de junio de 2014.

se observan políticas para construir capacidades a favor de empleados públicos indígenas[34],

De llegar el momento en que se instituyan formas más profundas de autogobierno se ve improbable la creación de normas especiales para el empleo en dichas instancias[35]. Si ya se observa, en las regulaciones contemporáneas, una suerte de retroceso del Derecho de la función pública a favor del Derecho laboral común, es muy probable que las instituciones u organizaciones que se creen se rijan por las normas laborales comunes o, a lo sumo, por las normas estatutarias ordinarias que rigen la función municipal o el gobierno regional adaptadas —en lo que corresponda a la realidad indígena.

15.3.2. Empleo privado

De momento, el fenómeno más interesante se da en el lado de las comunidades. Empoderadas política o económicamente a través de una organización y de recursos económicos que les permiten ofrecer trabajo remunerado, ellas se transforman en empresas en términos laborales. De ello se sigue una segunda escala de poder: la primera, que hemos explicado aquí, permite la constitución del grupo y el reconocimiento de derechos por parte del Estado. La segunda, en cambio, permite al grupo ejercer una forma de poder sobre sus miembros. Este fenómeno es extraordinariamente interesante cuando esta última forma de poder es alcanzada por el Derecho del trabajo que, tanto en su dimensión individual como colectiva, ha penetrado en las relaciones intra–comunitarias llevando un Derecho irrenunciable de cuño estatal a las relaciones entre las comunidades y sus miembros–trabajadores.

En caso de conflicto, la comunidad o la asociación es emplazada a comparecer ante la justicia laboral para demostrar que ha cumplido con la legislación laboral. Si se revisan rápidamente las causas laborales de comunidades o asociaciones indígenas que pueblan la base de datos del Poder Judicial, pueden observarse varios fenómenos: (i) los conflictos suelen presentarse, casi sin excepciones, en clave aculturada, esto es, no se observan reclamos para la aplicación

---

[34]   BRIGGS, Lynelle, "Indigenous Employment in the Australian Public Service", *Family Matters* 75 (2006), pp. 60-65.

[35]   El 11 de enero de 2016, el Gobierno de la Presidenta Bachelet inició la tramitación de un proyecto de ley que crea el Consejo Nacional y los Consejos de Pueblos Indígenas. Este proyecto (Boletín núm. 10.526-06), que registra su último movimiento en el mes de enero de 2020, crea una nueva institucionalidad de relacionamiento con el Estado. Él no se refiere a una institucionalidad tradicional propiamente tal, sino más bien a órganos creados por ley para promover la participación y el relacionamiento indígena con el Estado. Ellos tendrán personalidad jurídica y patrimonio propios —que no cabe sino calificarla de Derecho público aunque la ley no lo diga— y no se señala regla especial relativa al empleo.

de una normativa especial como sería una que admitiera la aplicación de reglas consuetudinarias para resolver un conflicto laboral; (ii) los conflictos suelen terminar por avenimiento o conciliación; y (iii) los conflictos suelen reducirse a cuestiones puntuales de naturaleza individual siendo relativamente excepcional el conflicto colectivo. Del listado que se muestra a continuación, puede observarse —de manera muy preliminar y aún a título de hipótesis— cómo el conflicto laboral tiende a concentrarse en aquellos territorios donde las comunidades han podido empoderarse mediante arreglos con el Estado que les han permitido administrar un patrimonio de explotación turística o mediante arreglos con privados (usualmente titulares de proyectos de inversión) que les han permitido la administración de recursos.

En esta última dimensión, el deber del Estado por proteger eficazmente a los trabajadores indígenas (Parte III del Convenio 169) se hace efectivo frente a las propias comunidades y somete a estas últimas a una presión importante en cuanto a cumplir con los estándares del trabajo. Por otra parte, no es descaminado afirmar que, cuando el empoderamiento económico deriva de la administración de bienes tutelados por el propio Estado (aún si respecto de ellos existe alguna forma de reivindicación territorial), el deber de protección del trabajador alcanza al Fisco como responsable o "dueño" legal de la faena. Este es un tema que no puede ser tratado aquí pero que sirve para demostrar que la titularidad fiscal de los territorios y el deber calificado de cuidado que existe respecto de algunos de ellos (como acontece con los parques nacionales)[36] genera deberes estatales que no desaparecen con las concesiones o convenios de coadministración.

Hasta aquí se ha intentado explicar cómo el empoderamiento político y/o económico permite a las organizaciones indígenas ejercer alguna forma de

---

[36]   Como lo he señalado en otro lugar, "el fenómeno se ha dado con especial interés en Rapa Nui, donde tras décadas de esfuerzo la comunidad alcanzó la autogestión del Parque Nacional a través de un contrato de concesión con el Estado (previamente hubo un de co-administración con la Corporación Nacional Forestal) y constituyó la comunidad indígena Ma'u Henua. La comunidad actúa en este caso como empleadora de indígenas y chilenos inaugurando una etapa interesante de desarrollo del derecho del trabajo en un territorio indígena que por largo tiempo ni siquiera contó con un funcionario de la Dirección del Trabajo. Este desarrollo implica el surgimiento de litigiosidad laboral entre miembros del grupo y la comunidad y la aparición de un fenómeno inverso de discriminación —todavía no resuelto— dado que la Comunidad tiende a emplear con exclusividad a miembros del pueblo Rapa Nui y no a chileno-continentales. Para estos últimos residentes en Rapa Nui, la relación laboral formalizada en un contrato se transformó en un imperativo inesperado tras la entrada en vigencia de la Ley no. 21.070 que regula el ejercicio de los derechos a residir, permanecer y trasladarse hacia y desde el Territorio Especial de Isla de Pascua. Este es un problema que no puede ser abordado en este lugar pero que bien describe el impacto de la formalización de las relaciones laborales en un territorio indígena", NÚÑEZ, Manuel. "Cuando la informalidad es un derecho: agencia política y económica de los pueblos indígenas en Chile", en CAVIERES, Eduardo y PÉREZ, Pedro (Coords.), Informalidad e Historia, Ediciones Universitarias de Valparaíso, Valparaíso, 2019, p. 200.

poder sobre sus miembros indígenas. Ahora bien, no será raro que esas mismas organizaciones recurran a los servicios de personas que no pertenezcan a las comunidades o, lo que puede ser más frecuente en los sitios de interés turístico o patrimonial, que las propias comunidades opten por restringir la contratación a los miembros de su etnia. En este caso, cabría discutir la legitimidad de dichas prácticas de exclusión a la luz, no solo de los criterios de idoneidad laboral, no discriminación y proporcionalidad, sino además de la autodeterminación como principio que explica que sea un miembro del grupo y no un tercero quien ostente visiblemente la explotación del territorio.

La laboralización de las relaciones comunitarias genera un importante desafío para el Estado y para las comunidades.

Para las comunidades y sus miembros, el desafío consiste en ordenar las relaciones conforme con los mandatos de la ley laboral y en comprender fenómenos básicos como la noción de trabajo por cuenta ajena o la libertad sindical para comprender el status laboral de la relación entre la comunidad y sus miembros. Hay aquí una vuelta de mano importante hacia las organizaciones laborales que, tras varios convenios protectores de los indígenas[37], llevaron a la revisión del Convenio 107 y que han acompañado a las demandas indígenas en la región[38] y al tránsito hacia la formalidad de las relaciones laborales. En segundo lugar, existe para la comunidad un desafío de carácter legal cual es el identificar en qué áreas existe una especificidad cultural propia de la relación de trabajo y que excede el marco regulatorio laboral estatal. El carácter aculturado de los conflictos judiciales laborales muchas veces no quiere decir que no exista un componente cultural–legal que pudiere ser gravitante para llegar a una solución distinta que la ofrecida por el Derecho del trabajo, por el contrario, puede solamente querer decir que hay cierta pereza intelectual en la asesoría legal del trabajador o del empleador indígena.

Para el Estado, el desafío es todavía mayor.

Para el legislador surge la necesidad de identificar, como lo hace parte de la legislación comparada[39], una categoría específica de trabajadores y empleadores[40].

---

[37]   Convenios núm. 50 de 1936, 64 de 1939, 65 de 1939 y 86 de 1947.

[38]   Véase ORGANIZACIÓN INTERNACIONAL DEL TRABAJO, *Alianzas entre Sindicatos y Pueblos Indígenas. Experiencias en América Latina* (OIT, Lima, 2017).

[39]   Véase por ejemplo la secc. 206,8 del Código del Trabajo de Canadá (Part. III. Division VII), que regula el descanso para prácticas indígenas tradicionales. En los Estados Unidos se ha entendido que las tribus y sus empresas en territorios indígenas están sujetas a sus propias reglas de treabajo en virtud de la soberanía de sus gobiernos, vid. SMITH, Kaighn, "Native Americans, Tribal Sovereignty and Unions", *Indigenous Peoples & Trade Unions* 25/4 (2018), pp- 23-28.

[40]   Véanse por ejemplo, con abundante jurisprudencia y ejemplos de conflictos en Canadá, MURPHY, Eaomon, HYKIN, J. Berry y MACK, Leah, "Employment Law in the First Nations Context: First Nation Governments as Employers", *Employment Law Conference Paper* 6.1 (2010). Para los Estados Unidos, donde no es rara la administración de casinos por tribus, véanse FLETCHER, Matthew,

Ya el trabajador indígena debería ser, como sucede en otras latitudes, un tipo de trabajador por cuya inclusión debería abogar la legislación antidiscriminación[41] o de cuyas particularidades debería ocuparse la legislación laboral general. Los grupos u organizaciones, por otro lado, debería ser identificados como una categoría especial de empleadores, casi como de empresa de tendencia se tratasen.

Para la Administración laboral también surgen desafíos interesantes. En efecto, si las sanciones administrativas no buscan acrecentar el patrimonio fiscal sino promover ciertas conductas a través de la disuasión, entonces el deber primario del Estado consiste en educar y promover el conocimiento de las reglas laborales de parte de las comunidades y sus miembros. Se educa para mejorar las prácticas de trabajo y para evitar las infracciones laborales.

Para el Estado juez, por otra parte, el desafío consiste en discernir en qué lugar y medida se puede ajustar —si cabe— la aplicación del Derecho del trabajo estatal con el objeto de dar espacio a la cultura, instituciones e identidad indígenas. Y en sentido inverso, cuando son las prácticas culturales las que deben ajustarse a la legislación estatal. Este problema, interesante para las leyes que regulan las relaciones laborales y la organización política, solo puede ser insinuado en este ensayo.

ANEXO

Causas indígenas en Juzgados del Trabajo

RIT	TRIBUNAL	PARTES	ESTADO
O–98–2019	JLT de Calama.	Vera con Comunidad Atacameña de Quitor.	Sentencia.
T–48–2017	JLT de Calama.	Soto con Comunidad Atacameña de Toconao.	Avenimiento.
O–215–2010	JLT de Calama.	González con Comunidad Atacameña de Toconao.	Conciliación.
O–194–2011	JLT de Calama.	Cruz con Comunidad Atacameña de Socaire.	Transacción.
M–85–2012	JLT de Calama.	Puentes con Comunidad Atacameña de Toconao.	Sentencia monitoria.
T–27–2014	JLT de Calama.	Guerra con Comunidad Atacameña san Francisco de Chiuchiu.	Conciliación.
O–71–2014	JLT de Calama.	Espindola con comunidad atacameña de Toconao.	Avenimiento.

"Tribal Employment Separation: Tribal Law Enigma, Tribal Governance Paradox, and Tribal Court Conundrum", *University of Michigan Journal Law Reform* 38 (2005), pp. 273-343; LIMAS, Vicki, "Employment Suits against Indian Tribes: Balancing Sovereign Rights and Civil Rights", *Denver University Law Review* 70 (1993), pp 359-392; y LYNCH, Bryan, "Silence Is Anything but Golden: Laws of General Applicability in Indian Country", American Indian Law Review 42/1 (2017), pp. 207-236.

[41] Véase la *Employment Equity Act de Canadá*, secc. 7ª.

RIT	TRIBUNAL	PARTES	ESTADO
O–75–2013	JLT de Calama.	Zubieta con Comunidad Atacameña San Francisco de Chiuchiu	Conciliación.
M–312–2015	JLT de Calama.	Soto con Comunidad Atacameña de Toconao	Conciliación.
O–424–2015	JLT de Calama.	Soto con Comunidad Atacameña de Toconao	Archivada (corrección del procedimiento).
O–209–2017	JLT de Calama.	Soto con Comunidad Atacameña de Toconao	No da curso a la demanda.
T–138–2019	JLT de Calama.	Mondaca con Asociación Indígena Valle de la Luna	Pendiente audiencia de juicio.
M–62–2018	JLT de Calama.	Alfaro con Asociación Indígena Ecoetno Turismo Pozo Tres.	Conciliación.
M–124–2016	JLT de Calama.	Mondaca con Asociación Indígena Lican Antay	Conciliación.
O–115–2016	JLT de Calama.	Barrero con Asociación Indígena Lican Antay	Se declara la caducidad.
M–317–2015	JLT de Calama.	Mondaca con Asociación Indígena Lican Antay	Conciliación.
O–154–2012	JLT de Calama.	Cortés con Asociación Indígena Consejo de Pueblos Atacameños.	Conciliación.
O–15–2015	Juzgado de Letras y Garantía de Carahue.	Antil con Comunidad Indígena Pullallan	Avenimiento.
T–65–2014	JLT de Iquique.	Challapa con Comunidad Indígena Aymara de Cancosa	Conciliación.
O–1–2020	Juzgado de Letras y Garantía Isla de Pascua.	Laharoa con Comunidad Indígena Ma'u henua	Pendiente. Se reprogramó la audiencia preparatoria.
O–19–2019	Juzgado de Letras y Garantía Isla de Pascua.	Comunidad Indígena Ma'u henua con Rano	Desafuero sindical, desistida.
O–14–2019	Juzgado de Letras y Garantía Isla de Pascua.	Roe con Comunidad Indígena Ma'u henua	Acumulación de autos, conciliación.
O–12–2019	Juzgado de Letras y Garantía Isla de Pascua.	Bravo con Comunidad Indígena Ma'u henua	Acumulación de autos, conciliación.
O–13–2019	Juzgado de Letras y Garantía Isla de Pascua.	Paoa con Comunidad Indígena Ma'u henua	Conciliación.
O–11–2019	Juzgado de Letras y Garantía Isla de Pascua.	Tuki con Comunidad Indígena Ma'u henua	Acumulación de autos, conciliación.
O–10–2019	Juzgado de Letras y Garantía Isla de Pascua.	Tuki con Comunidad Indígena Ma'u henua	Acumulación de autos, conciliación.

RIT	TRIBUNAL	PARTES	ESTADO
S–1–2019	Juzgado de Letras y Garantía Isla de Pascua.	Inspección Provincial del Trabajo con Rapu	Denuncia por práctica antisindical, reincorporación.
I–1–2018	Juzgado de Letras y Garantía Isla de Pascua.	Comunidad Indígena con Inspección Provincial del Trabajo	Reclamo multa administrativa.
T–1–2018	Juzgado de Letras y Garantía Isla de Pascua.	Hey con Comunidad Indígena Ma'u henua	Conciliación.

Capítulo 16

Convenio Marítimo, 2006: Reglas Laborales en contexto de globalización.

CLAUDIA DONAIRE GAETE[*]

16.1. INTRODUCCIÓN

El Convenio Marítimo es definido como "histórico", un paso adelante para establecer en la actividad marítima mundial, a través de las normas internacionales del trabajo, trabajo decente, una competencia equitativa y contribuir al logro de una globalización justa.

El Convenio Marítimo Refundido, conocido en el mundo como MLC, representa un esfuerzo de regulación de la Organización Internacional del Trabajo destinado a generar reglas posibles de cumplir y soluciones alternativas para los países, a fin de favorecer su ratificación por los Estados.

Es el resultado de una resolución conjunta de las organizaciones de gente de mar y armadores del año 2001, más tarde apoyada por los gobiernos, en la que señalaron que la industria marítima es "la primera industria verdaderamente mundial" que "requiere de una respuesta normativa internacional apropiada – con normas globales que puedan ser aplicables a toda la industria".

Responde además al impulso que el Director de la Organización Internacional del Trabajo Juan Somavía dio a la labor normativa internacional, bajo la premisa del "trabajo decente".

Recopila las regulaciones especiales aplicables a la gente de mar, contenidas en 70 Convenios y Recomendaciones adoptados por la OIT desde 1920[1], dándole a los Estados miembros la posibilidad de cumplir gradualmente sus estándares en materia de seguridad social.

Se suma a otros 3 tratados multilaterales de la comunidad de naciones unidas que rigen la actividad marítima a nivel mundial, el Convenio sobre la seguridad de la vida humana en el mar, de 1974; el Convenio sobre normas de formación,

---

[*]   Abogada, Universidad de Chile. ex Presidenta del Consejo Superior Laboral.

[1]   El MLC refunde casi la totalidad de los contenidos de los 70 convenios y recomendaciones existentes en OIT para la gente de mar, reemplaza totalmente a 37 de ellos. Solo quedaron fuera del MLC, los Convenios de Identidad de Gente de Mar, Núm. 108 y Núm. 185; el Convenio de Pensiones de la Gente de Mar, Núm. 71; y el Convenio Núm. 15 que ya había quedado obsoleto.

titulación y guardia para la gente de mar, 1978 (STCW); y Convenio para prevenir la contaminación por los buques.

Fue adoptado en la 94° Conferencia de la Organización del Trabajo, celebrada en febrero de 2006, especialmente para la adopción de este tratado multilateral, por 314 votos a favor y ninguno en contra, de 106 estados miembros y organizaciones de empleadores y trabajadores. Solo se restaron de votar 2 países, por razones ajenas al contenido del convenio.

Afecta a una actividad de esencial importancia para la economía mundial, pues por su intermedio se transporta parte importante de lo que se comercia en el mundo. Por esa razón, la actividad marítima aspira a un estándar de seguridad y de buenas condiciones de trabajo para su personal.

Para lograr su objetivo, el Convenio Marítimo contó con un trabajo preparatorio que no solo revisó los estándares de los convenios que refundía, sino la realidad de su aplicación práctica y las posibilidades de elevar las ratificaciones por parte de los Estados, ofreciendo regulaciones más dinámicas y flexibles, respetando estándares mínimos.

En cuanto a las normas aplicables a los trabajadores, gente de mar, se trató de buscar una alternativa que permitiera a los Estados con sistemas débiles de seguridad social, un compromiso de ratificación, incorporándose, al igual como antes había ocurrido con el Convenio Núm. 183 sobre Protección· de la Maternidad, una regla que permite la implementación gradual de sus disposiciones, especialmente en materia de seguridad social.

En los buques que enarbolan pabellones de países que no ejercen su jurisdicción y control efectivos sobre ellos, como lo exige el derecho internacional, la gente de mar a menudo debe trabajar en condiciones inaceptables, en detrimento de su bienestar, su seguridad y salud y la seguridad del buque en que trabaja. Esta situación es inaceptable para la comunidad internacional y por esa razón, se definió que era necesario un esfuerzo normativo internacional destinado a generar un estándar de aplicación universal y un sistema de cumplimiento eficaz para proteger los derechos de la gente de mar.

En efecto, como la vida laboral de la gente de mar transcurre fuera de su país de origen y del país de bandera de la embarcación, y que los armadores o empleadores tampoco suelen tener residencia en el país de origen de marino, es necesario contar con normas internacionales eficaces para este sector. Estas normas también deben ser aplicadas en el plano nacional, en particular por los gobiernos que cuentan con un registro de buques, autorizan a los buques a enarbolar sus pabellones y realizar actividad marítima bajo su jurisdicción.

Por lo demás, muchos Estados de abanderamiento y armadores brindan condiciones de trabajo decentes a la gente de mar que trabaja en su territorio o sus buques, y no es justo que deban soportar los efectos de la competencia desleal ejercida por los Estados de abanderamiento y buques que no cumplen las normas o estándares internacionales.

El Convenio entró en vigor el 20 de agosto de 2013, es decir, doce meses después de la fecha de haberse registrado las ratificaciones de al menos 30 miembros que en conjunto posean como mínimo el 33% del arqueo bruto de la flota mercante mundial, requisitos que se cumplieron el 20 de agosto de 2012.

Cuenta con 92 ratificaciones, que representan más del 91% de la flota mercante mundial, siendo muchos de ellos Estados ribereños y con puertos importantes para la actividad marítima internacional. En Chile está vigente desde el 22 de Febrero de 2019.

Como Estado del Pabellón, debe adoptar las medidas necesarias para contar con un Sistema de Inspección y Certificación de los Buques que enarbolen su pabellón. Este sistema es obligatorio para buques de bandera chilena con arqueo bruto igual o superior a 500 toneladas, que desarrollan viajes internacionales o que operan en puertos extranjeros, y optativo para los demás buques.

Como Estado Rector del Puerto, debe estar preparado para ejercer control a las naves que recalan en su territorio, bajo los parámetros señalados en el Convenio.

Finalmente, como estado proveedor de mano de obra, debe velar por que se respeten los derechos de la gente de mar que residan en su territorio incluso adoptando medidas que los protejan cuando definen embarcarse en naves de bandera extranjera.

Como vemos, el Convenio beneficia la gente de mar, los armadores, los Estados del pabellón, los Estados del puerto y los Estados proveedores de mano de obra. Contribuye a la consecución del Objetivo de Desarrollo Sostenible N°8 sobre Trabajo Decente y Crecimiento Económico y al N°14 sobre Uso Sostenible de los Océanos.

16.2. ÁMBITO DE APLICACIÓN DEL CONVENIO MARÍTIMO

Ahora bien, el Convenio es aplicable a toda la gente de mar empleada o contratada o que trabaje en cualquier puesto a bordo de un buque al que se aplique el Convenio, y el término buque designa a toda embarcación distinta a las que navegan exclusivamente en aguas interiores o en aguas situadas dentro de o en las inmediaciones de aguas abrigadas o de zonas en las que aplica regulación portuaria. El artículo 8 de la Convención del Mar, establece que se entiende por aguas interiores, las aguas situadas en el interior de la línea de base del mar territorial, de suerte tal que, finalmente, el MLC no se aplicaría a marinos empleados, contratados o que trabajen en cualquier puesto a bordo de buques que naveguen exclusivamente en aguas situadas en el interior de la línea de base de mar territorial, o en aguas situadas dentro de o en las inmediaciones de aguas abrigadas o de zonas en las que rijan reglamentaciones portuarias.

Se aplicaría en cambio a todos buques que, estando autorizados para traspasar la base de mar territorial, lo hagan en forma a lo menos regular.

Se aplica a todos los buques, de propiedad pública o privada, que se dediquen habitualmente a actividades comerciales, con excepción de los buques dedicados a la pesca u otras actividades similares y de las embarcaciones de construcción tradicional. Solo se excluye de su aplicación a los buques de guerra y las unidades navales auxiliares.

En caso de dudas, sobre la aplicación del Convenio a una determinada categoría de buque, el Convenio establece que corresponde resolver la materia a la autoridad competente, previa consulta a las organizaciones de armadores y de trabajadores.

Se establece además la posibilidad de excluir de la aplicación del Convenio a determinadas categorías de buques, cuando no sea razonable o factible aplicar elementos particulares del Código, bajo condición de que el tema que se trate esté contemplado de manera diferente en la legislación nacional, en convenios colectivos o en otras medidas. Sólo podrá proceder a la exclusión previa consulta a las organizaciones de armadores y de trabajadores y únicamente respecto de buques con arqueo bruto inferior a 200 toneladas de registro grueso que no efectúen viajes internacionales.

En síntesis, el Convenio Marítimo se aplica a toda la gente de mar empleada o contratada o que trabaje en cualquier puesto a bordo de buques que estando autorizados para traspasar la base de mar territorial, lo hagan en forma a lo menos regular, sean de propiedad pública o privada, pero que se dediquen a actividades comerciales, con excepción de los dedicados a la pesca u otras actividades similares y las embarcaciones de construcción tradicional.

16.3. EL ESTÁNDAR GLOBAL DE DERECHOS QUE ESTABLECE EL MLC Y SU SISTEMA DE CUMPLIMIENTO A NIVEL INTERNACIONAL

De conformidad al Convenio, la gente de mar tiene que ser debidamente informada de sus derechos y los recursos que tiene a su disposición en caso de presunto incumplimiento de los requisitos del convenio, derecho a presentar quejas, tanto a bordo del buque como en tierra, para hacerlos valer.

Los derechos que se reconocen a la gente de mar, son los siguientes:

a) Derecho a un lugar de trabajo seguro y protegido en el que se cumplan las normas de seguridad;

b) Derecho a condiciones de empleo justas;

c) Derecho a condiciones decentes de trabajo y de vida a bordo y;

d) Derecho a la protección de la salud, a la atención médica, a medidas de bienestar y a otras formas de protección social.

A los armadores[2], se les impone la obligación de desarrollar y llevar a cabo planes para asegurarse de que la legislación y otras medidas nacionales aplicables para poner en práctica el convenio se respetan de manera efectiva. Como parte de sus responsabilidades, aquellos que operen buques con un arqueo bruto superior a 500 toneladas que se dedican a viajes internacionales o a viajes entre puertos extranjeros, deberán someterse a un Sistema de Inspección y Certificación que verificará y certificará que a bordo se cumplen el Convenio. A partir de la Inspección y Certificación del sistema antes señalado, los buques deberán llevar a bordo un Certificado de Trabajo Marítimo y una Declaración de Conformidad Laboral.

También se prevé que los Estados de abanderamiento se aseguren que la legislación nacional por la que se aplican las normas del convenio se respete en los buques más pequeños que no están cubiertos por el sistema de certificación. Los Estados de abanderamiento tendrán que llevar a cabo evaluaciones de la calidad periódicas sobre la eficacia de sus sistemas nacionales de cumplimiento, y las memorias que presenten a la OIT en virtud del artículo 22 de la Constitución deberán proporcionar información sobre sus Sistemas de Inspección y Certificación, incluidos sus métodos de evaluación de la calidad.

Los Estados tendrán obligaciones como rectores del puerto de recalada de naves, siendo este control complementario del Sistema de Inspección y Certificación. En efecto, deberán actuar frente a denuncias y situaciones en que se sospeche que en un determinado barco no se cumple el Convenio, siendo el Certificado de Trabajo Marítimo y la Declaración de Conformidad Laboral, prueba prima facie que se cumplen sus disposiciones.

Finalmente, como Estado proveedor de mano de obra debe ocuparse que la contratación y colocación de la gente de mar de su país en buques de bandera extranjera se haga por agencias que cumplan con el Convenio y éstos puedan acceder a la seguridad social.

En resumen, las responsabilidades de los Estados pueden resumirse en las siguientes:

---

[2] Según la definición del Convenio, el armador es el propietario de un buque o a cualquier otra organización o persona, como puede ser el administrador, el agente o el fletador a casco desnudo, que a efectos de su explotación, ha asumido la responsabilidad que incumbe al propietario.

a) Aplicar y controlar la aplicación de la legislación o de otras medidas que haya adoptado para cumplir las obligaciones contraídas en virtud del MLC, respecto de los buques y la gente de mar bajo su jurisdicción;

b) Ejercer efectivamente su jurisdicción y control sobre los buques que enarbolen su pabellón, estableciendo un sistema para garantizar su cumplimiento que incluya inspecciones periódicas, presentación de informes, medidas de supervisión y procedimientos judiciales;

c) Exigir a los buques que enarbolen su pabellón el Certificado de Trabajo Marítimo y la Declaración de Conformidad Laboral Marítima que regula el MLC;

d) Control e Inspección a barcos extranjeros que recalen en sus Puertos;

e) Control sobre los servicios de contratación y colocación de gente de mar que operen en su territorio;

f) Prohibir las infracciones al MLC y adoptar medidas para disuadir éstas;

g) Cumplir las obligaciones que le impone el MLC, resguardando que los buques de los Estados que no hayan ratificado el presente Convenio no reciban un trato más favorable que los buques que enarbolan el pabellón de Estados que sí lo hayan ratificado.

Para abordar su cometido, el Convenio consta de 3 partes, relacionadas entre sí: los Artículos, el Reglamento y el Código. Los Artículos y Reglamento establecen derechos y principios fundamentales y las obligaciones básicas de los estados. El Código resguarda a la gente de mar un catálogo de derechos mínimos y mecanismos de reclamación en caso de incumplimiento, a través reglas para el cumplimiento y control de aplicación de sus regulaciones.

Para el cumplimiento y control de aplicación del Convenio, se establece la obligación de Inspección y Certificación por parte del Estado del Pabellón, de los buques de 500 toneladas de arqueo bruto o más, dedicados a viajes internacionales o a viajes entre puertos extranjeros, con la finalidad de constatar que se ajusta y cumple el estándar que fija el Convenio, y si es así certificado, se les debe otorgar un "Certificado de Trabajo Marítimo" y un "Certificado de Conformidad Laboral Marítima".

El "Certificado de Trabajo Marítimo" y del "Certificado de Conformidad Laboral Marítima" constituyen "prueba suficiente", mientras no se demuestre lo contrario, de que el buque ha sido debidamente inspeccionado por la autoridad competente del Estado del Pabellón, y que se cumplen en el ámbito de la certificación, los requisitos establecidos en el MLC, con respecto a las condiciones de vida y de trabajo de la gente de mar. En ese contexto, los buques que registren bandera en países que no tengan ratificado el Convenio y consecuencialmente que no cuenten con los certificados antes indicados, no podrán valerse de tales certificaciones, debiendo recibir un trato no más favorable que aquellos que los porten, o sea, serán inspeccionados con mayor rigurosidad en sus recaladas en puertos extranjeros por parte de Estados de Control de Puertos que estén obligados a cumplir el Convenio.

16.4. REGULACIONES ESPECÍFICAS DEL CONVENIO

Abordaré seguidamente los aspectos regulatorios más importantes del Convenio, para demostrar la bastedad de las regulaciones que considera y su nivel de detalle.

16.4.1. Edad Mínima

En materia de edad para trabajar, el Convenio fija como edad mínima los 16 años, se prohíbe el trabajo nocturno y aquellos peligrosos para la salud y la seguridad a menores de 18 años, con excepciones ligadas a formación de tripulantes. A su respecto, las normas nacionales de titulación[3], obligatorias para autorizar el embarco de trabajadores, impiden que un menor de 16 años pueda trabajar a bordo. La regulación específica se encuentra en las respectivas normas de titulación que exigen para obtener título o un permiso de embarco, ser mayor de 18 años. Esa misma normativa exige una escolaridad mínima para postular a los cursos de formación para oficiales y tripulantes: ser egresado de enseñanza media.

16.4.2. Certificado Médico de Aptitud

Con la finalidad de asegurar que toda la gente de mar tenga la aptitud física para desempeñar sus tareas en el mar, el Convenio establece la exigencia de certificado médico para autorizar el trabajo a bordo de una persona, que acredite que cuenta con aptitud física compatible[4], extendido por médico calificado, con "independencia profesional" en lo que se refiere a los procedimientos para examinar a los interesados, reservándole el derecho a someterse a un nuevo examen

---

[3]   Decreto Supremo N°90, de 1999, del Ministerio de Defensa, aprueba el Reglamento sobre Formación, Titulación y Carrera Profesional del Personal Embarcado.

[4]   Contenido del examen: examen satisfactorio de oído y de vista; percepción de colores para servicios en los que su aptitud para el trabajo pueda ser disminuida por el daltonismo; que el interesado no sufre ninguna afección que pueda agravarse con el servicio en el mar o que lo incapacite para realizar dicho servicio, o que pueda constituir un peligro para la salud de otras personas a bordo. Vigencia del Certificado: Período máximo de 2 años, a menos que se trate de menor de 18 años, en cuyo caso el período de vigencia no puede exceder de 1 año. El certificado de percepción de colores podrán tener una validez de hasta 6 años.

en caso de ser negativo el examen anterior. Al efecto, la norma nacional vigente[5] exige aptitud física compatible para ejercer una plaza o cargo a bordo de naves, de acuerdo al examen médico que regula y que en general satisface el estándar del convenio, ajustándose su vigencia a dos años para los efectos de la implementación del tratado multilateral.

16.4.3. Sistema de contratación y colocación

El convenio también establece el deber de los Estados de asegurar que los marinos tengan acceso a un sistema eficiente y bien reglamentado de contratación y colocación. No es obligación de los estados mantener un sistema público de colocación y contratación de la gente de mar, pero si lo tiene, debe asegurarse que opere de una manera ordenada que proteja y promueva los derechos en el empleo de la gente de mar previstos en el Convenio. No debe alentarse la proliferación de estos servicios de carácter privados, pero si se acepta que existan se debe resguardar que operen en conformidad con un sistema normalizado de certificación u otra forma de reglamentación. Se permite también el servicio de contratación y colocación que una organización de la gente de mar pueda mantener a partir de un convenio con uno o más armadores. Empero la claridad de estas reglas, Chile no cuenta con una normativa que asegura el estándar normativo antes indicado, es seguramente esta una de las debilidades de la implementación de Convenio Marítimo en Chile.

16.4.4. Contrato de Embarco

También se regulan las menciones que deben contener los acuerdos de empleo de la gente de mar, o también llamados "contratos de embarco", resguardando los derechos de los marinos a discutir y conocer sus términos, la obligación del armador de entregar copia al marino, y dar a conocer dicho documento al capitán y a las autoridades competentes, así como la obligación del armador de dar a conocer al marino el documento donde conste la relación de su servicio a bordo.

Al efecto, las regulaciones del contrato de embarco contenidas en el Párrafo 1° del Capítulo III del Título II del Libro I del Código del Trabajo, "Del contrato de los trabajadores embarcados o gente de mar y de los trabajadores portuarios eventuales", no satisfacen totalmente los requerimientos del Convenio, pero además se trata de una regulación que lejos de fortalecerse a partir de la ratificación

---

[5]   Decreto Supremo N°90, de 1999, del Ministerio de Defensa, aprueba el Reglamento sobre Formación, Titulación y Carrera Profesional del Personal Embarcado.

del Convenio, se enfrenta a problemas de cumplimiento. En efecto, algunos armadores nacionales han comenzado a excusarse de cumplir con escriturar los contratos de embarco, señalando que cumplen con escriturar contratos de trabajo. El problema es que las menciones del contrato de trabajo satisfacen en menor medida las menciones del contrato de embarco obligatorias para la gente de mar a la que se aplica el convenio, y que se aconsejan también para los marinos no regidos por él.

16.4.5. Horarios de trabajo y descansos

Una de las obligaciones más relevantes que el Convenio impone a los Estados, es que sus legislaciones aseguren a la gente de mar, horarios de trabajo y descansos reglamentados.

La pauta en materia de horas normales de trabajo de la gente de mar, al igual que los demás trabajadores, deberá basarse en una jornada laboral de ocho horas, con un día de descanso semanal y los días de descanso que correspondan a los días de festivos oficiales.

Al establecer las normas nacionales, los estados deberán tener en cuenta el peligro que representa la fatiga de la gente de mar. Sobre todo para los marinos que asumen funciones relacionadas con la seguridad de la navegación y la realización de las operaciones del buque, en condiciones de seguridad.

En consecuencia, el Convenio hace obligatorio a los Estados generar y mantener una norma que reconozca un número máximo de horas de trabajo y un número mínimo de descansos, por período de tiempo, sobre la base de una jornada laboral de ocho horas, con un día de descanso semanal y los días de descanso que correspondan a los días festivos oficiales, pudiendo permitirse procedimientos para autorizar o registrar un convenio colectivo que determine las horas normales de trabajo de la gente de mar sobre una base no menos favorable.

Los límites para las horas de trabajo y descanso deben ser los siguientes: a) El número máximo de horas de trabajo no excederá de: 14 horas por cada período de 24 horas; ni de 72 horas por cada período de 7 días; b) El número mínimo de horas de descanso no será inferior a : 10 horas por cada período de 24 horas; ni de 77 horas, por cada período de 7 días. Las horas de descanso además pueden agruparse en dos períodos como máximo, uno de los cuales debe ser de al menos 6 horas continuas, y el intervalo entre dos períodos consecutivos de descanso no puede exceder de 14 horas.

Un cuadro regulador debe describir la organización del trabajo a bordo, en idioma del buque y en inglés. Este cuadro debe contener el programa de servicio en el mar y en los puertos, y el número máximo de horas de trabajo y el número mínimo de horas de descanso que fijen la legislación nacional o los convenios colectivos aplicables. Asimismo, se debe registrar las horas diarias de trabajo y las horas diarias de descanso de la gente de mar en formato normalizado establecido por la autoridad competente. La autoridad no debe estar facultada para excepciones a estas reglas, pero el Capitán tendrá la atribución para organizar el trabajo en situaciones accidentales previstas en el Convenio.

Al efecto, la legislación chilena establece una jornada semanal para la gente de mar de 56 horas distribuidas en 8 horas diarias, pero las partes están facultades para pactar horas extras sin sujeción al tope máximo de horas extras fijados por la legislación laboral en dos horas diarias. El descanso mínimo establecido para el sector es de ocho horas continuas en cada día calendario.

En síntesis, la normativa es menos favorable que aquella que establece el Convenio pues la posibilidad de pacto sin tope de horas extras expone al trabajador a prestar servicios hasta por 16 horas diarias, con un derecho a tan solo 8 horas de descanso en cada día calendario, y no las 10 que reconoce el tratado multilateral. Esta situación es crítica, como se desarrollará más adelante.

16.4.6. Dotación mínima

Con la finalidad de asegurar que la gente de mar trabaje a bordo de buques con una dotación suficiente que garantice que sus operaciones se hagan en condiciones de seguridad, eficiencia y protección, deben contar con una dotación adecuada en número y calificación, con objeto de garantizar la seguridad del buque y de su personal, en todas las condiciones operativas, adecuadas a la planificación del viaje.

En la fijación de la dotación mínima debe considerarse el derecho a relevo del personal, para que puedan gozar de sus descansos y evitar la fatiga, como su acceso a alimentación y servicio de fonda. Como se puede apreciar, el acceso al estándar de horarios de trabajo y descansos está vinculado con la cuestión de la fijación de dotaciones mínimas de seguridad, en cuanto los miembros de la dotación deben poder ser los suficientes para permitir relevos para descansar a bordo.

El mecanismo de fijación de dotación mínima debe además considerar mecanismos de solución de controversias que puedan suscitarse entre las partes. En efecto, las partes deben contar con mecanismos de impugnación o revisión de las dotaciones para asegurarse que cumplan los estándares antes señalados.

16.4.7. Progresión profesional

El Convenio obliga a los Estados a definir políticas nacionales de progresión profesional, con el objetivo de reforzar las competencias, calificaciones y oportunidades de empleo de la gente de mar. Este aspecto del convenio es muy importante para fortalecer el empleo del sector y apoyar el desarrollo profesional de la gente mar, respecto de lo que no se ha adoptado ninguna medida tras la ratificación de este tratado multilateral.

16.4.8. Seguridad Social

Por último, el convenio obliga a los estados a garantizar el acceso de la gente de mar a una protección en materia de seguridad social. Esta protección puede alcanzarse progresivamente y hasta el logro de cobertura completa en materia de atención médica en caso enfermedad, prestaciones por enfermedad, prestaciones de desempleo, prestaciones de vejez, prestaciones por lesiones profesionales, prestaciones familiares, prestaciones de maternidad, prestaciones de invalidez, y prestaciones de supervivencia.

Al momento de la ratificación, los Estados están obligados a cumplir por lo menos tres de esos nueve temas, permitiéndose implementar las restantes progresivamente. En las memorias que se presenten a la OIT en virtud del artículo 22 de su Carta de Constitución, los Estados deben señalar las medidas que se han adoptado para implementar progresivamente las prestaciones de seguridad social que se mantengan subestándar o sin aplicación.

En el caso de Chile, en el instrumento de ratificación se hizo declaración señalando que otorgaba protección de la seguridad social de conformidad con el párrafo 1 de la norma A4.5 del Convenio, en materia de prestaciones por enfermedad, por desempleo, por lesiones profesionales y por maternidad, reservándose las restantes para implementación progresiva.

16.5. EL CONVENIO MARÍTIMO EN CHILE

A la época de adoptarse, el estándar de las condiciones de trabajo de la gente de mar o marinos chilenos no se alejaba mucho de aquel que establece el Convenio, tanto respecto del personal que trabaja a bordo de naves bajo el ámbito de aplicación del Convenio como de aquellos no regidos por él. Con todo, implementar el convenio demandaría la adopción de un Sistema de Inspección y Certificación a cargo de autoridades nacionales o bien delegar su implementación a entidades reconocidas para esa finalidad; ajustar regulaciones internas en materia de certificados médicos; regular la colocación y contratación de la gente de mar, los procedimientos de quejas a bordo y en tierra; y lo más importante, garantizar un nivel de dotaciones mínimas que permitan a sus miembros atender sus responsabilidades a bordo y acceder a los descansos mínimos que establece el convenio para atender la fatiga, regulando adecuadamente esta materia y estableciendo un mecanismo de resolución de controversias para las disputas que puedan suscitarse.

En materia de jornada y descansos, así como en el régimen de vacaciones, empero una legislación que no resguarda adecuadamente el acceso efectivo del marino a estándares que los protejan de los riesgos de la fatiga, en la época de la adopción del Convenio Marítimo a nivel nacional no existía un estándar tan alejado de sus disposiciones. Una cosa muy distinta ocurre en la actualidad en la marina mercante nacional y particularmente en parte de la flota que desarrolla actividades en la zona sur austral. En la actualidad, el acceso a descansos diarios, semanales y anuales, de una parte importante del personal embarcado es deficitario, lo que sumado a debilidades institucionales para asegurar sus derechos en ese ámbito, hacen urgente una revisión profunda de una legislación vigente, en línea con los tratados multilaterales que pudieren servir a ese propósito, como el Convenio Marítimo y el STCW.

Se ha advertido que la regulación de la gente de mar no considera límites en materia de jornada de trabajo, a excepción del descanso establecido en el artículo 116 del Código del Trabajo, que establece un descanso mínimo de ocho horas continuas en cada día calendario, lo que es particularmente riesgoso en embarcaciones que operan con la dotación mínima de seguridad fijada por la autoridad marítima sin considerar todas las funciones operativas que se asignan a los miembros de la dotación, la planificación del viaje de la embarcación y la necesidad de permitir el acceso a descansos a bordo del personal embarcado.

A mayor abundamiento, de conformidad al artículo 115, el cuadro regulador de trabajo que debe ser confeccionado respetando los límites de la jornada, es visado por la autoridad marítima para establecer su concordancia con el reglamento del trabajo a bordo, pero esta autoridad no fiscaliza si efectivamente la asignación de funciones permite el acceso a descansos de los miembros de la dotación, quedando sin control tan relevante derecho.

A las debilidades normativas antes señaladas, se suma en los últimos años una práctica anómala de algunos armadores de la zona sur austral que, operan solo con la dotación mínima de seguridad fijada por la autoridad marítima, insuficiente para asumir todas las labores operativas de las embarcaciones y permitir el acceso a los descansos mínimos legales de sus miembros, bajo las condiciones particulares de los viajes que realizan.

Existe en estos casos, una discrepancia entre la dotación mínima de seguridad que fija la autoridad marítima y la dotación comercial u operativa real que necesita la embarcación para cumplir con la planificación del viaje, realizar todas las funciones operativas asignadas a los miembros de la dotación y permitirles sus descansos.

Estas cuestiones no fueron abordadas en los trabajos preparatorios para la entrada en vigencia del Convenio Marítimo en Chile, como tampoco otros no menos importantes para garantizar que se pueda informar de buena forma el cumplimiento a sus disposiciones, en las Memorias que deberá presentar a OIT en virtud del artículo 22 de su Carta de Constitución. Revisando las observaciones y solicitudes directas que la Comisión de Aplicación de Convenios y Recomendaciones de la OIT ha hecho a diversos Estados que han ratificado el Convenio Marítimo, es muy probable que Chile reciba similares recomendaciones y requerimientos de información, sobre todo en relación a la implementación de un Sistema de Inspección y Certificación que no se alcanzó a implementar y que según han informado las autoridades competentes se ha delegado a agencias certificadoras que, si bien cuentan con autorización para emitir certificados en relación a las cuestiones relacionadas con la embarcación, propias del Certificado de Trabajo Marítimo, no cuentan ni con autorización ni con atribuciones para emitir la parte de la Declaración de Conformidad Laboral Marítima que es propia de la autoridad laboral, esto es, la Dirección del Trabajo. Entendemos que esta situación deberá regularizarse o aclararse antes de informar la primera Memoria del Convenio Marítimo en Septiembre de 2020[6].

Como se puede apreciar, la adopción del Convenio Marítimo, su entrada en vigencia y posterior ratificación e implementación por los Estados miembros de OIT, como ocurre con el caso de Chile, destaca y realza el derecho de la gente de mar a trabajo decente. Por tratarse de una actividad especial que necesita instrumentos de protección eficaz para garantizar el cumplimiento efectivo de los derechos que consagra, cuestiona la actual institucionalidad que se ocupa de la fiscalización laboral y marítima. Así las cosas, en la actualidad se prepara una iniciativa de modificación legal que se hace cargo de parte importante de los desafíos que el trabajo de implementación del Convenio Marítimo no contempló. Se trata de materias de iniciativa parlamentaria, dejando fuera los aspectos institucionales de iniciativa exclusiva del Ejecutivo.

Es evidente que sin el Convenio Marítimo esta discusión sería hoy más difícil de abordar. La norma internacional establece un estándar aplicable la gente de mar bajo el ámbito de aplicación de sus disposiciones, pero sin duda impactan también al sector marítimo nacional. Vemos un afecto a nivel nacional de un estándar mundial e internacional.

---

[6]   Conforme al calendario de Memorias Regulares, se debe entregar la Primera Memoria del MLC a los 2 años de su entrada en vigencia, mediante un Formulario que es muy detallado.

16.6. REGULACIONES PARA EL FUTURO DEL MUNDO DEL TRABAJO: GLOBALIZACIÓN DE ESTÁNDARES LABORALES

La globalización de estándares laborales para la gente de mar es una característica del Convenio Marítimo que debiera ser extendida a otros sectores. La globalización no se da solo en el transporte marítimo internacional, también lo estamos viendo en la cadena mundial de suministro. Tenemos como desafío extender estas soluciones que persiguen humanizar el trabajo y lograr estándares universales para los trabajadores y trabajadoras.

Según el Informe del Futuro del Mundo del Trabajo de OIT, el comercio internacional y la producción y distribución de bienes y servicios cada vez más está bajo el control de las cadenas mundiales de suministro, que ya dominan numerosos sectores de la economía, entre otros, la industria textil y de confección de ropa, la industria del calzado, la industria automotriz, la industria electrónica, la construcción, el turismo y la hostelería, la horticultura, el transporte e incluso el comercio minorista.

Si bien han favorecido la creación de empleos, impulsado la iniciativa empresarial y la adopción de nuevas prácticas productivas, también generan importantes repercusiones en la organización del trabajo, las condiciones de trabajo, la gobernanza y la distribución del ingreso, así como preocupaciones en materia de acceso a la seguridad social, la seguridad y salud en el trabajo, las remuneraciones y los tiempos de trabajo, así como los derechos de libertad sindical y la negociación colectiva de los trabajadores y trabajadoras.

En las cadenas de suministro mundial, las empresas se proveen por otras empresas, y no son responsables de cumplir con normativas y estándares laborales respecto de los trabajadores de estas últimas, los que además puedan residir en otros países y estar regidos por otras legislaciones y estándares a los que rigen en el país de la empresa que se sirve de sus bienes y servicios.

Como puede apreciarse, se hace necesario analizar los requerimientos regulatorios que demandará la creciente globalización y el impacto de las cadenas mundiales de suministro en los estándares nacionales aplicables a los trabajadores y trabajadores de las empresas proveedoras de bienes y servicios de aquellas. No es evidente que las soluciones puedan darse a nivel nacional, al contrario, parece importante analizar una regulación internacional que fije estándares mundiales y obligaciones para las empresas que controlan la cadena, por lo general, las empresas responsables del diseño y la comercialización del producto final.

Capítulo 17.

El Convenio núm. 189 de la Organización Internacional del Trabajo, sobre el trabajo decente para las trabajadoras y los trabajadores domésticos, en Chile.

FRANCISCO A. RUAY SÁEZ[*]
ALFREDO SIERRA HERRERO[*]

17.1. INTRODUCCIÓN

El Convenio 189 de la Organización Internacional del Trabajo (en adelante, "Convenio 189 de la OIT", "Convenio 189" o, simplemente, "Convenio") fue adoptado por la Conferencia General de dicho organismo con la finalidad de brindar una mayor protección a un sector de trabajadoras y trabajadores, normalmente, se encuentra en una situación desmejorada en relación al resto de los trabajadores. Se trata de las denominados trabajadores o trabajadoras "domésticos" (en términos de la OIT), o de "casa particular" (en nuestro Código del Trabajo), las cuales, debido a una serie de circunstancias históricas, al tipo y modalidad de trabajo y al alto porcentaje de migrantes que desarrollan dicha labor, han recibido un trato bastante precario, tanto en lo jurídico como en otros planos[1]. En este contexto, el Convenio expresa en su introducción: "el trabajo doméstico sigue siendo infravalorado e invisible y lo realizan principalmente las mujeres y las niñas, muchas de las cuales son migrantes o forman parte de comunidades desfavorecidas, y son particularmente vulnerables a la discriminación con respecto a las condiciones de empleo y de trabajo, así como a otros abusos de los derechos humanos".

---

[*] Abogado, Universidad de Chile. Académico ayudante del Departamento de Derecho del Trabajo y de la Seguridad Social, Universidad de Chile.

[*] Profesor titular de Derecho del Trabajo de la Universidad de los Andes (Santiago, Chile). Doctor en Derecho del Trabajo de la Universidad de Santiago de Compostela (España). Abogado Universidad de Chile.

[1] LOUSTAUNAU, Nelson, "Trabajo doméstico", en BARRETO, Hugo (coord.), *La Reglamentación del Trabajo en los Consejos de Salarios y Convenios Colectivos*, Fundación cultura universitaria, Montevideo, Montevideo, 2012, pp. 149 y ss.

Tanto el Convenio 189 de la OIT, como la Recomendación 201 del mismo organismo (en adelante, "Recomendación 201"[2]), han influido enormemente en nuestra actual normativa laboral sobre los trabajadores y las trabajadoras de casa particular. En efecto, la Ley N° 20.786, que incorporó las últimas modificaciones a este respecto en el Código del Trabajo (en adelante "CdT"), se originó, en buena medida, en las disposiciones contenidas en dichos instrumentos internacionales. En la moción parlamentaria de la ley se hizo expresa referencia a ellos, y se señaló que, gracias a las mejoras que introduce la normativa, "millones de trabajadoras y trabajadores domésticos del mundo que se ocupan de las familias y los hogares podrán tener los mismos derechos básicos que otros trabajadores, incluyendo horas de trabajo razonables, descanso semanal de, al menos, 24 horas consecutivas, un límite a los pagos en especie, información clara sobre los términos y las condiciones de empleo, así como el respeto a los principios y derechos fundamentales en el trabajo, incluyendo los de libertad sindical y negociación colectiva"[3].

Los puntos del Código (artículos 146 y ss., capítulo denominado "Del Contrato de Trabajadores de Casa Particular)" que la moción parlamentaria expresó necesario modificar, se refirieron, principalmente, a la jornada de trabajo, al descanso, a las remuneraciones y a la protección de la dignidad de los trabajadores. Respecto a dichos aspectos, la moción señalaba que, en la normativa chilena, "existen una serie de falencias o vacíos que no se encuentran acorde a lo estipulado en este nuevo Convenio de la Organización Internacional del Trabajo".

Este diagnóstico negativo se centró, especialmente, en la situación de aquellos trabajadores que prestan servicios en el domicilio del empleador, en especial, en lo referido a su jornada de trabajo. Se observó que la implementación de la jornada, resultaba, en la práctica, "abiertamente subjetiva y (…) utilizada en forma arbitraria". Además de observar que el horario podía ser sumamente extenso y que el trabajador contaba con un solo día de descanso a la semana, se apreció que éste podía "ser fraccionado en dos medios, a petición del trabajador". Este último aspecto fue fuertemente criticado en la moción parlamentaria de la Ley N° 20.786, pues se estimó que dejaba "abierta la puerta a arbitrariedades", dado que "la petición del trabajador de fraccionar el día completo de descanso en dos medios" podía ser objeto de "presiones del empleador para que el trabajador se mantenga todos los días trabajando, sin necesidad de respetar los dos medios de descanso semanal que le corresponderían de acuerdo a la ley".

---

[2]   Recomendación sobre las trabajadoras y los trabajadores domésticos, 2011, disponible en https://www.ilo.org/dyn/normlex/es/f?p=NORMLEXPUB:12100:0::NO::P12100_ILO_CODE:R201.

[3]   Historia de la Ley N°20.786 (documento generado el 14 de octubre de 2019), pp. 5-6, disponible en https://www.bcn.cl/historiadelaley/fileadmin/file_ley/4369/HLD_4369_37a6259cc0c1dae299a7866489dff0bd.pdf.

Asimismo, la moción parlamentaria de la ley hizo referencia a los problemas que se apreciaban en materia de remuneraciones, en particular a la posibilidad de que parte de éstas se recibieran en especie (tales como alimentos y habitación que provee el empleador), las cuales no se consideraban imponibles para efectos previsionales (véase inciso final del artículo 151 del Código del Trabajo antes de la entrada en vigencia de la Ley N° 20.786). Justamente, en la moción parlamentaria de la ley se sostuvo que este esquema no resultaba "suficiente para garantizar una remuneración, en dinero en efectivo, proporcional a la prestación realizada por el trabajador, pudiendo éste ser afectado por una sobrevaloración de las prestaciones de alimentación y habitación por parte del empleador, o bien, recibir un porcentaje importante de su remuneración mediante las prestaciones señaladas".

En este trabajo pretendemos exponer y analizar las modificaciones que, fruto de la Ley N° 20.786, experimentó el contrato de trabajadores de casa particular. Ellas tuvieron por objeto cumplir con los criterios del Convenio 189 de la OIT, a efectos de igualar las condiciones de los trabajadores de casa particular con las del resto de los trabajadores y, asimismo, eliminar los puntos que pueden ser objeto de arbitrariedades por parte de los empleadores.

El Convenio 189 de la OIT no se refiere únicamente a la jornada y a las remuneraciones. También hace referencia a otra serie de aspectos, tales como, el contrato de trabajo y su contenido, la libertad sindical y negociación colectiva, la protección contra abusos y acoso laborales, la edad mínima para contratar y la situación del trabajador migrante. Nuestro objetivo es tratar cada uno de estos puntos y examinar si nuestra legislación cumple con los criterios contemplados en el Convenio.

17.2. CONTRATO DE TRABAJO Y SU CONTENIDO

17.2.1. Estipulaciones del contrato. Especial mención de las funciones contratadas

El Convenio expresa que los trabajadores y las trabajadoras deben ser informados sobre sus "condiciones de empleo de forma adecuada, verificable y fácilmente comprensible" (cfr. art. 7 del C. 189), de "preferencia" por medio de "contratos escritos". En ellos deben incluirse una serie de estipulaciones que hagan constar sus derechos y obligaciones[4].

---

[4]   Las estipulaciones a las que hace mención el Convenio son las siguientes:
    a)   el nombre y los apellidos del empleador y del trabajador y la dirección respectiva;
    b)   la dirección del lugar o los lugares de trabajo habituales;
    c)   la fecha de inicio del contrato y, cuando éste se suscriba para un período específico, su duración;
    d)   el tipo de trabajo por realizar;
    e)   la remuneración, el método de cálculo de la misma y la periodicidad de los pagos;

Esta exigencia del Convenio se recoge, en buena medida, en nuestra legislación laboral, ya sea en la normativa general aplicable a todas las relaciones laborales o en aquellas específicas para los trabajadores y las trabajadoras de casa particular, contempladas en el Código del Trabajo (en adelante, "CdT").

Como se sabe, el art. 10 del CdT establece que todo contrato de trabajo debe contener, a lo menos, las denominadas "estipulaciones mínimas". Estas estipulaciones se reducen exclusivamente a seis (cfr. art. 10 del CdT). De ellas, las dos primeras hacen referencia a datos sencillos, tales como el lugar y fecha del contrato y la individualización de las partes (cfr. números 1 y 2 del art. 10 del CdT). Las cuatro siguientes atañen a aspectos sustanciales de la relación laboral: naturaleza de los servicios, remuneraciones, jornada y plazo (cfr. números 3, 4, 5 y 6 del art. 10 del CdT). Obviamente, se permite a las partes pactar sobre otras cuestiones, siempre que ello no afecte derechos indisponibles (cfr. número 7 del art. 10 del CdT).

Tratándose de los trabajadores y trabajadoras de casa particular, y a propósito de la descripción de sus funciones, el art. 146 bis del CdT dispone que "sin perjuicio de lo dispuesto en el número 3 del artículo 10, el contrato de los trabajadores de casa particular deberá indicar el tipo de labor a realizar y el domicilio específico donde deberán prestarse los servicios, así como también, en su caso, la obligación de asistencia a personas que requieran atención o cuidados especiales"[5].

En relación a las tareas a realizar, la Dirección del Trabajo ha reconocido que, en la práctica, "si bien la naturaleza del contrato de trabajo en casa particular involucra, en términos generales, la realización de labores de aseo y asistencia propios o inherentes al hogar, la amplitud de tales conceptos ha propiciado que dichos trabajadores y trabajadoras deban asumir funciones que no fueron pactadas con su empleador, limitándoles la capacidad para requerir contraprestaciones pecuniarias adicionales o acordes a las nuevas tareas". Por tales motivos, tal organismo ha exigido una "adecuada descripción de las tareas a realizar (nuevo artículo 146 bis del Código del Trabajo), debiendo señalarse, por ejemplo, si las mismas consisten en aseo, cocinar, jardinería, chofer, cuidado de niños, u otras, ya sea de manera exclusiva o complementaria entre ellas"[6].

---

f)   las horas normales de trabajo;
g)   las vacaciones anuales pagadas y los períodos de descanso diarios y semanales;
h)   el suministro de alimentos y alojamiento, cuando proceda;
i)   el período de prueba, cuando proceda;
j)   las condiciones de repatriación, cuando proceda; y
k)   las condiciones relativas a la terminación de la relación de trabajo, inclusive todo plazo de preaviso que han de respetar el trabajador doméstico o el empleador.

[5]   Sobre la obligación de asistencia a personas que requieran atención o cuidados especiales, véase DIRECCIÓN DEL TRABAJO, Dictamen Ord. N°6484.

[6]   DIRECCIÓN DEL TRABAJO, Dictamen Ord. N° 4268/68.

La doctrina laboral nacional ha señalado que "la determinación de la naturaleza de los servicios implica que se consigne el cargo específico o función que el trabajador se obliga a desempeñar, para evitar que el empleador arbitrariamente altere las condiciones en que el trabajador debe prestar sus servicios «por la vía de cláusulas amplias o indeterminadas» "[7]. Asimismo, la doctrina comparada subraya que el requisito de "determinación" cumple dos funciones: por un lado, garantiza la seriedad de las obligaciones contraídas, tutelando, en consecuencia un interés general; y, por el otro, protege a una de las partes del contrato de la imposición arbitraria de la prestación debida por parte de la otra, tutelando así un interés individual[8]. Se afirma que se trata de una cuestión de "interés cualificado" para el trabajador, pues "sólo desde ella [se] podrá limitar el margen de arbitrariedad que los hechos vienen a conceder a su acreedor"[9].

17.2.2. Formalización del contrato

De acuerdo a las reglas generales del CdT, si bien el contrato individual de trabajo es consensual, el empleador debe hacerlo constar por escrito dentro del plazo de quince días desde que se incorporó el trabajador, o de cinco días si se trata de contratos por obra, trabajo o servicio determinado o de duración inferior a treinta días (cfr. inciso 2° del art. 9 del CdT). Si el empleador no cumple con ello, será sancionado con una multa a beneficio fiscal de una a cinco unidades tributarias mensuales (cfr. inciso 2° del art. 9 del CdT). Asimismo, la falta de contrato escrito "hará presumir legalmente que son estipulaciones del contrato las que declare el trabajador" (cfr. inc. 4° del art. 9 del CdT).

Las normas recién expuestas son, también, aplicables a los trabajadores y las trabajadoras de casa particular. Se cumplen, así, los requerimientos del Convenio 189 de la OIT, con miras a que los trabajadores estén informados sobre sus condiciones de empleo.

A lo anterior cabe agregar una disposición en particular relativa a esta materia. Se trata del art. 146 ter del CdT, en el que, no sólo se reitera la obligación del empleador de entregar copia del contrato de trabajo al trabajador (exigencia ya contenida en el inc. 1° del art. 9 del CdT), sino que se añade la obligación de registro del contrato en la Inspección del Trabajo. Se establece, así, que el contrato deberá registrarse "dentro de los quince días siguientes a su celebración en la sede o en el sitio electrónico de la respectiva Inspección del Trabajo, con

---

[7] Véase GAMONAL CONTRERAS, Sergio y GUIDI MOGGIA, Caterina, *Manual del Contrato de Trabajo*, Thomson Reuters, Santiago, Chile, 2015, p. 112.

[8] Véase CUENCA ALARCÓN, Miguel, *La determinación de la prestación de trabajo*, CES, Madrid, 2006, p. 39.

[9] CUENCA ALARCÓN, *La determinación...*, p. 63.

indicación de las mismas estipulaciones pactadas, a fin de facilitar la fiscalización de la existencia de la relación laboral y de las condiciones de empleo. La Inspección del Trabajo mantendrá la reserva de la identidad de las partes y del domicilio en que se prestan los servicios y sólo podrá utilizar la información disponible para la finalidad de fiscalización o para proporcionarla a los tribunales de justicia, previo requerimiento" (cfr. art. 146 ter del CdT).

17.3. JORNADA Y DESCANSOS

Una de las materias de mayor relevancia tratada en el Convenio 189 de la OIT dice relación con la jornada de trabajo y los descansos. Es posible apreciar en él una preocupación especial por el derecho de estos trabajadores de contar con un horario razonable, y, por ende, con derecho nítidos de descanso entre jornada, descanso semanal y feriado anual. A este respecto, el art. 10 del Convenio señala:

> "1. Todo Miembro deberá adoptar medidas con miras a asegurar la igualdad de trato entre los trabajadores domésticos y los trabajadores en general en relación a las horas normales de trabajo, la compensación de las horas extraordinarias, los períodos de descanso diarios y semanales y las vacaciones anuales pagadas, en conformidad con la legislación nacional o con convenios colectivos, teniendo en cuenta las características especiales del trabajo doméstico.
>
> 2. El período de descanso semanal deberá ser al menos de 24 horas consecutivas.
>
> 3. Los períodos durante los cuales los trabajadores domésticos no disponen libremente de su tiempo y permanecen a disposición del hogar para responder a posibles requerimientos de sus servicios deberán considerarse como horas de trabajo, en la medida en que se determine en la legislación nacional o en convenios colectivos o con arreglo a cualquier otro mecanismo acorde con la práctica nacional".

Como apuntábamos en la Introducción, la Ley N° 20.786 que incorporó una serie de modificaciones en el CdT para adecuarse a las exigencias del Convenio 189 del OIT, otorgó especial relevancia a la tarea de actualización del régimen de jornadas de esta clase de trabajadores. A continuación, analizaremos en qué consistieron dichas modificaciones legales. Para ello, es necesario distinguir los tipos de jornadas que reconoce nuestra normativa: la jornada de aquellos trabajadores que viven en la casa del empleador (régimen "puertas adentro") y la jornada de aquéllos que no lo hacen, y finalizada la jornada retornan a sus domicilios (régimen "puertas afuera")[10].

---

[10]   DIRECCIÓN DE TRABAJO, Dictamen Ord. N° 4268/68.

17.3.1. Régimen "puertas adentro"

La suscripción de nuestro país al Convenio 189 de la OIT se vio reflejada, entre otras cosas, en la jornada de trabajo de los trabajadores o trabajadoras que viven en el domicilio del empleador. Justamente, una de las finalidades del Convenio apunta a que ellos cuenten con un régimen de jornada de trabajo asimilable al resto de los trabajadores en general. Esto implica que cuenten con horas normales de trabajo, compensación de horas extraordinarias, periodos de descanso diarios y semanales, y vacaciones anuales pagadas.

Se advertía en la moción parlamentaria de la Ley N° 20.786 que tales trabajadores contaban con una jornada "menos beneficiosa" que el resto, lo cual podía dejar "abierta la puerta a arbitrariedades" por parte del empleador. Y es que, en la práctica, podía implicar que el trabajador se mantuviera "todos los días trabajando, sin necesidad de respetar los dos medios de descanso semanal que le corresponderían de acuerdo a la ley".

Por lo anterior, la Ley N° 20.786 introdujo una serie de modificaciones destinadas a reducir la jornada y a garantizar el descanso dominical. Y es que, se ha considerado que, al tratarse de una prestación de servicios en régimen "puertas adentro", se torna particularmente difícil el control de la jornada de trabajo. Por ello, en lo concerniente a estos trabajadores, la reforma ha privilegiado el aumento de los días de descanso[11], cuestión que trataremos a continuación.

En relación a los trabajadores que viven en la casa del empleador, se establecen las siguientes reglas:

a. La jornada y su limitación

La Dirección del Trabajo expresa que el legislador "ha considerado la particular dificultad que representa el control de la jornada de trabajo, tratándose de una prestación de servicios en régimen puertas adentro"[12]. Por esto, se ha optado por establecer una jornada que se estructura sobre la base de fijar un descanso mínimo de 12 horas continuas dentro de un día completo (24 horas). Este descanso se puede fraccionar, pero, al menos, 9 horas deben ser ininterrumpidas, entre la jornada diaria y el inicio de la siguiente. El resto, correspondiente a 3 horas, podrá distribuirse durante la jornada y "en él se entenderá incluido el lapso destinado a las comidas del trabajador" (cfr. inc. final del art. 149 del CdT).

Ciertamente, la Recomendación 201 de la OIT muestra una especial preocupación sobre este aspecto. Expresa que "los Miembros deberían adoptar medidas

---

[11]   DIRECCIÓN DE TRABAJO, Dictamen Ord. N° 4268/68.
[12]   DIRECCIÓN DE TRABAJO, Dictamen Ord. N° 4268/68.

para asegurar que los trabajadores domésticos tengan derecho a períodos de descanso adecuados durante la jornada de trabajo, de manera que puedan tomar las comidas y pausas" (cfr. núm. 10 de la Recomendación 201 de la OIT).

b. Días domingos

Tomando en cuenta las dificultades que representa el control de la jornada diaria, uno de los objetivos de la Ley N° 20.786 fue privilegiar el aumento de los días de descanso. En este contexto, nuestra ley contempla "el derecho a descanso semanal los días domingo" (cfr. letra a) del art. 150 del CdT). La Dirección del Trabajo afirma que "[dicho] precepto es claro en señalar que el domingo es día de descanso sin que la ley establezca excepción alguna al respecto, de lo cual se concluye que se trata de un derecho irrenunciable para el trabajador que escapa a aquellas materias sobre las cuales las partes pueden libremente convenir"[13].

c. Días festivos

Asimismo, queda establecido que también "tendrán derecho a descanso todos los días que la ley declare festivos" (letra c) del art. 150 del CdT). Con todo, se permite que las partes puedan pactar por escrito y con anterioridad a dichos festivos que "el descanso se efectúe en un día distinto". Ese día "no podrá fijarse más allá de los noventa días siguientes al respectivo festivo" (letra c) del art. 150 del CdT).

Sin perjuicio de lo anterior, se dispone que este derecho caducará "si no se ejerce dentro de dicho plazo (90 días siguientes al festivo) y no podrá compensarse en dinero, salvo que el contrato de trabajo termine antes de haberse ejercido el descanso". No compartimos esta caducidad, ya que, muchas veces, la falta de ejercicio de este derecho puede producirse por una imposición del empleador, quien puede haberse negado a que este descanso se materializara. Consideramos que hubiera sido más aconsejable que, de no poder hacer uso el trabajador de ese derecho en el plazo correspondiente, se calificase tal cuestión como una infracción laboral –sujeta a multas– y se obligara al empleador a pagar una compensación, al menos, con el recargo correspondiente a las horas extraordinarias.

d. Días sábados

Bajo la lógica de aumentar los días de descanso en este régimen, se contempla, también, como derecho a descanso semanal "los días sábados" (cfr. letra b) del art. 150 del CdT). Esta situación implica que los trabajadores o trabajadoras

---

[13]   DIRECCIÓN DEL TRABAJO, Dictamen Ord. N° 2154.

sujetos al régimen de puertas adentro gozan de dos días de descanso a la semana. Esto, normalmente, coincide con el régimen de la jornada ordinaria de los trabajadores en general, que, como es sabido, suele distribuirse entre lunes y viernes y contemplar los días sábado y domingo como días comunes de descanso.

Esta situación importa el cumplimiento de distintas prescripciones del Convenio 189 de la OIT, en particular aquella referida a la necesidad de conceder como descanso semanal "al menos, 24 horas consecutivas" (N° 2 del art. 10 del Convenio 189). Igualmente, implica la consecución del objetivo consistente en "la igualdad de trato entre los trabajadores domésticos y los trabajadores en general en relación a las horas normales de trabajo, (…) los períodos de descanso diarios y semanales".

En nuestra opinión, lo más relevante de la incorporación de los sábados como días de descanso dice relación con la privacidad del trabajador. En efecto, el Convenio apunta a que se adopten las medidas con el fin de asegurar que los trabajadores que "residen en el hogar para el que trabajan", presten sus servicios en "condiciones de vida decentes que respeten su privacidad" (cfr. art. 6 del Convenio 189 del OIT).

Subrayamos la cuestión de la privacidad, pues, en el caso de estos trabajadores, se ve mermada por el hecho de residir en el hogar del empleador. Por más que el trabajador pueda gozar durante el día de hasta tres horas de descanso, resulta difícil que dicho descanso se desarrolle plenamente. Y es que, no será sencillo que el trabajador disponga de un espacio físico y temporal de real desconexión respecto del empleador que le permita reponer fuerzas y realizar otras actividades con total autonomía. Por tal motivo, consideramos que el hecho de contar con dos días de descanso –los que, como vimos, serán, por regla general, los domingos y sábados– importa una concreción verdadera de tal privacidad. Estos dos días permiten al trabajador conciliar la vida personal y familiar, así como la realización de otras actividades, tales como, capacitación o esparcimiento. Todos estos son objetivos que forman parte de la Recomendación 201, la cual señala la necesidad de limitar los "horarios de trabajo, a fin de asegurar que [los trabajadores] dispongan del tiempo adecuado para el descanso, la educación o la formación profesional, las actividades de esparcimiento y el contacto con sus familiares". (artículo 5.1.a de la Recomendación 201).

17.3.2. Régimen "puertas afuera"

El artículo 149 del CdT expresa: "la jornada de los trabajadores de casa particular que no vivan en la casa del empleador estará sujeta a las siguientes reglas:

a) No podrá exceder de cuarenta y cinco horas semanales, sin perjuicio de lo establecido en la letra d);

b) Se podrá distribuir hasta en un máximo de seis días;

c) Le será aplicable lo dispuesto en el inciso primero del artículo 34;

d) Las partes podrán acordar por escrito hasta un máximo de quince horas semanales adicionales de trabajo, no acumulables a otras semanas, las que serán pagadas con un recargo no inferior al señalado en el inciso tercero del artículo 32. En caso de que el acuerdo no conste por escrito, se imputarán al máximo de quince horas semanales indicadas en esta letra, las horas trabajadas en exceso de la jornada pactada, con conocimiento del empleador;

e) El período que medie entre el inicio y el término de las labores en ningún caso podrá exceder de doce horas continuas, considerando tanto la jornada como el descanso dentro de ella".

Sobre esta disposición, destacamos los siguientes aspectos:

a. Jornada ordinaria de 45 horas semanales, distribuidas hasta en 6 días

La Dirección del Trabajo destaca que esta normativa ha recogido los principios internacionales vigentes, toda vez que el artículo 8 del Convenio 189 de la OIT prescribe la adopción de las medidas necesaria para asegurar la igualdad de trato entre los trabajadores y trabajadoras del hogar y los trabajadores en general en lo relacionado a las horas de trabajo y períodos de descanso[14].

En forma expresa, la ley establece que estos trabajadores gozarán de un descanso semanal correspondiente a "los días domingos y aquellos que la ley declare festivos" (cfr. inc. 1° del art. 35 del CdT, por remisión del inc. 1° del art. 150 del CdT).

b. Bolsa de horas

La Dirección del Trabajo señala que, atendida la naturaleza de la prestación de servicios de los trabajadores y trabajadoras de casa particular, el legislador ha optado por establecer un margen de flexibilidad con miras a la posibilidad de trabajar más allá de la jornada ordinaria[15].

Se contempla, así, la figura de la "bolsa de horas", que consiste en la posibilidad de complementar la jornada mencionada con 15 horas adicionales semanales máximas, las que no tienen el carácter de jornada extraordinaria. Ahora bien, el tiempo de trabajo dentro de aquella bolsa de horas tendrá el mismo valor que

---

[14]   DIRECCIÓN DEL TRABAJO. Dictamen Ord. N° 4268/68.
[15]   DIRECCIÓN DEL TRABAJO. Dictamen Ord. N° 4268/68.

las horas extras, es decir, deberá ser remunerado con un recargo mínimo del 50% sobre el valor hora correspondiente a la jornada ordinaria.

El uso de la bolsa de horas, podrá pactarse específicamente en el contrato de trabajo, o bien, podrán imputarse a dichas horas aquellas trabajadas en exceso por el trabajador o trabajadora con conocimiento del empleador.

17.4. REMUNERACIONES

Una de las preocupaciones del Convenio 189 de la OIT en relación a las remuneraciones de esta clase de trabajadores, es impedir el abuso del uso del pago de regalías por sobre la moneda de curso legal. Se prescribe así que las remuneraciones deberán pagarse "directamente en efectivo a intervalos regulares y como mínimo una vez al mes" (cfr. art. 12.1 del Convenio). Solo "una proporción limitada de la remuneración de los trabajadores domésticos [podrá revestir] la forma de pagos en especie (...)" (cfr. 12.2 Convenio).

La Ley N° 20.786, recogiendo esta prevención del Convenio, modificó el art. 151 del CdT. El artículo actual establece que "la remuneración de los trabajadores de casa particular se fijará de común acuerdo entre las partes y en moneda de curso legal". Y, a propósito de las regalías, añade que, este tipo de remuneración, no puede comprender "los alimentos y la habitación, los cuales siempre serán de cargo del empleador".

17.5. LIBERTAD SINDICAL Y NEGOCIACIÓN COLECTIVA

En Chile, el ejercicio de la libertad sindical se encuentra regulado en sus tres dimensiones: sindicación, negociación colectiva y huelga[16].

En lo referido al ejercicio de la autonomía sindical en su faz organizativa (sindicación), el legislador ha previsto una serie de normas que determinan los requisitos de constitución de un sindicato, el procedimiento y las formalidades a cumplir[17], y los distintos niveles organizativos de los mismos[18].

---

[16] ROJAS MIÑO, Irene: "Los derechos de libertad sindical en la Constitución chilena", *Revista de Derecho* (Valdivia), Vol. 30, N° 1, 2017, pp. 20 y ss.

[17] Véase artículos 221 y siguientes del Código del Trabajo.

[18] Tales son: sindicato de trabajadores de empresa, sindicato de trabajadores interempresa, sindicato de trabajadores independientes y sindicato de trabajadores eventuales o transitorios. LANATA FUENZALIDA, Gabriela: *Sindicatos y Negociación Colectiva*, Thomson Reuters, Santiago, Chile, 2018, pp. 57-59.

Este sistema regulatorio de la libertad sindical ha radicado el ejercicio de la negociación colectiva a nivel de empresa, fundado en su cimiente en la preceptiva constitucional[19]. En este sentido, será generalmente el empleador el legitimado pasivo del ejercicio de dicho derecho en sus diversas dimensiones.

En esta materia, el Convenio 189 de la OIT, en su artículo 3° número 2 letra a), dispone que "todo Miembro deberá adoptar, en lo que respecta a los trabajadores domésticos, las medidas previstas en el presente Convenio para respetar, promover y hacer realidad los principios y derechos fundamentales en el trabajo, a saber: a) la libertad de asociación y la libertad sindical y el reconocimiento efectivo del derecho de negociación colectiva". Además, en el número 3 del mismo artículo, dispone expresamente que, "al adoptar medidas para asegurar que los trabajadores domésticos y los empleadores de los trabajadores domésticos disfruten de la libertad sindical y la libertad de asociación y del reconocimiento efectivo del derecho de negociación colectiva, los Miembros deberán proteger el derecho de los trabajadores domésticos y de los empleadores de trabajadores domésticos a constituir las organizaciones, federaciones y confederaciones que estimen convenientes y, con la condición de observar los estatutos de estas organizaciones, a afiliarse a las mismas".

Por su parte, la Recomendación 201 de la OIT dispone lo siguiente: "2. Al adoptar medidas para asegurar que los trabajadores domésticos disfruten de la libertad sindical y del reconocimiento efectivo del derecho de negociación colectiva, los Miembros deberían:

a) identificar y suprimir las restricciones legislativas o administrativas u otros obstáculos al ejercicio del derecho de los trabajadores domésticos a constituir sus propias organizaciones o a afiliarse a las organizaciones de trabajadores que estimen convenientes, y al derecho de las organizaciones de trabajadores domésticos a afiliarse a organizaciones, federaciones y confederaciones de trabajadores; y

b) contemplar la posibilidad de adoptar o apoyar medidas destinadas a fortalecer la capacidad de las organizaciones de trabajadores y de empleadores, las organizaciones que representen a los trabajadores domésticos y las organizaciones que representen a los empleadores de trabajadores domésticos, con el fin de promover de forma efectiva los intereses de sus miembros, a condición de que se proteja en todo momento la independencia y la autonomía de dichas organizaciones, en conformidad con la legislación".

---

[19]   El art. 19.16-5 Constitución dispone que "la negociación colectiva con la empresa en que laboren es un derecho de los trabajadores, salvo los casos en que la ley expresamente no permita negociar, véase LIZAMA PORTAL. Luis, *La Reforma Laboral. Explicada y comentada*, Ediciones Luis Lizama Portal & Cía, Santiago, Chile, 2016 p. 63.

En este contexto, cabe preguntarse si es posible el ejercicio de la libertad sindical y, particularmente, la autonomía sindical en su faz organizativa por parte de las trabajadoras y trabajadores de casa particular.

En Chile el movimiento sindical de trabajadoras de casa particular goza de una historia propia, la que se inició con la búsqueda de su reconocimiento en calidad de tales y de la protección equitativa en la legislación laboral. Así, históricamente se ha reseñado que el "1° de enero 1926 se fundó el 'Sindicato Profesional de Empleadas de Casa Particular de ambos sexos', convirtiéndose en una de las primeras experiencias sindicales del rubro"[20]. Dicha organización sindical ingresó como una más a la FOCH (Federación Obrera de Chile) y con posterioridad a la Central de Trabajadores de Chile[21]. Desde sus orígenes hasta el presente las trabajadoras históricamente se han asociado y ejercido la libertad sindical conforme a las particularidades legislativas que han regulado la materia en cada periodo histórico[22].

La normativa regulatoria chilena no cuenta con disposiciones específicas que regulen de manera especial el ejercicio de la libertad sindical de los trabajadores y trabajadoras de casa particular. Ellos habrán de asilarse en la preceptiva general en la materia, esto es, en las normas regulatorias de la libertad sindical respecto de los trabajadores en general.

La Dirección del Trabajo ha reconocido el ejercicio de la libertad sindical de los trabajadores afiliados a dichas organizaciones, y en particular, el fuero de los dirigentes sindicales. Ha señalado que "la ley laboral [expresa] qué trabajadores gozarán del derecho a fuero, en este caso, los directivos sindicales, sin señalar como una excepción a dicho derecho en norma laboral alguna a las dirigentes de un sindicato de trabajadoras de casa particular [...] No corresponde que este Servicio al momento de interpretar la ley laboral, niegue un derecho a trabajadores que el legislador no ha excluido de su titularidad, por consideraciones de naturaleza distinta a las meramente legales, como la dificultad o costo del ejercicio del derecho, etc. [...] Las excepciones a derechos subjetivos [...] declarados irrenunciables por la ley, deben ser consideradas de derecho estricto, por tanto, si no se encuentran mencionadas explícitamente por el legislador no corresponde su creación, de modo implícito, por la jurisprudencia administrativa"[23]. De esta manera, si bien en Chile no se ha regulado de manera específica el ejercicio de la libertad sindical de los trabajadores y trabajadoras domésticas, éstas han hecho

---

[20] SUBSECRETARÍA DEL TRABAJO (Gobierno de Chile), *Trabajando por un mañana mejor. Historia del Sindicato Interempresas de Trabajadoras de Casa Particular, SINTRACAP*. Ramal Consultores, 2019, p. 18.

[21] SUBSECRETARÍA DEL TRABAJO, *Trabajando por un mañana...*, pp. 23 y ss.

[22] SUBSECRETARÍA DEL TRABAJO, *Trabajando por un mañana...*, pp. 18 y ss.

[23] Véase, por ejemplo, DIRECCIÓN DEL TRABAJO, Dictamen Ord. N° 1471/72.

uso de la regulación normativa general, por ejemplo, a través de la formación de sindicatos interempresa[24].

17.6. EDAD MÍNIMA

El Convenio 189 de la OIT, en su artículo 4, establece que todo Miembro deberá fijar una edad mínima para los trabajadores domésticos que sea compatible con las disposiciones del Convenio sobre la edad mínima, 1973 (núm. 138)[25], y el Convenio sobre las peores formas de trabajo infantil, 1999 (núm. 182), edad que no podrá ser inferior a la edad mínima estipulada en la legislación nacional para los trabajadores en general. Además, todo Miembro deberá adoptar medidas para asegurar que el trabajo efectuado por los trabajadores domésticos menores de 18 años, pero mayores de la edad mínima para el empleo, no los prive de la escolaridad obligatoria ni comprometa sus oportunidades para acceder a la enseñanza superior o a una formación profesional.

En la legislación laboral chilena no existe ninguna regulación específica en la materia para los trabajadores de casa particular, por lo que debemos remitirnos a las normas generales. El artículo 13 del CdT establece que, para efectos de las leyes laborales, se considerarán mayores de edad y, por lo mismo, podrán contratar libremente la prestación de sus servicios, los mayores de dieciocho años.

Sin perjuicio de lo anterior, continúa diciendo el artículo 13 que los menores de dieciocho años y mayores de quince podrán celebrar contratos de trabajo sólo para realizar trabajos ligeros que no perjudiquen su salud y desarrollo. Se requerirá que cuenten con la autorización expresa del padre o madre; a falta de ellos, del abuelo o abuela paterno o materno; a falta de éstos, de los guardadores, personas o instituciones que hayan tomado a su cargo al menor; y a falta de todos los anteriores, del inspector del trabajo respectivo. Para efectos de resguardar el desarrollo educacional de los menores, previamente deberán acreditar haber culminado su Educación Media o encontrarse actualmente cursando ésta o la Educación Básica. En estos casos, las labores no deberán dificultar su asistencia regular a clases y su participación en programas educativos o de formación.

Existe una norma específica y limitativa para los menores. Y es que, tal como expresa el artículo 13 del CdT, los menores de dieciocho años que se encuentran cursando su Enseñanza Básica o Media no pueden desarrollar labores por más de

---

[24]   "Aquel que reúne como mínimo a trabajadores de dos o más empleadores distintos" (véase art. 216 CdT), véase LANATA FUENZALIDA, *Sindicatos y Negociación...*, p. 58.

[25]   El Convenio núm. 138 fue adoptado por la OIT en 1973. Estipula que los Estados deberían elevar progresivamente la edad mínima a un nivel que haga posible el más completo desarrollo físico y mental de los niños. Establece los 15 años como la edad mínima de admisión al trabajo en general.

treinta horas semanales durante el período escolar. Además, en ningún caso los menores de dieciocho años pueden trabajar más de ocho horas diarias.

También se establece la posibilidad de que la autoridad administrativa intervenga a petición de parte, pudiendo solicitarse a la Dirección Provincial de Educación o a la respectiva Municipalidad, que certifique las condiciones geográficas y de transporte en que un menor trabajador debe acceder a su educación básica o media.

La ausencia de alguna normativa regulatoria especial en materia de trabajos domésticos permite que los menores, efectivamente, puedan desempeñar dichos labores sin más restricciones que las señaladas previamente. Precisamente, dicha ausencia regulatoria presenta un evidente déficit atendida las modalidades en que se pueden desempeñar los trabajadores de casa particular, esto es, o bien en la modalidad "puertas adentro" o "puertas afuera". En este sentido, en materia de jornadas, la disposición limitativa especial que impide que el menor que se encuentra cursando la Enseñanza Básica o Media trabaje más de 8 horas diarias y más de 30 horas semanales, ha de ser considerada de manera preferente en el caso de menores de edad que se desempeñen como trabajadores de casa particular, frente a las normas, también especiales sobre jornada, que regulan el régimen de jornada de dicho tipo de trabajadores.

Por último, en relación a los trabajadores menores de edad, el inciso final del artículo 13 del Código del Trabajo impone a los empleadores la obligación de registrar los respectivos contratos en la Inspección Comunal del Trabajo que corresponda[26].

17.7. PROTECCIÓN DE LA DIGNIDAD DE LAS TRABAJADORAS DE CASA PARTICULAR

17.7.1. Sobre el uso de "uniformes"

Uno de los temas discutidos a la época de la dictación de la Ley N° 20.786 fue el uso de uniformes en lugares públicos. En este sentido, una de las luchas en la búsqueda de igualdad laboral por parte de las trabajadoras de casa particular fue, precisamente, el resguardo de su imagen en público, bajo la comprensión de que el uso de uniformes de trabajo domiciliario (usualmente, delantales especiales) vulneraban la dignidad de estas trabajadoras. En efecto, el título de la ley señalaba, expresamente, la prohibición de la exigencia de uso de uniformes en lugares públicos.

---

[26]   Véase DIRECCIÓN DEL TRABAJO, Dictamen Ord. N° 77/6.

La moción parlamentaria que dio origen al proyecto de ley atendía a esta especial circunstancia que aquejaba a las trabajadoras de casa particular. Señalaba que esta condición resultaba de plena relevancia "atendido hechos cotidianos en los cuales se puede observar a personas acompañadas en diversas actividades, en que las trabajadoras de casa particular acompañan a los miembros de una familia prestando sus servicios, pero distinguiéndose por el uso de uniformes o delantales. De ahí que resulte necesaria una revisión legislativa, según la cual es lícito al empleador imponer el uso de uniformes o similares dentro del centro de labores, mas no fuera de éste. La razón de ser de la norma es evitar la estigmatización de los trabajadores de casa particular, que por el sólo uso de un uniforme o vestimenta distintiva revelan la naturaleza de sus labores, sean objeto de tratamiento diferenciado por parte de muchas personas y establecimientos"[27].

En concreto, la iniciativa terminó concretándose en la inclusión del artículo 151 bis al CdT, que dispuso que "ningún empleador puede condicionar la contratación de trabajadores de casa particular, su permanencia o renovación de contrato, o la promoción o movilidad en su empleo, al uso de uniformes, delantales o cualquier otro distintivo o vestimenta identificadores en espacios, lugares o establecimientos públicos como parques, plazas, playas, restaurantes, hoteles, locales comerciales, clubes sociales y otros de similar naturaleza". Dicho logro, y la modificación legislativa fue considerada un triunfo legislativo para las trabajadoras de casa particular, quienes lo manifestaron, por ejemplo, desde el SINTRACAP[28]. El problema, ahora, se ha trasladado a la búsqueda de la eficacia de la ley vigente. Así, por ejemplo, la presidenta del SINTRACAP ha señalado que "no es que la ley no la contemple, pero se necesita una fiscalización efectiva. Los fiscalizadores no pueden entrar a una casa particular [y] cuando vienen, los empleadores le dicen a la trabajadora que ella diga que es alguien de la familia y que no trabaja ahí. Y ella qué va a hacer. Eso es muy difícil"[29].

17.7.2. *Sobre el acoso moral, sexual y la violencia*

El convenio, además, dispone que todos los Estados Miembros deben adoptar medidas para asegurar que los trabajadores domésticos gocen de una protección efectiva contra toda forma de abuso, acoso y violencia[30]. La legislación laboral

---

[27] Historia de la ley N° 20.786, documento generado el 29 de julio de 2018. p. 4.
[28] SÁEZ IBÁÑEZ, Camila, *No somos nanas. Memorias de Ruth Olate*, Editorial Caliche, Santiago, Chile. 2019, p. 79.
[29] SÁEZ IBÁÑEZ, *No somos nanas*, p. 79.
[30] La Recomendación 201, a su vez, dispone que: "7. Los Miembros deberían considerar el establecimiento de mecanismos para proteger a los trabajadores domésticos del abuso, el acoso y la violencia, por ejemplo: a) creando mecanismos de queja accesibles con el fin de que los trabajadores domésticos puedan informar de casos de abuso, acoso y violencia; b) asegurando que todas las que-

chilena no ha dispuesto alguna normativa específica para la protección de los trabajadores y trabajadoras de casa particular y, por lo mismo, debemos remitirnos, una vez más, a la normativa general. El CdT proscribe, expresamente, las conductas de acoso sexual y acoso laboral en su artículo 2[31] y, además, las establece como una causal de término del contrato de trabajo en su artículo 160 N° 1. De esta suerte, una trabajadora o trabajador, víctima en su trabajo de estas conductas ilícitas, puede proceder a demandar su autodespido o despido indirecto (véase art. 171 CdT).

Asimismo, en estos supuestos, estas trabajadoras o trabajadores tienen también derecho de interponer la acción de tutela laboral sobre protección de los derechos fundamentales (véase arts. 485 y ss.). Ciertamente, la doctrina nacional considera que esta acción es la vía idónea para que los trabajadores en general persigan el reguardo de sus derechos frente a un acoso sexual o laboral. Caamaño afirma así que "el procedimiento de tutela se transforma en la vía adecuada para garantizar estos derechos: la rebaja del estándar probatorio, que elimina la necesidad de una convicción absoluta en el juez beneficia la postura del denunciante. Así, sus aseveraciones deberán darse por demostradas con la prueba de indicios que revelen conductas lesivas de derechos fundamentales y cuya justificación o proporcionalidad no hayan logrado ser explicadas por el denunciado"[32].

En efecto, el procedimiento de tutela contempla una norma de aliviación probatoria. En ella se establece que, si el trabajador acredita la existencia de indicios suficientes del acaecimiento de conductas constitutivas de vulneración de derechos fundamentales, el empleador deberá explicar los fundamentos de las medidas adoptadas y su proporcionalidad (véase art. 493 CdT)[33].

[   ] jas de abuso, acoso y violencia se investiguen y sean objeto de acciones judiciales, según proceda; y c) estableciendo programas para la reubicación y la readaptación de los trabajadores domésticos víctimas de abuso, acoso y violencia, inclusive proporcionándoles alojamiento temporal y atención de salud".

[31] El inciso segundo de dicho artículo dispone: "Las relaciones laborales deberán siempre fundarse en un trato compatible con la dignidad de la persona. Es contrario a ella, entre otras conductas, el acoso sexual, entendiéndose por tal el que una persona realice en forma indebida, por cualquier medio, requerimientos de carácter sexual, no consentidos por quien los recibe y que amenacen o perjudiquen su situación laboral o sus oportunidades en el empleo. Asimismo, es contrario a la dignidad de la persona el acoso laboral, entendiéndose por tal toda conducta que constituya agresión u hostigamiento reiterados, ejercida por el empleador o por uno o más trabajadores, en contra de otro u otros trabajadores, por cualquier medio, y que tenga como resultado para el o los afectados su menoscabo, maltrato o humillación, o bien que amenace o perjudique su situación laboral o sus oportunidades en el empleo".

[32] CAAMAÑO ROJO, Eduardo y UGARTE CATALDO, José Luis, "El acoso laboral: tutela y prueba de la lesión de los derechos fundamentales", *Ius et Praxis*, Vol. 20. N° 1. 2014, p. 88.

[33] UGARTE CATALDO, José Luis, "Tutela laboral de derechos fundamentales y carga de la prueba", *Revista de Derecho de la Pontificia Universidad Católica de Valparaíso*, N° 33, 2009, p. 218.

En resumen, si bien no existen normas específicas en materia de acoso sexual y laboral de los trabajadores y trabajadoras de casa particular, éstos pueden realizar, de todas formas, las denuncias pertinentes ante la Inspección del Trabajo o iniciar las acciones judiciales oportunas a efectos de resguardar sus derechos, todo ello fundado en lo dispuesto por el artículo 2 y los artículos 485 y siguientes del CdT.

17.8. TRABAJADORES MIGRANTES

La migración, a nivel global, es un fenómeno que, por sí solo, ha suscitado una intensa preocupación en el derecho laboral, tanto en los diversos Estados nacionales como en las distintas organizaciones internacionales, entre ellas, por cierto, la OIT.

Una especial preocupación ha suscitado la migración cuando ha ido acompañada de circunstancias que sitúan a dichas personas en una condición especial de vulnerabilidad, expuestas a situaciones de discriminación tanto en relación con acciones del Estado como de particulares.

En el caso de los trabajadores y trabajadoras de casa particular, unir la condición de migrantes a la propia situación de informalidad propia de las labores que desempeñan, genera una situación de vulnerabilidad mayor que ha devenido en la necesidad de una regulación protectoria especial. Es así como el Convenio que nos encontramos analizando ha dispuesto una consideración protectoria especial respecto de los trabajadores domésticos que, además, revisten la condición de migrantes.

El Convenio dispone en su artículo 8: "1. En la legislación nacional se deberá disponer que los trabajadores domésticos migrantes que son contratados en un país para prestar servicio doméstico en otro país reciban por escrito una oferta de empleo o un contrato de trabajo ejecutorio en el país donde los trabajadores prestarán su servicio, que incluyan las condiciones de empleo señaladas en el artículo 7, antes de cruzar las fronteras nacionales con el fin de incorporarse al empleo doméstico al que se refiere la oferta o el contrato. 2. La disposición del párrafo que antecede no rige para los trabajadores que tengan libertad de movimiento con fines de empleo en virtud de acuerdos bilaterales, regionales o multilaterales o en el marco de organizaciones de integración económica regional. 3. Los Miembros deberán adoptar medidas para cooperar entre sí a fin de asegurar la aplicación efectiva de las disposiciones del presente Convenio a los trabajadores domésticos migrantes. 4. Todo Miembro deberá especificar, mediante la legislación u otras medidas, las condiciones según las cuales los trabajadores domésticos migrantes tienen derecho a la repatriación tras la expiración o terminación del contrato de trabajo en virtud del cual fueron empleados".

La legislación laboral chilena no contempla normas regulatorias especiales en materia de trabajadores domésticos migrantes, sino más bien una serie de normas regulatorias generales para trabajadores migrantes. En primer lugar, los artículos 19 y 20 del Código del Trabajo establecen un porcentaje de trabajadores nacionales con los que deben contar las empresas[34].

En segundo lugar, la Ley N° 1094 de 1975 (Ley de extranjería) y el Decreto 597 de 1984 (Reglamento de extranjería) regulan el trabajo de personas migrantes en Chile.

Los presupuestos regulatorios de dichas normas regulatorias son los siguientes: que la migración está subordinada, casi de un modo absoluto a la voluntad del Estado; que la migración es una amenaza de la cual el Estado debe tomar resguardo y; que la migración es evitable[35]. Estos supuestos son derivados del contexto específico en que las normas regulatorias señaladas fueron dictadas (hace, ya, un par de décadas), un contexto absolutamente diferente al de hoy, en que la principal preocupación giraba en torno a la soberanía nacional y a la protección de los intereses del Estado[36].

El paso del tiempo, y el fenómeno de la globalización han modificado claramente el contexto mundial migratorio, lo que, sin duda, requiere una revisión profunda de la normativa vigente en búsqueda de su actualización[37]. Actualmente, en materia laboral, una de las expresiones de la protección del trabajo de los migrantes es la formalización del mismo mediante el proceso de tramitación de visas[38] especiales al efecto[39]. En este sentido, la visa de especial relevancia es la

---

[34] El artículo 19 del CdT expresa: "El ochenta y cinco por ciento, a lo menos, de los trabajadores que sirvan a un mismo empleador será de nacionalidad chilena.
Se exceptúa de esta disposición el empleador que no ocupa más de veinticinco trabajadores".

[35] SANDOVAL DUCOING, Rodrigo, "Política y gestión migratoria período 2014-2018", en ARELLANO, Pablo (edit.) *Trabajadores migrantes y seguridad social*, Librotecnia, Santiago, Chile, pp. 127-128.

[36] Esta tensión entre los intereses migratorios y la soberanía nacional es un elemento que se mantiene en el tiempo. Se ha señalado que en la definición de política extranjera "descansa la tensión permanente entre dos factores. Por un lado, los legítimos intereses del propio Estado, en razón de sus necesidades económicas, sociales, geopolíticas y culturales; y por otro, la voluntad y motivación, muchas veces irreductible, del sujeto, de la persona que migra, quien en los hechos es el que va a tomar la decisión migratoria. La mayor preponderancia que un Estado le atribuya a uno u otro, otorga un carácter determinado a la política migratoria" (SANDOVAL DUCOING, "Política y gestión migratoria...", p. 125.

[37] Véase SEVERIN CONCHA, Juan Pablo, "Reconocimiento y garantía de los derechos de los trabajadores migrantes", en ARELLANO, Pablo (edit.), *Trabajadores migrantes y seguridad social*, Librotecnia, Santiago, Chile, pp. 100-101.

[38] Al efecto el Decreto Ley N° 1094 artículo 5 dispone que "para los efectos de este decreto ley, visación es el permiso otorgado por la autoridad competente, estampado en un pasaporte válido y que autoriza a su portador para entrar al país y permanecer en él por el tiempo que determine. La visación se considerará válida desde el momento en que se estampe en el pasaporte".

[39] Sujeta a contrato, residente estudiante, residente temporario, residente con asilo político o refugiado y, actualmente, "visa temporaria por motivos laborales" conforme a la Circular N° 7 del Jefe

"visa sujeta a contrato". La normativa regulatoria del trabajo migrante dispone la inclusión de cláusulas especiales en dichos contratos de trabajo. Estas cláusulas son:

a) Cláusula de viaje o de pago de pasaje de retorno al país de origen del trabajador extranjero[40]

b) Cláusula de vigencia[41]

c) Cláusula de impuesto a la renta[42]

d) Cláusula de régimen previsional[43]

Si bien esta regulación especial se refiere a los trabajadores extranjeros en general, dentro de dicho universo debemos considerar, también, a los trabajadores domésticos extranjeros. En dicho sentido, podemos constatar que, mediante la cláusula especial de viaje y aquella referida a la seguridad social, se otorga

---

de Departamento de Extranjería y Migración del Ministerio del interior y seguridad Pública. Para un estudio profundizado en el tema véase ROJAS RIQUELME, Nadia, *El contrato de trabajo para extranjeros. Análisis de sus cláusulas especiales, simulación e informalidad laboral,* Ius Civile, Santiago, Chile, 2017, pp. 24 y ss.

[40] Señala el artículo 24 de la Ley de Extranjería: "El contrato de trabajo que se acompañe para obtener esta visación deberá contener una cláusula por la que el empleador o patrón se comprometa a pagar el pasaje de regreso del trabajador y demás personas que estipule el contrato. Las formalidades y características del contrato serán señaladas en el reglamento". Por su parte, el artículo 38 del Reglamento de Extranjería dispone que "la obligación del empleador o patrón referente al pago de pasajes subsistirá hasta que, terminado el respectivo contrato y suscrito el finiquito, el extranjero salga del país u obtenga nueva visación o permanencia definitiva.

"No obstante, cuando el contrato termine antes de la fecha convenida y el extranjero tuviere necesidad de continuar en Chile, el Ministerio del Interior dispondrá, en casos calificados, que esta obligación del empleador o patrón subsista durante un tiempo que estime prudente".

"En este caso al afectado se le podrá otorgar de oficio una visación de residente temporario por el tiempo necesario la que no podrá ser superior a 90 días. A su término deberá salir del país o presentar una nueva solicitud de visación de residente".

[41] "No existe disposición alguna en la Ley de Extranjería y su Reglamento, que la exijan de manera expresa, sino que ésta ha sido requerida por el Departamento de Extranjería y Migración dependiente del Ministerio del Interior y Seguridad Pública, señalando inclusive la forma en que ésta debe redactarse". Rojas Riquelme, p. 34.

[42] Según el artículo 37 del Reglamento de Extranjería, el contrato de trabajo deberá contener la "obligación del empleador de responder al pago de impuesto a la renta correspondiente en relación a la remuneración pagada"

[43] El artículo 1 de la Ley N° 18.156 dispone que "las empresas que celebren contratos de trabajo con personal técnico extranjero y este personal, estarán exentos, para los efectos de esos contratos, del cumplimiento de las leyes de previsión que rijan para los trabajadores, no estando obligados, en consecuencia, a efectuar imposiciones de ninguna naturaleza en organismos de previsión chilenos, siempre que se reúnan las siguientes condiciones: a) Que el trabajador se encuentre afiliado a un régimen de previsión o de seguridad social fuera de Chile, cualquiera sea su naturaleza jurídica, que le otorgue prestaciones, a lo menos, en casos de enfermedad, invalidez, vejez y muerte, y b) Que en el contrato de trabajo respectivo el trabajador exprese su voluntad de mantener la afiliación referida. La exención que establece el inciso anterior no comprenderá los riesgos de accidentes del trabajo y enfermedades profesionales previstos en la ley 16.744".

cobertura a dos de las preocupaciones fundamentales que el trabajo doméstico migrante genera.

El Código del Trabajo, en la proscripción de la discriminación[44], ha tipificado como un criterio sospechoso[45] la consideración de la nacionalidad como un elemento fundante de diferenciación respecto de los trabajadores, en general, y ha puesto a su disposición el procedimiento especial de tutela de garantías fundamentales en aquellos casos en que dicha garantía haya sido vulnerada (la garantía de no discriminación en razón de la nacionalidad). Esta garantía otorga protección a los trabajadores extranjeros ante medidas o actos discriminatorios ejecutados por su empleador en un plano de eficacia diagonal de los derechos fundamentales[46].

Es también deber del Estado velar por la no discriminación en razón de la nacionalidad en el ejercicio de su función nomogenética (legislativa y administrativa). Sin embargo, es precisamente en este punto en donde, por ejemplo, el legislador nacional ha sostenido la prevalencia de los intereses soberanos y la seguridad nacional como prevalecientes ante las garantías de los extranjeros, en general, y de los trabajadores extranjeros, en particular, al menos en la dictación originaria de la Ley de Extranjería y de su respectivo Reglamento.

Los trabajadores y trabajadoras domésticas no son la excepción, y como hemos señalado, las normas sobre personas migrantes, y trabajadores migrantes, son aplicables, también, a éstos.

Hemos dicho que al problema general de la informalidad laboral respecto de los trabajadores domésticos, se suma la "informalidad migratoria". En este sentido, la pregunta recae sobre la protección (o desprotección) de los trabajadores domésticos que efectivamente prestan servicios bajo subordinación y dependencia, no sólo en ausencia de un contrato de trabajo normalmente celebrado y escriturado[47], sino, también, en ausencia de visa. En este sentido, la doctrina ha señalado que "la calidad migratoria de una persona, esto es, el hecho de si la persona ha migrado documentada o indocumentadamente, no puede constituir

---

[44]   UGARTE CATALDO, José Luis, *El derecho a la no discriminación en el trabajo*, Thomson Reuters. Santiago, Chile. 2013, pp. 32 y ss.; RUAY SÁNCHEZ, Francisco. "Sobre la proscripción de la discriminación en materia laboral y su resguardo a través del procedimiento de tutela laboral. (Corte Suprema. Rol 23.808-14, de 5 de agosto de 2015)", en VIDAURRE, Bárbara (coord.), *Diez años de Impacto Jurisprudencial 2006-2016*, Ediciones Jurídicas de Santiago, 2018, pp. 669-681.

[45]   DÍAZ DE VALDÉS, José Manuel. "Las categorías sospechosas en el derecho chileno", *Revista de Derecho de la Pontificia Universidad Católica de Valparaíso*. Valparaíso, N° 50, Julio, 2018, pp. 193 y ss.

[46]   GAMONAL CONTRERAS, Sergio. "De la eficacia horizontal a la diagonal de derechos fundamentales en el contrato de trabajo: una perspectiva latinoamericana", en *Latin American Legal Studies*. Vol. 3. 2018, pp. 14 y ss.

[47]   El artículo 9° del Código del Trabajo establece que "El contrato de trabajo es consensual; deberá constar por escrito en los plazos a que se refiere el inciso siguiente, y firmarse por ambas partes en dos ejemplares, quedando uno en poder de cada contratante".

una justificación para privarla del goce y ejercicio de sus derechos humanos, entre ellos los de carácter laboral"[48].

En la misma línea, nuestra jurisprudencia ha extendido la protección laboral, inclusive, a las personas que no han cumplido con las formalidades legales para desempeñarse como trabajadores en Chile. En efecto, en dichos casos se ha de desarrollar un análisis paralelo que considera, por un lado, la situación migratoria del trabajador o trabajadora, y por otro lado, su situación laboral como trabajador dependiente. Cada una de dichas perspectivas, la del Derecho Migratorio y la del Derecho Laboral, puede encontrar un desarrollo jurisprudencial distinto, sin perjuicio de que los principios que debiesen guiar la interpretación de la normativa de fondo son similares en ambos (principio *pro homine* y *pro operario*).

De esta manera, encontramos sentencias como aquella dictada por la Corte Suprema en la causa Rol 7018–2012, *"Plasencia con Ministerio del Interior"*, de fecha 5 de septiembre de 2012. En ella se acogió un amparo que fue presentado por una trabajadora migrante en una situación de informalidad, respecto de la cual se habría emitido un decreto de expulsión. En la sentencia se tuvo en consideración como argumento central el principio de igualdad y las bases institucionales del Estado consagradas en la Constitución. Coincidimos con Muñoz León cuando señala que, respecto de las autoridades administrativas, "el tratamiento que proporcionado [a los inmigrantes] debiera ser especialmente respetuoso, ya que se trata de una categoría de personas que carece de poder y que se ve vulnerabilizado y marginalizado debido a su situación de nacionalidad"[49].

Por otra parte, es preciso recordar que el contrato de trabajo es de carácter consensual. Por ende, en materia migratoria mantiene dicho carácter. La regla general de la escrituración del contrato de trabajo establecida en el artículo 9 del CdT es una formalidad para efectos de la prueba y no para efectos de la existencia del contrato mismo. En este sentido, Rojas ha señalado que "la obligación de escrituración, no significa que el contrato mute de consensual a solemne, sino que se trata de una formalidad por vía de prueba. En este contexto, el contrato de trabajo para extranjeros seguirá teniendo el carácter de consensual, no obstante la obligación general de escrituración y la obligación particular de la existencia de cláusulas especiales"[50].

---

[48]   MUÑOZ LEÓN, Fernando, "Trabajadores migrantes y discriminación", en ARELLANO, Pablo (edit.) *Trabajadores migrantes y seguridad social*, Librotecnia, Santiago. Chile. 2015, p. 25.

[49]   MUÑOZ LEÓN, "Trabajadores migrantes...", p. 29.

[50]   ROJAS RIQUELME, *El contrato de trabajo*, p. 41.

17.9. CONCLUSIONES

La situación de aquellos trabajadores y trabajadoras que desempeñan sus labores domésticas reviste una especial fragilidad. Esto, porque a la desigualdad propia que conlleva toda relación laboral, se une la informalidad histórica que ha revestido este trabajo específico, informalidad que ha acarreado desigualdades y abusos que resultan imperativos corregir.

En este contexto, el Convenio 189 de la OIT se ha erigido como garante de los derechos de las trabajadoras y trabajadores de casa particular o trabajadores domésticos, exigiendo a los Estados Miembros la edificación de una legislación laboral efectiva que los garantice. Específicamente, ha pretendido hacerse cargo de cuestiones delicadas en este tipo de trabajo, como son la jornada, las remuneraciones, las estipulaciones contractuales, la libertad sindical y negociación colectiva, la dignidad, el trabajo infantil y el trabajo de migrantes, imponiendo exigencias mínimas a los ordenamientos a la hora de regular estas materias.

La legislación laboral chilena se ha hecho cargo de los requerimientos impuestos por el Convenio y, con la Ley N° 20.786, ha elaborado una serie de modificaciones en torno a este contrato específico de trabajo:

En primer lugar, y en lo que respecta a las estipulaciones mínimas del contrato, las normas relativas al contrato de trabajadores de casa particular no se han limitado a una remisión vaga al artículo 10 del CdT, sino que han exigido al empleador precisar el tipo de labor específica que realizará el trabajador, tal como lo exige el Convenio 189. Esto, con el fin de disipar lo más posible la informalidad que caracteriza la labor del trabajador doméstico o de casa particular.

En segundo lugar, la ley ha realizado modificaciones en torno a los dos tipos de jornada en los que pueden desempeñarse estos trabajadores y trabajadoras: "puertas adentro" o "puertas afuera". En ambos casos ha regulado con mayor precisión la duración de la jornada, el descanso diario, el descanso semanal y el feriado anual. Ha otorgado mayores beneficios al trabajador con el objeto de asegurarle un descanso efectivo que le permita conciliar con mayor facilidad su vida personal, familiar y social.

En tercer lugar, ha regulado con especial cuidado las remuneraciones que reciben estos trabajadores, buscando impedir el abuso del uso del pago de regalías por sobre la moneda de curso legal, siguiendo.

En cuarto lugar, ha reconocido la libertad sindical de estos trabajadores en todas sus dimensiones, aun cuando no las regule en forma expresa. Hay que saber que, como la ley no ha establecido excepciones, la libertad sindical ha de reconocérsele también a estos trabajadores, resultando perentorio, pues, remitirse a la norma general que garantiza la libertad de asociación, negociación colectiva y huelga de los trabajadores.

En quinto lugar, la ley laboral establece la edad mínima para contratar. Siguiendo los parámetros del Convenio de la OIT, pretende resguardar el trabajo de los menores, regulando el mínimo de edad, las condiciones de trabajo, la protección de su formación básica y media, entre otros aspectos.

En sexto lugar, y en línea con el Convenio, ha introducido la prohibición de obligatoriedad de uniformes en lugares públicos. Ello, con el objeto de resguardar la dignidad de las trabajadoras que, históricamente, se han sentido "señaladas" por su vestimenta.

Finalmente, y tomando en consideración la especial preocupación que existe a nivel internacional por la situación de los migrantes, nuestra legislación ha ido incorporando, poco a poco, herramientas que buscan garantizar a los extranjeros un mejor acceso a la información y un mejoramiento en sus condiciones laborales. Y es que, siguiendo la línea de la OIT, la ley ha reconocido que la situación del migrante que realiza labores domésticas es doblemente frágil: a la vulnerabilidad propia de su condición de migrante se une la informalidad propia de este contrato de trabajo, ya analizada anteriormente. Por ello, resulta perentorio incorporar una regulación positiva que permita a los migrantes un efectivo ejercicio de sus derechos.

Todas las modificaciones anteriores reflejan el propósito del Estado chileno de poner en práctica las prescripciones y recomendaciones del Convenio 189 de la OIT, así como las de la Recomendación 201 del mismo organismo. Se pretende, así, superar la precariedad laboral y social que, históricamente, ha existido para esta clase de trabajadoras y trabajadores.

BIBLIOGRAFÍA

CAAMAÑO ROJO, Eduardo y UGARTE CATALDO, José Luis, "El acoso laboral: tutela y prueba de la lesión de los derechos fundamentales", *Ius et Praxis*, Vol. 20, N° 1, 2014, pp. 67–90.

CUENCA ALARCÓN, Miguel, *La determinación de la prestación de trabajo*, CES, Madrid, 2006.

DÍAZ DE VALDÉS, José Manuel, "Las categorías sospechosas en el derecho chileno", *Revista de Derecho de la Pontificia Universidad Católica de Valparaíso*, Valparaíso, N° 50, Julio, 2018, pp. 189–218.

GAMONAL CONTRERAS, Sergio, "De la eficacia horizontal a la diagonal de derechos fundamentales en el contrato de trabajo: una perspectiva latinoamericana", *Latin American Legal Studies*. Vol. 3. 2018, pp. 1–28.

GAMONAL CONTRERAS, Sergio y GUIDI MOGGIA, Caterina, *Manual del Contrato de Trabajo*, Thomson Reuters, Santiago, Chile, 2015.

LANATA FUENZALIDA, Gabriela, *Sindicatos y Negociación Colectiva*, Thomson Reuters, Santiago, Chile, 2018.

LIZAMA PORTAL, Luis, *La Reforma Laboral. Explicada y comentada*, Ediciones Luis Lizama Portal & Cía. Santiago, Chile, 2016.

LOUSTAUNAU, Nelson, "Trabajo doméstico", en BARRETO, Hugo (coord.), *La Reglamentación del Trabajo en los Consejos de Salarios y Convenios Colectivos*, Fundación Cultura Universitaria, Montevideo, 2012, pp. 149–167.

MUÑOZ LEÓN, Fernando, "Trabajadores migrantes y discriminación", en *Trabajadores migrantes y seguridad social* (edit. Pablo Arellano), Librotecnia, Santiago, Chile, 2015, pp. 17–30.

ROJAS MIÑO, Irene, "Los derechos de libertad sindical en la Constitución chilena", *Revista de Derecho*, Valdivia, Vol. 30, N° 1, 2017, pp. 9–31.

ROJAS RIQUELME, Nadia, *El contrato de trabajo para extranjeros. Análisis de sus cláusulas especiales, simulación e informalidad laboral*, Ius Civile, Santiago, Chile, 2017.

RUAY SÁNCHEZ, Francisco, "Sobre la proscripción de la discriminación en materia laboral y su resguardo a través del procedimiento de tutela laboral (Corte Suprema. Rol 23.808–14, de 5 de agosto de 2015)", en *Diez años de Impacto Jurisprudencial 2006–2016* (coord. Bárbara Vidaurre), Ediciones Jurídicas de Santiago, 2018, pp. 669–681.

SANDOVAL DUCOING, Rodrigo, "Política y gestión migratoria período 2014–2018", en *Trabajadores migrantes y seguridad social* (edit. (edit. Pablo Arellano), Librotecnia. Santiago. Chile, pp. 123–139.

SÁEZ IBÁÑEZ, Camila, *No somos nanas. Memorias de Ruth Olate*, Editorial Caliche, Santiago, Chile, 2019.

SEVERIN CONCHA, Juan Pablo, "Reconocimiento y garantía de los derechos de los trabajadores migrantes", *Trabajadores migrantes y seguridad social* (edit. Pablo Arellano), Librotecnia. Santiago, Chile, pp. 99–115.

SUBSECRETARÍA DEL TRABAJO (Gobierno de Chile), *Trabajando por un mañana mejor. Historia del Sindicato Interempresas de Trabajadoras de Casa Particular, SINTRACAP.* Ramal Consultores. 2019.

UGARTE CATALDO, José Luis, *El derecho a la no discriminación en el trabajo*, Thomson Reuters. Santiago, Chile. 2013.

UGARTE CATALDO, José Luis: "Tutela laboral de derechos fundamentales y carga de la prueba", *Revista de Derecho de la Pontificia Universidad Católica de Valparaíso*, Valparaíso, N° 33. 2009, pp. 215–228.

Anexo: Ratificaciones de Chile[1]

63 Convenios ratificados por Chile

Convenios fundamentales: 8 sobre 8

Convenios de gobernanza (prioritarios): 2 sobre 4

Convenios técnicos: 53 sobre 178

De los 63 Convenios ratificados por Chile, 49 están en vigor, 12 han sido denunciados y 2 instrumentos abrogados. Ninguno ha sido ratificado en los últimos 12 meses.

CONVENIOS FUNDAMENTALES

Convenio	Fecha	Estatus	Nota
C029 – Convenio sobre el trabajo forzoso, 1930 (núm. 29)	31 mayo 1933	En vigor	–o–
C087 – Convenio sobre la libertad sindical y la protección del derecho de sindicación, 1948 (núm. 87)	01 febrero 1999	En vigor	–o–
C098 – Convenio sobre el derecho de sindicación y de negociación colectiva, 1949 (núm. 98)	01 febrero 1999	En vigor	–o–
C100 – Convenio sobre igualdad de remuneración, 1951 (núm. 100)	20 septiembre 1971	En vigor	–o–
C105 – Convenio sobre la abolición del trabajo forzoso, 1957 (núm. 105)	01 febrero 1999	En vigor	–o–
C111 – Convenio sobre la discriminación (empleo y ocupación), 1958 (núm. 111)	20 septiembre 1971	En vigor	–o–
C138 – Convenio sobre la edad mínima, 1973 (núm. 138) Edad mínima especificada: 15 años.	01 febrero 1999	En vigor	–o–
C182 – Convenio sobre las peores formas de trabajo infantil, 1999 (núm. 182)	17 julio 2000	En vigor	–o–

CONVENIOS DE GOBERNANZA (PRIORITARIOS)

Convenio	Fecha	Estatus	Nota
C122 – Convenio sobre la política del empleo, 1964 (núm. 122)	24 octubre 1968	En vigor	–o–
C144 – Convenio sobre la consulta tripartita (normas internacionales del trabajo), 1976 (núm. 144)	29 julio 1992	En vigor	–o–

---

[1]   Información obtenida del sitio web de la OIT, con fecha 4 de marzo de 2020.

CONVENIOS TÉCNICOS

Convenio	Fecha	Estatus	Nota
C001 – Convenio sobre las horas de trabajo (industria), 1919 (núm. 1)	15 septiembre 1925	En vigor	–o–
C002 – Convenio sobre el desempleo, 1919 (núm. 2)	31 mayo 1933	En vigor	–o–
C003 – Convenio sobre la protección de la maternidad, 1919 (núm. 3)	15 septiembre 1925	No está en vigor	Denunciado el 03 octubre 1997
C004 – Convenio sobre el trabajo nocturno (mujeres), 1919 (núm. 4)	08 octubre 1931	No está en vigor	Convenio derogado – Por decisión de la Conferencia Internacional del Trabajo en su 106.a reunión (2017)
C005 – Convenio sobre la edad mínima (industria), 1919 (núm. 5)	15 septiembre 1925	No está en vigor	Denuncia automática el 01 febrero 2000 por Convenio C138
C006 – Convenio sobre el trabajo nocturno de los menores (industria), 1919 (núm. 6)	15 septiembre 1925	En vigor	–o–
C007 – Convenio sobre la edad mínima (trabajo marítimo), 1920 (núm. 7)	18 octubre 1935	No está en vigor	Denuncia automática el 01 febrero 2000 por Convenio C138
C008 – Convenio sobre las indemnizaciones de desempleo (naufragio), 1920 (núm. 8)	18 octubre 1935	No está en vigor	Denuncia automática el 22 febrero 2019 por Convenio MLC, 2006
C009 – Convenio sobre la colocación de la gente de mar, 1920 (núm. 9)	18 octubre 1935	No está en vigor	Denuncia automática el 22 febrero 2019 por Convenio MLC, 2006
C010 – Convenio sobre la edad mínima (agricultura), 1921 (núm. 10)	18 octubre 1935	No está en vigor	Denuncia automática el 01 febrero 2000 por Convenio C138
C011 – Convenio sobre el derecho de asociación (agricultura), 1921 (núm. 11)	15 septiembre 1925	En vigor	–o–
C012 – Convenio sobre la indemnización por accidentes del trabajo (agricultura), 1921 (núm. 12)	15 septiembre 1925	En vigor	–o–
C013 – Convenio sobre la cerusa (pintura), 1921 (núm. 13)	15 septiembre 1925	En vigor	–o–
C014 – Convenio sobre el descanso semanal (industria), 1921 (núm. 14)	15 septiembre 1925	En vigor	–o–
C015 – Convenio sobre la edad mínima (pañoleros y fogoneros), 1921 (núm. 15)	18 octubre 1935	No está en vigor	Convenio derogado – Por decisión de la Conferencia Internacional del Trabajo en su 106.a reunión (2017)
C016 – Convenio sobre el examen médico de los menores (trabajo marítimo), 1921 (núm. 16)	18 octubre 1935	No está en vigor	Denuncia automática el 22 febrero 2019 por Convenio MLC, 2006

C017 – Convenio sobre la indemnización por accidentes del trabajo, 1925 (núm. 17)	08 octubre 1931	No está en vigor	Denunciado el 08 agosto 2000
C018 – Convenio sobre las enfermedades profesionales, 1925 (núm. 18)	31 mayo 1933	No está en vigor	Denunciado el 08 agosto 2000
C019 – Convenio sobre la igualdad de trato (accidentes del trabajo), 1925 (núm. 19)	08 octubre 1931	En vigor	–o–
C020 – Convenio sobre el trabajo nocturno (panaderías), 1925 (núm. 20)	31 mayo 1933	En vigor	–o–
C022 – Convenio sobre el contrato de enrolamiento de la gente de mar, 1926 (núm. 22)	18 octubre 1935	No está en vigor	Denuncia automática el 22 febrero 2019 por Convenio MLC, 2006
C024 – Convenio sobre el seguro de enfermedad (industria), 1927 (núm. 24)	08 octubre 1931	En vigor	–o–
C025 – Convenio sobre el seguro de enfermedad (agricultura), 1927 (núm. 25)	08 octubre 1931	En vigor	–o–
C026 – Convenio sobre los métodos para la fijación de salarios mínimos, 1928 (núm. 26)	31 mayo 1933	En vigor	–o–
C027 – Convenio sobre la indicación del peso en los fardos transportados por barco, 1929 (núm. 27)	31 mayo 1933	En vigor	–o–
C030 – Convenio sobre las horas de trabajo (comercio y oficinas), 1930 (núm. 30)	18 octubre 1935	En vigor	–o–
C032 – Convenio sobre la protección de los cargadores de muelle contra los accidentes (revisado), 1932 (núm. 32)	18 octubre 1935	En vigor	–o–
C034 – Convenio sobre las agencias retribuidas de colocación, 1933 (núm. 34)	18 octubre 1935	En vigor	–o–
C035 – Convenio sobre el seguro de vejez (industria, etc.), 1933 (núm. 35)	18 octubre 1935	En vigor	–o–
C036 – Convenio sobre el seguro de vejez (agricultura), 1933 (núm. 36)	18 octubre 1935	En vigor	–o–
C037 – Convenio sobre el seguro de invalidez (industria, etc.), 1933 (núm. 37)	18 octubre 1935	En vigor	–o–
C038 – Convenio sobre el seguro de invalidez (agricultura), 1933 (núm. 38)	18 octubre 1935	En vigor	–o–
C042 – Convenio sobre las enfermedades profesionales (revisado), 1934 (núm. 42)	14 octubre 1994	No está en vigor	Denuncia automática el 29 septiembre 2000 por Convenio C121
C045 – Convenio sobre el trabajo subterráneo (mujeres), 1935 (núm. 45)	16 marzo 1946	No está en vigor	Denunciado el 30 mayo 1997
C063 – Convenio sobre estadísticas de salarios y horas de trabajo, 1938 (núm. 63) Excluyendo la parte III.	10 mayo 1957	En vigor	–o–
C080 – Convenio sobre la revisión de los artículos finales, 1946 (núm. 80)	03 noviembre 1949	En vigor	–o–
C103 – Convenio sobre la protección de la maternidad (revisado), 1952 (núm. 103)	14 octubre 1994	En vigor	–o–

C115 – Convenio sobre la protección contra las radiaciones, 1960 (núm. 115)	14 octubre 1994	En vigor	–0–
C121 – Convenio sobre las prestaciones en caso de accidentes del trabajo y enfermedades profesionales, 1964 [Cuadro I modificado en 1980] (núm. 121)	30 septiembre 1999	En vigor	–0–
C127 – Convenio sobre el peso máximo, 1967 (núm. 127)	03 noviembre 1972	En vigor	–0–
C131 – Convenio sobre la fijación de salarios mínimos, 1970 (núm. 131)	13 septiembre 1999	En vigor	–0–
C135 – Convenio sobre los representantes de los trabajadores, 1971 (núm. 135)	13 septiembre 1999	En vigor	–0–
C136 – Convenio sobre el benceno, 1971 (núm. 136)	14 octubre 1994	En vigor	–0–
C140 – Convenio sobre la licencia pagada de estudios, 1974 (núm. 140)	13 septiembre 1999	En vigor	–0–
C151 – Convenio sobre las relaciones de trabajo en la administración pública, 1978 (núm. 151)	17 julio 2000	En vigor	–0–
C156 – Convenio sobre los trabajadores con responsabilidades familiares, 1981 (núm. 156)	14 octubre 1994	En vigor	–0–
C159 – Convenio sobre la readaptación profesional y el empleo (personas inválidas), 1983 (núm. 159)	14 octubre 1994	En vigor	–0–
C161 – Convenio sobre los servicios de salud en el trabajo, 1985 (núm. 161)	30 septiembre 1999	En vigor	–0–
C162 – Convenio sobre el asbesto, 1986 (núm. 162)	14 octubre 1994	En vigor	–0–
C169 – Convenio sobre pueblos indígenas y tribales, 1989 (núm. 169)	15 septiembre 2008	En vigor	–0–
MLC, 2006 – Convenio sobre el trabajo marítimo, 2006 (MLC, 2006)De conformidad con los párrafos 2 y 10 de la Norma A4.5, el Gobierno especificó las ramas de seguridad social siguientes: prestaciones de enfermedad; prestaciones de desempleo; prestaciones por lesiones profesionales y prestaciones de maternidad	22 febrero 2018	En vigor	–0–
Enmiendas de 2014 al MLC, 2006	18–Ene–2017	En vigor	–0–
Enmiendas de 2016 al MLC, 2006	08–Ene–2019	En vigor	–0–
Enmiendas de 2018 al MLC, 2006	26–Dic–2020	No está en vigor	Período de desacuerdo formal hasta el 26 junio 2020
C187 – Convenio sobre el marco promocional para la seguridad y salud en el trabajo, 2006 (núm. 187)	27 abril 2011	En vigor	–0–
C189 – Convenio sobre las trabajadoras y los trabajadores domésticos, 2011 (núm. 189)	10 junio 2015	En vigor	–0–